L'Argent

Christophe Reffait, ancien élève de l'École normale supé-rieure de Fontenay Saint-Cloud et diplômé de l'ESSEC (École supérieure des sciences économiques et commerciales) est maître de conférences en littérature française à l'université de Picardie Jules Verne. Auteur d'une thèse sur *La Bourse dans le roman du second XIXe siècle* (Honoré Champion, 2007), il a également préfacé, dans la collection GF-Flammarion, *La Bête humaine* de Zola.

ZOLA

L'Argent

●

PRÉSENTATION

NOTES

DOSSIER

CHOIX D'ILLUSTRATIONS

LEXIQUE DES TERMES FINANCIERS

CHRONOLOGIE

BIBLIOGRAPHIE

par Christophe Reffait

GF Flammarion

© Éditions Flammarion, Paris, 2009.
ISBN : 978-2-0812-2473-5

Présentation

La Bourse, on n'y comprend rien. Zola se promet de
le dire d'emblée : « Il faut que je mette cela au premier
chapitre, la Bourse au milieu de Paris comme une caverne
mystérieuse et béante, où se passent des choses auxquelles personne ne comprend rien[1]. » Car pour le
romancier et bon nombre de ses contemporains, la
Bourse se caractérise d'abord par cette opacité technique : « On sait qu'on peut y gagner en une heure des
millions, que les rois de l'argent peuvent y changer d'un
mot la fortune des États ; mais par quels moyens ? C'est
ce qu'on ignore. » Ses amis écrivains peuvent-ils éclairer
Zola sur ce point ? Pas vraiment : « Ce que Du Camp
me disait : il n'y a rien compris. » Maupassant peut-être ?
« J'avoue qu'il y a dans ces mots : *affaires de Bourse,
spéculation*, un mystère impénétrable pour mon esprit[2] »,
déclarait celui-ci quelque temps auparavant. Qui pourrait
expliquer clairement à quoi sert la spéculation et en quoi
consistent les opérations boursières ? Zola, lorsqu'il prépare *L'Argent*, rencontre plusieurs professionnels et habitués du palais Brongniart, dont un lui confirme
« l'ignorance absolue où l'on est en France des opérations de Bourse[3] ». Décidément, dans le livre qu'il pro-
jette, il faudra « bien dire que le cerveau français répugne

---

1. Pour cette citation et les suivantes, voir les « Notes Massias »
(conversation avec un remisier), dossier préparatoire de *L'Argent*, BnF,
Ms. NAF 10269, f⁰ˢ 104-105. 2. « À qui la faute ? », *Le Gaulois*, 25 janvier 1882. Voir le Dossier, p. 530 *sq*. 3. « Notes Massias », f⁰103.

à cela, à l'abstrait, aux chiffres, au compliqué des opérations [1] ». Et le premier chapitre du roman s'achève précisément sur cette image de la Bourse devant laquelle il n'est pas possible de passer « sans tourner la tête, dans le désir et la crainte de ce qui se fai[t] là, ce mystère des opérations financières, d'autant plus attirant pour les cervelles françaises, que très peu d'entre elles le pénètrent » (p. 60).

Ainsi, le projet de roman auquel s'attelle Zola en mars-avril 1890 soulève d'emblée un triple problème : technique, moral, idéologique. Le premier est le plus évident : lorsqu'il aborde la question boursière, le romancier mesure que le XIXᵉ siècle a prononcé une sorte de divorce des savoirs. Les sciences et techniques se sont approfondies, les hommes se sont spécialisés, et voilà que certaines sphères de leur activité peuvent dorénavant apparaître inintelligibles à autrui. Le problème que pose la Bourse est aussi moral, puisqu'elle apparaît tentatrice : on sent « le désir, le rut autour » de cette « caverne », écrit Zola. Tout homme qui passe devant le palais Brongniart se demande : « Pourquoi ne m'y enrichirais-je pas [2] ? » Qu'est-ce que la tentation ? Un désir contrecarré par un interdit. Mais si cet interdit relève du pur et simple préjugé, il y a là un vice de civilisation que le roman, tel que l'entend Zola, ne peut tolérer et doit interroger d'urgence. Troisième problème : peut-on sans ciller accepter l'idée que la Bourse est faite et comprise par des hommes « à part » et que le « cerveau français » répugne aux opérations boursières ? Par opposition à quel cerveau ? Pour le boursier anonyme dont Zola recueille les confidences et dont les idées se trouveront incarnées par le personnage de Massias, ces autres cerveaux qui comprennent la Bourse et peuvent fructifier sur l'ignorance française sont tout désignés : « C'est un métier de Juif, il y faut une construction particulière de la cervelle, des

---

1. *Ibid.*, fᵒ 105. 2. *Ibid.*, fᵒ 105 pour cette citation et les suivantes.

aptitudes de race [1]. » Le sujet qu'aborde le romancier le confronte ainsi d'emblée à l'antisémitisme financier du XIXe siècle [2]. Zola, estimant que « cette question des Juifs [...] rapetisse tout [3] », est toutefois décidé à la dépasser. Les trois problèmes énumérés ici se ramènent finalement à deux : hermétisme et préjugé.

L'ARGENT DANS L'ŒUVRE DE ZOLA

A priori, ce n'est pas pour inquiéter un romancier qui a déjà dix-sept volumes des *Rougon-Macquart* derrière lui. Zola est en effet près d'achever l'« Histoire naturelle et sociale d'une famille sous le second Empire » qu'il a entamée vingt ans auparavant (*La Fortune des Rougon*, 1871), et qui doit comprendre vingt volumes. Le roman sur la Bourse, qu'il commence à préparer tout de suite après la publication de *La Bête humaine* (1890), sera suivi d'une part du roman sur Sedan et la Commune, qui fera office de conclusion historique de la série (*La Débâcle*, 1892), d'autre part du roman sur l'hérédité, qui vaudra conclusion théorique de la saga des Rougon et des Macquart (*Le Docteur Pascal*, 1893). *L'Argent*, dix-huitième volume de l'histoire de cette famille, apparaît donc comme la dernière monographie de milieu, après les romans sur les ouvriers (*L'Assommoir*, 1877 ; *Germinal*, 1885), sur la bourgeoisie (*Pot-Bouille*, 1882) ou encore sur les paysans (*La Terre*, 1887).

Décrire un milieu entre dans la définition du naturalisme tel que l'entend Zola. Emboîtant le pas aux frères Goncourt, qui avaient théorisé dans les années 1860 la nécessité de fonder le roman sur des faits vrais et des

---

1. *Ibid.*, f° 103. 2. Quelques années avant l'affaire Dreyfus, en effet, la Bourse est au centre du discours qu'on tient sur les Juifs. Voir Marc Angenot, *Ce que l'on dit des Juifs en 1889. Antisémitisme et discours social*, Presses universitaires de Vincennes, 1989. 3. Ébauche, dossier préparatoire de *L'Argent*, BnF, Ms. NAF 10268, f° 381.

« documents humains », Zola a systématisé une démarche d'enquête qui consiste à reconnaître son terrain romanesque à la manière d'un ethnologue. Il a déjà montré à ses lecteurs les Halles (*Le Ventre de Paris*, 1873) et les grands magasins (*Au Bonheur des Dames*, 1883). Il a déjà démonté devant son public un puits de mine et une locomotive. Il a déjà amalgamé au texte de *L'Assommoir* l'argot du quartier de la Goutte-d'Or, et devrait pouvoir faire de même avec l'idiolecte des boursiers. Quant à affronter le préjugé, cela ne l'effraie pas : les succès de scandale de *L'Assommoir* et de *Nana* (1880), qui ont fait sa fortune et sa célébrité, ne sont que les dates les plus saillantes d'une activité romanesque qui est toujours partie du principe que montrer la vérité, toute la vérité, sans hypocrisie et sans atténuations, est par essence moral [1]. Du reste, le chef-d'œuvre *Germinal*, qui a rallié au romancier toute une partie de la critique jusqu'alors demeurée hostile, a étendu son autorité. En 1890, Zola est depuis quelques années déjà le maître du naturalisme, et le naturalisme est hégémonique.

Le naturalisme est divisé, cependant, et Zola fatigué. À l'occasion de la parution de *La Terre*, trois ans auparavant, une poignée de jeunes romanciers s'est élevée par voie de presse contre le dévoiement du mouvement naturaliste par Zola, accusé de méconnaître les sciences dont il se réclame et surtout de privilégier l'ordure et l'obscénité [2]. Edmond de Goncourt, qui a fini par prendre ombrage de l'impressionnant succès de son ancien disciple, regarde cette fronde avec bienveillance. De son côté, Zola se sent lui-même las de sa « terrible série » et aspire à se renouveler. Les cycles des *Trois Villes* (1894-1898) et des *Quatre Évangiles* (1899-1902), qui composeront ce que la critique du XXe siècle a appelé le

---

1. Voir, parmi bien d'autres, l'article « De la moralité dans la littérature », in *Documents littéraires* [1881], *Œuvres complètes*, t. XII, Tchou/Cercle du livre précieux, 1969, p. 489 *sq.* 2. Il s'agit du « Manifeste des Cinq », paru dans *Le Figaro* du 18 août 1887 et signé par Paul Bonnetain, Joseph Henry Rosny, Lucien Descaves, Gustave Guiches et Paul Margueritte appelé le

« troisième Zola[1] », semblent déjà en germe dans l'esprit du romancier sur le point d'achever *Les Rougon-Macquart*. D'ailleurs, le débat esthétique sur les suites à donner au naturalisme est général. La publication de *L'Argent* en volume, le 4 mars 1891, est contemporaine du lancement par le journaliste Jules Huret d'une vaste *Enquête sur l'évolution littéraire* : du 3 mars au 5 juillet paraissent dans *L'Écho de Paris* les interviews de soixante-quatre écrivains du moment. Toutes les familles du paysage littéraire, « Naturalistes », « Psychologues » et autres « Symbolistes », contribuent à cette enquête qui part du principe que le naturalisme touche à sa fin. Dans sa réponse à l'enquêteur, Zola donne la formule d'une esthétique d'avenir qu'il se propose aussitôt d'illustrer. Elle serait dégagée des « théories trop rigoureuses[2] », et elle consentirait à « une acceptation plus logique, plus attendrie de la vie[3] ». Le propos est vague. Il annonce aussi bien l'apparition d'une littérature inspirée du socialisme[4] que la fondation, quelques années plus tard, du mouvement naturiste[5] et l'évolution de Zola lui-même vers le genre utopique.

En somme, la préparation de *L'Argent* prend place à un moment tout à fait singulier de la carrière de Zola et de l'évolution du genre romanesque en France – moment où simultanément s'érode la formule de la monographie de milieu et où s'affirme un mouvement général vers le roman d'idées. On frise même le paradoxe : alors que l'infatigable descripteur et compilateur de savoirs[6] commence à se lasser de sa formule, il aborde le thème

---

1. Par opposition au premier Zola (celui des contes, romans et romans-feuilletons écrits de 1865 à 1869) et au deuxième Zola (auteur des *Rougon-Macquart*). **2.** Manière de reconsidérer ses propres manifestes, parmi lesquels *Le Roman expérimental* (1880) a pu apparaître comme le plus dogmatique. **3.** Voir le Dossier p. 510 *sq*. **4.** C'est aussi ce qu'anticipe, entre autres, Octave Mirbeau dans l'enquête de Jules Huret. **5.** Mouvement encouragé par Zola, et dont les protagonistes seront Saint-Georges de Bouhélier et Maurice Leblond. **6.** Voir Philippe Hamon, « Un discours contraint », *Poétique* n° 16, 1973, repris in *Littérature et réalité*, Seuil, « Points Essais », 1982, p. 119-181.

techniquement le plus difficile de sa carrière. Fidèle à son habitude, Zola mène son enquête : « lecture des livres techniques, visites aux hommes compétents, notes prises sur les lieux à décrire [1] », et le dossier préparatoire de *L'Argent* se révèle l'un des plus volumineux des *Rougon-Macquart*. Mais l'auteur est confronté à des difficultés inédites, comme il l'avoue au critique étranger Jacques Van Santen Kolff, devenu au fil des ans le confident épistolaire de la genèse de ses romans :

> Cette fois, j'ai eu seulement un peu plus de mal que les autres, parce que j'entrais dans un monde qui m'était totalement inconnu, et que rien, selon moi, n'est plus réfractaire à l'art que les questions d'argent, que cette matière financière, dans laquelle je suis plongé jusqu'au cou.

Dans ces confidences, tout concourt à faire de *L'Argent* un exemple *a fortiori* de la difficulté – mais aussi de la valeur – du roman naturaliste zolien : « Cette fois, le tour de force avec lequel je me bats est vraiment si dur, que j'en ai, certains jours, les reins cassés. » Finalement, le romancier a bien travaillé, nous disent les spécialistes d'histoire économique et financière ou les banquiers qui lisent *L'Argent* : il ne s'est trompé que sur d'infimes détails techniques [2]. La question de l'hermétisme des affaires de Bourse a ainsi été dominée. Et le propos sur le « mystère des opérations financières » (p. 27), qui figure au seuil du roman, est justement censé être dépassé par le récit. Reste la question idéologique et morale, celle des préjugés sur la spéculation boursière. Dans la mesure où *L'Argent* s'inscrit au beau milieu de la réflexion de Zola et de ses contemporains sur le roman d'idées, on devine aisément que cette question trouvera aussi sa réponse.

---

1. Cette citation et les suivantes proviennent de la lettre à Jacques Van Santen Kolff du 12 septembre 1890. **2.** Voir dans la bibliographie les travaux d'Alain Bouvier, Alain Plessis et Hélène Gomart.

GENÈSE ET SOURCES DU ROMAN

Dans la liste des dix romans à faire qu'il a remise
en 1869 à son premier éditeur Lacroix, Zola ne men-
tionnait pas de roman de la Bourse. Il affirme toutefois
en 1890 à Jacques Van Santen Kolff que « l'idée de ce
roman n'est pas du tout récente » : « J'ai toujours
réservé une case pour ce que j'appelais mon roman sur
la Bourse [1]. » Il est vrai qu'en préparant *Son Excellence
Eugène Rougon* (1876), roman politique consacré à la
période autoritaire du second Empire, depuis sa procla-
mation en 1852 jusqu'à 1860 environ, Zola prévoyait
d'aborder dans un autre volume la période de 1860
à 1870, marquée par les réformes libérales [2]. Or ce
projet de second roman politique des *Rougon-Macquart*
a en effet fusionné avec le projet sur « la Bourse et les
journaux » qui apparaît pour la première fois sous la
plume du romancier en 1883-1884 [3]. Date intéressante,
dans la mesure où elle suit de peu le krach boursier
de 1882, qui constitue la source principale de l'action
de *L'Argent*. Cet aperçu de la tectonique des thèmes
qui régit la vaste série des *Rougon-Macquart* fait du
dix-huitième volume un roman triple, portant sur la
Bourse, sur la vie politique à la fin du second Empire
et sur les journaux [4]. De même, l'*opus* immédiatement
précédent, *La Bête humaine*, était la combinaison complexe d'un roman sur le crime héréditaire, d'un roman

---

1. Lettre à Jacques Van Santen Kolff du 12 septembre 1890. **2.** Voir
l'Ébauche de *Son Excellence Eugène Rougon*, BnF, Ms. NAF 10291.
Notons que l'intention de faire un « roman sur la débâcle » ou une
« étude sur les journaux à la fin de l'Empire » est attestée dès 1872 :
voir Émile Zola, *Les Rougon-Macquart*, éd. Henri Mitterand, t. V, Gallimard, « Bibliothèque de la Pléiade », 1967, p. 1780. **3.** Dans une liste
nouvelle de romans à faire. Voir BnF, Ms. NAF 10329, f° 299 (*Les Rougon-Macquart*, t. V, *op. cit.*, p. 1234). **4.** Mais ce dernier thème, même
s'il est cher à Zola qui fut aussi un grand journaliste, ne saurait être
développé longuement après *Bel-Ami* (1885) de Maupassant.

sur la magistrature et d'un roman sur les chemins de fer. C'est peut-être un trait distinctif des volumes de la fin des *Rougon-Macquart* que de tresser ainsi plusieurs sujets, dans la mesure où Zola s'est *a priori* limité à vingt volumes mais où il lui reste plusieurs questions à aborder.

Lorsque Zola s'attelle à la préparation de son roman sur la Bourse, il hésite entre plusieurs affaires financières susceptibles de nourrir l'intrigue. Il lui faut en tout cas, comme il le déclare aux journalistes friands des confidences du « Maître » sur ses romans en préparation, « une affaire énorme, gigantesque, qui prenne un homme audacieux et le rende maître de la Bourse, du marché financier, en l'espace de quelques années [1] ». Car le problème majeur que pose un roman sur la spéculation boursière est le risque de sécheresse : « Il est très difficile de faire un roman sur l'argent, observe Zola. C'est froid, glacial, dénué d'intérêt [2]. » La seconde difficulté est de ne pas faire d'anachronisme. Souci certes secondaire, dans la mesure où Zola a déjà maintes fois déplacé sous le second Empire des événements qui étaient plus proches du moment de la rédaction de ses romans – on gagne d'ailleurs à lire chaque volume des *Rougon-Macquart* comme un roman portant *aussi* sur son temps, *L'Argent* n'échappant pas à cette règle. Mais, naturalisme oblige, il faut s'inspirer pour *L'Argent* d'un événement financier survenu sous le second Empire, ou du moins, s'il est postérieur, adaptable à la chronologie des *Rougon-Macquart*. Zola, qui écrit au moment où se profile déjà le scandale de Panamá (1891-1893) et où vient d'éclater l'affaire dite « des Métaux », fait son choix parmi trois affaires un peu plus anciennes. En réalité, chacune d'elles informe le roman.

---

1. Entretien avec M. Fenouil paru dans le *Gil Blas* du 8 avril 1890. Voir *Les Rougon-Macquart*, t. V, *op. cit.*, p. 1236. **2.** *Ibid.*

« L'affaire Mirès me semble indiquée », déclare d'abord le romancier aux journalistes au début du mois d'avril 1890. Jules Isaac Mirès (1809-1871) avait été un important financier du début du second Empire, dont les multiples entreprises, aussi bien dans les chemins de fer que dans les mines ou les ports, s'étaient soldées en 1861 par une ruine retentissante et une condamnation pour fraude et détournement. Mirès avait en outre été un acteur important du débat idéologique de l'époque sur la spéculation. Aux dramaturges et aux pamphlétaires qui fustigeaient la Bourse en 1856 et 1857, il répliquait dans *Le Constitutionnel* pour défendre le bien-fondé de la spéculation contre ce qu'il appelait la « réaction financière[1] ». À l'inverse, il se trouvait pris pour cible. Proudhon, dans son *Manuel du spéculateur à la Bourse* (1854, 1857)[2], avait dénoncé ses manœuvres à la tête de la Caisse nationale des chemins de fer et du journal associé. Le polygraphe Eugène de Mirecourt avait commis une biographie diffamatoire pour laquelle il s'était retrouvé en prison, d'où il avait *illico* écrit un pamphlet contre la Bourse[3]. Et plus de trente ans après, en 1890, Maxime Du Camp[4] annonçait à Zola avoir encore des informations confidentielles à lui communiquer sur les aventures sexuelles de Mirès. Il y a donc là un personnage d'emblée romanesque, propre à corriger la sécheresse du sujet. Si Zola jugea en fin de compte que cette affaire n'était « pas intéressante[5] », il n'en donna pas moins au

---

1. C'est-à-dire la pensée réactionnaire en matière financière. L'expression constitue aussi le titre de l'un des chapitres du plaidoyer qu'il écrivit en prison : *À mes juges : ma vie et mes affaires*, Baudilliat Imprimeur, 1861. **2.** 1854 est la date de la première publication de ce *vade mecum* de la Bourse – en fait un véritable pamphlet –, et 1857 la date de la troisième édition, pour la première fois signée de Proudhon. **3.** Eugène de Mirecourt, *La Bourse, ses abus et ses mystères*, Paris, 1858. **4.** Écrivain, ancien compagnon de Flaubert lors de son voyage en Orient de 1849-1851, et auteur, dans les années 1880, d'intéressantes études sociologiques et historiques sur Paris. **5.** « L'affaire Mirès m'avait séduit ; elle est vaste, considérable, étendue, mais elle n'est pas intéressante » (Entretien avec M. Fenouil, art. cité).

protagoniste de *L'Argent* certains traits de Jules Mirès. Le personnage d'Aristide Rougon, dit « Saccard », protagoniste du deuxième volume des *Rougon-Macquart* sur la spéculation foncière à l'époque d'Haussmann (*La Curée*, 1872)[1], reparaît certes en héros de *L'Argent* ; mais ici, Saccard, devenu le directeur officiel d'une banque audacieuse et l'inspirateur de journaux financiers louches, doublé d'un chaleureux avocat de l'agiotage, endosse bien un rôle à la Mirès. Et l'importance de la symbolique phallique dans ce discours romanesque sur la spéculation est alimentée par les indiscrétions de Maxime Du Camp.

La faillite, en 1867, du Crédit mobilier des frères Jacob Émile et Isaac Pereire fournit un autre sujet, qui cette fois cadre parfaitement avec la chronologie envisagée. Importantes figures du second Empire, grands acteurs de l'industrialisation de la France, les frères Pereire ont en particulier incarné une conception nouvelle de la banque, qui ne consistait pas à prêter sur ses fonds propres, mais à assurer l'émission des titres nécessaires au financement des plus vastes entreprises industrielles – ce qui était plus risqué, puisque cela supposait de placer les actions auprès du public et impliquait force réclame et jeux de Bourse. Pour le romancier, en outre, il y avait là un sujet proprement épique, dans la mesure où les frères Pereire s'étaient opposés sur le marché boursier à leur ancien patron James de Rothschild, qui avait fini par les vaincre. Or Zola avait tous les moyens d'enquêter sur ce duel de titans : l'un de ses proches, le romancier Ernest Feydeau, auteur de *Fanny*, avait été employé des Pereire et avait tiré de cette expérience non seulement une pièce de théâtre[2], mais aussi et surtout des *Mémoires d'un coulissier* (1873), que Zola a lus.

Même s'il ne retient pas les détails de l'affaire du Crédit mobilier pour construire son intrigue, le roman doit

---

1. Voir le Dossier, p. 503 *sq.* 2. Ernest Feydeau, *Un coup de Bourse*, étude dramatique en cinq actes, Michel Lévy frères, 1868.

de toute évidence sa structure antagonique à la geste des Pereire. À Saccard, directeur de la Banque universelle, qui finance des projets industriels par appel à souscription publique, le récit oppose Gundermann, banquier juif très nettement inspiré de Rothschild, qui trône sur son invincible « milliard » (p. 321). Le roman de Zola met ainsi en scène l'opposition de deux « principes financiers », comme l'écrivait Ernest Feydeau, l'un aventureux et virtuel, l'autre patrimonial et raisonnable. Du reste, les petits romans de mœurs financières écrits avant *L'Argent* ont souvent exploité le motif de la bataille de Bourse, usant de comparaisons napoléoniennes que l'on trouve aussi sous la plume du romancier naturaliste. Ce schéma d'intrigue est donc bien éprouvé, et fort approprié pour trousser ce que Zola appelle, dans le dossier préparatoire du roman, un « drame de Bourse ».

C'est sur un événement financier postérieur au second Empire que s'est finalement concentré le romancier : le krach de l'Union générale en 1882 – événement curieux pour un observateur d'aujourd'hui, car profondément inscrit dans le contexte idéologique des deux premières décennies de la IIIe République. L'Union générale, banque relancée en mai 1878 et présidée par l'ingénieur Eugène Bontoux, s'était donné pour vocation de combattre l'influence de la finance juive en matière de financement de l'industrie et des chemins de fer, non seulement en France mais aussi en Autriche. Dans cette perspective, Bontoux en avait appelé à un actionnariat composé de monarchistes, de catholiques convaincus et même de membres du clergé, c'est-à-dire des franges les plus réactionnaires de la société. Ces groupes, qui avaient pu constater leur défaite politique dans les années 1877-1879, avec la chute de Mac-Mahon et l'établissement d'une majorité républicaine au Sénat et à la Chambre, pouvaient trouver dans l'Union générale un nouvel étendard. Sous l'impulsion de son président et de son directeur, Feder, la banque s'était lancée dans une ambitieuse politique de développement, qui s'était traduite par trois augmentations de capital en deux ans et demi. Ces augmentations, cependant, étaient frauduleuses, Bontoux dissimulant que le capital n'avait pas été intégralement souscrit. Dans la bulle spéculative qui s'était constituée peu à peu sur l'ensemble du marché, l'Union générale apparut fin 1881 comme l'un des établissements dont les cours étaient les plus évidemment forcés. Il suffit de parcourir les bulletins boursiers de l'époque [1] pour percevoir le scepticisme qui régnait à l'endroit de la « Timbale », nom satirique qu'on donnait alors à cette entreprise catholique de financement de l'industrie et, accessoirement, de constitution d'un trésor pour le pape spolié par les progrès de l'unité italienne. La chute des cours fut bientôt vertigineuse, et Bontoux comme Feder furent condamnés. De là à se considérer comme le bouc émissaire de la crise générale, la cible du ministère Gambetta ou encore la victime de la banque juive, il n'y avait qu'un pas, que Bontoux franchit en publiant *L'Union générale, sa vie, sa mort, son programme* (1888), ouvrage scrupuleusement lu par Zola lorsqu'il était en train de préparer son roman. Un peu plus tard, Eugène Bontoux devait se rallier à Édouard Drumont, agitateur antisémite des années 1880 puis du temps de l'affaire Dreyfus, et à ce titre futur adversaire de Zola.

L'affaire de l'Union générale, même si elle participe d'un contexte économique de crise qui n'est pas celui de la fin de l'Empire, intéresse Zola. D'abord, l'idée d'une banque catholique se coule parfaitement dans le contexte politique et diplomatique des années 1864-1867 que le romancier veut évoquer, dans la mesure où cette période est marquée par l'opposition des cléricaux français à la politique italienne de Napoléon III [2]. Ensuite, la scansion

---

1. Voir dans le *Gil Blas* la rubrique « Les coulisses de la finance », par Don Caprice (Bernard), en particulier les 15 et 22 janvier 1882 et les 5, 12 et 13 février, où le chroniqueur est très en verve. 2. Ces points seront abordés en détail dans l'appareil de notes du roman.

même des augmentations de capital fomentées par Bontoux, jusqu'à la débâcle finale, fournit une véritable
« carcasse » au romancier, comme on dit en langage de
théâtre : il ne lui reste plus qu'à greffer, sur les trois
étapes comptables de l'expansion de cette banque, une
évocation de la fièvre qu'elle entretient conjointement à
la Bourse, pour tenir là un excellent drame financier.
L'affaire de l'Union générale donne en outre à Zola l'idée
d'une banque bicéphale : chez Saccard, directeur sans
scrupule de la Banque universelle, et Hamelin, ingénieur
honnête nommé président de la banque, se distribuent et
se mêlent les traits de Bontoux et de Feder.

Toutefois, cela ne suffit pas encore à faire un roman.
« L'action, ce n'est pas ce qui m'inquiète, déclare en effet
Zola en avril 1890, ni même les personnages [1]. » Et
d'ajouter : « C'est le cadre que je ne vois pas encore. »
Qu'entend Zola par *cadre* [2] ? Si le mot peut désigner non
seulement l'extension sociologique et topographique du
milieu décrit, mais aussi, plus abstraitement, le cadrage
philosophique de l'ouvrage, peut-être faut-il mettre en
évidence une autre qualité de l'affaire de l'Union générale pour un romancier en quête de matière. Dans son
dossier préparatoire, Zola revient quatre fois sur l'idée
que Bontoux avait un « portefeuille plein de projets ». Il
en tirera l'idée que Hamelin et sa sœur Caroline suspen-
dent dans une pièce de leur appartement, le « cabinet aux
épures » (p. 101), des plans et aquarelles représentant les
projets industriels de l'ingénieur et les lieux de la côte
méditerranéenne où les développer. Telle est peut-être
l'origine du discours de *L'Argent* sur la nature abstraite,
projetée, rêveuse enfin, de la spéculation. Que les augmentations de capital de Bontoux aient été factices, le
cours de Bourse gonflé et les projets si abondants

---

1. Entretien avec M. Fenouil, art. cité. **2.** Il s'agit d'un des termes
les plus importants et les plus imprécis de son métalangage personnel.
Voir sur ces questions Philippe Hamon (dir.), *Le Signe et la consigne.
Essai sur la genèse de l'œuvre en régime naturaliste*, Genève, Droz, 2009.

exprime en effet une seule et même qualité de l'affaire de l'Union générale par rapport à l'affaire Mirès et à la chute du Crédit mobilier : son merveilleux rapport à la fiction, censément séduisant pour un romancier sûr de ses propres pouvoirs.

LITTÉRATURE DE L'ARGENT
ET LITTÉRATURE BOURSIÈRE

Écrire sur l'argent, en 1890, est une gageure ; écrire un roman intitulé *L'Argent* est peut-être même une énormité. Qui n'a pas écrit sur l'argent au XIXe siècle ? Il suffit d'empoigner les différents tomes du *Catalogue général de la librairie française* d'Otto Lorenz pour comprendre qu'il est impossible d'inventorier tous les titres de fiction évoquant l'argent à l'époque. « L'argent, l'argent, déplorait Sainte-Beuve en 1843, on ne saurait dire combien il est vraiment le nerf et le dieu de la littérature aujourd'hui [1]. » Et Théophile Gautier, déclarant cinq ans plus tard « n'être pas assez fort calculateur pour suivre l'intrigue de certaines pièces et de certains romans », éreintait le vaudevilliste Scribe, dont le « mobile dramatique est l'argent », en s'en prenant du même coup à son public :

> Ces sentiments commerciaux, exprimés en prose assortie, doivent faire et font réellement le charme d'une société avant tout industrielle, pour qui la probité se résout dans l'exactitude aux échéances, et dont la rêverie est de gagner le plus d'argent possible dans le plus bref délai [2].

---

1. Sainte-Beuve, « Quelques vérités sur la situation en littérature », *Revue des Deux Mondes*, 1843, repris dans les *Portraits contemporains*, vol. 2. 2. Théophile Gautier, critique de *Oscar, ou Le mari qui trompe sa femme*, de Scribe, *La Presse*, 27 avril 1842, in *Histoire de l'art dramatique en France depuis vingt-cinq ans*, t. II [Leipzig, 1858-1859], Genève, Slatkine, 1968, p. 235.

L'argent est *le* sujet théâtral et romanesque du XIXᵉ siècle puisque c'est lui, depuis la fin de la société d'ordres, qui préside à « la transfusion sociale des espèces inférieures dans la haute sphère », comme l'écrivait Balzac dans l'avant-propos de *La Comédie humaine* (1842). C'est par lui que « l'épicier devient certainement pair de France, et le noble descend parfois au dernier rang social[1] ». L'homme n'est pas nécessairement dépravé par la société, estime Balzac, mais « l'intérêt développe alors énormément ses penchants mauvais[2] ». Charge au roman d'enregistrer les trajectoires des contemporains, de les chiffrer aux mille livres de rente près, de retourner les cartes pour dire combien ont les Grandet, de dessiner enfin le grand diagramme du bouleversement social postrévolutionnaire. Or le roman balzacien a déjà tout dit de l'enrichissement des Rastignac ou de la ruine des Goriot ; il a chiffré le passif de César Birotteau[3] et le prix des passions de Hulot (*La Cousine Bette*, 1846). Et Zola concluait lui-même : « Balzac, acteur du drame de l'argent, a dégagé de l'argent tout le pathétique terrible qu'il contient à notre époque[4]. » Entre-temps, les banquiers d'Honoré Daumier se sont partout répandus : sous leur meilleur jour dans *Lucien Leuwen* (1836) de Stendhal, sous leur pire aspect dans *Le Comte de Monte-Cristo* (1844-1846) de Dumas. Et même quand ils ne sont plus de la partie, le roman parvient encore à faire d'un arriéré de tailleur le motif du suicide d'une Emma Bovary. L'argent est partout, dans la littérature élitaire comme dans le roman populaire, sur la scène des théâtres comme au rez-de-chaussée des journaux.

---

1. Avant-propos de *La Comédie humaine*, in *Balzac. Écrits sur le roman*, anthologie par Stéphane Vachon, Le Livre de Poche, 2000, p. 282. 2. *Ibid.*, p. 290. 3. Voir le Dossier, p. 506 et 523-524. 4. Entendons par là aussi bien la monarchie de Juillet du roman balzacien que le second Empire des *Rougon-Macquart* et la IIIᵉ République de Panamá. Émile Zola, chapitre « Balzac », section VI, in *Les Romanciers naturalistes* (1881), éd. Henri Mitterand, Tchou/Cercle du livre précieux, 1968, p. 56.

Qu'ajoute le thème de la Bourse à cette surabondante littérature de l'argent ? D'abord sans doute le charme des curiosités. Il est frappant de constater que, dans les quelques mois qui précèdent l'inauguration du palais Brongniart en novembre 1826, trois pièces sont jouées au Théâtre-Français [1] qui mettent en scène, aux côtés du classique banquier, le plus moderne spéculateur : un homme qui, dès qu'une heure sonne à son gousset, file à la Bourse par-delà les jardins du Palais-Royal ; un hâbleur distrait et remuant ; bref, un « curieux », aurait dit La Bruyère. Très vite, la gravure et la caricature prennent le relais, et les physiologies s'emparent de la Bourse. À la célèbre série *Les Français peints par eux-mêmes* (1840-1842), qui contient un chapitre sur le spécu-lateur [2], il faudrait ajouter les opuscules in-32 qui fleurissent entre 1854 et 1858 pour concentrer en 96 pages la description des types de spéculateurs à la Bourse, quelques bons mots et anecdotes, et même l'explication, à la volée, de deux ou trois opérations bour-sières : dans cette veine, citons le *Paris-boursier* (1854), premier volume de la collection « Les petits Paris », et l'opuscule *Le Million* (1858), le premier que lut Jules Vallès dans la série « Paris vivant par les hommes nou-veaux ». Et cette littérature panoramique répand son sel dans les genres contigus. En effet, les guides de la Bourse, qui se multiplient à partir de 1852, en corrélation avec l'essor des affaires, sacrifient eux aussi à la peinture des mœurs du palais Brongniart. Si l'économiste socialiste Pierre Joseph Proudhon se refuse à cette approche dans son *Manuel du spéculateur à la Bourse* – comme si son réquisitoire n'était pas compatible avec les plaisirs de la physiologie –, le jeune Jules Vallès, qui souhaite l'imiter

---

1. *Le Spéculateur*, de Riboutté ; *L'Agiotage*, de Picard et Empis ; *L'Argent ou les Mœurs du siècle*, de Bonjour. **2.** *Les Français peints par eux-mêmes : encyclopédie morale du XIXᵉ siècle*, 10 vol., Paris, Léon Curmer, 1840-1842 (l'article sur le spéculateur se trouve à la fin du premier volume).

en écrivant *L'Argent* (1857)[1], ne prend la plume, lui, que pour croquer ces hommes de Bourse : ici l'actionnaire, là Jules Mirès, là-bas l'agent de change qui passe… Il est vrai que le thème boursier perd un peu en fraîcheur lorsqu'il se sédimente dans la masse des romans du second XIXe siècle. Les petits romans des années 1850, encore émoustillés par le palais Brongniart, laissent place à des intrigues plus lointaines ; la Bourse n'est plus qu'un hors-scène vague d'où arrivent de mauvaises nouvelles. Les crises financières seules – le krach de Vienne en 1873 et surtout le krach de l'Union générale en 1882 – suscitent, vers la fin du siècle, un regain de la production romanesque.

Cette littérature boursière ne se distingue pas de la littérature de l'argent par son seul piquant ethnologique. Elle présente deux autres traits qui font sa spécificité et son succès : d'abord, elle exagère la représentation des mutations sociales ; ensuite, elle interroge le caractère fictionnel de la notion de valeur. En effet, si toute littérature de l'argent constate que « l'aristocratie des écus a remplacé celle des noms[2] » et met en scène la « transfusion sociale » qu'évoque l'avant-propos de *La Comédie humaine*, la littérature boursière donne de ce mouvement une représentation à la fois concentrée et amplifiée. Les fortunes se font et se défont en une séance de Bourse. Héritages, dots et gains valsent plus rapidement qu'ils ne l'ont jamais fait. « L'argent vole, va et vient, ici et là, d'un bout de la France à l'autre, de la poche du Gascon à celle du Breton », s'exclame Vallès : c'est la « foire aux écus », c'est la « Carmagnole des millions[3] » ; « Que le pouls batte avec fureur, que millionnaires et millions se bousculent, montent et descendent, tant mieux[4] ! » Pour

---

1. Jules Vallès, *L'Argent, par un homme de lettres devenu homme de Bourse*, in *Œuvres*, t. I, Gallimard, « Bibliothèque de la Pléiade », 1975. **2.** Casimir Bonjour, préface de *L'Argent ou les Mœurs du siècle* (Théâtre-Français, 12 octobre 1826), Ponthieu et Amyot, p. III-IV. **3.** Jules Vallès, *L'Argent, par un homme de lettres devenu homme de Bourse*, *op. cit.*, p. 18. **4.** *Ibid.*, « Lettre à Monsieur Jules Mirès », p. 7.

les économistes, la Bourse est la quintessence du marché : c'est là, autour de la corbeille, dans la cotation à la criée, qu'il se manifeste théoriquement dans ses plus grandes rapidité, fluidité et transparence. Aux yeux des littérateurs du XIXe siècle, la Bourse est donc l'hyperbole de la circulation de l'argent et du bouleversement social. La nouvelle fort hermétique qu'est *La Maison Nucingen* (1838) de Balzac [1] jette un frêle pinceau de lumière sur un amas de rouages – faillites frauduleuses du banquier Nucingen, émission de titres – dont le seul effet visible est la chute de l'aristocrate Beaudenord et, en passant, l'enrichissement d'un Rastignac. À cet égard, le titre d'un vaudeville de 1821 mérite d'être retenu : *Le Jeu de Bourse ou la Bascule* [2] : la Bourse est la grande « bascule », la Providence, le *deus ex machina* qui amplifie désormais les péripéties théâtrales et romanesques. L'intrigue boursière se substitue avantageusement aux histoires de jeu ou d'héritage qui ont pu nourrir le roman et la scène depuis le XVIIIe siècle, parce qu'elle accélère et universalise le bouleversement des conditions.

Le corollaire de cette labilité des opérations boursières est leur caractère de fiction. « Les opérations sont fictives, les bénéfices sont fictifs, la valeur est fictive, c'est une simple convention [3] », s'étonne Maupassant aux lendemains du krach de l'Union générale. Le fonctionnement même des marchés à terme [4] insulte d'emblée la raison des contemporains : comment peut-on, par exemple, s'engager à vendre quelque chose qu'on n'a pas encore acheté ? Pendant la majeure partie du siècle, l'économie politique [5], le législateur, les moralistes et la cohorte des publicistes en tous genres cherchent à faire le tri entre les affaires *au comptant*, les seules reconnues « sérieuses » ; la spéculation *à terme*, dite « sérieuse »

---

1. Voir le Dossier, p. 523 *sq.* 2. Par Picard, Waflard et Fulgence. 3. « À qui la faute ? », art. cité. 4. Voir le Lexique financier pour la définition des différentes opérations spéculatives. 5. Voir le *Traité d'économie politique* (1841) ou le *Cours complet d'économie politique* (1852) de Jean-Baptiste Say.

lorsque le capitaliste livre ou lève véritablement les titres qu'il a vendus ou achetés ; enfin ce qu'on flétrit sous le nom d'*agiotage* ou de *jeu*, tout en reconnaissant qu'il est impossible de le dissocier techniquement de la spéculation « productive »... Les marchés à terme étant, pour cette raison, non reconnus officiellement jusqu'en 1885, on en arrive à des situations aberrantes : le spéculateur qui gagne touche ses différences alors que le spéculateur qui perd peut alléguer ce qu'on nomme l'*exception de jeu* et ne rien payer du tout. D'où l'incompréhension, la condamnation et la conviction que dans la Bourse, tout est fiction. Il y a là un déphasage entre la loi, la morale et les pratiques qui a certainement alimenté la littérature boursière du XIXᵉ siècle français. En tout cas, pendant que les moralistes s'étranglent, les vaudevillistes s'amusent beaucoup. On joue en 1856 un vaudeville intitulé *La Bourse au village*, où les paysans se mettent à spéculer fiévreusement sur les légumes, anticipant des productions disproportionnées : « C'est au point qu'hier vous aviez acheté trois mille carottes, et qu'aujourd'hui je n'en avais pas une seule à mettre au pot-au-feu », reproche une villageoise à son mari. « Les carottes cessent d'être un légume, c'est une valeur [1] », réplique-t-il solennellement, avant d'être ramené à la raison par un krach sur les navets, les asperges et les cornichons. Tout est fiction. Zola a déjà eu à penser l'argent et la spéculation dans *Les Rougon-Macquart* [2], mais le projet d'écrire sur les abstractions de la Bourse l'expose à l'essence même de la spéculation.

Ce résumé de la profuse littérature boursière du XIXᵉ siècle indique la difficulté de l'entreprise zolienne en 1890. M. Zola a-t-il quelque chose à ajouter ? Sans doute. Et affronter un thème rebattu par un siècle d'écrits en tous genres n'est pas pour faire peur à « un artiste un

---

1. Clairville, Lubize et Siraudin, *La Bourse au village*, vaudeville en un acte (théâtre des Variétés, 2 juillet 1856), scène 8. **2.** Voir le Dossier, p. 499 *sq.*

peu massif, mais doué de puissants poumons et de gros poings [1] », comme l'écrivait peu aimablement Huysmans. D'abord, Zola se propose une synthèse de cet héritage littéraire. Il faut lire les vingt premières pages de *L'Argent*, qui présentent la déambulation de Saccard autour du palais Brongniart, comme une récapitulation de stéréotypes en forme de reconnaissance topographique. Le roman commence en effet par un déjeuner chez Champeaux, adresse connue de la place de la Bourse. De là, on avise la façade du palais Brongniart, côté rue Vivienne, et l'on évoque la foule des hommes en redingote qui gagne le grand perron peu avant une heure. *Topos* romanesque que ce déjeuner des boursiers [2] ! Cliché que l'image de la « fourmilière [3] » des spéculateurs ! Carte postale, perspective éculée que cette vue de la Bourse [4] ! Lorsque le romancier évoque le « haussier » Pillerault et le « baissier » Moser, « deux types de spéculateurs très connus [5] », ou lorsqu'il introduit le capitaine Chave, type du petit joueur au comptant, il présente un personnel boursier bien connu des physiologies ou de la gravure depuis une cinquantaine d'années [6]. Lorsqu'il décrit le personnage de la Méchain, « bien connue des habitués de la Bourse » (p. 29), cet oiseau de mauvais augure qui recueille dans son cabas les actions dites déclassées, lorsqu'il croque la coulisse des « Pieds humides » (p. 28), lorsqu'il présente la belle baronne Sandorff, qui spécule depuis sa voiture arrêtée le long du palais Brongniart, lorsqu'il montre, enfin, les joueuses misérables qui rôdent sous les marronniers de la place de la Bourse, il reprend les lieux communs des pamphlets et

---

1. Joris-Karl Huysmans, *À rebours* [1884], « Préface écrite vingt ans après le roman » [1903], Gallimard, « Folio », 1977, p. 59. **2.** Voir notamment *Le Million* (1882) de Jules Claretie et *Le Roman d'un coulissier* (1885) d'Alfred de Sauvenière. **3.** Voir les romans de mœurs boursières des années 1880, mais aussi les dessins et caricatures de Torrez et de Daumier. **4.** Voir les photographies de Pelcoq dans les années 1880. **5.** Ébauche de *L'Argent*, fº 444. **6.** Voir la planche de Renouard pour *L'Illustration* (1882) reproduite dans le Dossier, p. 536.

des petites brochures des années 1850. Le personnage de Jordan, journaliste et aspirant romancier qui s'exclame « Oh ! à la Bourse, jamais ! » (p. 32), n'est pas seulement une image partielle de Zola jeune, c'est aussi le type du héros vertueux des romans populaires à sujet boursier. Quant à Jantrou, qui va devenir dans le roman le rédacteur en chef du journal *L'Espérance*, inféodé à la Banque universelle de Saccard, il est le type du mercenaire littéraire, du publicitaire financier décrit dans les brochures et les romans du second XIXe siècle.

On pourrait poursuivre longtemps cette récapitulation érudite : c'est que le roman zolien lui-même est érudit. Tout comme Saccard recrute ses hommes autour de la Bourse, Zola puise ses personnages dans un vivier connu. D'ailleurs, loin de cacher son emprunt, il souligne le caractère d'exposition de son chapitre liminaire : à Jantrou qui présente à Saccard l'histoire de la Sandorff, ce dernier réplique abruptement : « Je sais » (p. 36). Et le texte suggère à quel point « les Moser trembleurs, les Pillerault vantards, et ces Salmon plus creux que des courges » sont caricaturaux (p. 22). *L'Argent* se présente donc d'emblée comme un roman-somme : c'est peut-être bien ce qui a dissuadé toute velléité de roman boursier français dans les années qui suivirent. « Ce Zola, il n'a vraiment rien à lui, objectait, haineux, Edmond de Goncourt, et le jour où un liseur l'étudiera à fond, on sera dans l'étonnement de tout ce qu'il a pris aux autres, les types, les caractères, les situations, les scènes, les dénouements et jusqu'aux images, aux comparaisons[1]. » Ce n'est pas faux. C'est même l'un des signes de la puissance de ce romancier que d'être devenu, pour nous, par son réflexe de compilation et ses angoisses d'exhaustivité, un véritable filtre pour lire le XIXe siècle. Mais le romancier ne s'arrête pas à ce panorama de la Bourse : il a aussi son idée sur le sujet.

---

[1]. Edmond de Goncourt, *Journal*, 6 mars 1887.

ARGENT ET PRÉJUGÉ

Les premières lignes des Ébauches de Zola posent d'ordinaire avec beaucoup de netteté l'idée générale du roman qu'il entreprend. Or le troisième paragraphe de l'Ébauche de *L'Argent*, qui date sans doute de mars-avril 1890, paraît présenter un vice logique :

> Sur l'argent, sans l'attaquer, sans le défendre. Ne pas opposer / l'arg / ce qu'on appelle notre siècle d'argent à ce qu'on nomme les siècles d'honneur (ceux d'autrefois). Montrer que l'argent est devenu pour beaucoup la dignité de la vie : il rend libre, est l'hygiène, la propreté, la santé, presque l'intelligence. /L'opposer à / Opposer la classe aisée à la classe pauvre. Puis, la force irrésistible de l'argent, un levier qui soulève le monde. Il n'y a que l'amour et l'argent [1].

Cela ne signifie-t-il pas que Zola est bien décidé à « défendre » l'argent ? La lettre qu'il adresse le 9 juillet 1890 à Jacques Van Santen Kolff présente la même dialectique incomplète : « Je n'attaque ni ne défends l'argent, je le montre comme une force nécessaire jusqu'à ce jour, comme un facteur de la civilisation et du progrès. » Le troisième terme de la phrase n'est-il pas simplement une réaffirmation, sous apparence de nécessité, de la thèse selon laquelle l'argent est le progrès ? Finalement, Zola paraît beaucoup plus clair sur ses intentions dans les propos que lui attribue le 8 avril 1890 le journaliste du *Gil Blas* venu l'interroger :

> Je crois que je dirai du bien de l'argent. Je vanterai, j'exalterai sa généreuse et féconde puissance, sa force expansive. Je ne suis pas de ceux qui déblatèrent contre l'argent. Je pars de ce principe que l'argent bien employé est profitable à l'humanité tout entière. [...] Je ferai l'apologie de l'argent, malgré les attaques futures que je vais certainement m'attirer.

Si le roman doit en effet épouser cette thèse, les « attaques » en question sont d'abord à attendre du côté des

---

1. Ébauche, f°s 378-379.

milieux littéraires eux-mêmes. Il faut avoir ici à l'esprit tout ce que le *Journal* de Goncourt contient de fiel à l'endroit de la réussite littéraire et matérielle de Zola. Le scandale de *L'Assommoir* a apporté la fortune à l'auteur des *Rougon-Macquart*, en lui permettant notamment d'acquérir et de meubler sa propriété de Médan, où il se retire désormais une grande partie de l'année pour écrire. Les ventes de *Nana* sont l'occasion d'un nouvel agrandissement de la propriété et le succès, confirmé à chaque volume, consacré par l'hommage général à *Germinal*, enfin illustré par des tirages dignes du roman populaire, se manifeste par un train de vie parfois considérable. Edmond de Goncourt, froissé dans sa distinction par certains dîners chez les Zola, vitupère les allures de parvenu et les accès de « bourgeoisisme » de son ancien disciple. Or cette condamnation de l'aisance matérielle de Zola se double naturellement d'une critique de la pensée romanesque zolienne sur l'argent. Il faut songer ici à ce que fut la réaction de Huysmans à la lecture de *L'Argent* : « Moi, ce qui me fait horreur là-dedans, c'est l'âme de mufle qui sort, l'admiration de ce parvenu pour les Rothschild, pour les gens de Bourse. Quelle bassesse [1] ! » Par bonheur, Zola n'a jamais eu de portefeuille boursier : on n'ose imaginer jusqu'où serait allée l'exécration de ses pairs.

Littérature et argent ne font pas bon ménage, et la critique de Sainte-Beuve en 1843 visait aussi bien l'omniprésence du thème financier dans la littérature du siècle que la recherche de l'enrichissement par les écrivains. Sur ce dernier point, Zola a déjà répondu par son article « L'argent dans la littérature », devenu l'un des chapitres du *Roman expérimental* (1880). Le romancier y opposait à la servilité des écrivains pensionnés de l'âge classique l'émancipation de l'écrivain moderne par le travail et la

---

1. Lettre à Prins du 26 février 1891. Voir sur ce point Halina Suwala, *Autour de Zola et du naturalisme*, Paris, Honoré Champion, 1993, p. 253.

nouvelle économie de l'imprimé, et ce, dans des termes proches de l'Ébauche de *L'Argent* :

> On se lamente en criant que l'esprit littéraire s'en va ; ce n'est pas vrai, il se transforme. [...] Et veut-on savoir ce qui doit aujourd'hui nous faire dignes et respectés : c'est l'argent. Il est bête de déclamer contre l'argent, qui est une force sociale considérable [1].

Or la position de Zola, *self made man* des lettres, expert aussi de la réclame littéraire, est une position parfaitement cohérente, qui ne sépare pas la réflexion sur l'économie des lettres de la question de la représentation littéraire de l'argent [2]. De même que le maître du naturalisme a su renégocier ses contrats avec ses deux éditeurs successifs (Lacroix, qui ne l'avantageait guère, et Charpentier, devenu son ami et même son banquier personnel) [3], il n'a jamais toléré la critique stéréotypée de l'argent qui se trouvait répandue dans la littérature de son siècle. Ainsi, lorsqu'il déplorait en 1880 le règne de la convention dans le théâtre de son temps – c'était l'un de ses chevaux de bataille depuis *Thérèse Raquin* (1867), car le théâtre était alors le lieu majeur de la réussite littéraire –, il dénonçait ce « mysticisme de l'honneur » consistant à mettre en scène des héros misérabilistes, ou souffrant des fautes d'un père trop souvent décrit comme « un brasseur d'affaires équivoque ou quelque personnage de moralité douteuse » :

> Presque toutes les comédies de M. Augier, de M. Feuillet, de M. Sardou reposent sur une donnée semblable : un fils qui rêve la rédemption de son père, ou deux amoureux qui font leur malheur en se querellant à qui sera le plus pauvre. C'est un cliché

---

1. « L'argent dans la littérature », *Le Messager de l'Europe*, mars 1880, puis *Le Voltaire*, 23-30 juillet 1880. 2. Voir Henri Mitterand, « L'argent et la lettre », in *Le Roman à l'œuvre, genèse et valeurs*, PUF, « Écriture », 1998 ; Colette Becker, « L'argent dans les *Rougon-Macquart* », *Les Cahiers naturalistes*, n° 78, 2004. 3. Voir Jean-Yves Mollier, « Zola, le champ littéraire et l'argent », *Les Cahiers naturalistes*, n° 78, 2004.

accepté dans les vaudevilles comme dans les pièces très littéraires. J'en pourrais dire autant du roman. Les écrivains de
talent pataugent dans ce poncif comme les derniers des feuilleto-
nistes [1].

C'est ici que le thème de la Bourse prend une importance cruciale à l'intérieur de la question d'argent. La
littérature boursière du XIXᵉ siècle, en effet, est une littérature très majoritairement critique. Même les vaudevilles de la monarchie de Juillet, derrière la gaieté de leur
satire, en appellent aux vraies valeurs, le travail et
l'amour. De grandes comédies de mœurs en vers ou en
prose, au début du second Empire, sont récompensées
par Napoléon III parce qu'elles fustigent la spéculation
boursière [2]. À la même époque, le *Manuel* de Proudhon
et le pamphlet d'Eugène de Mirecourt rivalisent pour
préconiser la destruction de la Bourse [3]. Enfin, les
romans de mœurs boursières qui fleurissent depuis les
années 1850 spéculent tranquillement sur le caractère
maléfique de la Bourse et des boursiers, en fournissant
des structures narratives où peut aisément se couler la
haine antisémite suscitée chez certains romanciers par
des affaires comme le krach de l'Union générale. L'argumentaire est immuable : la spéculation enrichit sans
qu'on travaille ; elle ne crée pas de richesses, au contraire
de l'agriculture et de l'industrie ; il existe peut-être une
spéculation sérieuse, mais elle est de toute façon corrom-
pue par l'agiotage et les abus ; enfin, le marché est proba-
blement tenu par une haute banque qui fructifie sur
l'ignorance des actionnaires. D'où le roman de mœurs
boursières type, qui est exactement celui que Zola

---

1. Zola, « Les deux morales » (*Le Voltaire*, 13 janvier 1880), recueilli
dans *Le Naturalisme au théâtre* [1881], *Œuvres complètes*, t. XI, Tchou/
Cercle du livre précieux, 1968, p. 304. **2.** Voir notamment François
Ponsard, *La Bourse*, comédie en cinq actes et en vers (Théâtre-Français,
6 mai 1856), Michel Lévy frères, 1856. **3.** Il faudrait ajouter le livre
d'Oscar de Vallée, avocat général à la cour impériale de Paris, *Les
Manieurs d'argent. Études historiques et morales (1720-1857)*, Michel
Lévy frères, 1857.

n'écrira pas : un pur héros, aristocrate ou rejeton d'une honnête famille d'industriels, est confronté au monde ignoble des boursiers, souvent par l'intermédiaire d'une femme perdue. Ou bien il est tenté, et c'est la ruine ; ou bien il défait les boursiers, volontiers juifs, dans un combat d'où sortent grandies les valeurs d'honneur et de travail.

Il n'est pas étonnant qu'un spécialiste des affaires boursières comme Henri Cozic, qui rédige un gros ouvrage technique sur la Bourse cinq ans avant le roman de Zola, accorde un chapitre entier à cette littérature aujourd'hui oubliée, cette *doxa* contre laquelle Zola va *de facto* écrire, où « tout est combiné de manière à faire grimacer la Bourse comme une verrue sur la face de la société [1] ». Mais ce *corpus* littéraire n'est selon lui qu'une partie d'un plus vaste préjugé, et l'on pourrait mettre en regard du propos initial de Zola sur les « cervelles françaises » ce constat d'Henri Cozic :

> Interrogez les classes intelligentes, interrogez le monde artistique, interrogez le commerce, interrogez les pouvoirs publics, et vous demeurerez bien vite convaincu que dans notre pays les préventions contre la Bourse sont générales, invétérées, et profondément enracinées dans les populations [2].

L'ARGENT NOUVEAU

Si les « cervelles françaises » ont un problème avec la Bourse, ce serait donc moins par faiblesse congénitale que par aveuglement volontaire. Et s'il est vrai que *L'Argent* compile cette *doxa* littéraire, il en redispose les motifs selon une thèse fort différente.

Pour commencer, tout en ayant choisi d'écrire d'après un fait historique bancaire et boursier, Zola élargit son propos bien au-delà des détails techniques afférents :

---

1. Henri Cozic, *La Bourse mise à la portée de tous, ce qu'elle a été, ce qu'elle est, ce qu'elle sera*, À la librairie illustrée, 1885. 2. *Ibid.*, p. 13.

« Le titre *L'Argent* ne m'a donné aucune peine à trouver, explique le romancier à Jacques Van Santen Kolff, il s'est en quelque sorte imposé à moi, car j'ai élargi le cadre, je ne me suis pas enfermé dans le milieu restreint de la Bourse [1]. » De fait, le début du roman frappe par son ambition, sinon par son systématisme : en deux chapitres, Zola adjoint à la description de la Bourse et à l'exposition de la rivalité entre Saccard et Gundermann la présentation de différentes idéologies de l'argent. Il montre d'abord le personnage de Sigismond, jeune disciple de Marx, qui apparaît trois fois dans le roman, en des scènes assez semblables où ce garçon phtisique expose à ses interlocuteurs ses plans pour une « cité de justice et de bonheur » (p. 487). Puis il évoque la princesse d'Orviedo, dont Saccard est le locataire, femme fabuleusement enrichie par les spéculations de son mari, et décidée à restituer cet argent aux déshérités par le biais d'œuvres charitables somptuaires. Dans l'hôtel particulier voisin vivent la comtesse de Beauvilliers et sa fille, ultimes descendantes d'une famille aristocratique dont la richesse terrienne était autrefois considérable. On les observe depuis la fenêtre du « cabinet aux épures » (p. 101) où l'ingénieur Hamelin et sa sœur Caroline, opportunément voisins de Saccard eux aussi, rêvent à l'afflux d'argent qui pourrait un jour faire prendre corps à leurs projets industriels. En quarante pages, Zola introduit donc le marxisme, la charité (qui s'oppose à la justice des socialistes), la fortune foncière (dont le personnage marxiste pointe bien l'obsolescence) et le capitalisme par actions (celui qui peut faire vivre les grands projets industriels, et qui crée la fortune mobilière opposée à la fortune foncière). Tout est en place et tout s'oppose. Reste à débattre.

Une telle séquence illustre le mouvement très abstrait que l'on peut repérer dans les premiers feuillets de l'Ébauche de *L'Argent*, au sein du dossier préparatoire.

---

[1]. Lettre à Jacques Van Santen Kolff du 12 septembre 1890.

L'Ébauche procède en effet par antithèses successives, comme souvent la pensée et la genèse du scénario chez Zola. D'abord, « le Juif » (le futur personnage de Gundermann) doit représenter l'« ancien argent », tandis que Saccard représentera l'« argent nouveau[1] » : on retrouve ici l'opposition entre la banque patrimoniale de Rothschild et la banque moderne des Pereire. En outre, on lit plus loin que, misère pour misère, le socialiste (ce sera Sigismond) est du moins du côté de l'« argent de demain », tandis que les nobles (ce seront les Beauvilliers) représentent l'« argent d'hier[2] ». Bref, hormis la question de la charité, qui sera mise au service d'une autre dichotomie – Zola voudrait aussi mettre en scène dans *L'Argent* l'opposition entre le bien procuré par l'argent (les œuvres charitables) et les maux qu'il inflige (la ruine à la Bourse) –, le roman est censé installer une vaste opposition entre l'argent obsolète des aristocrates et des Juifs, et l'argent nouveau ou à venir de Saccard et du socialisme. On comprend mieux pourquoi Zola écrit à propos de *L'Argent* : « Ce sera certainement le plus compliqué, le plus bourré de tous mes livres[3]. »

À partir de ce florilège, le roman fait son choix, et ce, d'abord par élimination. Les principes agrariens, qui ont souvent été invoqués par la littérature précédente contre les fictions de la Bourse, sont réduits à néant, le récit de la dévastation des Beauvilliers se déployant comme un mélodrame hyperbolique : le père mort est déshonoré, la mère ruinée, la fille violée, l'hôtel particulier vendu et les bijoux de famille bradés. Même le roman populaire ne va pas si loin dans une victimisation qui, ici, est le signe de l'obsolescence idéologique et économique de l'aristocratie. Quant à la charité de la princesse d'Orviedo, elle subvertit par son caractère dispendieux et trop évidemment expiatoire le discours des petits romans boursiers d'obédience catholique, et finit par s'épuiser faute de

---

1. Ébauche, f° 382. **2.** Ébauche, f° 404. **3.** Lettre à Van Santen Kolff du 9 juillet 1890.

fonds. Qu'est-ce qui pourrait garantir la pérennité de la charité ? D'autres affaires, ou des spéculations avec le fonds ! Saccard propose à un moment ce marché à la princesse d'Orviedo, et on frôle alors un scénario digne de l'éthique protestante du capitalisme, avec sa redistribution charitable. Mais la princesse décline.

Restent en lice le socialisme de Sigismond et le capitalisme saccardien. Il serait simpliste de croire que l'auteur de *Germinal* est tout uniment socialiste, même si l'époque voit dans le socialisme une voie pour le roman, même si la critique Judith Gautier reconnaîtra la bienveillance du texte envers le personnage de Sigismond [1], et même si Zola a aussi écrit *Fécondité* (1899) et *Travail* (1901) [2]. Le système de Sigismond, qui ne sait comment égaler en économie la force de « l'intérêt », n'est pas viable dans un roman de la « bousculade des ambitions et des appétits » : il n'a pas sa place dans *Les Rougon-Macquart*. Ne négligeons pas les erreurs que les lecteurs marxistes ont repérées dans la trop hâtive synthèse socialiste de Zola [3]. Elles sont justement l'indice que la promotion du socialisme n'était pas au programme de ce roman. Son porte-parole est souffreteux, les précieux plans et calculs de la « cité de justice et de bonheur » sont *in fine* perdus [4], et cette théorie est finalement confinée dans trois passages, trois « morceaux [5] » répartis dans le texte, dont la clôture même dit la nature utopique.

Peut-on toutefois affirmer que ce roman fait le choix de l'« argent nouveau » de Saccard ? Peut-on dire que *L'Argent*, qui s'achève par le krach de l'Universelle, l'emprisonnement d'Aristide et la ruine d'une foule de pauvres diables, est une apologie du capitalisme ? Zola se garde de l'énoncer sous la forme d'une thèse primaire,

---

1. Voir le Dossier, p. 521. **2.** Romans au demeurant attaqués pour défaut de socialisme par des lecteurs comme Charles Péguy. **3.** Voir la préface d'André Wurmser à *L'Argent*, *Œuvres complètes*, t. VI, Tchou/Cercle du livre précieux, 1967. **4.** Mme Caroline ne récupère pas les papiers de Sigismond, comme celui-ci l'en avait supplié, et ils seront détruits par Busch. **5.** C'est le terme utilisé par Zola dans son Ébauche.

mais le roman n'en signifie pas moins quelque chose d'approchant, au prix de deux dissociations rhétoriques. Première de ces dissociations : le roman décrit les progrès dus à la spéculation boursière par le biais d'une séparation des espaces. Il y a, d'une part, l'espace parisien où s'agite Saccard, soit le siège de la banque et la corbeille du palais Brongniart ; d'autre part l'espace oriental où s'active Hamelin, c'est-à-dire cette frange lointaine de la côte méditerranéenne, entre Suez et le Liban, où le personnage de l'ingénieur a prévu de construire un chemin de fer et d'exploiter des mines. D'un côté, l'espace de la spéculation ; de l'autre, celui des réalisations. L'un des problèmes qui se posaient à Zola lors de la genèse de son roman était en effet la figuration de ces projets industriels : « Mon roman dure deux ou trois ans et il faudrait au moins 50 ans, pour donner une idée du progrès[1]. » La solution est donc de prolonger la perspective temporelle grâce aux « épures » suspendues dans le cabinet des Hamelin, et de faire voyager Hamelin. Le tout, sans que jamais le récit investisse l'espace oriental autrement que par les comptes rendus et les lettres de l'ingénieur, car « ce serait bien arbitraire de promener le lecteur lui-même au loin », se raisonne Zola. L'oasis orientale, mirage en train de devenir réalité, horizon d'expansion du désir, représente alors l'essence de la spéculation. Rien d'utopique, d'ailleurs, dans cette figuration du progrès, pas plus que dans les romans de Jules Verne : au contraire de la cité de Sigismond, cela est bien réalisable au regard des moyens et technologies disponibles, et les descriptions de l'Orient sont dans le roman comme des « hypotyposes futures[2] », des acomptes sur le développement prochain, qui présentent le progrès comme une fiction en train d'advenir.

---

1. Ébauche, f° 434. **2.** Voir Gilbert Durand, *Les Structures anthropologiques de l'imaginaire*, Dunod, 1992, p. 408, cité in Christian Chelebourg, « L'invention des *Voyages extraordinaires*. – Métalecture de *Cinq Semaines en ballon* », in *Jules Verne ou les Inventions romanesques*, Encrage/CERR, « Romanesques », 2007, p. 268.

Cette dissociation des espaces exprime évidemment l'ambivalence morale de la spéculation : à Paris, le déploiement de la bataille de Bourse ; en Orient, l'image merveilleuse d'un développement pacifié. Soit, subrepticement, le passage de la quintessence du marché à la négation même du marché, puisque les compagnies méditerranéennes de paquebots qui intéressent Saccard et Hamelin et qui « se tuaient par la concurrence » (p. 76) sont à présent syndiquées, et que le chemin de fer à construire en Palestine, en Syrie et en Turquie doit être l'émanation d'une seule et même compagnie… On reste frappé de la prégnance, dans *L'Argent*, des questions et des thèmes chers au saint-simonisme, ce que le dossier préparatoire du roman ne laissait pas vraiment prévoir. Cette école socialiste, héritière de la pensée de Saint-Simon (1760-1825), qui se proposait aussi bien de vastes entreprises industrielles que la réforme des structures de la famille, et qui a nourri la pensée de Ferdinand de Lesseps comme celle des frères Pereire, a aussi eu son moment oriental [1]. Au début des années 1830, les jeunes ingénieurs et poètes saint-simoniens sont en effet partis prospecter en Orient à l'instigation de leur père spirituel Prosper Enfantin ; ils ont débattu sur l'avenir et l'industrialisation de la Méditerranée ; certains d'entre eux ont avancé qu'il était plus opportun d'inaugurer en Orient de nouvelles formes d'association des travailleurs que de réformer en Europe les structures du salariat. L'espace de *L'Argent* obéit un peu à ce principe : il est plus facile de figurer le progrès sur les terres de la Sublime Porte qu'aux portes de Paris. De même, on a pu dire que la philosophie du XVIIIe siècle avait développé avec d'autant plus de facilité la thèse du « doux commerce » que la violence qui démentait celle-ci était reléguée dans les

---

1. Voir sur ce point Philippe Régnier, « Le mythe oriental des saint-simoniens », in *Les Saint-Simoniens et l'Orient : vers la modernité*, Magali Morsy (dir.), Edisud, 1989, p. 29-49.

colonies[1] ; il faudrait tenir le raisonnement inverse quant au roman de Zola, qui ne peut déployer son discours du progrès qu'en rejetant ses preuves matérielles hors scène.

La deuxième dissociation rhétorique permettant de faire dans le roman l'apologie de l'« argent nouveau » consiste à adjoindre au personnage de Saccard le personnage de Mme Caroline – personnage essentiel, aimé des critiques bienveillants aussi bien qu'hostiles à l'œuvre, et grâce auquel, s'il faut en croire l'Ébauche, ce qui n'aurait été qu'un simple « drame de Bourse[2] » devient un roman. Mme Caroline, inséparable de son frère l'ingénieur Hamelin, ne naît que dans le vingt-septième feuillet de l'Ébauche. Cette créature allégorique, que le romancier conçoit comme « un peu le chœur antique, le personnage qui jugera, qui sera la bonté, la justice, au-dessus des désastres, surtout l'espoir en la vie », est en fait le personnage qui incarne l'idée générale exposée dans le tout premier paragraphe de l'Ébauche :

> Je voudrais, dans ce roman, ne pas conclure au dégoût de la vie (pessimisme). La vie telle qu'elle est, mais acceptée, malgré tout, pour l'amour d'elle-même, dans sa force. Ce que je voudrais, en somme, qu'il sortît de toute ma série des *Rougon-Macquart*[3].

Mme Caroline exprime donc l'inflexion idéologique qui s'est dessinée dans *Les Rougon-Macquart* avec *Au Bonheur des Dames* (1883) et *La Joie de vivre* (1884). « Elle est *l'espoir*, souligne d'emblée Zola, qui s'intime : Me mettre tout entier là-dedans[4]. » Elle a surtout, dans ce dispositif romanesque, une importante fonction argumentative. Entre son frère adoré, dont elle admet pourtant la naïveté et dont elle ne partage pas la foi, et le terrible brasseur d'affaires auquel elle finit par se donner, épisodiquement, par admiration de sa seule énergie, elle

---

1. Voir Albert O. Hirschman, « Douceur, puissance et faiblesse de la société de marché » [1982], in *L'Économie comme science morale et politique*, Gallimard/Le Seuil, « Hautes études », 1984, p. 11. **2.** Ébauche, f° 388. **3.** Ébauche, f° 378. **4.** Ébauche, f°ˢ 405-406.

apparaît comme le « pivot » moral du roman. Sa fonction romanesque est de rassembler toutes les preuves de la vilenie de Saccard et du progrès en Orient. Et les intermittences de son lien charnel au spéculateur doivent elles-mêmes signifier l'ambivalence de la Bourse. Mais Mme Caroline n'est pas seulement la personnification d'une perpétuelle hésitation. Elle incarne bien la foi en la « vie », ultime mot de *L'Argent*. Fonctionnant comme une sorte de filtre idéologique enchâssé dans le roman, ce personnage sympathique est celui dont nous devrions pourtant nous méfier, car il désamorce nos préventions contre le spéculateur et obtient son absolution[1]. Une apologie romanesque du capitalisme et de la spéculation boursière, centrée sur le seul personnage de Saccard, aurait été irrecevable ; elle devient possible par l'opération du saint esprit de Mme Caroline. C'est dire l'importance de la scène finale, entrevue dès l'Ébauche, où elle se voit gagnée par une irrépressible joie après avoir été pourtant témoin de toutes les catastrophes. Car cette « force irrésistible du continuel rajeunissement » qui la saisit (p. 492) représente exactement le troisième terme de la phrase : « Je n'attaque ni ne défends l'argent, *je le montre comme une force nécessaire jusqu'à ce jour*[2]. » Décrire l'optimisme comme un mouvement du corps, tout comme on conclut à la nécessité de l'argent : il y a là un coup de force rhétorique du roman. De même que « la philosophe, en elle, la savante et la lettrée, abdiqu[e] » (p. 492), le lecteur est invité à tout jeter, préjugés et convictions, pour célébrer l'« argent nouveau » de Saccard.

Autant dire que, par rapport au reste de la littérature de la Bourse, *L'Argent* dissone. Et à plusieurs reprises Zola s'empare, pour les inverser, des lieux communs des œuvres antérieures. Dans le chapitre IV, Saccard démontre à Mme Caroline que sans la « luxure », on ne

---

1. Voir à ce sujet la critique de Judith Gautier dans le Dossier, p. 520-521. **2.** Voir *supra*, p. XXII.

pourrait « faire des enfants », de même que « sans la spéculation, on ne ferait pas d'affaires » (p. 170). Or cette
analogie est la réécriture délibérément faussée d'un raisonnement qui avait retenu l'attention de Zola lors de sa
lecture de *La Bourse, ses abus et ses mystères* d'Eugène
de Mirecourt, et qui plaisait beaucoup aux pamphlétaires
des années 1850 : « L'agiotage est l'abus de l'exploitation
du crédit, comme la débauche est l'abus du plaisir [1]. »
En détournant cette analogie qui sous-tendait la critique
des abus, Zola propose un argument en faveur de la
spéculation.

De même, le désastre de l'Universelle ne s'écrit pas
tout à fait comme les récits de ruine qui font l'essentiel
du roman de mœurs boursières antécédent. Saccard, en
effet, n'est ni détruit ni converti par le krach de sa
banque, pas plus qu'il n'apparaît changé, dans *L'Argent*,
par rapport à *La Curée* ; on apprend à la fin son ambitieuse reconversion. Finalement, cet homme-phallus, qui
attaque les femmes dans les escaliers et sur les divans,
qui est l'acteur, avec la comtesse Sandorff, d'une scène
symbolique centrale – peut-être la plus obscène de toute
la série des *Rougon-Macquart* [2] –, enfin qui entre en tur-
gescence lors de sa dernière victoire à la Bourse au chapitre X, est un homme dont le roman a raconté une
monstrueuse érection [3]. On peut gager qu'il y en aura
d'autres, et que ce krach n'a pas compromis sa santé.
Tout n'est que cycle, comme le suggère la théorie des
krachs financiers qui clôt le chapitre XI. À l'encontre
d'une littérature boursière jusqu'alors hantée par la

---

1. Eugène de Mirecourt, *La Bourse, ses abus et ses mystères, op. cit.*,
p. 46-47. 2. Voir la critique d'Anatole France dans le Dossier,
p. 516 *sq.* 3. « Il était réellement grandi, soulevé d'un tel triomphe,
que toute sa petite personne se gonflait, s'allongeait, devenait énorme »
(chap. X, p. 388). Voir sur ce point Hélène Gomart, *Les Opérations
financières dans le roman réaliste*, Honoré Champion, 2004 ; Antonia
Fonyi, « Zola : question d'argent. Ambivalences financières et modèles
inconscients dans *L'Argent* », *Romantisme*, n° 119, SEDES, 2003, p. 61-
71.

perte, s'abîmant dans un conservatisme apocalyptique et dans les ambiguïtés de l'exorcisme, Zola proclame l'innocuité de la ruine.

Enfin, dernière dissonance notable : la place dévolue au discours antisémite est dans ce roman tout à fait particulière. Il est vrai que certaines occurrences du discours antisémite dans *L'Argent*, très rares, ne peuvent être attribuées au personnage de Saccard et ne paraissent pas correspondre à une restitution, au discours indirect libre, de la *doxa* du XIXe siècle. Et même si l'on pouvait ramener toutes ces occurrences au point de vue de Saccard, l'éclairage positif jeté par le roman sur ce personnage semblerait avaliser ce discours de haine. Mais c'est oublier deux choses, hormis l'argument sans réplique que constitue l'engagement ultérieur de Zola dans l'affaire Dreyfus. D'abord, la déclaration finale de Mme Caroline, qui annonce très précisément l'argumentaire que développera Zola dans son article de 1896, « Pour les Juifs [1] », doit être lue comme une amorce de débat : « Pour moi, les juifs, ce sont des hommes comme les autres. S'ils sont à part, c'est qu'on les y a mis » (p. 478). Il y a ici une ouverture, sinon une mise en demeure du lecteur. Cette question ne fait pas partie de la vaste entreprise d'absolution du spéculateur qui s'achève avec les dernières pages ; elle relève d'un autre débat. Ensuite, les romans boursiers antisémites contemporains de *L'Argent* empruntent des voies détournées pour énoncer leur haine (caractérisation indirecte des personnages et sous-entendus ; dédouanement de la détestation par la construction de personnages juifs positifs) : en outrant l'exécration antisémite de Saccard, Zola en souligne nettement la bêtise, l'aveuglement et, comme l'indiquera son article de 1896, l'archaïsme.

---

1. *Le Figaro*, 16 mai 1896, recueilli dans *Nouvelle Campagne*.

FICTION DE LA VALEUR, VALEUR DE LA FICTION

Tout en se démarquant nettement du discours littéraire dominant sur la Bourse, le roman de Zola en parachève l'un des traits essentiels : la méditation sur le caractère fictif de la spéculation boursière. Ce thème, qui avait jusqu'alors motivé des blagues sur l'irréalité des projets industriels ou permis de poser le brasseur d'affaires en « chauffeur [1] », vire dans *L'Argent* à la plus complète mise en abyme. S'inspirer du krach d'une banque catholique, en faisant de la Jérusalem délivrée le but secret et indicible des initiés, permet de superposer crédit, foi et créance. Dissocier l'espace parisien de la spéculation de l'horizon oriental des réalisations industrielles permet de récrire, comme le souligne maintes fois le roman, *Les Mille et Une Nuits* (p. 104, 294, 378). Saccard, qui s'impose comme un « poète » du million (p. 127) – « l'antique poésie des lieux saints faisait ruisseler cet argent en une pluie miraculeuse, éblouissement divin que Saccard avait mis à la fin d'une phrase dont il était très content » (p. 209) –, est en effet le directeur d'une grande fiction : une banque et des projets dont il a amoureusement choisi les noms, des augmentations de capital fictives, des « hommes de paille » (p. 373) dont les comptes sont alimentés par des « jeux d'écriture » (p. 474). Il n'est jusqu'aux frères Busch qui ne prennent dans ce roman des allures de frères Goncourt, l'un malade et mourant, l'autre en quête de créances mortes qui sont l'équivalent des « documents humains » du naturaliste [2]. Le personnage de Jordan n'est donc pas, loin s'en faut, le seul romancier de cette œuvre métaromanesque.

Il faudrait souligner ici comment Zola moule ses techniques narratives sur le fait financier. Le récit du « coup

---

1. Le terme désigne depuis les années 1850 l'homme chargé d'assurer le lancement publicitaire des affaires. 2. « C'est le néant, ça, ou plutôt c'est la matière brute, d'où il faut que je tire la vie, je veux dire ma vie,

de Sadowa », ce délit d'initiés du chapitre central où Saccard et ses amis savent l'imminence de la paix entre la
Prusse et l'Autriche, donc de la hausse, alors que toute
la Bourse est à la baisse, joue véritablement de la notion
de point de vue narratif : le lecteur suit Saccard qui épar-
pille ses ordres de Bourse pour ne pas éveiller la
méfiance, interroge les autres spéculateurs, est « inond[é]
de délices » (p. 247) de se savoir seul à savoir... tout
comme le lecteur, dont il figure le plaisir. La narration
des augmentations de capital, quant à elle, mobilise
toutes les ressources de l'esthétique zolienne de la répéti-
tion, et structure parfaitement le roman. Ce récit d'une
ascension et d'une chute, en accent circonflexe, est certes
commun dans la littérature boursière. Il est aussi à l'origine même de la série des *Rougon-Macquart*, romans où
la « folie de l'agio et de la spéculation » doit aboutir à la
« fatigue » et à la « chute [1] ». Mais dans *L'Argent*, la
triple augmentation de capital exprime avant tout
l'entraînement de la fiction par elle-même, tout comme
le combat pour la hausse des cours : « Je veux le cours
de trois mille » (p. 368), s'exclame Saccard de manière
absolue, intransitive, folle disent les Hamelin, le roman
affichant là une manière de gratuité, se donnant vraiment
comme *un roman sur rien*, en même temps qu'une
réflexion sur la notion de terme [2]. Si la lecture de Zola
est toujours remuante, par effet d'échauffement, si ses
romans sont souvent régis par une métaphore et un
modèle thermodynamiques, cet effet est peut-être para-
chevé dans *L'Argent*, dont la banque est encore une locomotive lancée à toute vapeur.

Dieu sait après quelle complication de recherches et d'ennuis ! » déclare
l'aîné à Saccard (p. 361-362). **1.** Émile Zola, « Notes générales sur
la marche de l'œuvre », 1868-1869, 5e feuillet, cité in *Les Rougon-
Macquart*, t. V, *op. cit.*, p. 1741. **2.** C'est un aspect essentiel de la
réflexion d'Hélène Gomart (*Les Opérations financières dans le roman
réaliste, op. cit.*), et cela ne saurait être dissocié de son commentaire sur
la question de la paternité et de l'engendrement chez Saccard.

Or cette mobilisation des ressorts de la fiction éclaire en retour la finance moderne. Elle en exprime d'abord certaines déviances. La manœuvre financière, illustrée par un scandale récent [1], qui consiste à attirer des créanciers avec des promesses de placements à haut rendement et à rémunérer les premiers souscripteurs avec l'argent frais apporté par les suivants, de plus en plus nombreux, porte le nom de pyramide de Ponzi. Cette méthode frauduleuse, qui fonctionne jusqu'à ce que les derniers souscripteurs comprennent qu'ils ne pourront récupérer leur capital ou que la possibilité de verser les dividendes s'épuise, n'est guère différente des aberrantes augmentations de capital de Saccard, qui ont toutes pour fonction de libérer les actions précédemment émises et proposent « une vision renversée du capitalisme [2] ». Plus encore, le roman de Zola atteint une pertinence indéniable dans la description des mimétismes du marché, du caractère en réalité spéculaire de la spéculation. Face à la « vérité » ou à la « logique » de Gundermann, lequel promeut une définition absolue de la valeur mobilière gagée sur ce qu'on appelle les « fondamentaux » de l'entreprise cotée, Saccard incarne une conception intégralement relative de la valeur : celle-ci ne s'entretient que par le crédit qu'y apporte autrui, le marché trahissant là son irrationalité et sa propension aux emballements [3]. Le roman de Zola ne s'arrête d'ailleurs pas à cette réflexion sur le mimétisme de la valeur : il dit aussi que la prospérité est clivée. « Le pis était que les nouvelles alarmantes avaient grandi, que la hausse s'enrageait, dans un malaise croissant,

---

1. Il s'agit de l'affaire Madoff – cinquante milliards de dollars de perte – qui a éclaté en automne 2008, au cœur de la crise financière mondiale. Le lien avec le roman de Zola a été fait par certains chroniqueurs financiers. **2.** Voir Hélène Gomart, *Les Opérations financières dans le roman réaliste, op. cit.*, p. 205 ; voir aussi, dans le Lexique financier, l'entrée « Augmentation de capital ». **3.** Voir sur ce point la place que le philosophe Jean-Joseph Goux accorde au roman de Zola dans sa réflexion sur le paradigme moderne de la valeur : *Frivolité de la valeur. Essai sur l'imaginaire du capitalisme*, Blusson, 2000.

intolérable », répète en effet le texte à partir du début du chapitre IX (p. 366)[1]. Cela est peut-être un truisme de Bourse – « Quand tout marche trop bien, c'est que tout va craquer » (p. 390), dit Moser –, mais c'est une démonstration convaincante, par le moyen de l'oxymore, de ce que sont une bulle spéculative et un *climax* romanesque.

LA DÉMOCRATIE ET LE MARCHÉ

A-t-on pleinement rendu justice à *L'Argent* dès lors qu'on a détaillé ce jeu romanesque sur le caractère fictionnel de la spéculation ? Certes, le dix-huitième volume des *Rougon-Macquart* pousse à son comble la propension du roman zolien à cette mise en abyme[2]. Mais résumer l'histoire de la Banque universelle à celle d'une grosse machine, lente à s'ébranler puis formidable dans sa destruction, conduite par un poète du million qui la chauffe jusqu'à la faire éclater, c'est aussi la rabattre sur beaucoup d'autres romans de la série. *L'Argent* a pu être tenu pour un roman de transition[3], ce qui explique qu'on le

---

1. Voir aussi : « Désormais, on annonçait tout haut la catastrophe fatale, et on montait quand même, on montait sans cesse, par la force obstinée d'un de ces prodigieux engouements qui se refusent à l'évidence » (p. 366). **2.** Voir Chantal Pierre-Gnassounou, *Zola, les fortunes de la fiction*, Nathan, « Le texte à l'œuvre », 1999. **3.** Le critique allemand Wilhelm Bölsche concevait à l'époque *L'Argent* comme un « roman de transition » (*Übergangsroman*), entendant par là qu'il s'agit d'un de ces volumes des *Rougon-Macquart* qui servent de trait d'union entre les chefs-d'œuvre (en l'occurrence, le chef-d'œuvre à suivre serait *La Débâcle*, cette somme sur la défaite qui a bouleversé les contemporains et a été le plus grand tirage de Zola de son vivant). Bölsche emploie aussi le concept de « roman parallèle » (*Parallelroman*), analysant *L'Argent* comme une réduplication d'*Au Bonheur des Dames*. On comprend pourquoi : une machine à vapeur métaphorique (la banque, le grand magasin), un spéculateur (Saccard, Mouret), une même philosophie (refus du pessimisme, exaltation de la vie), enfin un personnage de femme (Caroline, Denise) qui refonde les valeurs morales en complément des valeurs financières. Voir Wilhelm Bölsche, « Zola's *L'Argent* », *Freie Bühne*, janvier-juin 1891, p. 281-286.

considère parfois comme secondaire au sein du vaste ensemble des *Rougon-Macquart* ; cependant, l'idée d'une hiérarchie esthétique des *opus* de la série devrait céder la place à l'étude systématique de leurs spécificités.

Nous avons ouvert plus haut une parenthèse, pour signaler que les romans des *Rougon-Macquart* gagnaient à être lus non seulement comme des histoires d'un moment du second Empire, mais aussi comme des romans informés par l'actualité de l'écriture. Dans cette mesure, il ne faudrait pas négliger que *L'Argent*, pensé par Zola comme son second roman politique après *Son Excellence Eugène Rougon*, n'est pas seulement un roman sur l'Empire libéral, mais aussi un roman écrit au cœur du « moment 1890 [1] » – moment qui succède de peu au centenaire de la Révolution française et à la crise du boulangisme [2], et qui s'est caractérisé par une interrogation de la République sur son système représentatif. Les républicains étaient bien établis à la Chambre comme au Sénat depuis une dizaine d'années ; le suffrage universel n'était plus contesté dans son principe comme il avait pu l'être depuis 1848 ; et, pourtant, la question, lancinante, se posait de savoir comment s'assurer de la fidélité de la représentation électorale : en quoi les élus sont-ils mandatés par le peuple, en quoi surtout figurent-ils le peuple ? Bref, en quoi une nation peut-elle s'estimer incarnée dans ses élus ? L'enjeu était de taille, à une époque où les plébiscites de Boulanger venaient d'ébranler le principe parlementaire.

Quitte à faire de *L'Argent* une mise en abyme de la notion de représentation, c'est sans doute du côté de cette question de la *représentation politique* qu'il faudrait

---

1. Voir Pierre Rosanvallon, « Le moment 1890 », in *Le Peuple introuvable. Histoire de la représentation démocratique en France*, Gallimard, « Bibliothèque des histoires », 1998. **2.** Le général Boulanger, s'appuyant aussi bien sur les nostalgiques du bonapartisme que sur certains socialistes, a été à partir de 1887 la figure d'un puissant mouvement de contestation du parlementarisme républicain. Il s'est trouvé en janvier 1889 en position de commettre un coup d'État, avant d'être progressivement défait par les républicains.

alors chercher la spécificité de l'œuvre. En soulignant que jamais, à notre connaissance, les petits romans de mœurs financières qui ont pullulé depuis le milieu du XIXᵉ siècle n'ont fait une telle place à l'analyse de la Société anonyme. Zola ne détaille-t-il pas tous les rouages de la S.A., depuis l'ordre du jour des assemblées générales jusqu'aux réunions des conseils d'administration restreint et élargi ? N'est-ce pas l'occasion de mettre l'accent sur les mille et une entorses au principe de la représentation, mandat et figuration ? En effet, les débats en assemblée générale sont sapés par l'« unanimité » (p. 313), si bien que le *suffrage* dans l'Universelle – que penser du nom de cette banque ? – se ramène au plébiscite. Les administrateurs ne sont pas mandatés, mais constitués dès l'origine en syndicat. Quant au directeur lui-même, il se cache en assemblée générale alors qu'il est le vrai roi, et il est entouré d'administrateurs qui sont tous peu ou prou, comme le marquis de Bohain, « décoratifs » (p. 165), ce qui pourrait montrer qu'il n'y a pas non plus figuration du peuple des actionnaires. Jamais, depuis le *Manuel du spéculateur à la Bourse* de Proudhon, un écrivain n'était allé aussi loin dans la démonstration des vices de la société commerciale. Et si cette dernière est censée être à l'image de la société politique – comme l'ambitionnaient bel et bien les spécialistes de droit constitutionnel qui s'étaient penchés sur la législation sur les sociétés –, alors le roman de Zola met en scène une poursuite du progrès qui nie la démocratie. On est loin de la « cité de justice et de bonheur » (p. 487) de Sigismond Busch. Ou alors, il faut comprendre que la chute de l'Universelle est le corollaire de l'entorse faite à la représentation des individus.

Cette interrogation extraordinairement ambitieuse sur la démocratie – par un romancier qui, ne l'oublions pas, fut aussi attaché parlementaire, chroniqueur des débats à la Chambre en 1870-1871 et analyste du suffrage universel en 1881 [1] – pourrait suffire à nourrir notre intérêt

---

1. Voir Émile Zola, « Le suffrage universel », in *Une campagne*, *Œuvres complètes*, t. XIV, Tchou/Cercle du livre précieux, 1969, p. 634.

aujourd'hui pour ce roman, et à le faire sortir du second cercle où on le range souvent. Mais il nous semble d'une pertinence encore supérieure pour des lecteurs intéressés par le rapport même du marché à la démocratie. Et c'est ici moins l'intrigue bancaire de *L'Argent* que son intrigue boursière qui doit nous arrêter, puisque la Bourse est l'expression de l'économie de marché. Cet homme, Saccard, qui voudrait accaparer tous les titres de sa banque et dicter sa loi au marché, qui voudrait confisquer les titres comme il a confisqué les voix dans la Société anonyme, éprouve l'impossibilité de cette entreprise. Il se heurte au poids toujours plus grand des vendeurs de titres – Gundermann, bien sûr, mais aussi ses propres amis, Mme Caroline et son frère Hamelin, qu'il sent là, « dans l'ombre » (p. 367), vendant leurs titres. Extraordinaire moment du roman que celui-ci, où ce n'est plus du conventionnel mystère technique des opérations de Bourse qu'il est question, mais du mystère de l'identité même des opérateurs. Extraordinaire invention que cette bataille de Bourse où le banquier juif, invisible dans le palais Brongniart, bien loin d'être l'adversaire caricatural des romans habituels, figure véritablement la « logique » d'équilibre du marché. Car le diptyque proposé par *L'Argent* – Société anonyme et Bourse – interroge dès lors avec force la destinée de l'individu dans l'économie de marché et dans la démocratie, joignant l'une et l'autre sans les rabattre l'une sur l'autre. Une Société anonyme, toujours menacée de dérives plébiscitaires. Un marché anonyme, toujours menacé d'emballement. Dans les deux cas, une organisation diffuse, infinie, inenvisageable, où l'individu a le choix entre le grégarisme catastrophique et l'action responsable. Rien de moins. Ce serait là l'un des enjeux essentiels de ce second roman politique des *Rougon-Macquart*. *L'Argent*, roman de la foule parmi tous les romans zoliens de la foule, est aussi le roman de l'individu – l'individu, cette obsession du XIXe siècle, dont nous avons hérité.

Christophe REFFAIT.

L'Argent

Les termes techniques qui font l'objet d'une définition dans le Lexique des termes financiers en fin de volume (p. 552-563) sont indiqués par un astérisque à leur première occurrence dans chaque chapitre.

I

Onze heures venaient de sonner à la Bourse, lorsque
Saccard entra chez Champeaux, dans la salle blanc et or,
dont les deux hautes fenêtres donnent sur la place [1]. D'un
coup d'œil, il parcourut les rangs de petites tables, où les
convives affairés se serraient coude à coude ; et il parut
surpris de ne pas voir le visage qu'il cherchait.

Comme, dans la bousculade du service, un garçon passait, chargé de plats :

« Dites donc, M. Huret n'est pas venu ?

– Non, monsieur, pas encore. »

Alors, Saccard se décida, s'assit à une table que quittait un client, dans l'embrasure d'une des fenêtres. Il se
croyait en retard ; et, tandis qu'on changeait la serviette,
ses regards se portèrent au-dehors, épiant les passants
du trottoir. Même, lorsque le couvert fut rétabli, il ne
commanda pas tout de suite, il demeura un moment les
yeux sur la place, toute gaie de cette claire journée des
premiers jours de mai. À cette heure où le monde déjeunait, elle était presque vide : sous les marronniers, d'une
verdure tendre et neuve, les bancs restaient inoccupés ; le
long de la grille, à la station de voitures, la file des fiacres
s'allongeait, d'un bout à l'autre ; et l'omnibus [2] de la
Bastille s'arrêtait au bureau, à l'angle du jardin, sans laisser ni prendre de voyageurs. Le soleil tombait d'aplomb,
le monument en était baigné, avec sa colonnade, ses deux

---

1. Ce restaurant était situé rue du Quatre-Septembre, entre la rue
Vivienne et la rue Notre-Dame-des-Victoires, lesquelles bordent le
palais Brongniart respectivement à l'ouest et à l'est. Des fenêtres, le
regard devait pouvoir enfiler par le travers, vers le nord, le grand perron
de la Bourse. 2. Voiture à cheval publique.

statues [1], son vaste perron, en haut duquel il n'y avait encore que l'armée des chaises, en bon ordre.

Mais Saccard, s'étant tourné, reconnut Mazaud, l'agent de change*, à la table voisine de la sienne. Il tendit la main.

« Tiens ! c'est vous. Bonjour !

– Bonjour ! » répondit Mazaud, en donnant une poignée de main distraite.

Petit, brun, très vif, joli homme, il venait d'hériter de la charge [2] d'un de ses oncles, à trente-deux ans. Et il semblait tout au convive qu'il avait en face de lui, un gros monsieur à figure rouge et rasée, le célèbre Amadieu, que la Bourse vénérait, depuis son fameux coup sur les Mines de Selsis. Lorsque les titres [3] étaient tombés à quinze francs, et que l'on considérait tout acheteur comme un fou, il avait mis dans l'affaire sa fortune, deux cent mille francs, au hasard, sans calcul ni flair, par un entêtement de brute chanceuse. Aujourd'hui que la découverte de filons réels et considérables avait fait dépasser aux titres le cours de mille francs, il gagnait une quinzaine de millions ; et son opération imbécile qui aurait dû le faire enfermer autrefois, le haussait maintenant au rang des vastes cerveaux financiers. Il était salué, consulté surtout. D'ailleurs, il ne donnait plus d'ordres, comme satisfait,

---

1. Le grand perron du palais Brongniart, du côté de la rue Vivienne, ainsi que le petit perron du côté de la rue Notre-Dame-des-Victoires sont chacun flanqués de deux socles présentant des statues allégoriques : la *Justice*, par Cortot ; la *Fortune*, par Pradier ; l'*Abondance*, par Petitot ; la *Prudence*, par Roman. Ces statues sont communément montrées, voire déformées, dans les caricatures boursières du XIXe siècle, en particulier celles de Daumier. **2.** La charge d'agent de change était alors fort chère, la profession étant régie par un *numerus clausus* (voir Lexique financier). On pouvait acheter une charge à plusieurs, et il se rencontre couramment, dans la littérature financière du XIXe siècle, des « quarts d'agent de change », les physiologies des années 1850 plaisantant même les « trente-deuxième d'agent de change ». C'est dire que Mazaud, ici, est un jeune nanti. **3.** Les valeurs boursières. Le sens financier actuel du mot « titre » semble apparaître dans les années 1850.

trônant désormais dans son coup de génie unique et légendaire. Mazaud devait rêver sa clientèle.

Saccard, n'ayant pu obtenir d'Amadieu même un sourire, salua la table d'en face, où se trouvaient réunis trois spéculateurs de sa connaissance, Pillerault, Moser et Salmon.

« Bonjour ! ça va bien ?

– Oui, pas mal… Bonjour ! »

Chez ceux-ci encore, il sentit la froideur, l'hostilité presque. Pillerault pourtant, très grand, très maigre, avec des gestes saccadés et un nez en lame de sabre, dans un visage osseux de chevalier errant, avait d'habitude la familiarité d'un joueur qui érigeait en principe le casse-cou, déclarant qu'il culbutait dans des catastrophes, chaque fois qu'il s'appliquait à réfléchir. Il était d'une nature exubérante de haussier*, toujours tourné à la victoire, tandis que Moser, au contraire, de taille courte, le teint jaune, ravagé par une maladie de foie, se lamentait sans cesse, en proie à de continuelles craintes de cataclysme. Quant à Salmon, un très bel homme luttant contre la cinquantaine, étalant une barbe superbe, d'un noir d'encre, il passait pour un gaillard extraordinairement fort. Jamais il ne parlait, il ne répondait que par des sourires, on ne savait dans quel sens il jouait, ni même s'il jouait ; et sa façon d'écouter impressionnait tellement Moser, que souvent celui-ci, après lui avoir fait une confidence, courait changer un ordre, démonté par son silence.

Dans cette indifférence qu'on lui témoignait, Saccard était resté les regards fiévreux et provocants, achevant le tour de la salle. Et il n'échangea plus un signe de tête qu'avec un grand jeune homme, assis à trois tables de distance, le beau Sabatani, un Levantin [1] à la face longue et brune, qu'éclairaient des yeux noirs magnifiques, mais qu'une bouche mauvaise, inquiétante, gâtait. L'amabilité de ce garçon acheva de l'irriter : quelque exécuté* d'une

---

1. Originaire des côtes de l'Asie Mineure, du Liban ou de l'Égypte ; employé de manière péjorative, le terme désigne souvent des personnages qui s'adonnent à des trafics parfois douteux.

Bourse étrangère, un de ces gaillards mystérieux aimés des femmes, tombé depuis le dernier automne sur le marché, qu'il avait déjà vu à l'œuvre comme prête-nom, dans un désastre de banque, et qui peu à peu conquérait la confiance de la corbeille* et de la coulisse* par beaucoup de correction et une bonne grâce infatigable, même pour les plus tarés.

Un garçon était debout devant Saccard.

« Qu'est-ce que Monsieur prend ?

– Ah ! oui… Ce que vous voudrez, une côtelette, des asperges. »

Puis, il rappela le garçon.

« Vous êtes sûr que M. Huret n'est pas venu avant moi et n'est pas reparti ?

– Oh ! absolument sûr ! »

Ainsi, il en était là, après la débâcle qui, en octobre, l'avait forcé une fois de plus à liquider* sa situation, à vendre son hôtel du parc Monceau [1], pour louer un appartement : les Sabatanis seuls le saluaient, son entrée dans un restaurant, où il avait régné, ne faisait plus tourner toutes les têtes, tendre toutes les mains. Il était beau joueur, il restait sans rancune, à la suite de cette dernière affaire de terrains, scandaleuse et désastreuse, dont il n'avait guère sauvé que sa peau. Mais une fièvre de revanche s'allumait dans son être ; et l'absence d'Huret qui avait formellement promis d'être là, dès onze heures, pour lui rendre compte de la démarche dont il s'était chargé près de son frère Rougon, le ministre alors triomphant, l'exaspérait surtout contre ce dernier. Huret,

---

1. Allusion au roman *La Curée* (1872), deuxième volume des *Rougon-Macquart*, avec lequel l'ensemble de ce premier chapitre de *L'Argent* fait la couture. *La Curée* narre l'arrivée à Paris, aux lendemains du coup d'État de Louis-Napoléon Bonaparte, d'Aristide Rougon – qui prend bientôt le nom de Saccard –, puis ses spéculations sur les expropriations et les démolitions liées aux travaux du baron Haussmann. À l'apogée de sa puissance, Saccard possède dans le quartier neuf du parc Monceau (17e arrondissement de Paris) un magnifique hôtel particulier. Mais cette richesse est perpétuellement menacée par ses dépenses, ce qui l'oblige à de nouvelles combinaisons.

député docile, créature du grand homme, n'était qu'un commissionnaire. Seulement, Rougon, lui qui pouvait tout, était-ce possible qu'il l'abandonnât ainsi ? Jamais il ne s'était montré bon frère [1]. Qu'il se fût fâché après la catastrophe, qu'il eût rompu ouvertement pour n'être point compromis lui-même, cela s'expliquait ; mais, depuis six mois, n'aurait-il pas dû lui venir secrètement en aide et, maintenant, allait-il avoir le cœur de refuser le suprême coup d'épaule qu'il lui faisait demander par un tiers, n'osant le voir en personne, craignant quelque crise de colère qui l'emporterait ? Il n'avait qu'un mot à dire, il le remettrait debout, avec tout ce lâche et grand Paris sous les talons.

« Quel vin désire Monsieur ? demanda le sommelier.

– Votre bordeaux ordinaire. »

Saccard, qui laissait refroidir sa côtelette, absorbé, sans faim, leva les yeux, en voyant une ombre passer sur la nappe. C'était Massias, un gros garçon rougeaud, un remisier* qu'il avait connu besogneux, et qui se glissait entre les tables, sa cote* à la main. Il fut ulcéré de le voir filer devant lui, sans s'arrêter, pour aller tendre la cote à Pillerault et à Moser. Distraits, engagés dans une discussion, ceux-ci y jetèrent à peine un coup d'œil : non, ils n'avaient pas d'ordre à donner, ce serait pour une autre fois. Massias, n'osant s'attaquer au célèbre Amadieu, penché au-dessus d'une salade de homard, en train de

---

1. Le premier roman des *Rougon-Macquart*, *La Fortune des Rougon* (1871), présente Aristide Rougon et ses deux frères : d'une part Pascal, médecin, observateur naturaliste de la destinée de la famille et protagoniste du *Docteur Pascal* (1893), dernier roman de la série ; d'autre part Eugène, homme politique et ministre, protagoniste de *Son Excellence Eugène Rougon* (1876). C'est Eugène qui, dans *La Curée*, donne à Aristide l'emploi à la municipalité de Paris qui va lui permettre de développer ses spéculations sur les terrains parisiens. Cette phrase témoigne donc de la mauvaise foi de Saccard déchu, en même temps qu'elle rappelle le contrat initial des deux frères : « Gagne beaucoup d'argent, je te le permets ; seulement pas de bêtise, pas de scandale trop bruyant, ou je te supprime », prévenait Eugène, qui travaillait alors à sa propre ascension politique (*La Curée*, chap. II).

causer à voix basse avec Mazaud, revint vers Salmon, qui prit la cote, l'étudia longuement, puis la rendit, sans un mot. La salle s'animait. D'autres remisiers, à chaque minute, en faisaient battre les portes. Des paroles hautes s'échangeaient de loin, toute une passion d'affaires montait, à mesure que s'avançait l'heure. Et Saccard, dont les regards retournaient sans cesse au-dehors, voyait aussi la place se remplir peu à peu, les voitures et les piétons affluer ; tandis que, sur les marches de la Bourse, éclatantes de soleil, des taches noires, des hommes se montraient déjà, un à un.

« Je vous répète, dit Moser de sa voix désolée, que ces élections complémentaires du 20 mars [1] sont un symptôme des plus inquiétants... Enfin, c'est aujourd'hui Paris tout entier acquis à l'opposition. »

Mais Pillerault haussait les épaules. Carnot et Garnier-Pagès [2] de plus sur les bancs de la gauche, qu'est-ce que ça pouvait faire ?

« C'est comme la question des duchés, reprit Moser, eh bien, elle est grosse de complications... [3]. Certainement !

1. Les élections complémentaires de mars 1864 firent suite aux élections générales de mai-juin 1863, ce renouvellement du Corps législatif se soldant par une progression de l'opposition (constituée de républicains, de libéraux et de certains catholiques favorables aux libertés). L'action de *L'Argent* commence ainsi à un moment clé du second Empire (1852-1870), autour de l'année 1864, qu'on a coutume de définir comme le tournant libéral de l'Empire : Napoléon III renonce alors au bonapartisme fort pour tenir compte du mécontentement montant. 2. Lazare Hippolyte Carnot (1801-1888), qui fut en effet élu au Corps législatif en 1864, était une figure du parti républicain ; il avait participé à la révolution de 1830 et avait été député puis ministre après la révolution de février 1848. Louis Antoine Garnier-Pagès (1803-1878), qui s'était aussi illustré en 1830 et avait été élu à l'Assemblée constituante en avril 1848, était un autre représentant éminent de l'opposition républicaine à l'Empire. 3. Roman de la Bourse oblige, la politique extérieure occupe une place importante dans le récit : « L'Empire, c'est la paix. Pas de paix, pas d'Empire », déclarait le baron James de Rothschild en 1859 à propos de la guerre d'Italie (voir *infra*, p. 24, note 1). Comme l'écrivait aussi Proudhon dans son *Manuel du spéculateur à la Bourse* (1re éd. anonyme, 1854 ; 3e éd. signée, 1857) : « La Bourse est le thermomètre de la tranquillité publique. » Et il faut se souvenir – car les pamphlétaires et les gouvernants du XIXe siècle n'ont cessé de méditer ce fait – que le cours de la

vous avez beau rire. Je ne dis pas que nous devions faire la guerre à la Prusse, pour l'empêcher de s'engraisser aux dépens du Danemark ; seulement, il y avait des moyens d'action... Oui, oui, lorsque les gros se mettent à manger les petits, on ne sait jamais où ça s'arrête... Et, quant au Mexique... »

Pillerault, qui était dans un de ses jours de satisfaction universelle, l'interrompit d'un éclat de rire.

« Ah ! non, mon cher, ne nous ennuyez plus, avec vos terreurs sur le Mexique... Le Mexique, ce sera la page glorieuse du règne...[1]. Où diable prenez-vous que l'empire soit malade ? Est-ce qu'en janvier l'emprunt de trois cents millions[2] n'a pas été couvert plus de quinze fois ? Un succès écrasant... Tenez ! je vous donne rendez-vous en 67, oui, dans trois ans d'ici, lorsqu'on

---

rente est tombé à Austerlitz, alors qu'il est monté à Waterloo : la Bourse, peu patriote, aime surtout la paix et la stabilité. La question des duchés, ici, touche à l'expansion territoriale de la Prusse dans les années 1860, en l'occurrence aux dépens du Danemark. La Prusse entendait de même s'agrandir aux dépens de l'Autriche. De ce dernier conflit, latent, Napoléon III espérait retirer double bénéfice par une politique de « neutralité attentive » (voir *infra*, p. 241, note 1). L'ascension foudroyante de la puissante Prusse de Bismarck anéantit par la suite cette stratégie (voir chap. VI).   **1.** Le Mexique fut en fait l'une des pages catastrophiques du règne (voir la fin du chap. VIII). En 1862, Napoléon III lança une expédition militaire au Mexique, où le pouvoir était déchiré entre les catholiques conservateurs et les libéraux. Il prit le parti des premiers, ce qui lui permit de donner des gages à la frange catholique de l'Empire, en compensation de la guerre d'Italie (voir *infra*, p. 24, note 1). L'objectif était en partie de ramener le Mexique à la stabilité pour qu'il ne risque pas la cessation de paiement (la France, l'Angleterre et l'Espagne étaient alors créancières du Mexique, mais la France devait se retrouver seule dans l'aventure). Il était surtout d'établir en Amérique centrale une zone d'influence française qui fît pendant à la puissance montante des États-Unis. Le projet était donc très ambitieux. Dans un premier temps, ce fut un succès, et Napoléon III put offrir en avril 1864 la couronne du Mexique à l'archiduc Maximilien, frère de l'empereur autrichien, en gage d'amitié stratégique avec l'Autriche. **2.** L'Empire fit appel à l'épargne publique en 1863. Les souscripteurs de tels emprunts confient de l'argent à l'État et perçoivent en retour cet intérêt qu'on appelle la rente. Le succès de l'émission prouve la confiance qu'on accorde à l'État, estimé capable de rembourser à tout moment le capital confié.

ouvrira l'Exposition universelle [1] que l'empereur vient de décider.

– Je vous dis que tout va mal ! affirma désespérément Moser.

– Eh ! fichez-nous la paix, tout va bien ! »

Salmon les regardait l'un après l'autre, en souriant de son air profond. Et Saccard, qui les avait écoutés, ramenait aux difficultés de sa situation personnelle cette crise où l'empire semblait entrer. Lui, une fois encore, était par terre : est-ce que cet empire, qui l'avait fait, allait comme lui culbuter, croulant tout d'un coup de la destinée la plus haute à la plus misérable ? Ah ! depuis douze ans, qu'il l'avait aimé et défendu, ce régime où il s'était senti vivre, pousser, se gorger de sève, ainsi que l'arbre dont les racines plongent dans le terreau qui lui convient ! Mais, si son frère voulait l'en arracher, si on le retranchait de ceux qui épuisaient le sol gras des jouissances, que tout fût donc emporté, dans la grande débâcle finale des nuits de fête !

Maintenant, il attendait ses asperges, absent de la salle où l'agitation croissait sans cesse, envahi par des souvenirs. Dans une large glace, en face, il venait d'apercevoir son image ; et elle l'avait surpris. L'âge ne mordait pas sur sa petite personne, ses cinquante ans n'en paraissaient guère que trente-huit, il gardait une maigreur, une vivacité de jeune homme. Même, avec les années, son visage noir et creusé de marionnette, au nez pointu, aux minces yeux luisants, s'était comme arrangé, avait pris le charme de cette jeunesse persistante, si souple, si active,

---

1. À partir de 1851, les grandes puissances industrielles du monde organisèrent à tour de rôle des expositions internationales où étaient exposés, dans des pavillons grandioses, les produits les plus achevés des arts et techniques de chaque pays. Les expositions universelles françaises du XIXe siècle furent celles de 1855, de 1867 (sur le Champ de Mars) et de 1889 (édification de la tour Eiffel), pour ne pas parler de celle de 1900 (édification des Grand et Petit Palais). Le *Dictionnaire universel* de Pierre Larousse dit de l'exposition qui sera décrite dans le chapitre VIII de *L'Argent* : « parmi toutes les *expositions* connues, il n'y en a qu'une qui s'appelle, et qui, peut-être, s'appellera toujours *l'Exposition* : c'est celle de 1867 ».

les cheveux touffus encore, sans un fil blanc. Et, invinci-
blement, il se rappelait son arrivée à Paris, au lendemain
du coup d'État[1], le soir d'hiver où il était tombé sur
le pavé, les poches vides, affamé, ayant toute une rage
d'appétits à satisfaire. Ah ! cette première course à travers
les rues, lorsque, avant même de défaire sa malle, il avait
eu le besoin de se lancer par la ville, avec ses bottes éculées, son paletot graisseux, pour la conquérir ! Depuis
cette soirée, il était souvent monté très haut, un fleuve de
millions avait coulé entre ses mains, sans que jamais il
eût possédé la fortune en esclave, ainsi qu'une chose à
soi, dont on dispose, qu'on tient sous clef, vivante, matérielle. Toujours le mensonge, la fiction avait habité ses
caisses, que des trous inconnus semblaient vider de leur
or[2]. Puis, voilà qu'il se retrouvait sur le pavé, comme à
l'époque lointaine du départ, aussi jeune, aussi affamé,
inassouvi toujours, torturé du même besoin de jouissances et de conquêtes. Il avait goûté à tout, et il ne
s'était pas rassasié, n'ayant pas eu l'occasion ni le temps,
croyait-il, de mordre assez profondément dans les personnes et dans les choses. À cette heure, il se sentait cette
misère d'être, sur le pavé, moins qu'un débutant,
qu'auraient soutenu l'illusion et l'espoir. Et une fièvre le
prenait de tout recommencer pour tout reconquérir, de
monter plus haut qu'il n'était jamais monté, de poser
enfin le pied sur la cité conquise. Non plus la richesse
menteuse de la façade, mais l'édifice solide de la fortune,
la vraie royauté de l'or trônant sur des sacs pleins !

   La voix de Moser qui s'élevait de nouveau, aigre et
très aiguë, tira un instant Saccard de ses réflexions.

---

   1. Le coup d'État du 2 décembre 1851, lors duquel le prince Bonaparte (neveu de Napoléon Ier), élu président de la République, mit fin
à la IIe République, avant de devenir, en 1852, le nouvel empereur des
Français, sous le nom de Napoléon III. **2.** C'est le motif récurrent du
roman *La Curée*. Comme le dit finalement à Saccard son complice Larsonneau qui, lui, rassemble une vraie fortune : « Voyez-vous, cher maître, vous
êtes très fort pour faire pleuvoir des pièces de cent sous, mais vous ne savez
pas les ramasser » (*La Curée*, dernier chapitre).

« L'expédition du Mexique coûte quatorze millions par mois, c'est Thiers [1] qui l'a prouvé… Et il faut vraiment être aveugle pour ne pas voir que, dans la Chambre, la majorité est ébranlée. Ils sont trente et quelques maintenant, à gauche. L'empereur lui-même comprend bien que le pouvoir absolu devient impossible, puisqu'il se fait le promoteur de la liberté. »

Pillerault ne répondait plus, se contentait de ricaner d'un air de mépris.

« Oui, je sais, le marché vous paraît solide, les affaires marchent. Mais attendez la fin… On a trop démoli et trop reconstruit, à Paris, voyez-vous ! Les grands travaux ont épuisé l'épargne [2]. Quant aux puissantes maisons de crédit qui vous semblent si prospères, attendez qu'une d'elles fasse le saut, et vous les verrez toutes culbuter à la file… Sans compter que le peuple se remue. Cette Association internationale des travailleurs [3], qu'on vient de fonder pour améliorer la condition des ouvriers, m'effraie beaucoup, moi. Il y a, en France, une protestation, un mouvement révolutionnaire qui s'accentue chaque jour… Je vous dis que le ver est dans le fruit. Tout crèvera. »

---

1. Figure majeure de la vie politique française du XIXe siècle, Louis Adolphe Thiers (1797-1877), qui fut ministre sous la monarchie de Juillet (1830-1848) et président de la République en 1871, après avoir négocié la capitulation de la France et réprimé la Commune dans le sang, incarne dès le coup d'État du 2 décembre 1851 l'opposition libérale à l'Empire. Ennemi des conservateurs comme des socialistes, il entendait constituer en ce début des années 1860 une grande « Union libérale » susceptible d'englober aussi des républicains. Au moment où commence le roman, il vient de prononcer au Corps législatif son discours mémorable (11 janvier 1864) sur les « libertés nécessaires » : liberté individuelle, liberté de la presse, liberté électorale, liberté de la représentation nationale, enfin liberté de l'opinion publique. **2.** Les grands travaux d'Haussmann, préfet de la Seine de 1853 à 1870, qui engendrèrent de nombreuses spéculations immobilières. **3.** L'Association internationale des travailleurs (AIT), esquissée en 1862, fut fondée en septembre 1864 – à une date légèrement postérieure, donc. L'Internationale est aussi évoquée dans *Germinal*, dont l'action est contemporaine.

Alors ce fut une protestation bruyante. Ce sacré Moser avait sa crise de foie, décidément. Mais lui-même, en parlant, ne quittait pas des yeux la table voisine, où Mazaud et Amadieu continuaient, dans le bruit, à causer très bas. Peu à peu, la salle entière s'inquiétait de ces longues confidences. Qu'avaient-ils à se dire, pour chuchoter ainsi ? Sans doute, Amadieu donnait des ordres, préparait un coup. Depuis trois jours, de mauvais bruits couraient sur les travaux de Suez [1]. Moser cligna les yeux, baissa également la voix.

« Vous savez, les Anglais veulent empêcher qu'on travaille là-bas. On pourrait bien avoir la guerre. »

Cette fois, Pillerault fut ébranlé, par l'énormité même de la nouvelle. C'était incroyable, et tout de suite le mot vola de table en table, acquérant la force d'une certitude : l'Angleterre avait envoyé un ultimatum, demandant la cessation immédiate des travaux. Amadieu, évidemment, ne causait que de ça avec Mazaud, à qui il donnait l'ordre de vendre tous ses Suez. Un bourdonnement de panique s'éleva, dans l'air chargé d'odeurs grasses, au milieu du bruit croissant des vaisselles remuées. Et, à ce moment, ce qui porta l'émotion à son comble, ce fut l'entrée brusque d'un commis de l'agent de change, le petit Flory, un garçon à figure tendre, mangée d'une épaisse barbe châtaine. Il se précipita, un paquet de fiches à la main, et les remit au patron, en lui parlant à l'oreille.

---

1. Le percement de l'isthme de Suez, pour réaliser un canal de 163 kilomètres de long permettant la libre navigation entre la Méditerranée et la mer Rouge – et donc vers les routes maritimes extrême-orientales –, est un rêve d'ingénieur depuis l'expédition de Napoléon Ier en Égypte et depuis les saint-simoniens dans les années 1830. Ferdinand de Lesseps fonda en 1856 la Compagnie universelle du canal maritime de Suez (le « Suez » allait devenir une valeur phare de la Bourse durant tout le second XIXe siècle) et les travaux commencèrent en avril 1859. Ils furent interrompus en 1863-1866, du fait de l'opposition de la Grande-Bretagne, qui craignait de perdre sa suprématie maritime sur la route des Indes. Mais le canal fut achevé en 1869.

« Bon ! » répondit simplement Mazaud, qui classa les fiches [1] dans son carnet.

Puis, tirant sa montre :

« Bientôt midi ! Dites à Berthier de m'attendre. Et soyez là vous-même, montez chercher les dépêches [2]. »

Lorsque Flory s'en fut allé, il reprit sa conversation avec Amadieu, tira d'autres fiches de sa poche, qu'il posa sur la nappe, à côté de son assiette ; et, à chaque minute, un client qui partait, se penchait au passage, lui disait un mot, qu'il inscrivait rapidement sur un des bouts de papier, entre deux bouchées. La fausse nouvelle, venue on ne savait d'où, née de rien, grossissait comme une nuée d'orage.

« Vous vendez, n'est-ce pas ? » demanda Moser à Salmon.

Mais le muet sourire de ce dernier fut si aiguisé de finesse, qu'il en resta anxieux, doutant maintenant de cet ultimatum de l'Angleterre, qu'il ne savait même pas avoir inventé.

« Moi, j'achète tant qu'on voudra », conclut Pillerault, avec sa témérité vaniteuse de joueur sans méthode.

Les tempes chauffées par la griserie du jeu, que fouettait cette fin bruyante de déjeuner, dans l'étroite salle, Saccard s'était décidé à manger ses asperges, en s'irritant de nouveau contre Huret, sur lequel il ne comptait plus. Depuis des semaines, lui, si prompt à se résoudre, il hésitait, combattu d'incertitudes. Il sentait bien l'impérieuse nécessité de faire peau neuve, et il avait rêvé d'abord une

---

1. Ces fiches, remises par le commis, portent les ordres d'achat et de vente des clients de l'agent de change pour la séance de Bourse qui va avoir lieu. 2. À la Bourse, le bureau du télégraphe est au premier étage. On monte pour aller chercher les ordres envoyés de l'étranger par la clientèle de l'agent de change, avant ou pendant la séance de Bourse. C'est aussi par le télégraphe qu'arrivent les nouvelles fraîches qui, naturellement, vont influer sur certains cours. Dans *Le Comte de Monte-Cristo* (1844-1846) de Dumas, Edmond Dantès ruine son ennemi le banquier Danglars en s'emparant de l'un des sémaphores du télégraphe optique qui relie alors Paris à la périphérie de l'État, et en répandant à la Bourse de fausses nouvelles.

vie toute nouvelle, dans la haute administration ou dans la politique. Pourquoi le Corps législatif ne l'aurait-il pas mené au conseil des ministres, comme son frère ? Ce qu'il reprochait à la spéculation, c'était la continuelle instabilité, les grosses sommes aussi vite perdues que gagnées : jamais il n'avait dormi sur le million réel, ne devant rien à personne. Et, à cette heure où il faisait son examen de conscience, il se disait qu'il était peut-être trop passionné pour cette bataille de l'argent, qui demandait tant de sang-froid. Cela devait expliquer comment, après une vie si extraordinaire de luxe et de gêne, il sortait vidé, brûlé, de ces dix années de formidables trafics sur les terrains du nouveau Paris, dans lesquels tant d'autres, plus lourds, avaient ramassé de colossales fortunes. Oui, peut-être s'était-il trompé sur ses véritables aptitudes, peut-être triompherait-il d'un bond, dans la bagarre politique, avec son activité, sa foi ardente. Tout allait dépendre de la réponse de son frère. Si celui-ci le repoussait, le rejetait au gouffre de l'agio*, eh bien ! ce serait sans doute tant pis pour lui et les autres, il risquerait le grand coup dont il ne parlait encore à personne, l'affaire énorme qu'il rêvait depuis des semaines et qui l'effrayait lui-même, tellement elle était vaste, faite, si elle réussissait ou si elle croulait, pour remuer le monde.

Pillerault avait élevé la voix.

« Mazaud, est-ce fini, l'exécution* de Schlosser ?

— Oui, répondit l'agent de change, l'affiche sera mise aujourd'hui... Que voulez-vous ? c'est toujours ennuyeux, mais j'avais reçu les renseignements les plus inquiétants, et je l'ai escompté* le premier. Il faut bien, de temps à autre, donner un coup de balai.

— On m'a affirmé, dit Moser, que vos collègues, Jacoby et Delarocque, y étaient pour des sommes rondes. »

L'agent eut un geste vague.

« Bah ! c'est la part du feu... Ce Schlosser devait être d'une bande, et il en sera quitte pour aller écumer la Bourse de Berlin ou de Vienne. »

Les yeux de Saccard s'étaient portés sur Sabatani, dont un hasard lui avait révélé l'association secrète avec Schlosser : tous deux jouaient le jeu connu, l'un à la hausse, l'autre à la baisse sur une même valeur, celui qui perdait en étant quitte pour partager le bénéfice de l'autre, et disparaître. Mais le jeune homme payait tranquillement l'addition du déjeuner fin qu'il venait de faire. Puis, avec sa grâce caressante d'Oriental mâtiné d'Italien, il vint serrer la main de Mazaud, dont il était le client. Il se pencha, donna un ordre, que celui-ci inscrivit sur une fiche.

« Il vend ses Suez », murmura Moser.

Et, tout haut, cédant à un besoin, malade de doute :

« Hein ? que pensez-vous du Suez ? »

Un silence se fit dans le brouhaha des voix, toutes les têtes des tables voisines se tournèrent. La question résumait l'anxiété croissante. Mais le dos d'Amadieu, qui avait simplement invité Mazaud pour lui recommander un de ses neveux, restait impénétrable, n'ayant rien à dire ; tandis que l'agent, que les ordres de vente qu'il recevait commençaient à étonner, se contentait de hocher la tête, par une habitude professionnelle de discrétion.

« Le Suez, c'est très bon ! » déclara de sa voix chantante Sabatani, qui, avant de sortir, se dérangea de son chemin, pour serrer galamment la main de Saccard.

Et Saccard garda un moment la sensation de cette poignée de main, si souple, si fondante, presque féminine. Dans son incertitude de la route à prendre, de sa vie à refaire, il les traitait tous de filous, ceux qui étaient là. Ah ! si on l'y forçait, comme il les traquerait, comme il les tondrait, les Moser trembleurs, les Pillerault vantards, et ces Salmon plus creux que des courges, et ces Amadieu dont le succès a fait le génie ! Le bruit des assiettes et des verres avait repris, les voix s'enrouaient, les portes battaient plus fort, dans la hâte qui les dévorait tous d'être là-bas, au jeu, si une débâcle devait se produire sur le Suez. Et, par la fenêtre, au milieu de la place sillonnée de fiacres, encombrée de piétons, il voyait les marches ensoleillées de la Bourse comme mouchetées maintenant d'une montée continue d'insectes humains, des hommes correctement vêtus de noir, qui peu à peu garnissaient la colonnade ; pendant que, derrière les grilles, apparaissaient quelques femmes, vagues, rôdant sous les marronniers [1].

Brusquement, au moment où il entamait le fromage qu'il venait de commander, une grosse voix lui fit lever la tête.

« Je vous demande pardon, mon cher, il m'a été impossible de venir plus tôt. »

Enfin, c'était Huret, un Normand du Calvados, une figure épaisse et large de paysan rusé, qui jouait l'homme simple. Tout de suite, il se fit servir n'importe quoi, le plat du jour, avec un légume.

« Eh bien ? » demanda sèchement Saccard, qui se contenait.

Mais l'autre ne se pressait pas, le regardait en homme finassier et prudent. Puis, se mettant à manger, avançant la face et baissant la voix :

« Eh bien, j'ai vu le grand homme... Oui, chez lui, ce matin... Oh ! il a été très gentil, très gentil pour vous. »

Il s'arrêta, but un grand verre de vin, se remit une pomme de terre dans la bouche.

« Alors ?

– Alors, mon cher, voici... Il veut bien faire pour vous tout ce qu'il pourra, il vous trouvera une très jolie situation, mais pas en France... Ainsi, par exemple, gouverneur dans une de nos colonies [2], une des bonnes. Vous y seriez le maître, un vrai petit prince. »

Saccard était devenu blême.

---

1. La fourmilière des boursiers sur le perron, les grilles derrière lesquelles se tient un monde interlope de petits spéculateurs, les marronniers qui entouraient alors le palais Brongniart (avant son agrandissement en 1905) : autant d'éléments typiques de la topographie boursière qui s'élabore dans la gravure et la littérature depuis les années 1830. 2. Le domaine colonial français s'étendit sous le second Empire ; en 1870, il dépassait un million de kilomètres carrés.

« Dites donc, c'est pour rire, vous vous fichez du monde !... Pourquoi pas tout de suite la déportation ?... Ah ! il veut se débarrasser de moi. Qu'il prenne garde que je finisse par le gêner pour tout de bon ! »

Huret restait la bouche pleine, conciliant.

« Voyons, voyons, on ne veut que votre bien, laissez-nous faire.

– Que je me laisse supprimer, n'est-ce pas ?... Tenez ! tout à l'heure, on disait ici que l'empire n'aurait bientôt plus une faute à commettre. Oui, la guerre d'Italie [1], le Mexique, l'attitude vis-à-vis de la Prusse. Ma parole, c'est la vérité !... Vous ferez tant de bêtises et de folies, que la France entière se lèvera pour vous flanquer dehors. »

Du coup, le député, la fidèle créature du ministre, s'inquiéta, pâlissant, regardant autour de lui.

« Ah ! permettez, permettez, je ne peux pas vous suivre... Rougon est un honnête homme, il n'y a pas de danger, tant qu'il sera là... Non, n'ajoutez rien, vous le méconnaissez, je tiens à le dire. »

---

1. En 1858-1859, Napoléon III lança la France dans une opération fort délicate en Italie, qui n'avait pas encore réalisé à l'époque son unité nationale et se trouvait divisée en royaumes, sous la domination en particulier de la Russie (Naples) et de l'Autriche (nord de la péninsule). Se posant plutôt en homme de gauche, défenseur des « nationalités », et s'exposant à mécontenter les catholiques français, puisqu'il s'en prenait aux possessions romaines du pape, l'empereur s'entendit secrètement avec le Piémont en 1858 pour mener une guerre contre l'Autriche. C'est en fait cette dernière qui déclara, en avril 1859, la guerre contre le Piémont, appuyé par les troupes françaises. L'Autriche fut vaincue, mais au prix de très lourdes pertes françaises lors des victoires de Magenta (4 juin) et Solférino (24 juin), et Napoléon III s'empressa de négocier la paix de Zurich (11 novembre 1859), sans concertation avec son allié piémontais. Piètre résultat pour la France : si elle obtint comme convenu Nice et la Savoie, elle passa à la fois pour ennemie de l'Autriche et traître aux yeux des Italiens, qui réalisèrent leur unité sans elle. Enfin, Napoléon III s'attira au passage l'ire des catholiques de France, car le pape perdit beaucoup de ses possessions territoriales dans ce mouvement d'affirmation nationale. Ce fait est déterminant dans *L'Argent* : il explique la teneur idéologique du projet financier de Saccard.

Violemment, étouffant sa voix entre ses dents serrées, Saccard l'interrompit.

« Soit, aimez-le, faites votre cuisine ensemble… Oui ou non, veut-il me patronner ici, à Paris ?

– À Paris, jamais ! »

Sans ajouter un mot, il se leva, appela le garçon, pour payer, tandis que, très calme, Huret, qui connaissait ses colères, continuait à avaler de grosses bouchées de pain et le laissait aller, de peur d'un esclandre. Mais, à ce moment, dans la salle, il y eut une forte émotion.

Gundermann venait d'entrer, le banquier roi, le maître de la Bourse et du monde, un homme de soixante ans, dont l'énorme tête chauve, au nez épais, aux yeux ronds, à fleur de tête, exprimait un entêtement et une fatigue immenses. Jamais il n'allait à la Bourse, affectant même de n'y pas envoyer de représentant officiel ; jamais non plus il ne déjeunait dans un lieu public. Seulement, de loin en loin, il lui arrivait, comme ce jour-là, de se montrer au restaurant Champeaux, où il s'asseyait à une des tables pour se faire simplement servir un verre d'eau de Vichy, sur une assiette. Souffrant depuis vingt ans d'une maladie d'estomac, il ne se nourrissait absolument que de lait.

Tout de suite, le personnel fut en l'air pour apporter le verre d'eau, et tous les convives présents s'aplatirent. Moser, l'air anéanti, contemplait cet homme qui savait les secrets, qui faisait à son gré la hausse ou la baisse, comme Dieu fait le tonnerre. Pillerault lui-même le saluait, n'ayant foi qu'en la force irrésistible du milliard. Il était midi et demi, et Mazaud, qui lâchait vivement Amadieu, revint, se courba devant le banquier, dont il avait parfois l'honneur de recevoir un ordre. Beaucoup de boursiers étaient ainsi en train de partir, qui restèrent, debout, entourant le dieu, lui faisant une cour d'échines respectueuses, au milieu de la débandade des nappes salies ; et ils le regardaient avec vénération prendre le verre d'eau, d'une main tremblante, et le porter à ses lèvres décolorées.

Autrefois, dans les spéculations sur les terrains de la plaine Monceau, Saccard avait eu des discussions, toute une brouille même avec Gundermann. Ils ne pouvaient s'entendre, l'un passionné et jouisseur, l'autre sobre et de froide logique. Aussi le premier, dans sa crise de colère, exaspéré encore par cette entrée triomphale, s'en allait-il, lorsque l'autre l'appela.

« Dites donc, mon bon ami, est-ce vrai ? vous quittez les affaires... Ma foi, vous faites bien, ça vaut mieux. »

Ce fut, pour Saccard, un coup de fouet en plein visage. Il redressa sa petite taille, il répliqua d'une voix nette, aiguë comme une épée :

« Je fonde une maison de crédit au capital de vingt-cinq millions, et je compte aller vous voir bientôt. »

Et il sortit, laissant derrière lui le brouhaha ardent de la salle, où tout le monde se bousculait, pour ne pas manquer l'ouverture de la Bourse. Ah ! réussir enfin, remettre le talon sur ces gens qui lui tournaient le dos, et lutter de puissance avec ce roi de l'or, et l'abattre peut-être un jour ! Il n'était pas décidé à lancer sa grande affaire, il demeurait surpris de la phrase que le besoin de répondre lui avait tirée. Mais pourrait-il tenter la fortune ailleurs, maintenant que son frère l'abandonnait et que les hommes et les choses le blessaient pour le rejeter à la lutte, comme le taureau saignant est ramené dans l'arène ?

Un instant, il resta frémissant, au bord du trottoir. C'était l'heure active où la vie de Paris semble affluer sur cette place centrale, entre la rue Montmartre et la rue Richelieu, les deux artères engorgées qui charrient la foule [1]. Des quatre carrefours, ouverts aux quatre angles

---

1. Le palais Brongniart est au cœur de la circulation parisienne du XIXe siècle, entre la rue de Richelieu et la rue Montmartre, entre le quartier financier de la Chaussée d'Antin et le quartier du Châtelet, entre le boulevard (voir *infra*, p. 280, note 1) et le Palais-Royal. Plusieurs rues furent percées autour de la place de la Bourse pour décongestionner le quartier. La métaphore de la Bourse en cœur, qui s'épanouit sous la plume de Vallès en 1857 dans *L'Argent, par un homme de lettres devenu homme de Bourse*, a donc une signification topographique autant que financière (voir *infra*, p. 144, note 1).

de la place, des flots ininterrompus de voitures coulaient, sillonnant le pavé, au milieu des remous d'une cohue de piétons. Sans arrêt, les deux files des fiacres de la station, le long des grilles, se rompaient et se reformaient ; tandis que, sur la rue Vivienne, les victorias [1] des remisiers s'allongeaient en un rang pressé, que dominaient les cochers, guides en main, prêts à fouetter au premier ordre. Envahis, les marches et le péristyle [2] étaient noirs d'un fourmillement de redingotes ; et, de la coulisse, installée déjà sous l'horloge [3] et fonctionnant, montait la clameur de l'offre et de la demande, ce bruit de marée de l'agio, victorieux du grondement de la ville. Des passants tournaient la tête, dans le désir et la crainte de ce qui se faisait là, ce mystère des opérations financières où peu de cervelles françaises pénètrent, ces ruines, ces fortunes brusques, qu'on ne s'expliquait pas, parmi cette gesticulation et ces cris barbares [4]. Et lui, au bord du ruisseau, assourdi par les voix lointaines, coudoyé par la bousculade des gens pressés, il rêvait une fois de plus la royauté de l'or, dans ce quartier de toutes les fièvres, où la Bourse, d'une heure à trois [5], bat comme un cœur énorme, au milieu.

---

1. Voitures à cheval découvertes et à quatre roues. 2. Le palais Brongniart, édifice à colonnade et à fronton triangulaire, conçu par Brongniart et inauguré en 1826, est à Paris le troisième grand bâtiment napoléonien d'inspiration grecque, avec l'Assemblée nationale et la Madeleine (où l'on pensa un temps installer les boursiers). Son péristyle le rend aisé à croquer pour les caricaturistes du XIXe siècle. Gageons qu'il a aussi encouragé le succès du mot « grec » pris dans le sens de « voleur ». En tout cas, les spéculateurs qui faisaient leurs affaires dehors déploraient que ce péristyle fût à la fois trop haut et trop peu profond pour les préserver du mauvais temps. 3. Il y a sous la colonnade, du côté de la rue Vivienne, une grande horloge, attribut essentiel du bâtiment. 4. Suivant de près ses notes préparatoires, Zola résume ici l'hermétisme des affaires boursières pour les profanes, opacité sur laquelle a toujours joué la représentation picturale ou littéraire de la Bourse et qui est aussi à l'origine des préjugés à son endroit. 5. Ce sont les horaires de la séance de Bourse dans la deuxième partie du XIXe siècle. Elle commençait antérieurement à midi trente. Ce n'est qu'en 1986 que fut instituée ce qu'on appelle la « cotation continue ».

Mais, depuis sa déconfiture, il n'avait point osé rentrer à la Bourse ; et, ce jour-là encore, un sentiment de vanité souffrante, la certitude d'y être accueilli en vaincu, l'empêchait de monter les marches. Comme les amants chassés de l'alcôve d'une maîtresse, qu'ils désirent davantage, même en croyant l'exécrer, il revenait fatalement là, il faisait le tour de la colonnade sous des prétextes, traversant le jardin, marchant d'un pas de promeneur, à l'ombre des marronniers. Dans cette sorte de square poussiéreux, sans gazon ni fleurs, où grouillait sur les bancs, parmi les urinoirs et les kiosques à journaux, un mélange de spéculateurs louches et de femmes du quartier, en cheveux, allaitant des poupons, il affectait une flânerie désintéressée, levait les yeux, guettait, avec la furieuse pensée qu'il faisait le siège du monument, qu'il l'enserrait d'un cercle étroit, pour y rentrer un jour en triomphateur.

Il pénétra dans l'angle de droite, sous les arbres qui font face à la rue de la Banque, et tout de suite il tomba sur la petite bourse des valeurs déclassées*, les « Pieds humides », comme on appelle avec un ironique mépris ces joueurs de la brocante, qui cotent en plein vent, dans la boue des jours pluvieux, les titres des compagnies mortes. Il y avait là, en un groupe tumultueux, toute une juiverie malpropre [1], de grasses faces luisantes, des profils desséchés d'oiseaux voraces, une extraordinaire réunion de nez typiques, rapprochés les uns des autres, ainsi que sur une proie, s'acharnant au milieu de cris gutturaux, et comme près de se dévorer entre eux. Il passait, lorsqu'il aperçut un peu à l'écart un gros homme, en train de

---

1. Point de départ de la thématique juive du roman de Zola, la question des Juifs étant inséparable de la question financière, depuis au moins l'écrit antisémite de Toussenel *Les Juifs rois de l'époque* (1846). Le lecteur devra toujours évaluer en quoi ces termes péjoratifs peuvent être motivés par le point de vue de Saccard, et dans quelle mesure ils ressortissent à une sorte de discours indirect libre anonyme, à travers lequel Zola restituerait le préjugé de beaucoup de ses contemporains.

regarder au soleil un rubis, qu'il levait en l'air, délicate-
ment, entre ses doigts énormes et sales.

« Tiens, Busch. Vous me faites songer que je voulais
monter chez vous. »

Busch, qui tenait un cabinet d'affaires, rue Feydeau,
au coin de la rue Vivienne, lui avait, à plusieurs reprises,
été d'une utilité grande, en des circonstances difficiles. Il
restait extasié, à examiner l'eau de la pierre précieuse, sa
large face plate renversée, ses gros yeux gris comme
éteints par la lumière vive ; et l'on voyait, roulée en corde,
la cravate blanche qu'il portait toujours ; tandis que sa
redingote d'occasion, anciennement superbe, mais extraordinairement râpée et maculée de taches, remontait
jusque dans ses cheveux pâles, qui tombaient en mèches
rares et rebelles de son crâne nu. Son chapeau, roussi par
le soleil, lavé par les averses, n'avait plus d'âge.

Enfin, il se décida à redescendre sur terre.

« Ah ! monsieur Saccard, vous faites un petit tour par
ici.

– Oui... C'est une lettre en langue russe, une lettre d'un
banquier russe, établi à Constantinople. Alors, j'ai pensé
à votre frère, pour me la traduire. »

Busch, qui, d'un mouvement inconscient et tendre,
roulait toujours le rubis dans sa main droite, tendit la
gauche, en disant que, le soir même, la traduction serait
envoyée. Mais Saccard expliqua qu'il s'agissait seulement
de dix lignes.

« Je vais monter, votre frère me lira ça tout de suite... »

Et il fut interrompu par l'arrivée d'une femme énorme,
Mme Méchain, bien connue des habitués de la Bourse,
une de ces enragées et misérables joueuses, dont les mains
grasses tripotent [1] dans toutes sortes de louches besognes.
Son visage de pleine lune, bouffi et rouge, aux minces
yeux bleus, au petit nez perdu, à la petite bouche d'où
sortait une voix flûtée d'enfant, semblait déborder du

---

1. Ce verbe appartient aussi à la langue de la Bourse. Voir le roman
mineur de Jules de Gastyne, *Les Tripoteurs* (1873).

vieux chapeau mauve, noué de travers par des brides gre-
nat ; et la gorge géante, et le ventre hydropique [1], crevaient la robe de popeline verte, mangée de boue, tournée
au jaune. Elle tenait au bras un antique sac de cuir noir,
immense, aussi profond qu'une valise, qu'elle ne quittait
jamais. Ce jour-là, le sac, gonflé, plein à crever, la tirait
à droite, penchée comme un arbre.

« Vous voilà, dit Busch qui devait l'attendre.

– Oui, et j'ai reçu les papiers de Vendôme, je les
apporte.

– Bon ! filons chez moi... Rien à faire aujourd'hui,
ici. »

Saccard avait eu un regard vacillant sur le vaste sac de
cuir. Il savait que, fatalement, allaient tomber là les titres
déclassés, les actions* des sociétés mises en faillite, sur
lesquelles les Pieds humides agiotent* encore, des actions
de cinq cents francs qu'ils se disputent à vingt sous, à dix
sous, dans le vague espoir d'un relèvement improbable,
ou plus pratiquement comme une marchandise scélérate,
qu'ils cèdent avec bénéfice aux banqueroutiers [2] désireux
de gonfler leur passif. Dans les batailles meurtrières de
la finance, la Méchain était le corbeau qui suivait les
armées en marche ; pas une compagnie, pas une grande
maison de crédit ne se fondait, sans qu'elle apparût, avec
son sac, sans qu'elle flairât l'air, attendant les cadavres,
même aux heures prospères des émissions triomphantes ;
car elle savait bien que la déroute était fatale, que le jour
du massacre viendrait, où il y aurait des morts à manger,
des titres à ramasser pour rien dans la boue et dans le
sang. Et lui, qui roulait son grand projet d'une banque,
eut un léger frisson, fut traversé d'un pressentiment, à
voir ce sac, ce charnier des valeurs dépréciées, dans lequel
passait tout le sale papier balayé de la Bourse.

---

1. Gonflé d'eau, atteint d'hydropisie. 2. Commerçants en faillite,
volontaire ou non. Un failli malhonnête (César Birotteau représentant
chez Balzac le type exceptionnel du failli honnête...) peut avoir intérêt
à racheter à bas prix des valeurs déclassées et à les inscrire à son bilan
pour faire croire que leur chute a nourri sa faillite.

Comme Busch emmenait la vieille femme, Saccard le retint.

« Alors, je puis monter, je suis certain de trouver votre frère ? »

Les yeux du juif s'adoucirent, exprimèrent une surprise inquiète.

« Mon frère, mais certainement ! Où voulez-vous qu'il soit ?

– Très bien, à tout à l'heure ! »

Et Saccard, les laissant s'éloigner, poursuivit sa marche lente, le long des arbres, vers la rue Notre-Dame-des-Victoires. Ce côté de la place est un des plus fréquentés, occupé par des fonds de commerce, des industries en chambre, dont les enseignes d'or flambaient sous le soleil. Des stores battaient aux balcons, toute une famille de province restait béante, à la fenêtre d'un hôtel meublé. Machinalement, il avait levé la tête, regardé ces gens dont l'ahurissement le faisait sourire, en le réconfortant par cette pensée qu'il y aurait toujours, dans les départements, des actionnaires*. Derrière son dos, la clameur de la Bourse, le bruit de la marée lointaine continuait, l'obsédait, ainsi qu'une menace d'engloutissement qui allait le rejoindre.

Mais une nouvelle rencontre l'arrêta.

« Comment, Jordan, vous à la Bourse ? » s'écria-t-il, en serrant la main d'un grand jeune homme brun, aux petites moustaches, à l'air décidé et volontaire.

Jordan, dont le père, un banquier de Marseille, s'était autrefois suicidé, à la suite de spéculations désastreuses, battait depuis dix ans le pavé de Paris, enragé de littérature, dans une lutte brave contre la misère noire[1]. Un de ses cousins, installé à Plassans[2], où il connaissait la famille de Saccard, l'avait autrefois recommandé à ce dernier, lorsque celui-ci recevait tout Paris, dans son hôtel du parc Monceau.

---

1. Ce pourrait être un autoportrait de Zola vers 1866. 2. Ville d'origine des Rougon et des Macquart.

« Oh ! à la Bourse, jamais ! » répondit le jeune homme, avec un geste violent, comme s'il chassait le souvenir tragique de son père.

Puis, se remettant à sourire :

« Vous savez que je me suis marié... Oui, avec une petite amie d'enfance. On nous avait fiancés aux jours où j'étais riche, et elle s'est entêtée à vouloir quand même du pauvre diable que je suis devenu.

– Parfaitement, j'ai reçu la lettre de faire-part, dit Saccard. Et imaginez-vous que j'ai été en rapport, autrefois, avec votre beau-père, M. Maugendre, lorsqu'il avait sa manufacture de bâches, à la Villette. Il a dû y gagner une jolie fortune. »

Cette conversation avait lieu près d'un banc, et Jordan l'interrompit, pour présenter un monsieur gros et court, à l'aspect militaire, qui se trouvait assis, et avec lequel il causait, lors de la rencontre.

« Monsieur le capitaine Chave, un oncle de ma femme... Mme Maugendre, ma belle-mère, est une Chave, de Marseille. »

Le capitaine s'était levé, et Saccard salua. Celui-ci connaissait de vue cette figure apoplectique, au cou raidi par l'usage du col de crin, un de ces types d'infimes joueurs au comptant* qu'on était certain de rencontrer tous les jours là, d'une heure à trois. C'est un jeu de gagne-petit, un gain presque assuré de quinze à vingt francs, qu'il faut réaliser* dans la même Bourse.

Jordan avait ajouté avec son bon rire, expliquant sa présence :

« Un boursier féroce, mon oncle, dont je ne fais, parfois, que serrer la main en passant.

– Dame ! dit simplement le capitaine, il faut bien jouer, puisque le gouvernement, avec sa pension, me laisse crever de faim. »

Ensuite, Saccard, que le jeune homme intéressait par sa bravoure à vivre, lui demanda si les choses de la littérature marchaient. Et Jordan, s'égayant encore, raconta l'installation de son pauvre ménage à un cinquième de l'avenue de Clichy ; car les Maugendre, qui se défiaient d'un poète, croyant avoir beaucoup fait en consentant au mariage, n'avaient rien donné, sous le prétexte que leur fille, après eux, aurait leur fortune intacte, engraissée d'économies. Non, la littérature ne nourrissait pas son homme, il avait en projet un roman qu'il ne trouvait pas le temps d'écrire, et il était entré forcément dans le journalisme, où il bâclait tout ce qui concernait son état, depuis des chroniques, jusqu'à des comptes rendus de tribunaux et même des faits divers.

« Eh bien, dit Saccard, si je monte ma grande affaire, j'aurai peut-être besoin de vous. Venez donc me voir. »

Après avoir salué, il tourna derrière la Bourse. Là, enfin, la clameur lointaine, les abois du jeu cessèrent, ne furent plus qu'une rumeur vague, perdue dans le grondement de la place. De ce côté, les marches étaient également envahies de monde ; mais le cabinet des agents de change, dont on voyait les tentures rouges par les hautes fenêtres [1], isolait du vacarme de la grande salle la colonnade, où des spéculateurs, les délicats, les riches, s'étaient assis commodément à l'ombre, quelques-uns seuls, d'autres par petits groupes, transformant en une sorte de club ce vaste péristyle ouvert au plein ciel. C'était un peu, ce derrière du monument, comme l'envers d'un théâtre, l'entrée des artistes, avec la rue louche et relativement tranquille, cette rue Notre-Dame-des-Victoires, occupée toute par des marchands de vin, des cafés, des brasseries, des tavernes, grouillant d'une clientèle spéciale, étrangement mêlée. Les enseignes indiquaient aussi la végétation mauvaise, poussée au bord du grand cloaque voisin : des compagnies d'assurances mal famées, des journaux financiers de brigandage [2], des sociétés, des banques, des

---

1. Voir le plan, p. 544-545. Le cabinet des agents de change se trouvait en effet du côté du petit perron, à l'opposé de l'entrée du public. 2. La vie de la Bourse au XIXe siècle est inséparable de celle des journaux financiers, dont beaucoup étaient loin d'être des références sérieuses, soit parce qu'ils appartenaient à de grands brasseurs d'affaires, directement intéressés par la réclame que pouvait produire

agences, des comptoirs, la série entière des modestes coupe-gorge, installés dans des boutiques ou à des entre-sols, larges comme la main. Sur les trottoirs, au milieu de la chaussée, partout, des hommes rôdaient, atten-daient, ainsi qu'à la corne d'un bois.

Saccard s'était arrêté à l'intérieur des grilles, levant les yeux sur la porte qui conduit au cabinet des agents de change, avec le regard aigu d'un chef d'armée examinant sous toutes ses faces la place dont il veut tenter l'assaut, lorsqu'un grand gaillard, qui sortait d'une taverne, tra-versa la rue et vint s'incliner très bas.

« Ah ! monsieur Saccard, n'avez-vous rien pour moi ? J'ai quitté définitivement le Crédit mobilier [1], je cherche une situation. »

Jantrou était un ancien professeur, venu de Bordeaux à Paris, à la suite d'une histoire restée louche. Obligé de quitter l'Université, déclassé, mais beau garçon, avec sa barbe noire en éventail et sa calvitie précoce, d'ailleurs lettré, intelligent et aimable, il était débarqué à la Bourse vers vingt-huit ans, s'y était traîné et sali pendant dix années comme remisier, en n'y gagnant guère que l'argent nécessaire à ses vices. Et, aujourd'hui, tout à fait chauve, se désolant ainsi qu'une fille dont les rides menacent le

---

le bulletin financier, soit parce qu'ils s'adonnaient à des activités de chantage, en rançonnant les industriels en échange de la neutralité ou de la bienveillance des articles, soit parce qu'ils jouaient eux-mêmes. Sur ce point, voir le *Manuel du spéculateur à la Bourse* (1854 ; 1857) de Proudhon ou *Les Tripoteurs* (1873) de Jules de Gastyne. Les notes d'enquête de Zola pour préparer *L'Argent* sont aussi très détaillées à ce propos, et rappellent certaines de ses réflexions antérieures, notam-ment au début de son article « De la moralité dans la littérature » (*Documents littéraires*, 1881). **1.** Fleuron de la finance moderne sous le second Empire, le Crédit mobilier des frères Isaac et Jacob Émile Pereire, qui prêtait à long terme aux industriels et fonctionnait essen-tiellement comme une banque d'émission de titres, fit une faillite reten-tissante en 1867. Pour préparer *L'Argent*, Zola a lu les *Mémoires d'un coulissier* (1873) de son ami romancier Ernest Feydeau, ancien commis chez les Pereire, livre dont plusieurs chapitres sont consacrés au duel financier impitoyable qui se joua à partir de 1852 entre le Crédit mobi-lier et James de Rothschild (1792-1868).

gagne-pain, il attendait toujours l'occasion qui devait le lancer au succès, à la fortune.

Saccard, à le voir si humble, se rappela, avec amertume, le salut de Sabatani, chez Champeaux : décidément, les tarés et les ratés seuls lui restaient. Mais il n'était pas sans estime pour l'intelligence vive de celui-ci, et il savait bien qu'on fait les troupes les plus braves avec les désespérés, ceux qui osent tout, ayant tout à gagner. Il se montra bon homme.

« Une situation, répéta-t-il. Eh ! ça peut se trouver. Venez me voir.

— Rue Saint-Lazare, maintenant, n'est-ce pas ?

— Oui, rue Saint-Lazare. Le matin. »

Ils causèrent. Jantrou était très animé contre la Bourse, répétant qu'il fallait être un coquin pour y réussir, avec la rancune d'un homme qui n'avait pas eu la coquinerie chanceuse. C'était fini, il voulait tenter autre chose, il lui semblait que, grâce à sa culture universitaire, à sa connaissance du monde, il pouvait se faire une belle place dans l'administration. Saccard l'approuvait d'un hochement de tête. Et, comme ils étaient sortis des grilles, longeant le trottoir jusqu'à la rue Brongniart [1], tous deux s'intéressèrent à un coupé sombre, d'un attelage très correct, qui était arrêté dans cette rue, le cheval tourné vers la rue Montmartre. Tandis que le dos du cocher, haut perché, demeurait d'une immobilité de pierre, ils avaient remarqué qu'une tête de femme, à deux reprises, paraissait à la portière et disparaissait, vivement. Tout d'un coup, la tête se pencha, s'oublia, avec un long regard d'impatience en arrière, du côté de la Bourse.

« La baronne Sandorff », murmura Saccard.

C'était une tête brune très étrange, des yeux noirs brûlants sous des paupières meurtries, un visage de passion à la bouche saignante, et que gâtait seulement un nez trop long. Elle semblait fort jolie, d'une maturité précoce,

---

1. Du nom d'Alexandre Théodore Brongniart, le premier architecte de la Bourse (mort en 1813).

pour ses vingt-cinq ans, avec son air de bacchante [1]
habillée par les grands couturiers du règne.

« Oui, la baronne, répéta Jantrou. Je l'ai connue, quand
elle était jeune fille, chez son père, le comte de Ladricourt.
Oh ! un enragé joueur, et d'une brutalité révoltante. J'allais
prendre ses ordres chaque matin, il a failli me battre un jour.
Je ne l'ai pas pleuré, celui-là, quand il est mort d'un coup de
sang, ruiné, à la suite d'une série de liquidations* lamentables… La petite alors a dû se résoudre à épouser le baron
Sandorff, conseiller à l'ambassade d'Autriche, qui avait
trente-cinq ans de plus qu'elle, et qu'elle avait positivement
rendu fou, avec ses regards de feu.

– Je sais », dit simplement Saccard.

De nouveau, la tête de la baronne avait replongé dans
le coupé. Mais, presque aussitôt, elle reparut, plus
ardente, le cou tordu pour voir au loin, sur la place.

« Elle joue, n'est-ce pas ?

– Oh ! comme une perdue ! Tous les jours de crise, on
peut la voir là, dans sa voiture, guettant les cours, prenant fiévreusement des notes sur son carnet, donnant des
ordres… [2]. Et, tenez ! c'était Massias qu'elle attendait :
le voici qui la rejoint. »

---

1. Nom donné aux prêtresses de Bacchus, qui célébraient par des
danses lascives les fêtes en l'honneur de ce dieu (bacchanales). Le terme
implique l'idée de luxure. **2.** Rappelons que depuis un édit de 1724, les
femmes étaient exclues de la Bourse. S'il faut en croire les brochures et
romans qui déclinaient au XIXe siècle le thème inépuisable de la joueuse à la
Bourse, on peut distinguer : 1. la grande dame qui a un agent de change et
lui donne des ordres en fonction des tuyaux que lui apportent ses dîners en
ville ; 2. la courtisane qui récompense de ses faveurs (ou d'espoirs) des associés ou commis d'agent de change ou de coulissiers ; 3. la joueuse misérable.
Les premières ne bougent pas de chez elles ; les deuxièmes restent chez elles
ou louent un appartement dans les environs de la Bourse ; les troisièmes
s'associent pour louer un entresol tout près ou bien, trop pauvres, s'établissent pour dix centimes à la table d'un marchand de vin, ou encore rôdent
sous les marronniers. Voir à ce sujet *L'Argent* (1857), de Jules Vallès ; *Les
Femmes de la Bourse*, de Henry de Kock ; ou la brochure *Le Million* (1858).
La présence de la baronne Sandorff tout près du palais Brongniart témoigne
de son addiction (laquelle est toujours traduite en termes sexuels dans la littérature citée), l'éloigne des grandes dames et la rapproche d'une population
louche.

En effet, Massias courait de toute la vitesse de ses jambes courtes, sa cote à la main, et ils le virent qui s'accoudait à la portière du coupé, y plongeant la tête à son tour, en grande conférence avec la baronne. Puis, comme ils s'écartaient un peu, pour ne pas être surpris dans leur espionnage, et comme le remisier revenait, toujours courant, ils l'appelèrent. Lui, d'abord, jeta un regard de côté, s'assurant que le coin de la rue le cachait ; ensuite, il s'arrêta net, essoufflé, son visage fleuri congestionné, gai quand même, avec ses gros yeux bleus d'une limpidité enfantine.

« Mais qu'est-ce qu'ils ont ? cria-t-il. Voilà le Suez qui dégringole. On parle d'une guerre avec l'Angleterre. Une nouvelle qui les révolutionne, et qui vient on ne sait d'où... Je vous le demande un peu, la guerre ! qui est-ce qui peut bien avoir inventé ça ? À moins que ça ne se soit inventé tout seul... Enfin, un vrai coup de chien. »

Jantrou cligna les yeux.

« La dame mord toujours ?

— Oh ! enragée ! Je porte ses ordres à Nathansohn. »

Saccard, qui écoutait, fit tout haut une réflexion.

« Tiens, c'est vrai, on m'a dit que Nathansohn était entré à la coulisse.

— Un garçon très gentil, Nathansohn, déclara Jantrou, et qui mérite de réussir. Nous avons été ensemble au Crédit mobilier... Mais il arrivera, lui, car il est juif. Son père, un Autrichien, est établi à Besançon, horloger, je crois... Vous savez que ça l'a pris un jour, là-bas, au Crédit, en voyant comment ça se manigançait. Il s'est dit que ce n'était pas si malin, qu'il n'y avait qu'à avoir une chambre et à ouvrir un guichet ; et il a ouvert un guichet... Vous êtes content, vous, Massias ?

— Oh ! content ! Vous y avez passé, vous avez raison de dire qu'il faut être juif ; sans ça, inutile de chercher à comprendre, on n'y a pas la main, c'est la déveine noire... Quel sale métier ! Mais on y est, on y reste. Et puis, j'ai encore de bonnes jambes, j'espère tout de même. »

Et il repartit, courant et riant. On le disait fils d'un magistrat de Lyon, frappé d'indignité, tombé lui-même à la Bourse, après la disparition de son père, n'ayant pas voulu continuer ses études de droit.

Saccard et Jantrou, à petits pas, revinrent vers la rue Brongniart ; et ils y retrouvèrent le coupé de la baronne ; mais les glaces étaient levées, la voiture mystérieuse paraissait vide, tandis que l'immobilité du cocher semblait avoir grandi, dans cette attente qui se prolongeait souvent jusqu'au dernier cours.

« Elle est diablement excitante, reprit brutalement Saccard. Je comprends le vieux baron. »

Jantrou eut un sourire singulier.

« Oh ! le baron, il y a longtemps qu'il en a assez, je crois. Il est très ladre, dit-on… Alors, vous savez avec qui elle s'est mise, pour payer ses factures, le jeu ne suffisant jamais ?

– Non.

– Avec Delcambre.

– Delcambre, le procureur général ! ce grand homme sec, si jaune, si rigide !… Ah ! je voudrais bien les voir ensemble ! »

Et tous deux, très égayés, très allumés, se séparèrent avec une vigoureuse poignée de main, après que l'un eut rappelé à l'autre qu'il se permettrait d'aller le voir prochainement.

Dès qu'il se retrouva seul, Saccard fut repris par la voix haute de la Bourse, qui déferlait avec l'entêtement du flux à son retour. Il avait tourné le coin, il redescendait vers la rue Vivienne, par ce côté de la place, que l'absence de cafés rend sévère. Il longea la Chambre de commerce, le bureau de poste, les grandes agences d'annonces [1], de plus en plus assourdi et enfiévré, à mesure qu'il revenait devant la façade principale ; et,

---

1. Par exemple l'agence Havas qui, fondée en 1835, informait les établissements des événements susceptibles d'avoir une influence sur la Bourse.

quand il put enfiler le péristyle d'un regard oblique, il fit une nouvelle pause, comme s'il ne voulait pas encore achever le tour de la colonnade, cette sorte d'investissement passionné dont il l'enserrait [1]. Là, sur cet élargissement du pavé, la vie s'étalait, éclatait : un flot de consommateurs envahissait les cafés, la boutique du pâtissier ne désemplissait pas, les étalages attroupaient la foule, celui d'un orfèvre surtout, flambant de grosses pièces d'argenterie. Et, par les quatre angles, les quatre carrefours, il semblait que le fleuve des fiacres et des piétons augmentât, dans un enchevêtrement inextricable ; tandis que le bureau des omnibus aggravait les embarras et que les voitures des remisiers, en ligne, barraient le trottoir, presque d'un bout à l'autre de la grille. Mais ses yeux s'étaient fixés sur les marches hautes, où des redingotes s'égrenaient, au plein soleil. Puis, ils remontèrent vers les colonnes, dans la masse compacte, un grouillement noir, à peine éclairé par les taches pâles des visages. Tous étaient debout, on ne voyait pas les chaises, le rond que faisait la coulisse, assise sous l'horloge, ne se devinait qu'à une sorte de bouillonnement, une furie de gestes et de paroles dont l'air frémissait. Vers la gauche, le groupe des banquiers occupés à des arbitrages, à des opérations sur le change et sur les chèques anglais [2], restait plus calme, sans cesse traversé par la queue de monde qui entrait, allant au télégraphe. Jusque sous les galeries latérales, les spéculateurs débordaient, s'écrasaient ; et, entre les colonnes, appuyés aux rampes de fer, il y en avait qui présentaient le ventre ou le dos, comme chez eux, contre le velours d'une loge. La trépidation, le grondement de machine sous vapeur, grandissait, agitait la

---

1. L'ensemble de ce premier chapitre exploite, intérieur de la Bourse mis à part, le repérage fait par Zola sur place le 17 avril 1890. Souvent dans le roman zolien, comme c'est le cas dans *Germinal* par exemple, le chapitre d'exposition du décor restitue d'emblée une partie volumineuse de l'enquête de terrain. 2. Les chèques, dans les années 1860, étaient nommés « chèques anglais » ; leur usage, répandu outre-Manche, était encore assez peu développé en France.

Bourse entière, dans un vacillement de flamme. Brusquement, il reconnut le remisier Massias qui descendait les marches à toutes jambes, puis qui sauta dans sa voiture, dont le cocher lança le cheval au galop.

Alors, Saccard sentit ses poings se serrer. Violemment, il s'arracha, il tourna dans la rue Vivienne, traversant la chaussée pour gagner le coin de la rue Feydeau, où se trouvait la maison de Busch. Il venait de se rappeler la lettre russe qu'il avait à se faire traduire. Mais, comme il entrait, un jeune homme, planté devant la boutique du papetier qui occupait le rez-de-chaussée, le salua ; et il reconnut Gustave Sédille, le fils d'un fabricant de soie de la rue des Jeûneurs, que son père avait placé chez Mazaud, pour étudier le mécanisme des affaires financières. Il sourit paternellement à ce grand garçon élégant, se doutant bien de ce qu'il faisait là, en faction. La papeterie Conin fournissait de carnets toute la Bourse, depuis que la petite Mme Conin y aidait son mari, le gros Conin, qui, lui, ne sortait jamais de son arrière-boutique, s'occupant de la fabrication, tandis qu'elle, toujours, allait et venait, servant au comptoir, faisant les courses dehors. Elle était grasse, blonde, rose, un vrai petit mouton frisé, avec des cheveux de soie pâle, très gracieuse, très câline, et d'une continuelle gaieté. Elle aimait bien son mari, disait-on, ce qui ne l'empêchait pas, quand un boursier de la clientèle lui plaisait, d'être tendre ; mais pas pour de l'argent, uniquement pour le plaisir, et une seule fois, dans une maison amie du voisinage, à ce que racontait la légende. En tout cas, les heureux qu'elle faisait devaient se montrer discrets et reconnaissants, car elle restait adorée, fêtée, sans un vilain bruit autour d'elle. Et la papeterie continuait de prospérer, c'était un coin de vrai bonheur. En passant, Saccard aperçut Mme Conin qui souriait à Gustave à travers les vitres. Quel joli petit mouton ! Il en eut une sensation délicieuse de caresse. Enfin, il monta.

Depuis vingt ans, Busch occupait tout en haut, au cinquième étage, un étroit logement composé de deux chambres et d'une cuisine. Né à Nancy, de parents allemands, il était débarqué là de sa ville natale, il y avait peu à peu étendu son cercle d'affaires, d'une extraordinaire complication, sans éprouver le besoin d'un cabinet plus grand, abandonnant à son frère Sigismond la pièce sur la rue, se contentant de la petite pièce sur la cour, où les paperasses, les dossiers, les paquets de toutes sortes s'empilaient tellement, que la place d'une unique chaise, contre le bureau, se trouvait réservée. Une de ses grosses affaires était bien le trafic sur les valeurs dépréciées ; il les centralisait, il servait d'intermédiaire entre la petite Bourse des « Pieds humides » et les banqueroutiers, qui ont des trous à combler dans leur bilan ; aussi suivait-il les cours, achetant directement parfois, alimenté surtout par les stocks qu'on lui apportait. Mais, outre l'usure [1] et tout un commerce caché sur les bijoux et les pierres précieuses, il s'occupait particulièrement de l'achat des créances [2]. C'était là ce qui emplissait son cabinet à en faire craquer les murs, ce qui le lançait dans Paris, aux quatre coins, flairant, guettant, avec des intelligences dans tous les mondes. Dès qu'il apprenait une faillite, il accourait, rôdait autour du syndic [3], finissait par acheter tout ce dont on ne pouvait rien tirer de bon immédiatement. Il surveillait les études de notaire, attendait les ouvertures de successions difficiles, assistait aux adjudications des créances désespérées. Lui-même publiait des annonces, attirait les créanciers impatients qui aimaient mieux toucher quelques sous tout de suite que de courir le risque de poursuivre leurs débiteurs. Et, de ces sources

---

1. Prêt à taux usuraire. L'usurier, dont le type a été inauguré par le personnage de Gobseck dans *La Comédie humaine*, paraît appartenir à un circuit financier qui n'a rien à voir avec la Bourse moderne. Toutefois, les petits imitateurs de Balzac, dans les années 1880, aiment à imaginer des usuriers-Janus, à la fois âpres aux petits gains et mêlés aux plus vastes manœuvres. 2. La créance est le droit à recouvrer de l'argent qui est dû ; elle peut être matérialisée par une reconnaissance de dettes, ou « billet ». 3. Représentant des créanciers chargé de recouvrer les créances auprès des débiteurs.

multiples, du papier arrivait, de véritables hottées, le tas sans cesse accru d'un chiffonnier de la dette : billets impayés, traités inexécutés, reconnaissances restées vaines, engagements non tenus. Puis, là-dedans, commençait le triage, le coup de fourchette dans cet arlequin gâté, ce qui demandait un flair spécial, très délicat. Dans cette mer de créanciers disparus ou insolvables, il fallait faire un choix, pour ne pas trop éparpiller son effort. En principe, il professait que toute créance, même la plus compromise, peut redevenir bonne, et il avait une série de dossiers admirablement classés, auxquels correspondait un répertoire des noms, qu'il relisait de temps à autre, pour s'entretenir la mémoire. Mais, parmi les insolvables, il suivait naturellement de plus près ceux qu'il sentait avoir des chances de fortune prochaine : son enquête dénudait les gens, pénétrait les secrets des familles, prenait note des parentés riches, des moyens d'existence, des nouveaux emplois surtout, qui permettaient de lancer des oppositions [1]. Pendant des années souvent, il laissait ainsi mûrir un homme, pour l'étrangler au premier succès. Quant aux débiteurs disparus [2], ils le passionnaient plus encore, le jetaient dans une fièvre de recherches continuelles, l'œil sur les enseignes et sur les noms que les journaux imprimaient, quêtant les adresses comme un chien quête le gibier. Et, dès qu'il les tenait, les disparus et les insolvables, il devenait féroce, les mangeait de frais, les vidait jusqu'au sang, tirant cent francs de ce qu'il avait payé dix sous, en expliquant brutalement ses risques de joueur, forcé de gagner avec ceux qu'il empoignait ce qu'il prétendait perdre sur ceux qui lui filaient entre les doigts, ainsi qu'une fumée.

---

1. C'est-à-dire des procédures empêchant ceux qui n'ont pas réglé leurs dettes de toucher des revenus. 2. La différence entre le « débiteur disparu » et le créancier évanoui est mince ! Le premier ne signe pas toujours de reconnaissance de dette avant de fuir, tandis que le second a émis une promesse écrite de paiement (en particulier en dédommagement d'un préjudice moral).

Dans cette chasse aux débiteurs, la Méchain était une des aides que Busch aimait le mieux à employer ; car, s'il devait avoir ainsi une petite troupe de rabatteurs à ses ordres, il vivait dans la défiance de ce personnel, mal famé et affamé ; tandis que la Méchain avait pignon sur rue, possédait derrière la butte Montmartre toute une cité, la Cité de Naples, un vaste terrain planté de huttes branlantes qu'elle louait au mois[1] : un coin d'épouvantable misère, des meurt-de-faim en tas dans l'ordure, des trous à pourceau qu'on se disputait et dont elle balayait sans pitié les locataires avec leur fumier, dès qu'ils ne payaient plus. Ce qui la dévorait, ce qui lui mangeait les bénéfices de sa cité, c'était sa passion malheureuse du jeu. Et elle avait aussi le goût des plaies d'argent, des ruines, des incendies, au milieu desquels on peut voler des bijoux fondus. Lorsque Busch la chargeait d'un renseignement à prendre, d'un débiteur à déloger, elle y mettait parfois du sien, se dépensait pour le plaisir. Elle se disait veuve, mais personne n'avait connu son mari. Elle venait on ne savait d'où, et elle paraissait avoir eu toujours cinquante ans, débordante, avec sa mince voix de petite fille.

Ce jour-là, dès que la Méchain se trouva assise sur l'unique chaise, le cabinet fut plein, comme bouché par ce dernier paquet de chair, tombé à cette place. Devant son bureau, Busch, prisonnier, semblait enfoui, ne laissant émerger que sa tête carrée, au-dessus de la mer des dossiers.

« Voici, dit-elle en vidant son vieux sac de l'énorme tas de papiers qui le gonflait, voici ce que Fayeux m'envoie de Vendôme... Il a tout acheté pour vous, dans cette faillite Charpier que vous m'aviez dit de lui signaler... Cent dix francs. »

---

1. Il demeurait en effet dans le Paris du second Empire des sortes de bidonvilles. Une « cité de la misère » comparable à cette Cité de Naples (18e arrondissement) est décrite dans le roman catholique *Les Drames de l'argent* (1883), de Raoul de Navery, et située à proximité de la place Pinel (13e arrondissement).

Fayeux, qu'elle appelait son cousin, venait d'installer là-bas un bureau de receveur de rentes*. Il avait pour négoce avoué de toucher les coupons [1] des petits rentiers* du pays ; et, dépositaire de ces coupons et de l'argent, il jouait frénétiquement.

« Ça ne vaut pas grand-chose, la province, murmura Busch, mais on y fait des trouvailles tout de même. »

Il flairait les papiers, les triait déjà d'une main experte, les classait en gros d'après une première estimation, à l'odeur. Sa face plate se rembrunissait, il eut une moue désappointée.

« Hum ! il n'y a pas gras, rien à mordre. Heureusement que ça n'a pas coûté cher... Voici des billets... [2]. Encore des billets... Si ce sont des jeunes gens, et s'ils sont venus à Paris, nous les rattraperons peut-être... »

Mais il eut une légère exclamation de surprise.

« Tiens ! qu'est-ce que c'est que ça ? »

Il venait de lire, au bas d'une feuille de papier timbré, la signature du comte de Beauvilliers, et la feuille ne portait que trois lignes, d'une grosse écriture sénile : « Je m'engage à payer la somme de dix mille francs à mademoiselle Léonie Cron, le jour de sa majorité. »

« Le comte de Beauvilliers, reprit-il lentement, réfléchissant tout haut, oui, il a eu des fermes, tout un domaine, du côté de Vendôme... Il est mort d'un accident de chasse, il a laissé une femme et deux enfants dans la gêne. J'ai eu des billets autrefois, qu'ils ont payés difficilement... Un farceur, un pas grand-chose... »

Tout d'un coup, il éclata d'un gros rire, reconstruisant l'histoire.

---

1. À chaque action ou obligation étaient joints plusieurs coupons détachables, qui précisaient chacun l'échéance et le montant des intérêts à verser au porteur. Ce dernier n'avait ainsi pas besoin de prouver à chaque reprise, au guichet de la banque, qu'il était propriétaire du titre. Il donnait simplement les coupons, qu'on lui payait. Ici, Fayeux rend service à sa clientèle provinciale en rassemblant les coupons pour se les faire payer. **2.** Il s'agit de billets à ordre, qui ne sont encaissables que par la personne pour qui ils ont été souscrits, et aux échéances indiquées. Ils sont comparables à des chèques bancaires d'aujourd'hui.

« Ah ! le vieux filou, c'est lui qui a fichu dedans la petite !... Elle ne voulait pas, et il l'aura décidée avec ce chiffon de papier, qui était légalement sans valeur. Puis, il est mort... Voyons, c'est daté de 1854, il y a dix ans. La fille doit être majeure, que diable ! Comment cette reconnaissance pouvait-elle se trouver entre les mains de Charpier ?... Un marchand de grains, ce Charpier, qui prêtait à la petite semaine. Sans doute la fille lui a laissé ça en dépôt pour quelques écus ; ou bien peut-être s'était-il chargé du recouvrement...

– Mais, interrompit la Méchain, c'est très bon, ça, un vrai coup ! »

Busch haussa dédaigneusement les épaules.

« Eh ! non, je vous dis qu'en droit ça ne vaut rien... Que je présente ça aux héritiers, et ils peuvent m'envoyer promener, car il faudrait faire la preuve que l'argent est réellement dû... Seulement, si nous retrouvons la fille, j'espère les amener à être gentils et à s'entendre avec nous, pour éviter un tapage désagréable... Comprenez-vous ? cherchez cette Léonie Cron, écrivez à Fayeux pour qu'il nous la déniche là-bas. Ensuite, nous verrons à rire. »

Il avait fait des papiers deux tas qu'il se promettait d'examiner à fond, quand il serait seul, et il restait immobile, les mains ouvertes, une sur chaque tas.

Après un silence, la Méchain reprit :

« Je me suis occupée des billets Jordan... J'ai bien cru que j'avais retrouvé notre homme. Il a été employé quelque part, il écrit maintenant dans les journaux. Mais on vous reçoit si mal, dans les journaux ; on refuse de vous donner les adresses. Et puis, je crois qu'il ne signe pas ses articles de son vrai nom. »

Sans une parole, Busch avait allongé le bras pour prendre, à sa place alphabétique, le dossier Jordan. C'étaient six billets de cinquante francs, datés de cinq années déjà et échelonnés de mois en mois, une somme totale de trois cents francs, que le jeune homme avait souscrite à un tailleur, aux jours de misère. Impayés à leur présentation, les billets s'étaient grossis de frais énormes, et le dossier débordait d'une formidable procédure. À cette heure, la dette atteignait sept cent trente francs quinze centimes.

« Si c'est un garçon d'avenir, murmura Busch, nous le pincerons toujours. »

Puis, une liaison d'idées se faisant sans doute en lui, il s'écria :

« Et dites donc, l'affaire Sicardot, nous l'abandonnons ? »

La Méchain leva au ciel ses gros bras éplorés. Toute sa monstrueuse personne en eut un remous de désespoir.

« Ah ! Seigneur Dieu ! gémit-elle de sa voix de flûte, j'y laisserai ma peau ! »

L'affaire Sicardot était toute une histoire romanesque qu'elle aimait conter. Une petite-cousine à elle, Rosalie Chavaille, la fille tardive d'une sœur de son père, avait été prise à seize ans, un soir, sur les marches de l'escalier, dans une maison de la rue de la Harpe, où elle et sa mère occupaient un petit logement au sixième. Le pis était que le monsieur, un homme marié, débarqué depuis huit jours à peine, avec sa femme, dans une chambre que sous-louait une dame du second, s'était montré si amoureux, que la pauvre Rosalie, renversée d'une main trop prompte contre l'angle d'une marche, avait eu l'épaule démise. De là, juste colère de la mère, qui avait failli faire un esclandre affreux, malgré les larmes de la petite, avouant qu'elle avait bien voulu, que c'était un accident et qu'elle aurait trop de peine, si l'on envoyait le monsieur en prison. Alors, la mère, se taisant, s'était contentée d'exiger de celui-ci une somme de six cents francs, répartie en douze billets, cinquante francs par mois, pendant une année ; et il n'y avait pas eu de marché vilain, c'était même modeste, car sa fille, qui finissait son apprentissage de couturière, ne gagnait plus rien, malade, au lit, coûtant gros, si mal soignée d'ailleurs, que, les muscles de son bras s'étant rétractés, elle devenait infirme. Avant la fin du premier mois, le monsieur avait

disparu, sans laisser son adresse. Et les malheurs continuaient, tapaient dru comme grêle : Rosalie accouchait
d'un garçon, perdait sa mère, tombait à une sale vie, à
une misère noire. Échouée à la Cité de Naples, chez sa
petite-cousine, elle avait traîné les rues jusqu'à vingt-six
ans, ne pouvant se servir de son bras, vendant parfois
des citrons aux Halles, disparaissant pendant des
semaines avec des hommes, qui la renvoyaient ivre et
bleue de coups. Enfin, l'année d'auparavant, elle avait eu
la chance de crever, des suites d'une bordée [1] plus aventu-
reuse que les autres. Et la Méchain avait dû garder
l'enfant, Victor ; et il ne restait de toute cette aventure
que les douze billets impayés, signés Sicardot. On n'avait
jamais pu en savoir davantage : le monsieur s'appelait
Sicardot.

D'un nouveau geste, Busch prit le dossier Sicardot,
une mince chemise de papier gris. Aucun frais n'avait été
fait, il n'y avait là que les douze billets.

« Encore si Victor était gentil ! expliquait lamentable-
ment la vieille femme. Mais imaginez-vous, un enfant
épouvantable… Ah ! c'est dur de faire des héritages
pareils, un gamin qui finira sur l'échafaud, et ces morceaux de papier dont jamais je ne tirerai rien ! »

Busch tenait ses gros yeux pâles obstinément fixés sur
les billets. Que de fois il les avait étudiés ainsi, espérant,
dans un détail inaperçu, dans la forme des lettres, jusque
dans le grain du papier timbré, découvrir un indice ! Il
prétendait que cette écriture pointue et fine ne devait pas
lui être inconnue.

« C'est curieux, répétait-il une fois encore, j'ai certainement vu déjà des *a* et des *o* pareils, si allongés, qu'ils
ressemblent à des *i*. »

Juste à ce moment, on frappa ; et il pria la Méchain
d'allonger la main pour ouvrir ; car la pièce donnait
directement sur l'escalier. Il fallait la traverser si l'on voulait gagner l'autre, celle qui avait vue sur la rue. Quant à

---

1. Une virée.

la cuisine, un trou sans air, elle se trouvait de l'autre côté du palier.

« Entrez, monsieur. »

Et ce fut Saccard qui entra. Il souriait, égayé intérieurement par la plaque de cuivre, vissée sur la porte et portant en grosses lettres noires le mot : Contentieux.

« Ah ! oui, monsieur Saccard, vous venez pour cette traduction... Mon frère est là, dans l'autre pièce... Entrez, entrez donc. »

Mais la Méchain bouchait absolument le passage, et elle dévisageait le nouveau venu, l'air de plus en plus surpris. Il fallut toute une manœuvre : lui recula dans l'escalier, elle-même sortit, s'effaçant sur le palier, de façon qu'il pût entrer et gagner enfin la chambre voisine, où il disparut. Pendant ces mouvements compliqués, elle ne l'avait pas quitté des yeux.

« Oh ! souffla-t-elle, oppressée, ce M. Saccard, je ne l'avais jamais tant vu... Victor est tout son portrait. »

Busch, sans comprendre d'abord, la regardait. Puis, une brusque illumination se fit, il eut un juron étouffé.

« Tonnerre de Dieu ! c'est ça, je savais bien que j'avais vu ça quelque part ! »

Et, cette fois, il se leva, bouleversa les dossiers, finit par trouver une lettre que Saccard lui avait écrite, l'année précédente, pour lui demander du temps en faveur d'une dame insolvable. Vivement, il compara l'écriture des billets à celle de cette lettre : c'étaient bien les mêmes *a* et les mêmes *o*, devenus avec le temps plus aigus encore ; et il y avait aussi une identité de majuscules évidente.

« C'est lui, c'est lui, répétait-il. Seulement, voyons, pourquoi Sicardot, pourquoi pas Saccard ? »

Mais, dans sa mémoire, une histoire confuse s'éveillait, le passé de Saccard, qu'un agent d'affaires, nommé Larsonneau, millionnaire aujourd'hui, lui avait conté : Saccard tombant à Paris au lendemain du coup d'État, venant exploiter la puissance naissante de son frère Rougon, et d'abord sa misère dans les rues noires de l'ancien Quartier latin, et ensuite sa fortune rapide, à la faveur d'un louche mariage, quand il avait eu la chance d'enterrer sa femme. C'était lors de ces débuts difficiles qu'il avait changé son nom de Rougon contre celui de Saccard, en transformant simplement le nom de cette première femme, qui se nommait Sicardot [1].

« Oui, oui, Sicardot, je me souviens parfaitement, murmura Busch. Il a eu le front de signer les billets du nom de sa femme. Sans doute le ménage avait donné ce nom, en descendant rue de la Harpe. Et puis, le bougre prenait toutes sortes de précautions, devait déménager à la moindre alerte… Ah ! il ne guettait pas que les écus, il culbutait aussi les gamines dans les escaliers ! C'est bête, ça finira par lui jouer un vilain tour.

– Chut ! chut ! reprit la Méchain. Nous le tenons, et on peut bien dire qu'il y a un bon Dieu. Enfin, je vas donc être récompensée de tout ce que j'ai fait pour ce pauvre petit Victor, que j'aime bien tout de même, allez ! quoiqu'il soit indécrottable. »

Elle rayonnait, ses yeux minces pétillaient dans la graisse fondante de son visage.

Mais Busch, après le coup de fièvre de cette solution, longtemps cherchée, que le hasard lui apportait, se refroidissait à la réflexion, hochait la tête. Sans doute Saccard, bien que ruiné pour le moment, était encore bon à tondre. On pouvait tomber sur un père moins avantageux. Seulement, il ne se laisserait pas ennuyer, il avait la dent terrible. Et puis, quoi ? il ne savait certainement pas lui-même qu'il avait un fils, il pourrait nier, malgré cette ressemblance extraordinaire qui stupéfiait la Méchain.

---

1. Voir le passage de *La Curée* (chap. II) où Aristide change de nom sur le conseil de son frère Eugène – « Nous nous gênerions moins », prétexte celui-ci. À partir du nom de sa première femme, Angèle Sicardot, Aristide se fabrique une nouvelle identité : « Saccard, Aristide Saccard !… avec deux c… Hein ! Il y a de l'argent dans ce nom-là ; on dirait que l'on compte des pièces de cent sous. » Et son frère de répondre : « Oui, un nom à aller au bagne ou à gagner des millions. » Alors que le personnage est souvent appelé « Aristide Saccard » dans *La Curée*, il devient tout simplement « Saccard » dans *L'Argent*, l'onomastique se concentrant sur l'essentiel.

Du reste, il était une seconde fois veuf, libre, il ne devait compte de son passé à personne, de sorte que, même s'il acceptait le petit, aucune peur, aucune menace n'était à exploiter contre lui. Quant à ne tirer de sa paternité que les six cents francs des billets, c'était en vérité trop misérable, ça ne valait pas la peine d'avoir été si miraculeusement aidé par le hasard. Non, non ! il fallait réfléchir, nourrir ça, trouver le moyen de couper la moisson en pleine maturité.

« Ne nous pressons pas, conclut Busch. D'ailleurs, il est par terre, laissons-lui le temps de se relever. »

Et, avant de congédier la Méchain, il acheva d'examiner avec elle les menues affaires dont elle était chargée, une jeune femme qui avait engagé ses bijoux pour un amant, un gendre dont la dette serait payée par sa belle-mère, sa maîtresse, si l'on savait s'y prendre, enfin les variétés les plus délicates du recouvrement si complexe et si difficile des créances.

Saccard, en entrant dans la chambre voisine, était resté quelques secondes ébloui par la clarté blanche de la fenêtre, aux vitres ensoleillées, sans rideaux. Cette pièce, tapissée d'un papier pâle à fleurettes bleues, était nue : simplement un petit lit de fer dans un coin, une table de sapin au milieu, et deux chaises de paille. Le long de la cloison de gauche, des planches à peine rabotées servaient de bibliothèque, chargées de livres, de brochures, de journaux, de papiers de toutes sortes. Mais la grande lumière du ciel, à ces hauteurs, mettait dans cette nudité comme une gaieté de jeunesse, un rire de fraîcheur ingénue. Et le frère de Busch, Sigismond, un garçon de trente-cinq ans, imberbe, aux cheveux châtains, longs et rares, se trouvait là, assis devant la table, son vaste front bossu dans sa maigre main, si absorbé par la lecture d'un manuscrit, qu'il ne tourna point la tête, n'ayant pas entendu la porte s'ouvrir.

C'était une intelligence, ce Sigismond, élevé dans les universités allemandes, qui, outre le français, sa langue maternelle, parlait l'allemand, l'anglais et le russe. En

1849, à Cologne, il avait connu Karl Marx, était devenu
le rédacteur le plus aimé de sa *Nouvelle Gazette rhénane* ;
et, dès ce moment, sa religion s'était fixée, il professait le
socialisme avec une foi ardente, ayant fait le don de sa
personne entière à l'idée d'une prochaine rénovation
sociale, qui devait assurer le bonheur des pauvres et des
humbles. Depuis que son maître, banni d'Allemagne,
forcé de s'exiler de Paris à la suite des journées de Juin,
vivait à Londres, écrivait, s'efforçait d'organiser le parti [1],
lui végétait de son côté, dans ses rêves, tellement insoucieux de sa vie matérielle, qu'il serait sûrement mort de
faim, si son frère ne l'avait recueilli, rue Feydeau, près de
la Bourse, en lui donnant la pensée d'utiliser sa connaissance des langues pour s'établir traducteur. Ce frère aîné
adorait son cadet, d'une passion maternelle, loup féroce
aux débiteurs, très capable de voler dix sous dans le sang
d'un homme, mais tout de suite attendri aux larmes,
d'une tendresse passionnée et minutieuse de femme, dès
qu'il s'agissait de ce grand garçon distrait, resté enfant.
Il lui avait donné la belle chambre sur la rue, il le servait
comme une bonne, menait leur étrange ménage,
balayant, faisant les lits, s'occupant de la nourriture
qu'un petit restaurant du voisinage montait deux fois par
jour. Lui, si actif, la tête bourrée de mille affaires, le tolérait oisif, car les traductions ne marchaient pas, entravées
de travaux personnels ; et il lui défendait même de travailler, inquiet d'une petite toux mauvaise ; et, malgré
son dur amour de l'argent, sa cupidité assassine qui mettait dans la conquête de l'argent l'unique raison de vivre,

---

1. Karl Marx (1818-1883), qui vécut à Paris au milieu des années
1840 et s'y trouvait aussi durant la révolution de 1848 (le *Manifeste du
parti communiste* fut rédigé avec Engels la même année), s'établit de
façon définitive à Londres en 1849. Il prit une part active à la constitution
de la Ire Internationale en 1864 et au mouvement ouvrier, s'opposant
aussi bien aux anarchistes partisans de Bakounine qu'aux réformistes
partisans de Proudhon (c'est approximativement ce débat idéologique
que Zola met en scène à travers Étienne Lantier, Rasseneur et
Souvarine dans *Germinal* en 1885). Parmi les multiples travaux d'économie rédigés à Londres, Marx a écrit *Le Capital* (tome I : 1867).

il souriait indulgemment des théories du révolutionnaire, il lui abandonnait le capital comme un joujou à un gamin, quitte à le lui voir briser.

Sigismond, de son côté, ne savait même pas ce que son frère faisait dans la pièce voisine. Il ignorait tout de cet effroyable négoce sur les valeurs déclassées et sur l'achat des créances, il vivait plus haut, dans un songe souverain de justice. L'idée de charité le blessait, le jetait hors de lui : la charité, c'était l'aumône, l'inégalité consacrée par la bonté ; et il n'admettait que la justice, les droits de chacun reconquis, posés en immuables principes de la nouvelle organisation sociale. Aussi, à la suite de Karl Marx, avec lequel il était en continuelle correspondance, épuisait-il ses jours à étudier cette organisation, modifiant, améliorant sans cesse sur le papier la société de demain, couvrant de chiffres d'immenses pages, basant sur la science l'échafaudage compliqué de l'universel bonheur. Il retirait le capital aux uns pour le répartir entre tous les autres, il remuait les milliards, déplaçait d'un trait de plume la fortune du monde ; et cela, dans cette chambre nue, sans une autre passion que son rêve, sans un besoin de jouissance à satisfaire, d'une frugalité telle, que son frère devait se fâcher pour qu'il bût du vin et mangeât de la viande. Il voulait que le travail de tout homme, mesuré selon ses forces, assurât le contentement de ses appétits : lui, se tuait à la besogne, et vivait de rien. Un vrai sage, exalté dans l'étude, dégagé de la vie matérielle, très doux et très pur. Depuis le dernier automne, il toussait de plus en plus, la phtisie [1] l'envahissait, sans qu'il daignât même s'en apercevoir et se soigner.

Mais Saccard ayant fait un mouvement, Sigismond enfin leva ses grands yeux vagues, et s'étonna, bien qu'il connût le visiteur.

« C'est pour une lettre à traduire. »

La surprise du jeune homme augmentait, car il avait découragé les clients, les banquiers, les spéculateurs, les

---

1. Tuberculose pulmonaire.

agents de change, tout ce monde de la Bourse, qui reçoit, particulièrement d'Angleterre et d'Allemagne, une correspondance nombreuse, des circulaires, des statuts de société.

« Oui, une lettre en langue russe. Oh ! dix lignes seulement. »

Alors, il tendit la main, le russe étant resté sa spécialité, lui seul le traduisant couramment, au milieu des autres traducteurs du quartier, qui vivaient de l'allemand et de l'anglais. La rareté des documents russes, sur le marché de Paris, expliquait ses longs chômages.

Tout haut, il lut la lettre, en français. C'était, en trois phrases, une réponse favorable d'un banquier de Constantinople, un simple oui, dans une affaire.

« Ah ! merci », s'écria Saccard, qui parut enchanté.

Et il pria Sigismond d'écrire les quelques lignes de la traduction au revers de la lettre. Mais celui-ci fut pris d'un terrible accès de toux, qu'il étouffa dans son mouchoir, pour ne pas déranger son frère, qui accourait, dès qu'il l'entendait tousser ainsi. Puis, la crise passée, il se leva, alla ouvrir la fenêtre toute grande, étouffant, voulant respirer à l'air. Saccard, qui l'avait suivi, jeta un coup d'œil dehors, eut une légère exclamation.

« Tiens ! vous voyez la Bourse. Oh ! qu'elle est drôle, d'ici ! »

Jamais, en effet, il ne l'avait vue sous un si singulier aspect, à vol d'oiseau, avec les quatre vastes pentes de zinc de sa toiture, extraordinairement développées, hérissées d'une forêt de tuyaux. Les pointes des paratonnerres se dressaient, pareilles à des lances gigantesques menaçant le ciel [1]. Et le monument lui-même n'était plus qu'un cube de pierre, strié régulièrement par les colonnes, un cube d'un gris sale, nu et laid, planté d'un drapeau en

---

1. Zola remarque cela dès le premier paragraphe sur la vue extérieure de la Bourse, dans les notes prises après son enquête de terrain. Certains avaient déploré dans ce toit une altération regrettable du projet initialement dessiné par Alexandre Théodore Brongniart en 1808. Mort en 1813, l'architecte n'a pas vu le monument achevé.

loques. Mais, surtout, les marches et le péristyle l'étonnaient, piquetés de fourmis noires, toute une fourmilière
en révolution, s'agitant, se donnant un mouvement
énorme, qu'on ne s'expliquait plus, de si haut, et qu'on
prenait en pitié.

« Comme ça rapetisse ! reprit-il. On dirait qu'on va
tous les prendre dans la main, d'une poignée. »

Puis, connaissant les idées de son interlocuteur, il
ajouta en riant :

« Quand balayez-vous tout ça, d'un coup de pied ? »

Sigismond haussa les épaules.

« À quoi bon ? vous vous démolissez bien vous-
mêmes. »

Et, peu à peu, il s'anima, il déborda du sujet dont il
était plein. Un besoin de prosélytisme le lançait, au
moindre mot, dans l'exposition de son système.

« Oui, oui, vous travaillez pour nous, sans vous en
douter... Vous êtes là quelques usurpateurs, qui expro-
priez la masse du peuple, et quand vous serez gorgés,
nous n'aurons qu'à vous exproprier à notre tour... Tout
accaparement, toute centralisation conduit au collectivisme. Vous nous donnez une leçon pratique, de même
que les grandes propriétés absorbant les lopins de terre,
les grands producteurs dévorant les ouvriers en chambre,
les grandes maisons de crédit et les grands magasins
tuant toute concurrence, s'engraissant de la ruine des
petites banques et des petites boutiques, sont un achemi-
nement lent, mais certain, vers le nouvel état social...
Nous attendons que tout craque, que le mode de production actuelle ait abouti au malaise intolérable de ses dernières conséquences. Alors, les bourgeois et les paysans
eux-mêmes nous aideront. »

Saccard, intéressé, le regardait avec une vague inquiétude, bien qu'il le prît pour un fou.

« Mais enfin, expliquez-moi, qu'est-ce que c'est que
votre collectivisme ?

– Le collectivisme, c'est la transformation des capitaux
privés, vivant des luttes de la concurrence, en un capital

social unitaire, exploité par le travail de tous... Imaginez une société où les instruments de la production sont la propriété de tous, où tout le monde travaille selon son intelligence et sa vigueur, et où les produits de cette coopération sociale sont distribués à chacun, au prorata de son effort. Rien n'est plus simple, n'est-ce pas ? une production commune dans les usines, les chantiers, les ateliers de la nation ; puis, un échange, un paiement en nature. S'il y a un surcroît de production, on le met dans des entrepôts publics, d'où il est repris pour combler les déficits qui peuvent se produire. C'est une balance à faire... Et cela, comme d'un coup de hache, abat l'arbre pourri. Plus de concurrence, plus de capital privé, donc plus d'affaires d'aucune sorte, ni commerce, ni marchés, ni Bourses. L'idée de gain n'a plus aucun sens. Les sources de la spéculation, des rentes* gagnées sans travail, sont taries.

— Oh ! oh ! interrompit Saccard, ça changerait diablement les habitudes de bien du monde ! Mais ceux qui ont des rentes aujourd'hui, qu'en faites-vous ?... Ainsi, Gundermann, vous lui prenez son milliard ?

— Nullement, nous ne sommes pas des voleurs. Nous lui rachèterions son milliard, toutes ses valeurs, ses titres de rente, par des bons de jouissance, divisés en annuités. Et vous imaginez-vous ce capital immense remplacé ainsi par une richesse suffocante de moyens de consommation : en moins de cent années, les descendants de votre Gundermann seraient réduits, comme les autres citoyens, au travail personnel ; car les annuités finiraient bien par s'épuiser, et ils n'auraient pu capitaliser leurs économies forcées, le trop-plein de cet écrasement de provisions, en admettant même qu'on conserve intact le droit d'héritage... Je vous dis que cela balaie d'un coup, non seulement les affaires individuelles, les sociétés d'actionnaires, les associations de capitaux privés, mais encore toutes les sources indirectes de rentes, tous les systèmes de crédit, prêts, loyers, fermages... Il n'y a plus, comme mesure de la valeur, que le travail. Le salaire se trouve naturellement supprimé, n'étant pas, dans l'état capitaliste actuel, équivalent au produit exact du travail, puisqu'il ne représente jamais que ce qui est strictement nécessaire au travailleur pour son entretien quotidien. Et il faut reconnaître que l'état actuel est seul coupable, que le patron le plus honnête est bien forcé de suivre la dure loi de la concurrence, d'exploiter ses ouvriers, s'il veut vivre. C'est notre système social entier à détruire... Ah ! Gundermann étouffant sous l'accablement de ses bons de jouissance ! les héritiers de Gundermann n'arrivant pas à tout manger, obligés de donner aux autres et de reprendre la pioche ou l'outil, comme les camarades ! »

Et Sigismond éclata d'un bon rire d'enfant en récréation, toujours debout près de la fenêtre, les regards sur la Bourse, où grouillait la noire fourmilière du jeu. Des rougeurs ardentes montaient à ses pommettes, il n'avait d'autre amusement que de s'imaginer ainsi les plaisantes ironies de la justice de demain.

Le malaise de Saccard avait grandi. Si ce rêveur éveillé disait vrai, pourtant ? s'il avait deviné l'avenir ? Il expliquait des choses qui semblaient très claires et sensées.

« Bah ! murmura-t-il pour se rassurer, tout ça n'arrivera pas l'année prochaine.

– Certes ! reprit le jeune homme, redevenu grave et las. Nous sommes dans la période transitoire, la période d'agitation [1]. Peut-être y aura-t-il des violences révolutionnaires, elles sont souvent inévitables. Mais les exagérations, les emportements sont passagers... Oh ! je ne me dissimule pas les grandes difficultés immédiates. Tout cet avenir rêvé semble impossible, on n'arrive pas à donner aux gens une idée raisonnable de cette société future, cette société de juste travail, dont les mœurs seront si

---

1. Marx a réfléchi, dans *La Guerre civile en France*, à la révolution de 1848 et à la Commune. La lutte des classes est pour lui une guerre civile larvée (c'est la « période d'agitation » dont parle Sigismond et que décrit *Germinal*), vouée à déboucher sur une révolution violente. Puis il prévoit une phase de dictature du prolétariat entre le capitalisme et le plein communisme.

différentes des nôtres. C'est comme un autre monde dans une autre planète... Et puis, il faut bien le confesser : la réorganisation n'est pas prête, nous cherchons encore. Moi, qui ne dors plus guère, j'y épuise mes nuits. Par exemple, il est certain qu'on peut nous dire : "Si les choses sont ce qu'elles sont, c'est que la logique des faits humains les a faites ainsi." Dès lors, quel labeur pour ramener le fleuve à sa source et le diriger dans une autre vallée !... Certainement, l'état social actuel a dû sa prospérité séculaire au principe individualiste, que l'émulation, l'intérêt personnel rend d'une fécondité de production sans cesse renouvelée. Le collectivisme arrivera-t-il jamais à cette fécondité, et par quel moyen activer la fonction productive du travailleur, quand l'idée de gain sera détruite ? Là est, pour moi, le doute, l'angoisse, le terrain faible où il faut que nous nous battions, si nous voulons que la victoire du socialisme s'y décide un jour... Mais nous vaincrons, parce que nous sommes la justice. Tenez ! vous voyez ce monument devant vous... Vous le voyez ?

– La Bourse ? dit Saccard. Parbleu ! oui, je la vois !

– Eh bien, ce serait bête de la faire sauter, parce qu'on la rebâtirait ailleurs... Seulement, je vous prédis qu'elle sautera d'elle-même, quand l'État l'aura expropriée, devenu logiquement l'unique et universelle banque de la nation ; et, qui sait ? elle servira alors d'entrepôt public à nos richesses trop grandes, un des greniers d'abondance où nos petits-fils trouveront le luxe de leurs jours de fête ! »

D'un geste large, Sigismond ouvrait cet avenir de bonheur général et moyen. Et il s'était tellement exalté, qu'un nouvel accès de toux le secoua, revenu à sa table, les coudes parmi ses papiers, la tête entre les mains, pour étouffer le râle déchiré de sa gorge. Mais, cette fois, il ne se calmait pas. Brusquement, la porte s'ouvrit, Busch accourut, ayant congédié la Méchain, l'air bouleversé, souffrant lui-même de cette toux abominable. Tout de suite, il s'était penché, avait pris son frère dans ses grands bras, comme un enfant dont on berce la douleur.

« Voyons, mon petit, qu'est-ce que tu as encore, à t'étrangler ? Tu sais, je veux que tu fasses venir un médecin. Ce n'est pas raisonnable… Tu auras trop causé, c'est sûr. »

Et il regardait d'un œil oblique Saccard, resté au milieu de la pièce, décidément bousculé par ce qu'il venait d'entendre, dans la bouche de ce grand diable, si passionné et si malade, qui, de sa fenêtre, là-haut, devait jeter un sort sur la Bourse, avec ses histoires de tout balayer pour tout reconstruire.

« Merci, je vous laisse, dit le visiteur, ayant hâte d'être dehors. Envoyez-moi ma lettre, avec les dix lignes de traduction… J'en attends d'autres, nous réglerons le tout ensemble. »

Mais, la crise étant finie, Busch le retint un instant encore.

« À propos, la dame qui était là tout à l'heure vous a connu autrefois, oh ! il y a longtemps.

– Ah ! où donc ?

– Rue de la Harpe, en 52. »

Si maître qu'il fût de lui, Saccard devint pâle. Un tic nerveux tira sa bouche. Ce n'était point qu'il se rappelât, à cette minute, la gamine culbutée dans l'escalier : il ne l'avait même pas sue enceinte, il ignorait l'existence de l'enfant. Mais le rappel des misérables années de ses débuts lui était toujours désagréable.

« Rue de la Harpe, oh ! je n'y ai habité que huit jours, lors de mon arrivée à Paris, le temps de chercher un logement… Au revoir !

– Au revoir ! » accentua Busch, qui se trompa, voyant un aveu dans cet embarras, et qui déjà cherchait de quelle façon large il exploiterait l'aventure.

De nouveau dans la rue, Saccard retourna machinalement vers la place de la Bourse. Il était tout frissonnant, il ne regarda même pas la petite Mme Conin, dont la jolie figure blonde souriait, à la porte de la papeterie. Sur la place, l'agitation avait grandi, la clameur du jeu venait battre les trottoirs grouillant de monde, avec la violence débridée d'une marée haute. C'était le coup de gueule de trois heures moins un quart, la bataille des derniers cours, l'enragement à savoir qui s'en irait les mains pleines [1]. Et, debout à l'angle de la rue de la Bourse, en face du péristyle, il croyait reconnaître, dans la bosculade confuse, sous les colonnes, le baissier* Moser et le haussier Pillerault, tous les deux aux prises ; tandis qu'il s'imaginait entendre, sortie du fond de la grande salle, la voix aiguë de l'agent de change Mazaud, que couvraient par moments les éclats de Nathansohn, assis sous l'horloge, à la coulisse. Mais une voiture, qui rasait le ruisseau, faillit l'éclabousser. Massias sauta, avant même que le cocher eût arrêté, monta les marches d'un bond, apportant, hors d'haleine, le dernier ordre d'un client.

Et lui, toujours immobile et debout, les yeux sur la mêlée, là-haut, remâchait sa vie, hanté par le souvenir de ses débuts, que la question de Busch venait de réveiller. Il se rappelait la rue de la Harpe, puis la rue Saint-Jacques [2], où il avait traîné ses bottes éculées d'aventurier conquérant, débarqué à Paris pour le soumettre ; et une fureur le reprenait, à l'idée qu'il ne l'avait pas soumis encore, qu'il était de nouveau sur le pavé, guettant la fortune, inassouvi, torturé d'une faim de jouissance telle,

---

1. Zola, l'un des premiers peut-être dans la littérature boursière du XIXe siècle, a fait observer qu'une séance de Bourse n'est guère homogène. Dans ses notes d'enquête issues de ses entretiens avec Eugène Fasquelle, éditeur et ancien boursier, il reconstitue, sous le titre « Voici comment les cours s'établissent », la physionomie d'une séance : en gros, agitation pendant le quart d'heure initial de fixation des cours ; puis progressive affirmation du mouvement haussier ou baissier de la séance, avec une demi-heure, au centre de la séance, de combat vif ; enfin, après un « ralentissement », brusque fièvre dans le dernier quart d'heure. 2. Voir *La Curée* (chap. II). La rue Saint-Jacques, qui est parallèle, à l'est, au boulevard Saint-Michel, n'est certes pas comparable à de tristes petites rues du Quartier latin comme celles qui sont décrites au début du *Père Goriot* (1835). Mais elle appartient tout de même à un quartier qui est à l'époque modeste et populaire, fort éloigné de la Chaussée d'Antin où règnent les grands financiers.

que jamais il n'en avait souffert davantage. Ce fou de
Sigismond le disait avec raison : le travail ne peut faire
vivre, les misérables et les imbéciles travaillent seuls, pour
engraisser les autres. Il n'y avait que le jeu, le jeu qui, du
soir au lendemain, donne d'un coup le bien-être, le luxe,
la vie large, la vie tout entière. Si ce vieux monde social
devait crouler un jour, est-ce qu'un homme comme lui
n'allait pas encore trouver le temps et la place de combler
ses désirs, avant l'effondrement ?

Mais un passant le coudoya, qui ne se retourna même
pas pour s'excuser. Il reconnut Gundermann faisant sa
petite promenade de santé, il le regarda entrer chez un
confiseur, d'où ce roi de l'or rapportait parfois une boîte de
bonbons d'un franc à ses petites-filles. Et ce coup de coude,
à cette minute, dans la fièvre dont l'accès montait en lui,
depuis qu'il tournait ainsi autour de la Bourse, fut comme
le cinglement, la poussée dernière qui le décida. Il avait
achevé d'enserrer la place, il donnerait l'assaut. C'était le
serment d'une lutte sans merci : il ne quitterait pas la
France, il braverait son frère, il jouerait la partie suprême,
une bataille de terrible audace, qui lui mettrait Paris sous
les talons, ou qui le jetterait au ruisseau, les reins cassés[1].

Jusqu'à la fermeture, Saccard s'entêta, debout à son
poste d'observation et de menace. Il regarda le péristyle se
vider, les marches se couvrir de la lente débandade de tout
ce monde échauffé et las. Autour de lui, l'encombrement du
pavé et des trottoirs continuait, un flot ininterrompu de
gens, l'éternelle foule à exploiter, les actionnaires de demain,
qui ne pouvaient passer devant cette grande loterie de la
spéculation, sans tourner la tête, dans le désir et la crainte
de ce qui se faisait là, ce mystère des opérations financières,
d'autant plus attirant pour les cervelles françaises, que très
peu d'entre elles le pénètrent.

---

1. Cette expression générale a tout particulièrement cours dans la
littérature boursière. C'est par exemple le titre d'un roman de mœurs
financières écrit par Ernest Daudet, frère d'Alphonse, en 1885.

II

Après sa dernière et désastreuse affaire de terrains,
lorsque Saccard dut quitter son palais du parc Monceau,
qu'il abandonnait à ses créanciers, pour éviter une catastrophe plus grande, son idée fut d'abord de se réfugier
chez son fils Maxime [1]. Celui-ci, depuis la mort de sa
femme, qui dormait dans un petit cimetière de la Lom-
bardie, occupait seul un hôtel de l'avenue de l'Impératrice, où il avait organisé sa vie avec un sage et féroce
égoïsme ; il y mangeait la fortune de la morte, sans une
faute, en garçon de faible santé que le vice avait précoce-
ment mûri ; et, d'une voix nette, il refusa à son père de
le prendre chez lui, pour continuer à vivre tous deux en
bon accord, expliquait-il de son air souriant et avisé.

Dès lors, Saccard songea à une autre retraite. Il allait
louer une petite maison à Passy [2], un asile bourgeois de
commerçant retiré, lorsqu'il se souvint que le rez-de-
chaussée et le premier étage de l'hôtel d'Orviedo, rue
Saint-Lazare [3], n'étaient toujours pas occupés, portes et

---

1. Maxime, né en 1840, fils de Saccard et d'Angèle Sicardot, est un
protagoniste de *La Curée*, où il est représenté comme un jeune fat effé-
miné. Il noue un amour incestueux avec Renée, la seconde épouse de
Saccard, mais l'abandonne pour faire un mariage d'intérêt avec Louise
de Mareuil, enfant « bossue » et malade, « sphinx vicieux » qui meurt
immédiatement après le mariage en laissant une fortune au jeune
veuf. 2. Cette commune annexée par Paris en 1860 (partie de l'actuel
16e arrondissement) avait été un bourg attirant pour les financiers au
XVIIIe siècle et les artistes au XIXe siècle (voir la maison de Balzac, rue
Raynouard). Mais Passy demeure, à l'époque où se déroule *L'Argent*,
un quartier calme et reculé. Zola y a situé l'intrigue d'*Une page d'amour*
en 1878. 3. Adresse bien différente de Passy et plus conforme à
Saccard, car elle est proche du quartier financier de la Chaussée
d'Antin.

fenêtres closes. La princesse d'Orviedo, installée dans trois chambres du second depuis la mort de son mari, n'avait pas même fait mettre d'écriteau à la porte cochère, que les herbes envahissaient. Une porte basse, à l'autre bout de la façade, menait au deuxième étage, par un escalier de service. Et, souvent, en rapport d'affaires avec la princesse, dans les visites qu'il lui rendait, il s'était étonné de la négligence qu'elle apportait à tirer un parti convenable de son immeuble. Mais elle hochait la tête, elle avait sur les choses de l'argent des idées à elle. Pourtant, lorsqu'il se présenta pour louer en son nom, elle consentit tout de suite, elle lui céda, moyennant un loyer dérisoire de dix mille francs, ce rez-de-chaussée et ce premier étage somptueux, d'installation princière, qui en valait certainement le double.

On se souvenait du faste affiché par le prince d'Orviedo. C'était dans le coup de fièvre de son immense fortune financière, lorsqu'il était venu d'Espagne, débarquant à Paris au milieu d'une pluie de millions, qu'il avait acheté et fait réparer cet hôtel, en attendant le palais de marbre et d'or dont il rêvait d'étonner le monde. La construction datait du siècle dernier, une de ces maisons de plaisance, bâties au milieu de vastes jardins par des seigneurs galants ; mais, démolie en partie, rebâtie dans de plus sévères proportions, elle n'avait gardé, de son parc d'autrefois, qu'une large cour bordée d'écuries et de remises, que la rue projetée du Cardinal-Fesch allait sûrement emporter. Le prince la tenait de la succession d'une demoiselle Saint-Germain, dont la propriété s'étendait jadis jusqu'à la rue des Trois-Frères, l'ancien prolongement de la rue Taitbout. D'ailleurs, l'hôtel avait conservé son entrée sur la rue Saint-Lazare, côte à côte avec une grande bâtisse de la même époque, la Folie-Beauvilliers d'autrefois, que les Beauvilliers occupaient encore, à la suite d'une ruine lente ; et eux possédaient un reste d'admirable jardin, des arbres magnifiques, condamnés aussi à disparaître, dans le bouleversement prochain du quartier[1].

Au milieu de son désastre, Saccard traînait une queue de serviteurs, les débris de son trop nombreux personnel, un valet de chambre, un chef de cuisine et sa femme, chargée de la lingerie, une autre femme restée on ne savait pourquoi, un cocher et deux palefreniers ; et il encombra les écuries et les remises, y mit deux chevaux, trois voitures, installa au rez-de-chaussée un réfectoire pour ses gens. C'était l'homme qui n'avait pas cinq cents francs solides dans sa caisse, mais qui vivait sur un pied de deux ou trois cent mille francs par an. Aussi trouva-t-il le moyen de remplir de sa personne les vastes appartements du premier étage, les trois salons, les cinq chambres à coucher, sans compter l'immense salle à manger, où l'on dressait une table de cinquante couverts. Là, autrefois, une porte ouvrait sur un escalier intérieur, conduisant au second étage, dans une autre salle à manger, plus petite ; et la princesse, qui avait récemment loué cette partie du second à un ingénieur, M. Hamelin, un célibataire vivant avec sa sœur, s'était contentée de faire condamner la porte, à l'aide de deux fortes vis. Elle partageait ainsi l'ancien escalier de service avec ce locataire, tandis que Saccard avait seul la jouissance du grand escalier. Il meubla en partie quelques pièces de ses dépouilles du parc Monceau, laissa les autres vides, parvint quand même à rendre la vie à cette enfilade de murailles tristes et nues, dont une main obstinée semblait avoir arraché jusqu'aux moindres bouts de tenture, dès le lendemain de la mort du prince. Et il put recommencer le rêve d'une grande fortune.

La princesse d'Orviedo était alors une des curieuses physionomies de Paris. Il y avait quinze ans, elle s'était

---

1. Ce paragraphe évoque à la fois les bouleversements de Paris décrits dans *La Curée* et la décadence des hôtels particuliers aristocratiques du faubourg Saint-Germain et d'ailleurs, thème récurrent des petits romans de mœurs de l'époque.

résignée à épouser le prince, qu'elle n'aimait point, pour
obéir à un ordre formel de sa mère, la duchesse de
Combeville. À cette époque, cette jeune fille de vingt ans
avait un grand renom de beauté et de sagesse, très religieuse, un peu trop grave, bien qu'aimant le monde avec
passion. Elle ignorait les singulières histoires qui couraient sur le prince, les origines de sa royale fortune éva-
luée à trois cents millions, toute une vie de vols
effroyables, non plus au coin des bois, à main armée,
comme les nobles aventuriers de jadis, mais en correct
bandit moderne, au clair soleil de la Bourse, dans la
poche du pauvre monde crédule, parmi les effondrements
et la mort. Là-bas en Espagne, ici en France, le prince
s'était, pendant vingt années, fait sa part du lion dans
toutes les grandes canailleries restées légendaires. Bien
que ne soupçonnant rien de la boue et du sang où il
venait de ramasser tant de millions, elle avait éprouvé
pour lui, dès la première rencontre, une répugnance que
sa religion devait rester impuissante à vaincre ; et, bientôt, une rancune sourde, grandissante, s'était jointe à
cette antipathie, celle de n'avoir pas un enfant de ce
mariage subi par obéissance. La maternité lui aurait
suffi, elle adorait les enfants, elle en arrivait à la haine
contre cet homme qui, après avoir désespéré l'amante, ne
pouvait même contenter la mère. C'était à ce moment
qu'on avait vu la princesse se jeter dans un luxe inouï,
aveugler Paris de l'éclat de ses fêtes, mener un train fastueux, que les Tuileries[1], disait-on, jalousaient. Puis,
brusquement, au lendemain de la mort du prince, fou-
droyé par une apoplexie, l'hôtel de la rue Saint-Lazare
était tombé à un silence absolu, à une nuit complète. Plus
une lumière, plus un bruit, les portes et les fenêtres

---

1. Métonymie désignant le pouvoir impérial. Le palais des Tuileries,
bâti entre le Louvre et les Champs-Élysées, fut la résidence du roi à
partir de Louis XV, le siège de la Convention nationale sous la Révolution, ainsi que la résidence des empereurs. Il fut incendié sous la Commune (1871) et démoli en 1882.

demeuraient closes, et la rumeur se répandait que la princesse, après avoir déménagé violemment le rez-de-chaussée et le premier étage, s'était retirée comme une recluse, dans trois petites pièces du second, avec une ancienne femme de chambre de sa mère, la vieille Sophie, qui l'avait élevée. Quand elle avait reparu, elle était vêtue d'une simple robe de laine noire, les cheveux cachés sous un fichu de dentelle, petite et grasse toujours, avec son front étroit, son joli visage rond aux dents de perles entre des lèvres serrées, mais ayant déjà le teint jaune, le visage muet, enfoncé dans une volonté unique, d'une religieuse cloîtrée depuis longtemps. Elle venait d'avoir trente ans, elle n'avait plus vécu depuis lors que pour des œuvres immenses de charité.

Dans Paris, la surprise était grande, et il circula toutes sortes d'histoires extraordinaires. La princesse avait hérité de la fortune totale, les fameux trois cents millions dont la chronique des journaux eux-mêmes s'occupait. Et la légende qui finit par s'établir fut romantique. Un homme, un inconnu vêtu de noir, racontait-on, comme la princesse allait se mettre au lit, était un soir apparu tout d'un coup dans sa chambre, sans qu'elle eût jamais compris par quelle porte secrète il avait pu entrer ; et ce que cet homme lui avait dit, personne au monde ne le savait ; mais il devait lui avoir révélé l'origine abominable des trois cents millions, en exigeant peut-être d'elle le serment de réparer tant d'iniquités, si elle voulait éviter d'affreuses catastrophes. Ensuite, l'homme avait disparu [1]. Depuis cinq ans qu'elle se trouvait veuve, était-ce en effet pour obéir à un ordre venu de l'au-delà, était-ce plutôt dans une simple révolte d'honnêteté, lorsqu'elle avait eu en main le dossier de sa fortune ? la vérité était qu'elle ne vivait plus que dans une ardente fièvre de renoncement et de réparation. Chez cette femme qui

1. Une telle légende relève de la thématique du roman populaire, d'Alexandre Dumas dans les années 1840 à Maurice Leblanc au début du XXᵉ siècle, en passant par Eugène Sue.

n'avait pas été amante et qui n'avait pu être mère, toutes les tendresses refoulées, surtout l'amour avorté de l'enfant, s'épanouissaient en une véritable passion pour les pauvres, pour les faibles, les déshérités, les souffrants, ceux dont elle croyait détenir les millions volés, ceux à qui elle jurait de les restituer royalement, en pluie d'aumônes. Dès lors, l'idée fixe s'empara d'elle, le clou de l'obsession entra dans son crâne : elle ne se considéra plus que comme un banquier, chez qui les pauvres avaient déposé trois cents millions, pour qu'ils fussent employés au mieux de leur usage ; elle ne fut plus qu'un comptable, un homme d'affaires, vivant dans les chiffres, au milieu d'un peuple de notaires, d'ouvriers et d'architectes. Au-dehors, elle avait installé tout un vaste bureau, avec une vingtaine d'employés. Chez elle, dans ses trois pièces étroites, elle ne recevait que quatre ou cinq intermédiaires, ses lieutenants ; et elle passait là les journées, à un bureau, comme un directeur de grandes entreprises, cloîtrée loin des importuns, parmi un amoncellement de paperasses qui la débordait. Son rêve était de soulager toutes les misères, depuis l'enfant qui souffre d'être né, jusqu'au vieillard qui ne peut mourir sans souffrance. Pendant ces cinq années, jetant l'or à pleines mains, elle avait fondé, à la Villette, la Crèche Sainte-Marie, avec des berceaux blancs pour les tout-petits, des lits bleus pour les plus grands, une vaste et claire installation que fréquentaient déjà trois cents enfants ; un orphelinat à Saint-Mandé, l'Orphelinat Saint-Joseph, où cent garçons et cent filles recevaient une éducation et une instruction, telles qu'on les donne dans les familles bourgeoises ; enfin, un asile pour les vieillards à Châtillon, pouvant admettre cinquante hommes et cinquante femmes, et un hôpital de deux cents lits dans un faubourg, l'Hôpital Saint-Marceau, dont on venait seulement d'ouvrir les salles. Mais son œuvre préférée, celle qui absorbait en ce moment tout son cœur, était l'Œuvre du Travail, une création à elle, une maison qui devait remplacer la maison de correction où trois cents enfants, cent cinquante filles et cent cinquante garçons, ramassés sur le pavé de Paris, dans la débauche et dans le crime, étaient régénérés par de bons soins et par l'apprentissage d'un métier. Ces diverses fondations, des dons considérables, une prodigalité folle dans la charité, lui avaient dévoré près de cent millions en cinq ans [1]. Encore quelques années de ce train, et elle serait ruinée, sans avoir réservé même la petite rente nécessaire au pain et au lait dont elle vivait maintenant. Lorsque sa vieille bonne, Sophie, sortant de son continuel silence, la grondait d'un mot rude, en lui prophétisant qu'elle mourrait sur la paille, elle avait un faible sourire, le seul qui parût désormais sur ses lèvres décolorées, un divin sourire d'espérance.

Ce fut justement à l'occasion de l'Œuvre du Travail que Saccard fit la connaissance de la princesse d'Orviedo. Il était un des propriétaires du terrain qu'elle acheta pour cette œuvre, un ancien jardin planté de beaux arbres, qui touchait au parc de Neuilly et qui se trouvait en bordure, le long du boulevard Bineau. Il l'avait séduite par la façon vive dont il traitait les affaires, elle voulut le revoir, à la suite de certaines difficultés avec ses entrepreneurs. Lui-même s'était intéressé aux travaux, l'imagination prise, charmé du plan grandiose qu'elle imposait à l'architecte : deux ailes monumentales, l'une pour les garçons, l'autre pour les filles, reliées entre elles par un corps de logis, contenant la chapelle, la communauté, l'administration, tous les services ; et chaque aile avait son préau immense, ses ateliers, ses dépendances de toutes sortes. Mais surtout ce qui le passionnait, dans son propre goût du grand et du fastueux, c'était le luxe déployé, la construction énorme et faite de matériaux à défier les siècles, les marbres prodigués, une cuisine revêtue de faïence où l'on aurait fait cuire un bœuf, des réfectoires gigantesques aux riches lambris

---

[1]. Les actions charitables d'ordre privé étaient importantes à Paris dans la seconde moitié du XIXe siècle, et les projets de Mme d'Orviedo évoquent certaines pages de Maxime Du Camp dans son ouvrage *La Charité privée à Paris* (1885).

de chêne, des dortoirs inondés de lumière, égayés de claires peintures, une lingerie, une salle de bains, une infirmerie installées avec des raffinements excessifs ; et, partout, des dégagements vastes, des escaliers, des corridors, aérés l'été, chauffés l'hiver ; et la maison entière baignant dans le soleil, une gaieté de jeunesse, un bien-être de grosse fortune. Quand l'architecte, inquiet, trouvant toute cette magnificence inutile, parlait de la dépense, la princesse l'arrêtait d'un mot : elle avait eu le luxe, elle voulait le donner aux pauvres, pour qu'ils en jouissent à leur tour, eux qui font le luxe des riches [1]. Son idée fixe était faite de ce rêve, combler les misérables, les coucher dans les lits, les asseoir à la table des heureux de ce monde, non plus l'aumône d'une croûte de pain, d'un grabat de hasard, mais la vie large au travers de palais où ils seraient chez eux, prenant leur revanche, goûtant les jouissances des triomphateurs. Seulement, dans ce gaspillage, au milieu des devis énormes, elle était abominablement volée ; une nuée d'entrepreneurs vivaient d'elle, sans compter les pertes dues à la mauvaise surveillance ; on dilapidait le bien des pauvres. Et ce fut Saccard qui lui ouvrit les yeux, en la priant de le laisser tirer les comptes au clair, absolument désintéressé d'ailleurs, pour l'unique plaisir de régler cette folle danse de millions qui l'enthousiasmait. Jamais il ne s'était montré si scrupuleusement honnête. Il fut, dans cette affaire colossale et compliquée, le plus actif, le plus probe des collaborateurs, donnant son temps, son argent même, simplement récompensé par cette joie des sommes considérables qui lui passaient entre les mains. On ne connaissait guère que lui à l'Œuvre du Travail, où la princesse n'allait jamais, pas plus qu'elle n'allait visiter ses autres fondations, cachée au fond de ses trois petites pièces, comme la bonne déesse invisible ; et lui, adoré, il

---

1. Dans cette expression, la charité confine au socialisme : ces mots ne semblent pas seulement faire allusion à la population des domestiques, mais aussi à l'extorsion de la plus-value du travail par les classes dominantes selon la théorie marxiste.

y était béni, accablé de toute la reconnaissance dont elle semblait ne pas vouloir.

Sans doute, depuis cette époque, Saccard nourrissait un vague projet, qui, tout d'un coup, lorsqu'il fut installé dans l'hôtel d'Orviedo comme locataire, prit la netteté aiguë d'un désir. Pourquoi ne se consacrerait-il pas tout entier à l'administration des bonnes œuvres de la princesse ? Dans l'heure de doute où il était, vaincu de la spéculation, ne sachant quelle fortune refaire, cela lui apparaissait comme une incarnation nouvelle, une brusque montée d'apothéose : devenir le dispensateur de cette royale charité, canaliser ce flot d'or qui coulait sur Paris. Il restait deux cents millions, quelles œuvres à créer encore, quelle cité du miracle à faire sortir du sol ! Sans compter que, lui, les ferait fructifier, ces millions, les doublerait, les triplerait, saurait si bien les employer qu'il en tirerait un monde. Alors, avec sa passion, tout s'élargit, il ne vécut plus que de cette pensée grisante, les répandre en aumônes sans fin, en noyer la France heureuse ; et il s'attendrissait, car il était d'une probité parfaite, pas un sou ne lui demeurait aux doigts. Ce fut, dans son crâne de visionnaire, une idylle géante, l'idylle d'un inconscient, où ne se mêlait aucun désir de racheter ses anciens brigandages financiers. D'autant plus que, tout de même, au bout, il y avait le rêve de sa vie entière, la conquête de Paris. Être le roi de la charité, le Dieu adoré de la multitude des pauvres, devenir unique et populaire, occuper de lui le monde, cela dépassait son ambition. Quels prodiges ne réaliserait-il pas, s'il employait à être bon ses facultés d'homme d'affaires, sa ruse, son obstination, son manque complet de préjugés ! Et il aurait la force irrésistible qui gagne les batailles, l'argent, l'argent à pleins coffres, l'argent qui fait tant de mal souvent et qui ferait tant de bien, le jour où l'on mettrait à donner son orgueil et son plaisir !

Puis, agrandissant encore son projet, Saccard en arriva à se demander pourquoi il n'épouserait pas la princesse d'Orviedo. Cela fixerait les positions, empêcherait les interprétations mauvaises. Pendant un mois, il manœuvra adroitement, exposa des plans superbes, crut se rendre indispensable ; et un jour, d'une voix tranquille, redevenu naïf, il fit sa proposition, développa son grand projet. C'était une véritable association qu'il offrait, il se donnait comme le liquidateur* des sommes volées par le prince, il s'engageait à les rendre aux pauvres, décuplées. D'ailleurs, la princesse, dans son éternelle robe noire, avec son fichu de dentelle sur la tête, l'écouta attentivement, sans qu'une émotion quelconque animât sa face jaune. Elle était très frappée des avantages que pourrait avoir une association pareille, indifférente, du reste, aux autres considérations. Puis, ayant remis sa réponse au lendemain, elle finit par refuser : sans doute elle avait réfléchi qu'elle ne serait plus seule maîtresse de ses aumônes, et elle entendait en disposer en souveraine absolue, même follement. Mais elle expliqua qu'elle serait heureuse de le garder comme conseiller, elle montra combien précieuse elle estimait sa collaboration, en le priant de continuer à s'occuper de l'Œuvre du Travail, dont il était le véritable directeur.

Toute une semaine, Saccard éprouva un violent chagrin, ainsi qu'à la perte d'une idée chère ; non pas qu'il se sentît retomber au gouffre du brigandage ; mais, de même qu'une romance sentimentale met des larmes aux yeux des ivrognes les plus abjects, cette colossale idylle du bien fait à coups de millions avait attendri sa vieille âme de corsaire. Il tombait une fois encore, et de très haut : il lui semblait être détrôné. Par l'argent, il avait toujours voulu, en même temps que la satisfaction de ses appétits, la magnificence d'une vie princière ; et jamais il ne l'avait eue, assez haute. Il s'enrageait, à mesure que chacune de ses chutes emportait un espoir. Aussi, lorsque son projet croula devant le refus tranquille et net de la princesse, se trouva-t-il rejeté à une furieuse envie de bataille. Se battre, être le plus fort dans la dure guerre de la spéculation, manger les autres pour ne pas qu'ils vous mangent, c'était, après sa soif de splendeur et de jouissance, la grande cause, l'unique cause de sa passion des affaires. S'il ne thésaurisait pas, il avait l'autre joie, la lutte des gros chiffres, les fortunes lancées comme des corps d'armée, les chocs des millions adverses, avec les déroutes, avec les victoires, qui le grisaient. Et tout de suite reparut sa haine de Gundermann, son effréné besoin de revanche : abattre Gundermann, cela le hantait d'un désir chimérique, chaque fois qu'il était par terre, vaincu. S'il sentait l'enfantillage d'une pareille tentative, ne pourrait-il du moins l'entamer, se faire une place en face de lui, le forcer au partage, comme ces monarques de contrées voisines et d'égale puissance, qui se traitent de cousins ? Ce fut alors que, de nouveau, la Bourse l'attira, la tête emplie d'affaires à lancer, sollicité en tous sens par des projets contraires, dans une telle fièvre, qu'il ne sut que décider, jusqu'au jour où une idée suprême, démesurée, se dégagea des autres et s'empara peu à peu de lui tout entier.

Depuis qu'il habitait l'hôtel d'Orviedo, Saccard apercevait parfois la sœur de l'ingénieur Hamelin qui habitait le petit appartement du second, une femme d'une taille admirable, Mme Caroline, comme on la nommait familièrement. Surtout, ce qui l'avait frappé, à la première rencontre, c'était ses cheveux blancs superbes, une royale couronne de cheveux blancs, d'un si singulier effet sur ce front de femme jeune encore, âgée de trente-six ans à peine. Dès vingt-cinq ans, elle était ainsi devenue toute blanche. Ses sourcils, restés noirs et très fournis, gardaient une jeunesse, une étrangeté vive à son visage encadré d'hermine. Elle n'avait jamais été jolie, avec son menton et son nez trop forts, sa bouche large dont les grosses lèvres exprimaient une bonté exquise. Mais, certainement, cette toison blanche, cette blancheur envolée de fins cheveux de soie, adoucissait sa physionomie un peu dure, lui donnait un charme souriant de grand-mère, dans une fraîcheur et une force de belle amoureuse. Elle était grande, solide, la démarche franche et très noble.

Chaque fois qu'il la rencontrait, Saccard, plus petit qu'elle, la suivait des yeux, intéressé, enviant sourdement cette taille haute, cette carrure saine. Et, peu à peu, par l'entourage, il connut toute l'histoire des Hamelin. Ils étaient, Caroline et Georges, les enfants d'un médecin de Montpellier, savant remarquable, catholique exalté, mort sans fortune. Lorsque le père s'en alla, la fille avait dix-huit ans, le garçon dix-neuf ; et, comme celui-ci venait d'entrer à l'École polytechnique, elle le suivit à Paris, où elle se plaça institutrice. Ce fut elle qui lui glissa des pièces de cent sous[1], qui l'entretint d'argent de poche, pendant les deux années de cours ; plus tard, lorsque, sorti dans un mauvais rang, il dut battre le pavé, ce fut elle encore qui le soutint, en attendant qu'il trouvât une situation. Ces deux enfants s'adoraient, faisaient le rêve de ne se quitter jamais. Pourtant, un mariage inespéré s'étant présenté, la bonne grâce et l'intelligence vive de la jeune fille ayant conquis un brasseur millionnaire, dans la maison où elle était en place, Georges voulut qu'elle acceptât : ce dont il se repentit cruellement, car, au bout de quelques années de ménage, Caroline fut obligée d'exiger une séparation pour ne pas être tuée par son mari, qui buvait et la poursuivait avec un couteau, dans des crises d'imbécile jalousie. Elle était alors âgée de vingt-six ans, elle se retrouvait pauvre, s'étant obstinée à ne réclamer aucune pension de l'homme qu'elle quittait. Mais son frère avait enfin, après bien des tentatives, mis la main sur une besogne qui lui plaisait : il allait partir pour

---

1. La pièce de cent sous est la pièce de cinq francs (un franc vaut vingt sous). C'est la grosse pièce par excellence (à l'époque du roman, le salaire moyen de l'ouvrier parisien n'atteint pas quatre francs par jour). Elle fait figure de véritable symbole et le nom « pièce de cent sous » entre dans bien des expressions courantes. Lorsque Jules Vallès publie son premier livre en 1857, *L'Argent*, dont l'écriture pamphlétaire se veut imitée de Proudhon, il estampille la couverture jaune vif de ce livre de la reproduction d'une telle pièce, avec la formule : « J'en vaux cinq au contrôle et cent à la coulisse », manière d'évoquer le sou populaire et le franc du riche, mais aussi de promettre la multiplication de la fortune.

l'Égypte, avec la Commission chargée des premières études du canal de Suez[1] ; et il emmena sa sœur, elle s'installa vaillamment à Alexandrie, recommença à donner des leçons, pendant que lui courait le pays. Ils restèrent ainsi en Égypte jusqu'en 1859, ils assistèrent aux premiers coups de pioche sur la plage de Port-Saïd : une maigre équipe de cent cinquante terrassiers à peine, perdue au milieu des sables, commandée par une poignée d'ingénieurs. Puis, Hamelin, envoyé en Syrie pour assurer les approvisionnements, y resta, à la suite d'une fâcherie avec ses chefs. Il fit venir Caroline à Beyrouth, où d'autres élèves l'attendaient, il se lança dans une grosse affaire, patronnée par une compagnie française, le tracé d'une route carrossable de Beyrouth à Damas, la première, l'unique voie ouverte à travers les gorges du Liban[2] ; et ils vécurent encore trois années là, jusqu'à l'achèvement de la route, lui visitant les montagnes, s'absentant deux mois pour un voyage à Constantinople, à travers le Taurus, elle le suivant dès qu'elle pouvait s'échapper, épousant les projets de réveil qu'il faisait, à battre cette vieille terre, endormie sous la cendre des civilisations mortes. Il avait amassé tout un portefeuille débordant d'idées et de plans, il sentait l'impérieuse nécessité de rentrer en France, s'il voulait donner un corps à ce vaste ensemble d'entreprises, former des sociétés, trouver des capitaux. Et, après neuf années de séjour en Orient, ils partirent, ils eurent la curiosité de repasser par l'Égypte, où les travaux du canal de Suez les enthousiasmèrent : une ville avait poussé en quatre ans dans les sables de la plage de Port-Saïd, tout un peuple s'agitait là, les fourmis humaines s'étaient multipliées, changeaient la face de la terre. Mais, à Paris, une malchance noire attendait Hamelin. Depuis quinze mois, il s'y débattait avec ses projets, sans pouvoir communiquer sa foi à personne, trop modeste, peu bavard, échoué à ce

---

1. Voir *supra*, p. 19, note 1. **2.** Voir la carte, p. 496.

deuxième étage de l'hôtel d'Orviedo, dans un petit appartement de cinq pièces qu'il louait douze cents francs, plus loin du succès que lorsqu'il courait les monts et les plaines de l'Asie. Leurs économies s'épuisaient rapidement, le frère et la sœur en arrivaient à une grande gêne.

Ce fut même ce qui intéressa Saccard, cette tristesse croissante de Mme Caroline, dont la belle gaieté s'assombrissait du découragement où elle voyait tomber son frère. Dans leur ménage, elle était un peu l'homme. Georges, qui lui ressemblait beaucoup physiquement, en plus frêle, avait des facultés de travail rares ; mais il s'absorbait dans ses études, il ne fallait point l'en sortir. Jamais il n'avait voulu se marier, n'en éprouvant pas le besoin, adorant sa sœur, ce qui lui suffisait. Il devait avoir des maîtresses d'un jour, qu'on ne connaissait pas. Et cet ancien piocheur de l'École polytechnique aux conceptions si vastes, d'un zèle si ardent pour tout ce qu'il entreprenait, montrait parfois une telle naïveté, qu'on l'aurait jugé un peu sot. Élevé dans le catholicisme le plus étroit, il avait gardé sa religion d'enfant, il pratiquait, très convaincu ; tandis que sa sœur s'était reprise, par une lecture immense, par toute la vaste instruction qu'elle se donnait à son côté, aux longues heures où il s'enfonçait dans ses travaux techniques. Elle parlait quatre langues, elle avait lu les économistes, les philosophes, passionnée un instant pour les théories socialistes et évolutionnistes ; mais elle s'était calmée, elle devait surtout à ses voyages, à son long séjour parmi des civilisations lointaines, une grande tolérance, un bel équilibre de sagesse. Si elle ne croyait plus, elle demeurait très respectueuse de la foi de son frère. Entre eux, il y avait eu une explication, et jamais ils n'en avaient reparlé. Elle était une intelligence, dans sa simplicité et sa bonhomie ; et, d'un courage à vivre extraordinaire, d'une bravoure joyeuse qui résistait aux cruautés du sort, elle avait coutume de dire qu'un seul chagrin était resté saignant en elle, celui de n'avoir pas eu d'enfant.

Saccard put rendre à Hamelin un service, un petit travail qu'il lui procura, des commanditaires qui avaient
besoin d'un ingénieur pour un rapport sur le rendement
d'une machine nouvelle. Et il força ainsi l'intimité du
frère et de la sœur, il monta fréquemment passer une
heure entre eux, dans leur salon, leur seule grande pièce,
qu'ils avaient transformée en cabinet de travail. Cette
pièce restait d'une nudité absolue, meublée seulement
d'une longue table à dessiner, d'une autre table plus
petite, encombrée de papiers, et d'une demi-douzaine de
chaises. Sur la cheminée, des livres s'empilaient. Mais,
aux murs, une décoration improvisée égayait ce vide : une
série de plans, une suite d'aquarelles claires, chaque
feuille fixée avec quatre clous. C'était son portefeuille de
projets qu'Hamelin avait ainsi étalé, les notes prises en
Syrie, toute sa fortune future ; et les aquarelles étaient de
Mme Caroline, des vues de là-bas, des types, des cos-
tumes, ce qu'elle avait remarqué et croqué en accompa-
gnant son frère, avec un sens très personnel de coloriste,
sans aucune prétention d'ailleurs. Deux larges fenêtres,
ouvrant sur le jardin de l'hôtel Beauvilliers, éclairaient
d'une lumière vive cette débandade de dessins, qui évoquait une vie autre, le rêve d'une antique société tombant
en poudre, que les épures, aux lignes fermes et mathéma-
tiques, semblaient vouloir remettre debout, comme sous
l'étaiement du solide échafaudage de la science moderne.
Et quand il se fut rendu utile, avec cette dépense d'activité qui le faisait charmant, Saccard s'oublia surtout
devant les plans et les aquarelles, séduit, demandant sans
cesse de nouvelles explications. Dans sa tête, tout un
vaste lançage germait déjà.

Un matin, il trouva Mme Caroline seule, assise à la
petite table dont elle avait fait son bureau. Elle était mortellement triste, les mains abandonnées parmi les papiers.

« Que voulez-vous ? cela tourne décidément mal… Je
suis brave pourtant. Mais tout va nous manquer à la
fois ; et ce qui me navre, c'est l'impuissance où le malheur
réduit mon pauvre frère, car il n'est vaillant, il n'a de

force qu'au travail… J'avais songé à me replacer institutrice quelque part, pour l'aider au moins. J'ai cherché et
je n'ai rien trouvé… Pourtant, je ne puis pas me mettre
à faire des ménages. »

Jamais Saccard ne l'avait vue ainsi démontée, abattue.

« Que diable ! vous n'en êtes pas là ! » cria-t-il.

Elle hocha la tête, elle se montrait amère contre la vie,
qu'elle acceptait d'habitude si gaillardement, même mauvaise. Et Hamelin étant rentré à ce moment, rapportant
la nouvelle d'un dernier échec, elle eut de grosses larmes
lentes, elle ne parla plus, les poings serrés, à sa table, les
yeux perdus devant elle.

« Et dire, laissa échapper Hamelin, qu'il y a, là-bas,
des millions qui nous attendent, si quelqu'un voulait seulement m'aider à les gagner ! »

Saccard s'était planté devant une épure représentant
l'élévation d'un pavillon construit au centre de vastes
magasins.

« Qu'est-ce donc ? demanda-t-il.

– Oh ! je me suis amusé, expliqua l'ingénieur. C'est un
projet d'habitation, là-bas, à Beyrouth, pour le directeur
de la Compagnie que j'ai rêvée, vous savez, la Compagnie
générale des Paquebots réunis. »

Il s'animait, il donna de nouveaux détails. Pendant son
séjour en Orient, il avait constaté combien le service des
transports était défectueux. Les quelques sociétés, installées à Marseille, se tuaient par la concurrence, n'arrivaient pas à avoir le matériel suffisant et confortable ; et
une de ses premières idées, à la base même de tout
l'ensemble de ses entreprises, était de syndiquer* ces
sociétés, de les réunir en une vaste Compagnie, pourvue
de millions, qui exploiterait la Méditerranée entière et
s'en assurerait la royauté, en établissant des lignes pour
tous les ports de l'Afrique, de l'Espagne, de l'Italie, de la
Grèce, de l'Égypte, de l'Asie, jusqu'au fond de la mer
Noire. Rien n'était, à la fois, d'un organisateur [1] de plus

---

1. Ce mot n'est pas indifférent : *L'Organisateur* était un ouvrage
(1819-1820) de Saint-Simon (1760-1825), figure tutélaire du socialisme

de flair, ni d'un meilleur citoyen : c'était l'Orient conquis, donné à la France, sans compter qu'il rapprochait ainsi la Syrie, où allait s'ouvrir le vaste champ de ses opérations.

« Les syndicats*, murmura Saccard, l'avenir semble être là, aujourd'hui... C'est une forme si puissante de l'association ! Trois ou quatre petites entreprises, qui végètent isolément, deviennent d'une vitalité et d'une prospérité irrésistibles, si elles se réunissent... Oui, demain est aux gros capitaux, aux efforts centralisés des grandes masses. Toute l'industrie, tout le commerce finiront par n'être qu'un immense bazar unique, où l'on s'approvisionnera de tout. »

Il s'était arrêté encore, debout cette fois devant une aquarelle qui représentait un site sauvage, une gorge aride, que bouchait un écroulement gigantesque de rochers, couronnés de broussailles.

« Oh ! oh ! reprit-il, voici le bout du monde. On ne doit pas être coudoyé par les passants, dans ce coin-là.

– Une gorge du Carmel [1], répondit Hamelin. Ma sœur a pris ça, pendant les études que j'ai faites de ce côté. »

Et il ajouta simplement :

« Tenez ! entre les calcaires crétacés et les porphyres qui ont relevé ces calcaires, sur tout le flanc de la montagne, il y a là un filon d'argent sulfuré considérable, oui ! une mine d'argent dont l'exploitation, d'après mes calculs, assurerait des bénéfices énormes.

– Une mine d'argent », répéta vivement Saccard.

Mme Caroline, les yeux toujours au loin, dans sa tristesse, avait entendu ; et, comme si une vision se fût évoquée :

---

industrialiste de l'école dite saint-simonienne. Mais ce n'est là qu'un détail, à l'intérieur de ces pages de description des projets orientaux d'Hamelin, qui toutes évoquent l'activité et l'histoire des ingénieurs, des banquiers ou des industriels d'obédience saint-simonienne, entre les années 1820 et 1860 (Ferdinand de Lesseps, les frères Pereire...). **1.** Le mont Carmel se trouve en bord de mer, sur le territoire de l'actuel Israël, et domine la ville de Haïfa.

« Le Carmel, ah ! quel désert, quelles journées de solitude ! C'est plein de myrtes et de genêts, cela sent bon,
l'air tiède en est embaumé. Et il y a des aigles, sans cesse,
qui planent très haut... Mais tout cet argent qui dort
dans ce sépulcre, à côté de tant de misère ! On voudrait
des foules heureuses, des chantiers, des villes naissantes,
un peuple régénéré par le travail.

– Une route serait facilement ouverte du Carmel à
Saint-Jean-d'Acre, continua Hamelin. Et je crois bien
qu'on découvrirait également du fer, car il abonde dans
les montagnes du pays... J'ai aussi étudié un nouveau
mode d'extraction, qui réaliserait d'importantes économies. Tout est prêt, il ne s'agit plus que de trouver des
capitaux.

– La Société des mines d'argent du Carmel ! » murmura Saccard.

Mais c'était maintenant l'ingénieur qui, les regards
levés, allait d'un plan à l'autre, repris par ce labeur de
toute sa vie, enfiévré à la pensée de l'avenir éclatant qui
dormait là, pendant que la gêne le paralysait.

« Et ce ne sont que les petites affaires du début, reprit-
il. Regardez cette série de plans, c'est ici le grand coup,
tout un système de chemins de fer traversant l'Asie
Mineure de part en part... Le manque de communica-
tions commodes et rapides, telle est la cause première de
la stagnation où croupit ce pays si riche. Vous n'y trouveriez pas une voie carrossable, les voyages et les transports
s'y font toujours à dos de mulet ou de chameau... Imaginez alors quelle révolution, si des lignes ferrées péné-
traient jusqu'aux confins du désert ! Ce serait l'industrie
et le commerce décuplés, la civilisation victorieuse,
l'Europe s'ouvrant enfin les portes de l'Orient... Oh !
pour peu que cela vous intéresse, nous en causerons en
détail. Et vous verrez, vous verrez ! »

Tout de suite, du reste, il ne put s'empêcher d'entrer
dans des explications. C'était surtout pendant son voyage
à Constantinople, qu'il avait étudié le tracé de son système de chemins de fer. La grande, l'unique difficulté se

trouvait dans la traversée des monts Taurus ; mais il avait parcouru les différents cols, il affirmait la possibilité d'un tracé direct et relativement peu dispendieux. D'ailleurs, il ne songeait pas à exécuter d'un coup le système complet. Lorsqu'on aurait obtenu du sultan la concession totale, il serait sage de n'entreprendre d'abord que la branche mère, la ligne de Brousse à Beyrouth par Angora et Alep. Plus tard, on songerait à l'embranchement de Smyrne à Angora, et à celui de Trébizonde à Angora, par Erzeroum et Sivas [1].

« Plus tard, plus tard encore... », continua-t-il.

Et il n'acheva pas, il se contentait de sourire, n'osant dire jusqu'où il avait poussé l'audace de ses projets. C'était le rêve.

« Ah ! les plaines au pied du Taurus, reprit Mme Caroline de sa voix lente de dormeuse éveillée, quel paradis délicieux ! On n'a qu'à gratter la terre, les moissons poussent, débordantes. Les arbres fruitiers, les pêchers, les cerisiers, les figuiers, les amandiers, cassent sous les fruits. Et quels champs d'oliviers et de mûriers, pareils à de grands bois ! Et quelle existence naturelle et facile, dans cet air léger, constamment bleu ! »

Saccard se mit à rire, de ce rire aigu de bel appétit, qu'il avait lorsqu'il flairait la fortune. Et, comme Hamelin parlait encore d'autres projets, notamment de la création d'une banque à Constantinople, en disant un mot des relations toutes-puissantes qu'il y avait laissées, surtout près du grand vizir, il l'interrompit gaiement.

« Mais c'est un pays de cocagne, on en vendrait ! »

Puis, très familier, appuyant les deux mains aux épaules de Mme Caroline, toujours assise :

---

1. Angora est aujourd'hui Ankara, et Smyne, Izmir. Ce projet de réseau de chemin de fer, qui complète le projet de fusion des sociétés de paquebots, évoque assez nettement l'article du saint-simonien Michel Chevalier intitulé « Système de la Méditerranée », paru dans le journal *Le Globe* le 12 février 1832. Michel Chevalier superpose à ces réseaux un réseau bancaire.

« Ne vous désespérez donc pas, madame ! Je vous aime bien, vous verrez que je ferai avec votre frère quelque chose de très bon pour nous tous... Ayez de la patience, attendez. »

Pendant le mois qui suivit, Saccard procura de nouveau à l'ingénieur quelques petits travaux ; et, s'il ne reparlait plus des grandes affaires, il devait y penser constamment, préoccupé, hésitant devant l'ampleur écrasante des entreprises. Mais ce qui resserra davantage le lien naissant de leur intimité, ce fut la façon toute naturelle dont Mme Caroline vint à s'occuper de son intérieur d'homme seul, dévoré de frais inutiles, d'autant plus mal servi qu'il avait davantage de serviteurs. Lui, si habile au-dehors, réputé pour sa main vigoureuse et adroite dans le gâchis des grands vols, laissait aller chez lui tout à la débandade, insoucieux du coulage effrayant qui triplait ses dépenses ; et l'absence d'une femme se faisait aussi cruellement sentir, jusque dans les plus petites choses. Lorsque Mme Caroline s'aperçut du pillage, elle lui donna d'abord des conseils, puis finit par s'entremettre et lui faire réaliser deux ou trois économies ; si bien qu'en riant, un jour, il lui offrit d'être son intendante : pourquoi pas ? elle avait cherché une place d'institutrice, elle pouvait bien accepter une situation honorable pour elle, qui lui permettrait d'attendre. L'offre, faite en manière de plaisanterie, devint sérieuse. N'était-ce pas une façon de s'occuper, de soulager son frère, avec les trois cents francs que Saccard voulait donner par mois ? Et elle accepta, elle réforma la maison en huit jours, renvoya le chef et sa femme pour ne prendre qu'une cuisinière, qui, avec le valet de chambre et le cocher, devait suffire au service. Elle ne garda aussi qu'un cheval et une voiture, prit la haute main sur tout, examina les comptes avec un soin si scrupuleux, qu'à la fin de la première quinzaine elle avait obtenu une réduction de moitié. Il était ravi, il plaisantait en disant que c'était lui qui la volait maintenant, et qu'elle aurait dû exiger un tant pour cent sur tous les bénéfices qu'elle lui faisait faire.

Alors, une vie très étroite avait commencé. Saccard venait d'avoir l'idée de faire enlever les vis qui condamnaient la porte de communication entre les deux appartements, et l'on remontait librement, d'une salle à manger dans l'autre, par l'escalier intérieur ; de sorte que, pendant que son frère travaillait en haut, enfermé du matin au soir pour mettre en ordre ses dossiers d'Orient, Mme Caroline, laissant son propre ménage aux soins de l'unique bonne qui les servait, descendait à chaque heure de la journée donner des ordres, comme chez elle. C'était devenu la joie de Saccard, la continuelle apparition de cette grande belle femme, qui traversait les pièces, de son pas solide et superbe, avec la gaieté toujours inattendue de ses cheveux blancs, envolés autour de son jeune visage. Elle était de nouveau très gaie, elle avait retrouvé sa bravoure à vivre, depuis qu'elle se sentait utile, occupant ses heures, continuellement debout. Sans affectation de simplicité, elle ne portait plus qu'une robe noire, dans la poche de laquelle on entendait la sonnerie claire du trousseau de clefs ; et cela l'amusait certainement, elle la savante, la philosophe, de n'être plus qu'une bonne femme de ménage, la gouvernante d'un prodigue, qu'elle se mettait à aimer, comme on aime les enfants mauvais sujets. Lui, un instant très séduit, calculant qu'il n'y avait après tout qu'une différence de quatorze ans entre eux, s'était demandé ce qu'il arriverait, s'il la prenait un beau soir entre ses bras. Était-il admissible que, depuis dix ans, depuis sa fuite forcée de chez son mari, dont elle avait reçu autant de coups que de caresses, elle eût vécu en guerrière voyageuse, sans voir un homme ? Peut-être les voyages l'avaient-ils protégée. Cependant, il savait qu'un ami de son frère, un M. Beaudoin, un négociant resté à Beyrouth, et dont le retour était prochain, l'avait beaucoup aimée, au point d'attendre pour l'épouser la mort de son mari, qu'on venait d'enfermer dans une maison de santé, fou d'alcoolisme. Évidemment, ce mariage n'aurait fait que régulariser une situation bien excusable, presque légitime. Dès lors, puisqu'il devait y en avoir eu un, pourquoi n'aurait-il pas été le second ? Mais Saccard en restait au raisonnement, la trouvant si bonne camarade, que la femme souvent disparaissait. Lorsque, à la voir passer, avec sa taille admirable, il se posait sa question : savoir ce qu'il arriverait s'il l'embrassait, il se répondait qu'il arriverait des choses fort ordinaires, ennuyeuses peut-être ; et il remettait l'expérience à plus tard, il lui donnait des poignées de main vigoureuses, heureux de sa cordialité.

Puis, tout d'un coup, Mme Caroline retomba à un grand chagrin. Un matin, elle descendit abattue, très pâle, les yeux gros ; et il ne put rien apprendre d'elle, il cessa de l'interroger devant son obstination à dire qu'elle n'avait rien, qu'elle était comme tous les jours. Ce fut le lendemain seulement qu'il comprit, en trouvant en haut une lettre de faire-part, la lettre qui annonçait le mariage de M. Beaudoin avec la fille d'un consul anglais, très jeune et immensément riche. Le coup avait dû être d'autant plus dur, que la nouvelle était arrivée par cette lettre banale, sans aucune préparation, sans même un adieu. C'était tout un écroulement dans l'existence de la malheureuse femme, la perte de l'espoir lointain où elle se raccrochait, aux heures de désastre. Et, le hasard ayant, lui aussi, des cruautés abominables, elle avait justement appris, l'avant-veille, que son mari était mort, elle venait enfin de croire, pendant quarante-huit heures, à la réalisation prochaine de son rêve. Sa vie s'effondrait, elle en restait anéantie. Le soir même, une autre stupeur l'attendait : comme, à son habitude, avant de remonter se coucher, elle entrait chez Saccard causer des ordres du lendemain, il lui parla de son malheur, si doucement, qu'elle éclata en sanglots ; puis, dans cet attendrissement invincible, dans une sorte de paralysie de sa volonté, elle se trouva entre ses bras, elle lui appartint, sans joie ni pour l'un ni pour l'autre. Quand elle se reprit, elle n'eut pas de révolte, mais sa tristesse en fut accrue, à l'infini.

Pourquoi avait-elle laissé s'accomplir cette chose ? elle n'aimait pas cet homme, lui-même ne devait pas l'aimer. Ce n'était point qu'il lui parût d'un âge et d'une figure indignes de tendresse ; sans beauté certes, et vieux déjà, il l'intéressait par la mobilité de ses traits, par l'activité de toute sa petite personne noire ; et, l'ignorant encore, elle voulait le croire serviable, d'une intelligence supérieure, capable de réaliser les grandes entreprises de son frère, avec l'honnêteté moyenne de tout le monde. Seulement, quelle chute imbécile ! Elle, si sage, si instruite par la dure expérience, si maîtresse d'elle-même, avoir ainsi succombé, sans savoir pourquoi ni comment, dans une crise de larmes, en grisette sentimentale[1] ! Le pis était qu'elle le sentait, autant qu'elle, étonné, presque fâché de l'aventure. Lorsque, cherchant à la consoler, il lui avait parlé de M. Beaudoin comme d'un amant ancien, dont la basse trahison ne méritait que l'oubli, et qu'elle s'était récriée, en jurant que jamais rien ne s'était passé entre eux, il avait d'abord cru qu'elle mentait, par une fierté de femme ; mais elle était revenue sur ce serment avec tant de force, elle montrait des yeux si beaux, si clairs de franchise, qu'il avait fini par être convaincu de la vérité de cette histoire, elle par droiture et dignité se gardant pour le jour des noces, l'homme patientant deux années, puis se lassant et en épousant une autre, quelque occasion trop tentante de jeunesse et de richesse. Et le singulier était que cette découverte, cette conviction qui aurait dû passionner Saccard, l'emplissait au contraire d'une sorte d'embarras, tellement il comprenait la fatalité sotte de sa bonne fortune. Du reste, ils ne recommencèrent pas, puisque ni l'un ni l'autre ne paraissait en avoir l'envie.

Pendant quinze jours, Mme Caroline resta ainsi affreusement triste. La force de vivre, cette impulsion qui fait de la vie une nécessité et une joie, l'avait abandonnée.

---

1. Pléonasme : la grisette, figure féminine clé de la littérature du XIXe siècle, est le type de la petite couturière sentimentale et de mœurs légères.

Elle vaquait à ses occupations si multiples, mais comme absente, sans s'illusionner même sur la raison et l'intérêt des choses. C'était la machine humaine travaillant dans le désespoir du néant de tout. Et, au milieu de ce naufrage de sa bravoure et de sa gaieté, elle ne goûtait qu'une distraction, celle de passer toutes ses heures libres le front aux vitres d'une fenêtre du grand cabinet de travail, les regards fixés sur le jardin de l'hôtel voisin, cet hôtel Beauvilliers, où, depuis les premiers jours de son installation, elle devinait une détresse, une de ces misères cachées, si navrantes dans leur effort à sauvegarder les apparences. Il y avait là aussi des êtres qui souffraient, et son chagrin était comme trempé de ces larmes, elle agonisait de mélancolie, jusqu'à se croire insensible et morte dans la douleur des autres.

Ces Beauvilliers, qui autrefois, sans compter leurs immenses domaines de la Touraine et de l'Anjou, possédaient, rue de Grenelle, un hôtel magnifique, n'avaient plus à Paris que cette ancienne maison de plaisance, bâtie en dehors de la ville au commencement du siècle dernier, et qui se trouvait aujourd'hui enclavée parmi les constructions noires de la rue Saint-Lazare. Les quelques beaux arbres du jardin restaient là comme au fond d'un puits, la mousse mangeait les marches du perron, émietté et fendu. On eût dit un coin de nature mis en prison, un coin doux et morne, d'une muette désespérance, où le soleil ne descendait plus qu'en un jour verdâtre, dont le frisson glaçait les épaules. Et, dans cette paix humide de cave, en haut de ce perron disjoint, la première personne que Mme Caroline avait aperçue était la comtesse de Beauvilliers, une grande femme maigre de soixante ans, toute blanche, l'air très noble, un peu surannée. Avec son grand nez droit, ses lèvres minces, son cou particulièrement long, elle avait l'air d'un cygne très ancien, d'une douceur désolée. Puis, derrière elle, presque aussitôt, s'était montrée sa fille, Alice de Beauvilliers, âgée de vingt-cinq ans, mais si appauvrie, qu'on l'aurait prise pour une fillette, sans le teint gâté et les traits déjà tirés

du visage. C'était la mère encore, chétive, moins l'aristocratique noblesse, le cou allongé jusqu'à la disgrâce,
n'ayant plus que le charme pitoyable d'une fin de grande
race. Les deux femmes vivaient seules, depuis que le fils,
Ferdinand de Beauvilliers, s'était engagé dans les zouaves
pontificaux [1], à la suite de la bataille de Castelfidardo,
perdue par Lamoricière [2]. Tous les jours, lorsqu'il ne
pleuvait pas, elles apparaissaient ainsi, l'une derrière
l'autre, elles descendaient le perron, faisaient le tour de
l'étroite pelouse centrale, sans échanger une parole. Il n'y
avait que des bordures de lierre, les fleurs n'auraient pas
poussé, ou peut-être auraient-elles coûté trop cher. Et
cette promenade lente, sans doute une simple promenade
de santé, par ces deux femmes si pâles, sous ces arbres
centenaires qui avaient vu tant de fêtes et que les bourgeoises maisons du voisinage étouffaient, prenait une
mélancolique douleur, comme si elles eussent promené le
deuil des vieilles choses mortes.

Alors, intéressée, Mme Caroline avait guetté ses voisines par une sympathie tendre, sans curiosité mauvaise ;
et, peu à peu, dominant le jardin, elle pénétra leur vie,
qu'elles cachaient avec un soin jaloux, sur la rue. Il y
avait toujours un cheval dans l'écurie, une voiture sous
la remise, que soignait un vieux domestique, à la fois
valet de chambre, cocher et concierge ; de même qu'il y
avait une cuisinière, qui servait aussi de femme de
chambre ; mais, si la voiture sortait de la grand-porte,
correctement attelée, menant ces dames à leurs courses,
si la table gardait un certain luxe, l'hiver, aux dîners de
quinzaine où venaient quelques amis, par quels longs
jeûnes, par quelles sordides économies de chaque heure
était achetée cette apparence menteuse de fortune ! Dans

---

1. Membres de la garde du pape. **2.** Lamoricière, à la tête des
troupes pontificales, perdit cette bataille en 1860. Cette victoire de
l'armée du Piémont fut l'une des étapes de l'unité italienne sous la
houlette de Victor-Emmanuel II. Les Beauvilliers représentent donc la
vieille aristocratie catholique blessée par la politique italienne de
Napoléon III. Voir *supra*, p. 24, note 1.

un petit hangar, à l'abri des yeux, c'étaient de continuels lavages, pour réduire la note de la blanchisseuse, de pauvres nippes usées par le savon, rapiécées fil à fil ; c'étaient quatre légumes épluchés pour le repas du soir, du pain qu'on faisait rassir sur une planche, afin d'en manger moins ; c'étaient toutes sortes de pratiques avaricieuses, infimes et touchantes, le vieux cocher recousant les bottines trouées de mademoiselle, la cuisinière noircissant à l'encre les bouts de gants trop défraîchis de madame ; et les robes de la mère qui passaient à la fille après d'ingénieuses transformations, et les chapeaux qui duraient des années, grâce à des échanges de fleurs et de rubans. Lorsqu'on n'attendait personne, les salons de réception, au rez-de-chaussée, étaient fermés soigneusement, ainsi que les grandes chambres du premier étage ; car, de toute cette vaste habitation, les deux femmes n'occupaient plus qu'une étroite pièce, dont elles avaient fait leur salle à manger et leur boudoir. Quand la fenêtre s'entrouvrait, on pouvait apercevoir la comtesse raccommodant son linge, comme une petite bourgeoise besogneuse ; tandis que la jeune fille, entre son piano et sa boîte d'aquarelle, tricotait des bas et des mitaines pour sa mère. Un jour de gros orage, toutes deux furent vues descendant au jardin, ramassant le sable que la violence de la pluie emportait.

Maintenant, Mme Caroline savait leur histoire. La comtesse de Beauvilliers avait beaucoup souffert de son mari, qui était un débauché, et dont elle ne s'était jamais plainte. Un soir, on le lui avait rapporté, à Vendôme, râlant, avec un coup de feu au travers du corps. On avait parlé d'un accident de chasse : quelque balle envoyée par un garde jaloux, dont il devait avoir pris la femme ou la fille. Et le pis était que s'anéantissait avec lui cette fortune des Beauvilliers, autrefois colossale, assise sur des terres immenses, des domaines royaux, que la Révolution avait déjà trouvée amoindrie, et que son père et lui venaient d'achever. De ces vastes biens fonciers, une seule ferme demeurait, les Aublets, à quelques lieues de Vendôme, rapportant environ quinze mille francs de rente*, l'unique ressource de la veuve et de ses deux enfants. L'hôtel de la rue de Grenelle était depuis longtemps vendu, celui de la rue Saint-Lazare mangeait la grosse part des quinze mille francs de la ferme, écrasé d'hypothèques [1], menacé d'être mis en vente à son tour, si l'on ne payait pas les intérêts ; et il ne restait guère que six ou sept mille francs pour l'entretien de quatre personnes, ce train d'une noble famille qui ne voulait pas abdiquer. Il y avait déjà huit ans, lorsqu'elle était devenue veuve, avec un garçon de vingt ans et une fille de dix-sept, au milieu de l'écroulement de sa maison, la comtesse s'était raidie dans son orgueil nobiliaire, en se jurant qu'elle vivrait de pain plutôt que de déchoir. Dès lors, elle n'avait plus eu qu'une pensée, se tenir debout à son rang, marier sa fille à un homme d'égale noblesse, faire de son fils un soldat. Ferdinand lui avait causé d'abord de mortelles inquiétudes, à la suite de quelques folies de jeunesse, des dettes qu'il fallut payer ; mais, averti de leur situation en un solennel entretien, il n'avait pas recommencé, cœur tendre au fond, simplement oisif et nul, écarté de tout emploi, sans place possible dans la société contemporaine. Maintenant, soldat du pape, il était toujours pour elle une cause d'angoisse secrète, car il manquait de santé, délicat sous son apparence fière, de sang épuisé et pauvre, ce qui lui rendait le climat de Rome dangereux. Quant au mariage d'Alice, il tardait tellement, que la triste mère en avait les yeux pleins de larmes, quand elle la regardait, vieillie déjà, se flétrissant à attendre. Avec son air d'insignifiance mélancolique, elle n'était point sotte, elle aspirait ardemment à la vie, à un homme qui l'aurait aimée, à du bonheur ; mais, ne voulant pas désoler davantage la maison, elle feignait d'avoir renoncé à

---

1. Droit que possède un créancier sur un immeuble, en échange d'un prêt. Tant que les intérêts sont payés, l'immeuble continue d'appartenir au débiteur.

tout, plaisantant le mariage, disant qu'elle avait la vocation d'être vieille fille ; et, la nuit, elle sanglotait dans son oreiller, elle croyait mourir de la douleur d'être seule. La comtesse, par ses miracles d'avarice, était pourtant arrivée à mettre de côté vingt mille francs, toute la dot d'Alice ; elle avait également sauvé du naufrage quelques bijoux, un bracelet, des bagues, des boucles d'oreilles, qu'on pouvait estimer à une dizaine de mille francs ; dot bien maigre, corbeille de noces dont elle n'osait même parler, à peine de quoi faire face aux dépenses immédiates, si l'épouseur attendu se présentait. Et, cependant, elle ne voulait pas désespérer, luttant quand même, n'abandonnant pas un des privilèges de sa naissance, toujours aussi haute et de fortune convenable, incapable de sortir à pied et de retrancher un entremets un soir de réception, mais rognant sur sa vie cachée, se condamnant à des semaines de pommes de terre sans beurre, pour ajouter cinquante francs à la dot éternellement insuffisante de sa fille. C'était un douloureux et puéril héroïsme quotidien, tandis que, chaque jour, la maison croulait un peu plus sur leurs têtes.

Cependant, jusque-là, Mme Caroline n'avait point eu l'occasion de parler à la comtesse et à sa fille. Elle finissait par connaître les détails les plus intimes de leur vie, ceux qu'elles croyaient cacher au monde entier, et il n'y avait eu encore entre elles que des échanges de regards, ces regards qui se tournent dans une brusque sensation de sympathie, derrière soi. La princesse d'Orviedo devait les rapprocher. Elle avait eu l'idée de créer, pour son Œuvre du Travail, une sorte de commission de surveillance, composée de dix dames, qui se réunissaient deux fois par mois, visitaient l'Œuvre en détail, contrôlaient tous les services. Comme elle s'était réservé de choisir elle-même ces dames, elle avait désigné, parmi les premières, Mme de Beauvilliers, une de ses grandes amies d'autrefois, devenue simplement sa voisine, aujourd'hui qu'elle s'était retirée du monde. Et il était arrivé que, la commission de surveillance ayant brusquement perdu son secrétaire, Saccard, qui gardait la haute main sur l'administration de l'établissement, venait d'avoir l'idée de recommander Mme Caroline, comme un secrétaire modèle, qu'on ne trouverait nulle part : en effet, la besogne était assez pénible, il y avait beaucoup d'écritures, même des soins matériels qui répugnaient un peu à ces dames ; et, dès le début, Mme Caroline s'était révélée une hospitalière [1] admirable, que sa maternité inassouvie, son amour désespéré des enfants, enflammait d'une tendresse active pour tous ces pauvres êtres, qu'on tâchait de sauver du ruisseau parisien. Donc, à la dernière séance de la commission, elle s'était rencontrée avec la comtesse de Beauvilliers ; mais celle-ci ne lui avait adressé qu'un salut un peu froid, cachant sa secrète gêne, ayant sans doute la sensation qu'elle avait en elle un témoin de sa misère. Toutes deux, maintenant, se saluaient, chaque fois que leurs yeux se rencontraient et qu'il y aurait eu une trop grosse impolitesse à feindre de ne pas se reconnaître.

Un jour, dans le grand cabinet, pendant qu'Hamelin rectifiait un plan d'après de nouveaux calculs, et que Saccard, debout, suivait son travail, Mme Caroline, devant la fenêtre, comme à son habitude, regardait la comtesse et sa fille faire leur tour de jardin. Ce matin-là, elle leur voyait, aux pieds, des savates qu'une chiffonnière n'aurait pas ramassées contre une borne.

« Ah ! les pauvres femmes ! murmura-t-elle, que cela doit être terrible, cette comédie du luxe qu'elles se croient forcées de jouer. »

Et elle se reculait, se cachait derrière le rideau de vitrage, de peur que la mère ne l'aperçût et ne souffrît davantage d'être ainsi guettée. Elle-même s'était apaisée, depuis trois semaines qu'elle s'oubliait, chaque matin, à cette fenêtre : le grand chagrin de son abandon s'endormait, il semblait que la vue du désastre des autres lui fît accepter plus courageusement le sien, cet écroulement

---

1. Membre d'une institution charitable accueillant les indigents.

qu'elle avait cru être celui de toute sa vie. De nouveau, elle se surprenait à rire.

Un instant encore, elle suivit les deux femmes dans le jardin vert de mousse, d'un air de profonde songerie. Puis, se retournant vers Saccard, vivement :

« Dites-moi donc pourquoi je ne peux pas être triste… Non, ça ne dure pas, ça n'a jamais duré, je ne peux pas être triste, quoi qu'il m'arrive… Est-ce de l'égoïsme ? Vraiment, je ne crois pas. Ce serait trop vilain, et d'ailleurs j'ai beau être gaie, j'ai le cœur fendu tout de même au spectacle de la moindre douleur. Arrangez cela, je suis gaie et je pleurerais sur tous les malheureux qui passent, si je ne me retenais, comprenant que le moindre morceau de pain ferait bien mieux leur affaire que mes larmes inutiles. »

En disant cela, elle riait de son beau rire de bravoure, en vaillante qui préférait l'action aux apitoiements bavards.

« Dieu sait pourtant, continua-t-elle, si j'ai eu lieu de désespérer de tout. Ah ! la chance ne m'a pas gâtée jusqu'ici… Après mon mariage, dans l'enfer où je suis tombée, injuriée, battue, j'ai bien cru qu'il ne me restait qu'à me jeter à l'eau. Je ne m'y suis pas jetée, j'étais vibrante d'allégresse, gonflée d'un espoir immense, quinze jours après, quand je suis partie avec mon frère pour l'Orient… Et, lors de notre retour à Paris, lorsque tout a failli nous manquer, j'ai eu des nuits abominables, où je nous voyais mourant de faim sur nos beaux projets. Nous ne sommes pas morts, je me suis remise à rêver des choses énormes, des choses heureuses qui me faisaient rire parfois toute seule… Et, dernièrement, quand j'ai reçu ce coup affreux dont je n'ose parler encore, mon cœur a été comme déraciné ; oui, je l'ai positivement senti qui ne battait plus ; je l'ai cru fini, je me suis crue finie, anéantie moi-même. Puis, pas du tout ! voici que l'existence me reprend, je ris aujourd'hui, demain j'espérerai, je voudrai vivre encore, vivre toujours… Est-ce extraordinaire, de ne pas pouvoir être triste longtemps ! »

Saccard, qui riait lui aussi, haussa les épaules.

« Bah ! vous êtes comme tout le monde. C'est l'existence, ça.

— Croyez-vous, s'écria-t-elle, étonnée. Il me semble, à moi, qu'il y a des gens si tristes, qui ne sont jamais gais, qui se rendent la vie impossible, tellement ils se la peignent en noir... Oh ! ce n'est pas que je m'abuse sur la douceur et la beauté qu'elle offre. Elle a été trop dure, je l'ai trop vue de près, partout et librement. Elle est exécrable, quand elle n'est pas ignoble. Mais, que voulez-vous ! je l'aime. Pourquoi ? je n'en sais rien. Autour de moi, tout a beau péricliter, s'effondrer, je suis quand même, dès le lendemain, gaie et confiante sur les ruines... J'ai pensé souvent que mon cas est, en petit, celui de l'humanité, qui vit, certes, dans une misère affreuse, mais que ragaillardit la jeunesse de chaque génération. À la suite de chacune des crises qui m'abattent, c'est comme une jeunesse nouvelle, un printemps dont les promesses de sève me réchauffent et me relèvent le cœur. Cela est tellement vrai, que, après une grosse peine, si je sors dans la rue, au soleil, tout de suite je me remets à aimer, à espérer, à être heureuse. Et l'âge n'a pas de prise sur moi, j'ai la naïveté de vieillir sans m'en apercevoir... Voyez-vous, j'ai beaucoup trop lu pour une femme, je ne sais plus du tout où je vais, pas plus, d'ailleurs, que ce vaste monde ne le sait lui-même. Seulement, c'est malgré moi, il me semble que je vais, que nous allons tous à quelque chose de très bien et de parfaitement gai [1]. »

Elle finissait par tourner à la plaisanterie, émue pourtant, voulant cacher l'attendrissement de son espoir ; tandis que son frère, qui avait levé la tête, la regardait avec une adoration pleine de gratitude.

---

1. Paragraphe important, au regard de la critique du pessimisme, de l'exaltation de la « vie » qui nourrissent l'inflexion idéologique et morale des *Rougon-Macquart* à partir d'*Au bonheur des dames* (1883) et de *La Joie de vivre* (1884). Dans l'Ébauche de *L'Argent*, Zola entend que Mme Caroline soit une incarnation de « l'espoir ». « Me mettre tout entier là-dedans », ajoute-t-il.

« Oh ! toi, déclara-t-il, tu es faite pour les catastrophes, tu es l'amour de la vie ! »

Dans ces quotidiennes causeries du matin, une fièvre s'était peu à peu déclarée, et si Mme Caroline retournait à cette joie naturelle, inhérente à sa santé même, cela provenait du courage que leur apportait Saccard, avec sa flamme active des grandes affaires. C'était chose presque décidée, on allait exploiter le fameux portefeuille. Sous les éclats de sa voix aiguë, tout s'animait, s'exagérait. D'abord, on mettait la main sur la Méditerranée, on la conquérait, par la Compagnie générale des Paquebots réunis ; et il énumérait les ports de tous les pays du littoral où l'on créerait des stations, et il mêlait des souvenirs classiques effacés à son enthousiasme d'agioteur*, célébrant cette mer, la seule que le monde ancien eût connue, cette mer bleue autour de laquelle la civilisation a fleuri, dont les flots ont baigné les antiques villes, Athènes, Rome, Tyr, Alexandrie, Carthage, Marseille, toutes celles qui ont fait l'Europe. Puis, lorsqu'on s'était assuré ce vaste chemin de l'Orient, on débutait là-bas, en Syrie, par la petite affaire de la Société des mines d'argent du Carmel, rien que quelques millions à gagner en passant, mais un excellent lançage [1], car cette idée d'une mine d'argent, de l'argent trouvé dans la terre, ramassé à la pelle, était toujours passionnante pour le public, surtout quand on pouvait y accrocher l'enseigne d'un nom prodigieux et retentissant comme celui du Carmel. Il y avait aussi là-bas des mines de charbon, du charbon à fleur de roche, qui vaudrait de l'or, lorsque le pays se couvrirait d'usines ; sans compter les autres menues entreprises qui serviraient d'entractes, des créations de banques, des syndicats pour les industries florissantes, une exploitation des vastes forêts du Liban, dont les arbres géants pourrissent sur place, faute de routes. Enfin, il arrivait au gros morceau, à la Compagnie des chemins de fer d'Orient, et là il délirait, car ce réseau de lignes ferrées, jeté d'un bout

---

1. Amorce, moyen de lancer l'affaire.

à l'autre sur l'Asie Mineure, comme un filet, c'était pour lui la spéculation, la vie de l'argent, prenant d'un coup ce vieux monde, ainsi qu'une proie nouvelle, encore intacte, d'une richesse incalculable, cachée sous l'ignorance et la crasse des siècles. Il en flairait le trésor, il hennissait comme un cheval de guerre, à l'odeur de la bataille.

Mme Caroline, d'un bon sens si solide, très réfractaire d'habitude aux imaginations trop chaudes, se laissait pourtant aller à cet enthousiasme, n'en voyait plus nettement l'outrance. À la vérité, cela caressait en elle sa tendresse pour l'Orient, son regret de cet admirable pays, où elle s'était crue heureuse ; et, sans calcul, par un contre-effet logique, c'était elle, ses descriptions colorées, ses renseignements débordants, qui fouettaient de plus en plus la fièvre de Saccard. Quand elle parlait de Beyrouth, où elle avait habité trois ans, elle ne tarissait pas : Beyrouth, au pied du Liban, sur sa langue de terre, entre des grèves de sable rouge et des écroulements de rochers, Beyrouth avec ses maisons en amphithéâtre, au milieu de vastes jardins, un paradis délicieux planté d'orangers, de citronniers et de palmiers. Puis, c'étaient toutes les villes de la côte, au nord Antioche, déchue de sa splendeur [1], au sud Saïda, l'ancienne Sidon [2], Saint-Jean-d'Acre, Jaffa et Tyr, la Sour actuelle [3], qui les résume toutes, Tyr dont les marchands étaient des rois, dont les marins avaient fait le tour de l'Afrique, et qui, aujourd'hui, avec son port comblé par les sables, n'est plus qu'un champ de

---

1. Antioche, ville de Turquie proche de la frontière syrienne, fut à partir du IIIe siècle av. J.-C. la capitale de l'Empire séleucide, avant d'être conquise par les Romains au Ier siècle av. J.-C. et de devenir la troisième ville de l'Empire romain, après Rome et Alexandrie. C'était aussi un haut lieu de la chrétienté et l'une des villes prises lors de la première croisade (1098). À l'époque où se déroule *L'Argent*, la ville était sous domination ottomane. 2. Ville du Liban, sur la Méditerranée, au sud de Beyrouth. Avant Tyr et mille ans avant J.-C., Sidon fut le plus grand port de la Méditerranée orientale. La ville reprit de l'importance à l'époque hellénistique et romaine, et se trouvait dans les années 1860 sous domination druse. 3. Sour, ville du Liban au sud de Saïda, est en effet bâtie sur l'ancienne Tyr.

ruines, une poussière de palais, où ne se dressent, misérables et éparses, que quelques cabanes de pêcheurs. Elle
avait accompagné son frère partout, elle connaissait
Alep, Angora, Brousse, Smyrne, jusqu'à Trébizonde ; elle
avait vécu un mois à Jérusalem, endormie dans le trafic
des lieux saints, puis deux autres mois à Damas, la reine
de l'Orient, au centre de sa vaste plaine, la ville commer-
çante et industrielle, dont les caravanes de La Mecque et
de Bagdad font un centre grouillant de foule. Elle
connaissait aussi les vallées et les montagnes, les villages
des Maronites [1] et des Druses [2] perchés sur les plateaux,
perdus au fond des gorges, les champs cultivés et les
champs stériles. Et, des moindres coins, des déserts muets
comme des grandes villes, elle avait rapporté la même
admiration pour l'inépuisable, la luxuriante nature, la
même colère contre les hommes stupides et mauvais. Que
de richesses naturelles dédaignées ou gâchées ! Elle disait
les charges qui écrasent le commerce et l'industrie, cette
loi imbécile qui empêche de consacrer les capitaux à
l'agriculture, au-delà d'un certain chiffre, et la routine qui
laisse aux mains du paysan la charrue dont on se servait
avant Jésus-Christ, et l'ignorance où croupissent encore
de nos jours ces millions d'hommes, pareils à des enfants
idiots, arrêtés dans leur croissance. Autrefois, la côte se
trouvait trop petite, les villes se touchaient ; maintenant,
la vie s'en est allée vers l'Occident, il semble qu'on tra-
verse un immense cimetière abandonné. Pas d'écoles, pas
de routes, le pire des gouvernements, la justice vendue,

1. Membres de l'Église catholique établis au Liban depuis le Ve siècle.
À partir du XVIe siècle, les maronites devinrent la principale Église
catholique orientale relevant du patriarche d'Antioche. Au cours de
leur histoire, ils eurent à combattre les musulmans, mais aussi les
druses. 2. Minorité religieuse établie en Syrie, au Liban et en Israël.
Durant leur histoire, les druses (ou druzes) ont eu à lutter contre les
musulmans orthodoxes d'Égypte, contre les croisés et contre les Otto-
mans. Au XIXe siècle, ils habitaient rarement des villages entièrement
druses. Ils partagent en particulier bien des terres du mont Liban avec
les maronites. En 1860, quelques années avant le début de l'action de
L'Argent, une violente querelle éclata entre druses et maronites.

un personnel administratif exécrable, des impôts trop
lourds, des lois absurdes, la paresse, le fanatisme ; sans
compter les continuelles secousses des guerres civiles, des
massacres qui emportent des villages entiers. Alors, elle
se fâchait, elle demandait s'il était permis de gâter ainsi
l'œuvre de la nature, une terre bénie, d'un charme exquis,
où tous les climats se retrouvaient, les plaines ardentes,
les flancs tempérés des montagnes, les neiges éternelles
des hauts sommets. Et son amour de la vie, sa vivace
espérance la faisaient se passionner, à l'idée du coup de
baguette tout-puissant dont la science et la spéculation
pouvaient frapper cette vieille terre endormie, pour la
réveiller [1].

« Tenez ! criait Saccard, cette gorge du Carmel, que
vous avez dessinée là, où il n'y a que des pierres et des
lentisques, eh bien, dès que la mine d'argent sera en
exploitation, il y poussera d'abord un village, puis une
ville... Et tous ces ports encombrés de sable, nous les
nettoierons, nous les protégerons de fortes jetées. Des
navires de haut bord stationneront où des barques
n'osent s'amarrer aujourd'hui... Et, dans ces plaines
dépeuplées, ces cols déserts, que nos lignes ferrées traver-
seront, vous verrez toute une résurrection, oui ! les
champs se défricher, des routes et des canaux s'établir,
des cités nouvelles sortir du sol, la vie enfin revenir
comme elle revient à un corps malade, lorsque, dans les
veines appauvries, on active la circulation d'un sang nouveau... Oui ! l'argent fera des prodiges. »

Et, devant l'évocation de cette voix perçante,
Mme Caroline voyait réellement se lever la civilisation
prédite. Ces épures sèches, ces tracés linéaires s'ani-
maient, se peuplaient : c'était le rêve qu'elle avait fait
parfois d'un Orient débarbouillé de sa crasse, tiré de son

---

1. Ces réflexions de Mme Caroline, qui évoquent certaines interroga-
tions de Lamartine dans son *Voyage en Orient*, rappellent surtout les
débats des saint-simoniens sur l'énigme que représente, au regard de
leur théorie du progrès universel, le déclin de cette partie du monde
méditerranéen.

ignorance, jouissant du sol fertile, du ciel charmant, avec tous les raffinements de la science. Déjà, elle avait assisté au miracle, ce Port-Saïd qui, en si peu d'années, venait de pousser sur une plage nue, d'abord des cabanes pour abriter les quelques ouvriers de la première heure, puis la cité de deux mille âmes, la cité de dix mille âmes, des maisons, des magasins immenses, une jetée gigantesque, de la vie et du bien-être créés avec entêtement par les fourmis humaines. Et c'était bien cela qu'elle voyait se dresser de nouveau, la marche en avant, irrésistible, la poussée sociale qui se rue au plus de bonheur possible, le besoin d'agir, d'aller devant soi, sans savoir au juste où l'on va, mais d'aller plus à l'aise, dans des conditions meilleures ; et le globe bouleversé par la fourmilière qui refait sa maison, et le continuel travail, de nouvelles jouissances conquises, le pouvoir de l'homme décuplé, la terre lui appartenant chaque jour davantage. L'argent, aidant la science, faisait le progrès [1].

Hamelin, qui écoutait en souriant, avait eu alors un mot sage.

« Tout cela, c'est la poésie des résultats, et nous n'en sommes pas même à la prose de la mise en œuvre. »

Mais Saccard ne s'échauffait que par l'outrance de ses conceptions, et ce fut pis, le jour où, s'étant mis à lire des livres sur l'Orient, il ouvrit une histoire de l'expédition d'Égypte. Déjà, le souvenir des Croisades le hantait, ce retour de l'Occident vers l'Orient, son berceau, ce grand mouvement qui avait ramené l'extrême Europe aux pays d'origine, en pleine floraison encore, et où il y avait tant à apprendre. Seulement, la haute figure de Napoléon le frappa davantage, allant guerroyer là-bas, dans un but grandiose et mystérieux. S'il parlait de conquérir l'Égypte, d'y installer un établissement français, de donner ainsi à la France le commerce du Levant [2], il ne disait

---

1. C'est bien ce qu'entend montrer Zola dans le roman, comme en témoignent les premières lignes de l'Ébauche, dans le dossier préparatoire (voir la Présentation). 2. Nom vieilli pour désigner le Proche-Orient.

certainement pas tout ; et Saccard voulait voir, dans le
côté de l'expédition qui est resté vague et énigmatique,
il ne savait au juste quel projet de colossale ambition,
un immense empire reconstruit, Napoléon couronné
à Constantinople, empereur d'Orient et des Indes, réalisant le rêve d'Alexandre plus grand que César et
Charlemagne[1]. Ne disait-il pas, à Sainte-Hélène, en parlant de Sidney, le général anglais qui l'avait arrêté devant
Saint-Jean-d'Acre : « Cet homme m'a fait manquer ma
fortune. » Et ce que les Croisades avaient tenté, ce que
Napoléon n'avait pu accomplir, c'était cette pensée
gigantesque de la conquête de l'Orient qui enflammait
Saccard, mais une conquête raisonnée, réalisée par la
double force de la science et de l'argent. Puisque la civilisation était allée de l'est à l'ouest, pourquoi donc ne
reviendrait-elle pas vers l'est, retournant au premier jardin de l'humanité, à cet Éden de la presqu'île hindousta-
nique[2], qui dormait dans la fatigue des siècles ? Ce serait
une nouvelle jeunesse, il galvanisait le paradis terrestre,
le refaisait habitable par la vapeur et l'électricité, repla-
çait l'Asie Mineure comme centre du vieux monde,
comme point de croisement des grands chemins naturels
qui relient les continents. Ce n'étaient plus des millions à
gagner, mais des milliards et des milliards.

Dès lors, chaque matin, Hamelin et lui eurent de
longues conférences. Si l'espoir était vaste, les difficultés
se présentaient, nombreuses, énormes. L'ingénieur, qui
justement était à Beyrouth, en 1862, pendant l'horrible
boucherie que les Druses firent des chrétiens maronites[3],

---

1. Zola se réfère tour à tour à l'expédition de Napoléon en Égypte
(1798-1801), aux conquêtes du roi de Macédoine Alexandre le Grand
(356-323 av. J.-C.), qui s'étendirent jusqu'aux Indes, à Jules César
(101-44 av. J.-C.) et à l'Empire romain d'Orient, enfin à l'empire médié-
val de Charlemagne. **2.** Le sous-continent indien. **3.** La querelle de
1860 (voir *supra*, p. 94, note 2) déboucha sur une « horrible boucherie
des chrétiens maronites par les druses », selon le *Dictionnaire universel*
de Pierre Larousse, que lit Zola : « 360 villages détruits et près de
8 000 chrétiens égorgés, tel est le bilan de cette affreuse guerre qui dura
vingt-deux jours. »

et qui nécessita l'intervention de la France, ne cachait
pas les obstacles qu'on rencontrerait parmi ces populations en continuelle bataille, livrées au bon plaisir des
autorités locales. Seulement, il avait, à Constantinople,
de puissantes relations, il s'était assuré l'appui du grand
vizir, Fuad-Pacha, homme de réel mérite, partisan
déclaré des réformes ; et il se flattait d'obtenir de lui
toutes les concessions [1] nécessaires. D'autre part, bien
qu'il prophétisât la banqueroute fatale de l'empire ottoman, il voyait plutôt une circonstance favorable dans ce
besoin effréné d'argent, ces emprunts qui se suivaient
d'année en année : un gouvernement besogneux, s'il
n'offre pas de garantie personnelle, est tout prêt à
s'entendre avec les entreprises particulières, dès qu'il y
trouve le moindre bénéfice. Et n'était-ce pas une manière
pratique de trancher l'éternelle et encombrante question
d'Orient, en intéressant l'empire à de grands travaux civilisateurs, en l'amenant au progrès, pour qu'il ne fût plus
cette monstrueuse borne, plantée entre l'Europe et
l'Asie ? Quel beau rôle patriotique joueraient là des compagnies françaises !

Puis, un matin, tranquillement, Hamelin aborda le
programme secret auquel il faisait parfois allusion, ce
qu'il appelait, en souriant, le couronnement de l'édifice.

« Alors, quand nous serons les maîtres, nous referons
le royaume de Palestine, et nous y mettrons le pape...
D'abord, on pourra se contenter de Jérusalem, avec Jaffa
comme port de mer. Puis, la Syrie sera déclarée indépendante, et on la joindra... Vous savez que les temps sont
proches où la papauté ne pourra rester dans Rome, sous
les révoltantes humiliations qu'on lui prépare [2]. C'est
pour ce jour-là qu'il nous faudra être prêts. »

Saccard, béant, l'écoutait dire ces choses d'une voix
simple, avec sa foi profonde de catholique. Lui-même ne
reculait pas devant les imaginations extravagantes, mais

---

1. C'est-à-dire les cessions de terrain. **2.** Voir *supra*, p. 24, note 1, et
p. 85, note 2.

jamais il ne serait allé jusqu'à celle-ci. Cet homme de science, d'apparence si froide, le stupéfiait. Il cria :

« C'est fou ! La Porte ne donnera pas Jérusalem [1].

– Oh ! pourquoi ? reprit paisiblement Hamelin. Elle a tant besoin d'argent ! Jérusalem l'ennuie, ce sera un bon débarras. Souvent, elle ne sait quel parti prendre, entre les diverses communions qui se disputent la possession des sanctuaires... D'ailleurs, le pape aurait en Syrie un véritable appui parmi les Maronites, car vous n'ignorez pas qu'il a installé, à Rome, un collège pour leurs prêtres... Enfin, j'ai bien réfléchi, j'ai tout prévu, et ce sera l'ère nouvelle, l'ère triomphale du catholicisme. Peut-être dira-t-on que c'est aller trop loin, que le pape se trouvera comme séparé, désintéressé des affaires de l'Europe. Mais de quel éclat, de quelle autorité ne rayonnera-t-il pas, lorsqu'il trônera aux lieux saints, parlant au nom du Christ, de la terre sacrée où le Christ a parlé ! C'est là qu'est son patrimoine, c'est là que doit être son royaume. Et, soyez tranquille, nous le ferons puissant et solide, ce royaume, nous le mettrons à l'abri des perturbations politiques, en basant son budget, avec la garantie des ressources du pays, sur une vaste banque dont les catholiques du monde entier se disputeront les actions* [2]. »

---

1. La Porte, ou la Sublime Porte, est l'ancien nom de l'Empire ottoman, dont le déclin fut continu depuis le XVIIe siècle jusqu'à l'époque où se déroule *L'Argent*. Jérusalem est toutefois restée partie de l'Empire ottoman jusqu'aux lendemains de la Première Guerre mondiale. 2. L'histoire bancaire et boursière qui s'ouvre ici est fortement inspirée de l'ascension et de la chute de l'Union générale (vers 1876-1882), banque dirigée par Eugène Bontoux. Son programme était en effet de fédérer les fonds catholiques, pour s'opposer en particulier à la prétendue toute-puissance de la finance juive. Mais l'Union générale fut victime des malversations de son directeur, et sa chute en Bourse, en janvier 1882, fut vertigineuse. Cet important scandale, qu'il faudrait considérer comme une prémisse de l'affaire Dreyfus, passionna les petits romanciers des années 1880 et était bien connu des lecteurs de Zola en 1891. Aujourd'hui, il intéresse aussi bien les historiens de la finance que les sociologues de l'antisémitisme financier au XIXe siècle.

Saccard, qui s'était mis à sourire, déjà séduit par l'énormité du projet, sans être convaincu, ne put s'empêcher de baptiser cette banque, dans un cri joyeux de trouvaille.

« Le trésor du Saint-Sépulcre [1], hein ? superbe ! l'affaire est là ! »

Mais il rencontra le regard raisonnable de Mme Caroline, qui souriait elle aussi, sceptique, un peu fâchée même ; et il eut honte de son enthousiasme.

« N'importe, mon cher Hamelin, nous ferons bien de tenir secret ce couronnement de l'édifice, comme vous dites. On se moquerait de nous. Et puis, notre programme est déjà terriblement chargé, il est bon d'en réserver les conséquences extrêmes, la fin glorieuse, aux seuls initiés.

– Sans doute, telle a toujours été mon intention, déclara l'ingénieur. Ceci sera le mystère. »

Et ce fut sur ce mot, ce jour-là, que l'exploitation du portefeuille, la mise en œuvre de toute l'énorme série des projets fut définitivement résolue. On commencerait par créer une modeste maison de crédit pour lancer les premières affaires ; puis, le succès aidant, peu à peu on se rendrait maître du marché, on conquerrait le monde.

Le lendemain, comme Saccard était monté chez la princesse d'Orviedo, pour prendre un ordre au sujet de l'Œuvre du Travail, le souvenir lui revint du rêve qu'il avait caressé un moment, d'être le prince époux de cette reine de l'aumône, simple dispensateur et administrateur de la fortune des pauvres. Et il sourit, car il trouvait cela un peu niais, à cette heure. Il était bâti pour faire de la vie et non pour panser les blessures que la vie a faites. Enfin, il allait se retrouver sur son chantier, en plein dans la bataille des intérêts, dans cette course au bonheur qui a été la marche même de l'humanité, de siècle en siècle, vers plus de joie et plus de lumière.

---

1. Eugène Bontoux avait en effet pour objectif de constituer au pape un véritable « Trésor de la charité chrétienne ».

Ce même jour, il trouva Mme Caroline seule, dans le cabinet aux épures. Elle était debout devant une des fenêtres, retenue là par une apparition de la comtesse de Beauvilliers et de sa fille, dans le jardin voisin, à une heure inaccoutumée. Les deux femmes lisaient une lettre, d'un air de grande tristesse : sans doute une lettre du fils, de Ferdinand, dont la situation ne devait pas être brillante, à Rome.

« Regardez, dit Mme Caroline, en reconnaissant Saccard. Encore quelque chagrin pour ces malheureuses. Les pauvresses, dans la rue, me font moins de peine.

– Bah ! s'écria-t-il gaiement, vous les prierez de venir me voir. Nous les enrichirons, elles aussi, puisque nous allons faire la fortune de tout le monde. »

Et, dans sa fièvre heureuse, il chercha ses lèvres, pour les baiser. Mais, d'un mouvement brusque, elle avait retiré la tête, devenue grave et pâlie d'un involontaire malaise.

« Non, je vous en prie. »

C'était la première fois qu'il tentait de la reprendre, depuis qu'elle s'était abandonnée à lui, dans une minute de complète inconscience. Les affaires sérieuses arrangées, il pensait à sa bonne fortune, voulant aussi, de ce côté, régler la situation. Ce vif mouvement de recul l'étonna.

« Bien vrai, cela vous ferait de la peine ?

– Oui, beaucoup de peine. »

Elle se calmait, elle souriait à son tour.

« D'ailleurs, avouez que vous-même n'y tenez guère.

– Oh ! moi, je vous adore.

– Non, ne dites pas ça, vous allez être si occupé ! Et puis, je vous assure que je suis prête à avoir de la vraie amitié pour vous, si vous êtes l'homme actif que je crois, et si vous faites toutes les grandes choses que vous dites… Voyons, c'est bien meilleur, l'amitié ! »

Il l'écoutait, souriant toujours, gêné et combattu pourtant. Elle le refusait, c'était ridicule de ne l'avoir eue qu'une fois, par surprise. Mais sa vanité seule en souffrait.

« Alors, amis seulement ?

– Oui, je serai votre camarade, je vous aiderai... Amis, grands amis ! »

Elle tendit les joues, et, conquis, trouvant qu'elle avait raison, il y posa deux gros baisers.

III

La lettre du banquier russe de Constantinople, que Sigismond avait traduite, était une réponse favorable, attendue pour mettre à Paris l'affaire en branle [1] ; et, dès le surlendemain, Saccard, à son réveil, eut l'inspiration qu'il fallait agir ce jour-là même, qu'il devait avoir, d'un coup, avant la nuit, formé le syndicat* dont il voulait être sûr, pour placer à l'avance les cinquante mille actions* de cinq cents francs de sa société anonyme*, lancée au capital de vingt-cinq millions.

En sautant du lit, il venait de trouver enfin le titre de cette société, l'enseigne qu'il cherchait depuis longtemps. Les mots : la Banque universelle [2], avaient brusquement flambé devant lui, comme en caractères de feu, dans la chambre encore noire.

« La Banque universelle, ne cessa-t-il de répéter, tout en s'habillant, la Banque universelle, c'est simple, c'est grand, ça englobe tout, ça ouvre le monde... Oui, oui, excellent ! la Banque universelle ! »

Jusqu'à neuf heures et demie, il marcha à travers les vastes pièces, absorbé, ne sachant par où il commencerait sa chasse aux millions, dans Paris. Vingt-cinq millions, cela se trouve encore au tournant d'une rue ; même, c'était l'embarras du choix qui le faisait réfléchir, car il y voulait mettre quelque méthode. Il but une tasse de lait, il ne se fâcha pas lorsque le cocher monta lui expliquer

---

1. Dans ce cas, qu'attendait exactement Saccard de son frère Rougon dans le rendez-vous avec Huret du chapitre liminaire ? 2. Le terme « catholique » vient du grec *katholikos*, qui signifie « universel ».

que le cheval n'était pas bien, à la suite d'un refroidisse-
ment sans doute, et qu'il serait plus sage de faire venir le
vétérinaire.

« C'est bon, faites... Je prendrai un fiacre. »

Mais, sur le trottoir, il fut surpris par le vent aigre qui
soufflait : un brusque retour de l'hiver, dans ce mai si
doux la veille encore. Il ne pleuvait pourtant pas, de gros
nuages jaunes montaient à l'horizon. Et il ne prit pas
de fiacre, pour se réchauffer en marchant ; il se dit qu'il
descendrait d'abord à pied chez Mazaud, l'agent de
change*, rue de la Banque, car l'idée lui était venue de le
sonder sur Daigremont, le spéculateur bien connu,
l'homme heureux de tous les syndicats. Seulement, rue
Vivienne, du ciel envahi de nuées livides, une telle giboulée creva, mêlée de grêle, qu'il se réfugia sous une porte
cochère.

Depuis une minute, Saccard était là, à regarder tomber
l'averse, lorsque, dominant le roulement de l'eau, une
claire sonnerie de pièces d'or lui fit dresser l'oreille. Cela
semblait sortir des entrailles de la terre, continu, léger et
musical, comme dans un conte des *Mille et Une Nuits*. Il
tourna la tête, se reconnut [1], vit qu'il se trouvait sous la
porte de la maison Kolb, un banquier qui s'occupait surtout d'arbitrages* sur l'or, achetant le numéraire [2] dans
les États où il était à bas cours, puis le fondant, pour
vendre les lingots ailleurs, dans les pays où l'or était en
hausse ; et, du matin au soir, les jours de fonte, montait
du sous-sol ce bruit cristallin des pièces d'or, remuées à
la pelle, prises dans des caisses, jetées dans le creuset. Les
passants du trottoir en ont les oreilles qui tintent, d'un
bout de l'année à l'autre. Maintenant, Saccard souriait
complaisamment à cette musique, qui était comme la
voix souterraine de ce quartier de la Bourse. Il y vit un
heureux présage.

La pluie ne tombait plus, il traversa la place, se trouva
tout de suite chez Mazaud. Par une exception, le jeune

---

1. Se repéra. 2. La monnaie métallique.

agent de change avait son domicile personnel, au premier étage, dans la maison même où les bureaux de sa charge étaient installés, occupant tout le second. Il avait simplement repris l'appartement de son oncle, lorsque, à la mort de celui-ci, il s'était entendu avec ses cohéritiers pour racheter la charge.

Dix heures sonnaient, et Saccard monta directement aux bureaux, à la porte desquels il se rencontra avec Gustave Sédille.

« Est-ce que M. Mazaud est là ?

– Je ne sais pas, monsieur, j'arrive. »

Le jeune homme souriait, toujours en retard, prenant à l'aise son emploi de simple amateur, qu'on ne payait pas, résigné à passer là un an ou deux pour faire plaisir à son père, le fabricant de soie de la rue des Jeûneurs.

Saccard traversa la caisse, salué par le caissier* d'argent et par le caissier des titres ; puis, il entra dans le cabinet des deux fondés de pouvoirs[1], où il ne trouva que Berthier, celui des deux qui était chargé des relations avec les clients et qui accompagnait le patron à la Bourse.

« Est-ce que M. Mazaud est là ?

– Mais je le pense, je sors de son cabinet... Tiens ! non, il n'y est plus... C'est qu'il est dans le bureau du comptant. »

Il avait poussé une porte voisine, il faisait du regard le tour d'une assez vaste pièce, où cinq employés travaillaient, sous les ordres du premier commis.

« Non, c'est particulier !... Voyez donc vous-même à la liquidation*, là, à côté. »

Saccard entra dans le bureau de la liquidation. C'était là que le liquidateur*, le pivot de la charge, aidé de sept employés, dépouillait le carnet que lui remettait l'agent chaque jour, après la Bourse, puis appliquait aux clients les affaires faites selon les ordres reçus, en s'aidant des fiches, conservées pour savoir les noms ; car le carnet ne

---

1. Personnes habilitées à agir au nom du directeur de la société, en l'occurrence, dans cette charge d'agent de change, au nom de Mazaud.

porte pas les noms, ne contient que l'indication brève de l'achat ou de la vente : telle valeur, telle quantité, tel cours, de tel agent.

« Est-ce que vous avez vu M. Mazaud ? » demanda Saccard.

Mais on ne lui répondit même pas. Le liquidateur étant sorti, trois employés lisaient leur journal, deux autres regardaient en l'air ; tandis que l'entrée de Gustave Sédille venait d'intéresser vivement le petit Flory, qui, le matin, faisait des écritures [1], échangeait des engagements [2], et qui, l'après-midi, à la Bourse, était chargé des télégrammes. Né à Saintes, d'un père employé à l'enregistrement, d'abord commis à Bordeaux chez un banquier, tombé ensuite à Paris chez Mazaud, vers la fin du dernier automne, il n'y avait d'autre avenir que d'y doubler peut-être ses appointements, en dix années. Jusque-là, il s'y était bien conduit, régulier, consciencieux. Seulement, depuis un mois que Gustave était entré à la charge, il se dérangeait, entraîné par son nouveau camarade, très élégant, très lancé, pourvu d'argent, et qui lui avait fait connaître des femmes. Flory, le visage mangé de barbe, avait là-dessous un nez à passions, une bouche aimable, des yeux tendres ; et il en était aux petites parties fines, pas chères, avec Mlle Chuchu, une figurante des Variétés, une maigre sauterelle du pavé parisien, la fille ensauvée [3] d'une concierge de Montmartre, amusante avec sa figure de papier mâché, où luisaient de grands yeux bruns admirables.

Gustave, avant même d'ôter son chapeau, lui contait sa soirée.

« Oui, mon cher, j'ai bien cru que Germaine me flanquerait dehors, parce que Jacoby est venu. Mais c'est lui qu'elle a trouvé le moyen de mettre à la porte, ah ! je ne sais comment, par exemple ! Et je suis resté. »

---

1. Mettait au propre des documents ou en dressait une copie. 2. Un engagement est un acte de cession d'un bien. 3. Qui s'était sauvée de chez elle.

Tous deux s'étouffèrent de rire. Il s'agissait de Germaine Cœur, une superbe fille de vingt-cinq ans, un peu indolente et molle, dans l'opulence de sa gorge, qu'un collègue de Mazaud, le juif Jacoby, entretenait au mois. Elle avait toujours été avec des boursiers, et toujours au mois, ce qui est commode pour des hommes très occupés, la tête embarrassée de chiffres, payant l'amour comme le reste, sans trouver le temps d'une vraie passion. Elle était agitée d'un souci unique, dans son petit appartement de la rue de la Michodière, celui d'éviter les rencontres entre les messieurs qui pouvaient se connaître.

« Dites donc, questionna Flory, je croyais que vous vous réserviez pour la jolie papetière ? »

Mais cette allusion à Mme Conin rendit Gustave sérieux. Celle-ci, on la respectait : c'était une femme honnête ; et, quand elle voulait bien, il n'y avait pas d'exemple qu'un homme se fût montré bavard, tellement on restait bons amis. Aussi, ne voulant pas répondre, Gustave posa-t-il à son tour une question.

« Et Chuchu, vous l'avez menée à Mabille[1] ?

– Ma foi, non ! c'est trop cher. Nous sommes rentrés, nous avons fait du thé. »

Derrière les jeunes gens, Saccard avait entendu ces noms de femme, qu'ils chuchotaient d'une voix rapide. Il eut un sourire, il s'adressa à Flory.

« Est-ce que vous n'avez pas vu M. Mazaud ?

– Si, monsieur, il est venu me donner un ordre, et il est redescendu à son appartement... Je crois que son petit garçon est malade, on l'a averti que le docteur était là...

---

1. Le bal Mabille, fondé en 1840, est sans doute le plus célèbre bal public du XIXe siècle. Voir la notice « Bal » du *Dictionnaire universel* (1866-1879) de Pierre Larousse, qui décrit ce lieu de frivolité, voire de débauche : « L'ouvrière se rend au *bal* pour se livrer au plaisir de la danse ; les femmes qui fréquentent les *bals* en vogue n'y vont que dans l'espoir de rencontrer quelque amateur de leurs charmes. » Nombreuses sont donc, en particulier dans les petits romans sur la Bourse, les lorettes qui vont lever un riche protecteur au bal Mabille.

Vous devriez sonner chez lui, car il peut très bien sortir, sans remonter. »

Saccard remercia, se hâta de descendre un étage. Mazaud était un des plus jeunes agents de change comblé par le sort, ayant eu cette chance de la mort de son oncle, qui l'avait rendu titulaire d'une des plus fortes charges de Paris, à un âge où l'on apprend encore les affaires. Dans sa petite taille, il était de figure agréable, avec de minces moustaches brunes, des yeux noirs perçants ; et il montrait une grande activité, l'intelligence très alerte, elle aussi. On le citait déjà, à la corbeille*, pour cette vivacité d'esprit et de corps, si nécessaire dans le métier, et qui, jointe à beaucoup de flair, à une intuition remarquable, allait le mettre au premier rang ; sans compter qu'il avait une voix aiguë, des renseignements de Bourses étrangères de première main, des relations chez tous les grands banquiers, enfin un arrière-cousin, disait-on, à l'agence Havas [1]. Sa femme, épousée par amour, lui avait apporté douze cent mille francs de dot, une jeune femme charmante dont il avait déjà deux enfants, une fillette de trois ans et un petit garçon de dix-huit mois.

Justement, Mazaud reconduisait jusqu'au palier le docteur, qui le rassurait, en riant.

« Entrez donc, dit-il à Saccard. C'est vrai, avec ces petits êtres, on s'inquiète tout de suite, on les croit perdus pour le moindre bobo. »

Et il l'introduisit ainsi dans le salon, où sa femme se trouvait encore, tenant le bébé sur ses genoux, tandis que la petite fille, heureuse de voir sa mère gaie, se haussait pour l'embrasser. Tous les trois étaient blonds, d'une fraîcheur de lait, la jeune mère d'air aussi délicat et ingénu que les enfants. Il lui mit un baiser sur les cheveux.

« Tu vois bien que nous étions fous.

– Ah ! ça ne fait rien, mon ami, je suis si contente qu'il nous ait rassurés ! »

---

1. Voir *supra*, p. 38, note 1.

Devant ce grand bonheur, Saccard s'était arrêté, en saluant. La pièce, luxueusement meublée, sentait bon la vie heureuse de ce ménage, que rien encore n'avait désuni ; à peine, depuis quatre ans qu'il était marié, donnait-on à Mazaud une courte curiosité pour une chanteuse de l'Opéra-Comique. Il restait un mari fidèle, de même qu'il avait la réputation de ne pas encore trop jouer pour son compte, malgré la fougue de sa jeunesse. Et cette bonne odeur de chance, de félicité sans nuage, se respirait réellement dans la paix discrète des tapis et des tentures, dans le parfum dont un gros bouquet de roses, débordant d'un vase de Chine, avait imprégné toute la pièce.

Mme Mazaud, qui connaissait un peu Saccard, lui dit gaiement :

« N'est-ce pas, monsieur, qu'il suffit de le vouloir pour être toujours heureux ?

– J'en suis convaincu, madame, répondit-il. Et puis, il y a des personnes si belles et si bonnes, que le malheur n'ose jamais les toucher. »

Elle s'était levée, rayonnante. Elle embrassa à son tour son mari, elle s'en alla, emportant le petit garçon, suivie de la fillette, qui s'était pendue au cou de son père. Celui-ci, voulant cacher son émotion, se retourna vers le visiteur, avec un mot de blague parisienne.

« Vous voyez, on ne s'embête pas, ici. »

Puis, vivement :

« Vous avez quelque chose à me dire ?... Montons, voulez-vous ? Nous serons mieux. »

En haut, devant la caisse, Saccard reconnut Sabatani, qui venait toucher des différences* ; et il fut surpris de la poignée de main cordiale que l'agent échangea avec son client. D'ailleurs, dès qu'il fut assis dans le cabinet, il expliqua sa visite, en le questionnant sur les formalités, pour faire admettre une valeur à la cote* officielle. Négligemment, il dit l'affaire qu'il allait lancer, la Banque universelle, au capital de vingt-cinq millions. Oui, une maison de crédit créée surtout dans le but de patronner

de grandes entreprises, qu'il indiqua d'un mot. Mazaud
l'écoutait, ne bronchait pas ; et, avec une obligeance parfaite, il expliqua les formalités à remplir. Mais il n'était
pas dupe, il se doutait que Saccard ne se serait pas
dérangé pour si peu. Aussi, lorsque ce dernier prononça
enfin le nom de Daigremont, eut-il un sourire involontaire. Certes, Daigremont avait l'appui d'une fortune
colossale ; on disait bien qu'il n'était pas d'une fidélité
très sûre ; seulement, qui était fidèle, en affaires et en
amour ? personne ! Du reste, lui, Mazaud, se serait fait
un scrupule de dire la vérité sur Daigremont, après leur
rupture, qui avait occupé toute la Bourse. Celui-ci, maintenant, donnait la plupart de ses ordres à Jacoby, un juif
de Bordeaux, un grand gaillard de soixante ans, à large
figure gaie, dont la voix mugissante était célèbre, mais
qui devenait lourd, le ventre empâté ; et c'était comme
une rivalité qui se posait entre les deux agents, le jeune
favorisé par la chance, le vieux arrivé à l'ancienneté,
ancien fondé de pouvoirs à qui des commanditaires
avaient enfin permis d'acheter la charge de son patron,
d'une pratique et d'une ruse extraordinaires, perdu malheureusement par sa passion du jeu, toujours à la veille
d'une catastrophe, malgré des gains considérables. Tout
se fondait dans les liquidations. Germaine Cœur ne lui
coûtait que quelques billets de mille francs, et on ne
voyait jamais sa femme.

« Enfin, dans cette affaire de Caracas[1], conclut
Mazaud, cédant à la rancune malgré sa grande correction, il est certain que Daigremont a trahi et qu'il a raflé
les bénéfices... Il est très dangereux. »

Puis, après un silence :

---

1. On ne connaît guère d'affaire financière qui à l'époque aurait
concerné cette province de la république du Venezuela. Zola invente,
de même qu'il inventait l'affaire des Mines de Selsis concernant Salmon
dans le chapitre I. L'exotisme est une composante majeure des affaires
industrielles lancées à la Bourse, en particulier dans la littérature (les
romanciers mineurs imaginent ainsi la « Banque du Sahara » et autres
« Mines de la Castille d'or »...).

« Mais pourquoi ne vous adressez-vous pas à Gundermann ?

– Jamais ! » cria Saccard, que la passion emportait.

À ce moment, Berthier, le fondé de pouvoirs, entra et chuchota quelques mots à l'oreille de l'agent. C'était la baronne Sandorff qui venait payer des différences et qui soulevait toutes sortes de chicanes, pour réduire son compte. D'habitude, Mazaud s'empressait, recevait lui-même la baronne ; mais, quand elle avait perdu, il l'évitait comme la peste, certain d'un trop rude assaut à sa galanterie. Il n'y a pas pires clientes que les femmes, d'une mauvaise foi plus absolue, dès qu'il s'agit de payer.

« Non, non, dites que je n'y suis pas, répondit-il avec humeur. Et ne faites pas grâce d'un centime, entendez-vous ! »

Et, lorsque Berthier fut parti, voyant au sourire de Saccard qu'il avait entendu :

« C'est vrai, mon cher, elle est très gentille, celle-là, mais vous n'avez pas idée de cette rapacité… Ah ! les clients, comme ils nous aimeraient, s'ils gagnaient toujours ! Et plus ils sont riches, plus ils sont du beau monde, Dieu me pardonne ! plus je me méfie, plus je tremble de n'être pas payé… Oui, il y a des jours où, en dehors des grandes maisons, j'aimerais mieux n'avoir qu'une clientèle de province. »

La porte s'était rouverte, un employé lui remit un dossier qu'il avait demandé le matin, et sortit.

« Tenez ! ça tombe bien. Voici un receveur de rentes*, installé à Vendôme, un sieur Fayeux… Eh bien, vous n'avez pas idée de la quantité d'ordres que je reçois de ce correspondant. Sans doute, ces ordres sont de peu d'importance, venant de petits-bourgeois, de petits commerçants, de fermiers. Mais il y a le nombre… En vérité, le meilleur de nos maisons, le fond même est fait des joueurs modestes, de la grande foule anonyme qui joue. »

Une association d'idées se fit, Saccard se rappela Sabatani au guichet de la caisse.

« Vous avez donc Sabatani, maintenant ? demanda-t-il.

– Depuis un an, je crois, répondit l'agent d'un air d'aimable indifférence. C'est un gentil garçon, n'est-ce pas ? Il a commencé petitement, il est très sage et il fera quelque chose. »

Ce qu'il ne disait point, ce dont il ne se souvenait même plus, c'était que Sabatani avait seulement déposé chez lui une couverture* de deux mille francs. De là, le jeu si modéré du début. Sans doute, comme tant d'autres, le Levantin attendait que la médiocrité de cette garantie fût oubliée ; et il donnait des preuves de sagesse, il n'augmentait que graduellement l'importance de ses ordres, en attendant le jour où, culbutant dans une grosse liquidation, il disparaîtrait. Comment montrer de la défiance vis-à-vis d'un charmant garçon dont on est devenu l'ami ? comment douter de sa solvabilité, lorsqu'on le voit gai, d'apparence riche, avec cette tenue élégante qui est indispensable, comme l'uniforme même du vol à la Bourse ?

« Très gentil, très intelligent », répéta Saccard, qui prit soudain la résolution de songer à Sabatani, le jour où il aurait besoin d'un gaillard discret et sans scrupules.

Puis, se levant et prenant congé :

« Allons, adieu !... Lorsque nos titres seront prêts, je vous reverrai, avant de tâcher de les faire admettre à la cote. »

Et, comme Mazaud, sur le seuil du cabinet, lui serrait la main, en disant :

« Vous avez tort, voyez donc Gundermann pour votre syndicat.

– Jamais ! » cria-t-il de nouveau, l'air furieux.

Enfin, il sortait, lorsqu'il reconnut devant le guichet de la caisse Moser et Pillerault : le premier empochait d'un air navré son gain de la quinzaine, sept ou huit billets de mille francs ; tandis que l'autre, qui avait perdu, payait une dizaine de mille francs, avec des éclats de voix, l'air agressif et superbe, comme après une victoire. L'heure du déjeuner et de la Bourse approchait, la charge allait se vider en partie ; et, la porte du bureau de la liquidation s'étant entrouverte, des rires s'en échappèrent, le récit que Gustave faisait à Flory d'une partie de canot, dans laquelle la barreuse, tombée à la Seine, avait perdu jusqu'à ses bas.

Dans la rue, Saccard regarda sa montre. Onze heures, que de temps perdu ! Non, il n'irait pas chez Daigremont ; et, bien qu'il se fût emporté au seul nom de Gundermann, il se décida brusquement à monter le voir. D'ailleurs, ne l'avait-il pas prévenu de sa visite, chez Champeaux, en lui annonçant sa grande affaire, pour lui clouer aux lèvres son mauvais rire ? Il se donna même comme excuse qu'il n'en voulait rien tirer, qu'il désirait seulement le braver, triompher de lui, qui affectait de le traiter en petit garçon. Et, une nouvelle giboulée s'étant mise à battre le pavé d'un ruissellement de fleuve, il sauta dans un fiacre, il cria l'adresse au cocher, rue de Provence.

Gundermann occupait là un immense hôtel, tout juste assez grand pour son innombrable famille. Il avait cinq filles et quatre garçons, dont trois filles et trois garçons mariés, qui lui avaient déjà donné quatorze petits-enfants. Lorsque, au repas du soir, cette descendance se trouvait réunie, ils étaient, en les comptant, sa femme et lui, trente et un à table. Et, à part deux de ses gendres qui n'habitaient pas l'hôtel, tous les autres avaient là leurs appartements, dans les ailes de gauche et de droite, ouvertes sur le jardin ; tandis que le bâtiment central était pris entièrement par l'installation des vastes bureaux de la banque. En moins d'un siècle, la monstrueuse fortune d'un milliard était née, avait poussé, débordé dans cette famille, par l'épargne, par l'heureux concours aussi des événements. Il y avait là comme une prédestination, aidée d'une intelligence vive, d'un travail acharné, d'un effort prudent et invincible, continuellement tendu vers le même but. Maintenant, tous les fleuves de l'or allaient à cette mer, les millions se perdaient dans ces millions, c'était un engouffrement de la richesse publique au fond de cette richesse d'un seul, toujours grandissante ; et Gundermann était le vrai maître, le roi tout-puissant, redouté et obéi de Paris et du monde.

Pendant que Saccard montait le large escalier de pierre, aux marches usées par le continuel va-et-vient de la foule, plus usées déjà que le seuil des vieilles églises, il se sentait contre cet homme un soulèvement d'une inextinguible haine. Ah ! le juif ! il avait contre le juif l'antique rancune de race, qu'on trouve surtout dans le midi de la France ; et c'était comme une révolte de sa chair même, une répulsion de peau qui, à l'idée du moindre contact, l'emplissait de dégoût et de violence, en dehors de tout raisonnement, sans qu'il pût se vaincre. Mais le singulier était que lui, Saccard, ce terrible brasseur d'affaires, ce bourreau d'argent aux mains louches, perdait la conscience de lui-même, dès qu'il s'agissait d'un juif, en parlait avec une âpreté, avec des indignations vengeresses d'honnête homme, vivant du travail de ses bras, pur de tout négoce usuraire. Il dressait le réquisitoire contre la race, cette race maudite qui n'a plus de patrie, plus de prince, qui vit en parasite chez les nations, feignant de reconnaître les lois, mais en réalité n'obéissant qu'à son Dieu de vol, de sang et de colère ; et il la montrait remplissant partout la mission de féroce conquête que ce Dieu lui a donnée, s'établissant chez chaque peuple, comme l'araignée au centre de sa toile, pour guetter sa proie, sucer le sang de tous, s'engraisser de la vie des autres. Est-ce qu'on a jamais vu un juif faisant œuvre de ses dix doigts ? est-ce qu'il y a des juifs paysans, des juifs ouvriers ? Non, le travail déshonore, leur religion le défend presque, n'exalte que l'exploitation du travail d'autrui. Ah ! les gueux ! Saccard semblait pris d'une rage d'autant plus grande, qu'il les admirait, qu'il leur enviait leurs prodigieuses facultés financières, cette science innée des chiffres, cette aisance naturelle dans les opérations les plus compliquées, ce flair et cette chance qui assurent le triomphe de tout ce qu'ils entreprennent. À ce jeu de voleurs, disait-il, les chrétiens ne sont pas de force, ils finissent toujours par se noyer ; tandis que prenez un

juif qui ne sache même pas la tenue des livres, jetez-le dans
l'eau trouble de quelque affaire véreuse, et il se sauvera, et
il emportera tout le gain sur son dos. C'est le don de la
race, sa raison d'être à travers les nationalités qui se font et
se défont. Et il prophétisait avec emportement la conquête
finale de tous les peuples par les juifs, quand ils auront
accaparé la fortune totale du globe, ce qui ne tarderait pas,
puisqu'on leur laissait chaque jour étendre librement leur
royauté, et qu'on pouvait déjà voir, dans Paris, un Gundermann régner sur un trône plus solide et plus respecté que
celui de l'empereur.

En haut, au moment d'entrer dans la vaste antichambre,
Saccard eut un mouvement de recul, en la voyant pleine de
remisiers*, de solliciteurs, d'hommes, de femmes, de tout
un grouillement tumultueux de foule. Les remisiers surtout luttaient à qui arriverait le premier, dans l'espoir
improbable d'emporter un ordre ; car le grand banquier
avait ses agents à lui ; mais c'était déjà un honneur, une
recommandation que d'être reçu, et chacun d'eux voulait
pouvoir s'en vanter. Aussi l'attente n'était-elle jamais
longue, les deux garçons de bureau ne servaient guère qu'à
organiser le défilé, un défilé incessant, un véritable galop,
par les portes battantes. Et, malgré la foule, Saccard
presque tout de suite fut introduit dans le flot.

Le cabinet de Gundermann était une immense pièce,
dont il n'occupait qu'un petit coin, au fond, près de la
dernière fenêtre. Assis devant un simple bureau d'acajou,
il se plaçait de façon à tourner le dos à la lumière, il
avait le visage complètement dans l'ombre. Levé dès cinq
heures, il était au travail, lorsque Paris dormait encore ;
et quand, vers neuf heures, la bousculade des appétits [1]

---

1. Intéressant écho à l'une des formules les plus courantes de Zola
pour désigner, dès les années 1868-1869, le projet des *Rougon-
Macquart* : la série doit montrer la « bousculade des ambitions et des
appétits » née de la révolution et décuplée par le second Empire. Zola
évoque, dans la préface-manifeste de *La Fortune des Rougon* (1er juillet
1871), « le débordement des appétits, le large soulèvement de notre âge,
qui se rue aux jouissances ».

se ruait, galopant devant lui, sa journée déjà était faite. Au milieu du cabinet, à des bureaux plus vastes, deux de ses fils et un de ses gendres l'aidaient, rarement assis, s'agitant au milieu des allées et venues d'un monde d'employés. Mais c'était là le fonctionnement intérieur de la maison. La rue traversait toute la pièce, n'allait qu'à lui, au maître, dans son coin modeste ; tandis que, durant des heures, jusqu'au déjeuner, l'air impassible et morne, il recevait, souvent d'un signe, parfois d'un mot, s'il voulait se montrer très aimable.

Dès que Gundermann aperçut Saccard, sa figure s'éclaira d'un faible sourire goguenard.

« Ah ! c'est vous, mon bon ami... Asseyez-vous donc un instant, si vous avez quelque chose à me dire. Je suis à vous tout à l'heure. »

Ensuite, il affecta de l'oublier. Saccard, du reste, ne s'impatientait pas, intéressé par le défilé des remisiers, qui, les uns sur les talons des autres, entraient avec le même salut profond, tiraient de leur redingote correcte le même petit carton, leur cote portant les cours de la Bourse, qu'ils présentaient au banquier du même geste suppliant et respectueux. Il en passait dix, il en passait vingt. Le banquier, chaque fois, prenait la cote, y jetait un coup d'œil, puis la rendait ; et rien n'égalait sa patience, si ce n'était son indifférence complète, sous cette grêle d'offres.

Mais Massias se montra, avec son air gai et inquiet de bon chien battu. On le recevait si mal parfois, qu'il en aurait pleuré. Ce jour-là, sans doute, il était à bout d'humilité, car il se permit une insistance inattendue.

« Voyez donc, monsieur, le Mobilier est très bas... Combien faut-il que je vous en achète ? »

Gundermann, sans prendre la cote, leva ses yeux glauques sur ce jeune homme si familier. Et, rudement :

« Dites donc, mon ami, croyez-vous que ça m'amuse de vous recevoir ?

– Mon Dieu ! monsieur, reprit Massias devenu pâle, ça m'amuse encore moins de venir chaque matin pour rien, depuis trois mois.

– Eh bien ! ne revenez pas. »

Le remisier salua et se retira, après avoir échangé, avec Saccard, le coup d'œil furieux et navré d'un garçon qui avait la brusque conscience qu'il ne ferait jamais fortune. Saccard se demandait, en effet, quel intérêt Gundermann pouvait avoir à recevoir tout ce monde. Évidemment, il avait une faculté d'isolement spéciale, il s'absorbait, il continuait de penser ; sans compter qu'il devait y avoir là une discipline, une façon de procéder chaque matin à une revue du marché, dans laquelle il trouvait toujours un gain à faire, si minime fût-il. Très âprement, il rabattit quatre-vingts francs à un coulissier*, qu'il avait chargé d'un ordre la veille, et qui le volait d'ailleurs. Puis, un marchand de curiosités arriva, avec une boîte en or émaillé du dernier siècle, un objet refait en partie, dont le banquier flaira immédiatement le truquage. Ensuite, ce furent deux dames, une vieille à nez d'oiseau de nuit, une jeune, brune, très belle, qui avaient à lui montrer, chez elles, une commode Louis XV, qu'il refusa nettement d'aller voir. Il vint encore un bijoutier avec des rubis, deux inventeurs, des Anglais, des Allemands, des Italiens, toutes les langues, tous les sexes. Et le défilé des remisiers se poursuivait quand même, coupant les autres visites, s'éternisant, avec la reproduction du même geste, la présentation mécanique de la cote ; pendant que le flot des employés, à mesure que l'heure de la Bourse approchait, traversait la pièce plus nombreux, apportant des dépêches, venant demander des signatures [1].

Mais ce fut le comble au tapage : un petit garçon de cinq ou six ans, à cheval sur un bâton, fit irruption dans

---

1. Cette scène est inspirée de la description du défilé des solliciteurs chez le baron James de Rothschild que fait Ernest Feydeau dans ses *Mémoires d'un coulissier* (1873).

le cabinet en jouant de la trompette ; et, coup sur coup, il vint encore deux enfants, deux fillettes, l'une de trois ans, l'autre de huit, qui assiégèrent le fauteuil du grand-père, lui tirèrent les bras, se pendirent à son cou ; ce qu'il laissa faire placidement, les baisant lui-même avec cette passion juive de la famille, de la lignée nombreuse qui fait la force et qu'on défend.

Tout d'un coup, il parut se souvenir de Saccard.

« Ah ! mon bon ami, vous m'excuserez, vous voyez que je n'ai pas une minute à moi... Vous allez m'expliquer votre affaire. »

Et il commençait à l'écouter, lorsqu'un employé, qui avait introduit un grand monsieur blond, vint lui dire un nom à l'oreille. Il se leva aussitôt, sans hâte pourtant, alla conférer avec le monsieur devant une autre des fenêtres, tandis qu'un de ses fils continuait à recevoir les remisiers et les coulissiers à sa place.

Malgré sa sourde irritation, Saccard commençait à être envahi d'un respect. Il avait reconnu le monsieur blond, le représentant d'une des grandes puissances, plein de morgue aux Tuileries, ici la tête légèrement inclinée, souriant en solliciteur. D'autres fois, c'était de hauts administrateurs, des ministres de l'empereur eux-mêmes, qui étaient reçus ainsi debout dans cette pièce, publique comme une place, emplie d'un vacarme d'enfants. Et là s'affirmait la royauté universelle de cet homme qui avait des ambassadeurs à lui dans toutes les cours du monde, des consuls dans toutes les provinces, des agences dans toutes les villes et des vaisseaux sur toutes les mers. Il n'était point un spéculateur, un capitaine d'aventures, manœuvrant les millions des autres, rêvant, à l'exemple de Saccard, des combats héroïques où il vaincrait, où il gagnerait pour lui un colossal butin, grâce à l'aide de l'or mercenaire, engagé sous ses ordres ; il était, comme il le disait avec bonhomie, un simple marchand d'argent, le plus habile, le plus zélé qui pût être. Seulement, pour asseoir sa puissance, il lui fallait bien dominer la Bourse ; et c'était ainsi, à chaque liquidation, une nouvelle bataille, où la victoire lui restait infailliblement, par la vertu décisive des gros bataillons. Un instant, Saccard, qui le regardait, resta accablé sous cette pensée que tout cet argent qu'il faisait mouvoir était à lui, qu'il avait à lui, dans ses caves, sa marchandise inépuisable, dont il trafiquait en commerçant rusé et prudent, en maître absolu, obéi sur un coup d'œil, voulant tout entendre, tout voir, tout faire par lui-même. Un milliard à soi, ainsi manœuvré, est une force inexpugnable.

« Nous n'aurons pas une minute, mon bon ami, revint dire Gundermann. Tenez ! je vais déjeuner, passez donc avec moi dans la salle voisine. On nous laissera tranquilles peut-être. »

C'était la petite salle à manger de l'hôtel, celle du matin, où la famille ne se trouvait jamais au complet. Ce jour-là, ils n'étaient que dix-neuf à table, dont huit enfants. Le banquier occupait le milieu, et il n'avait devant lui qu'un bol de lait.

Il resta un instant les yeux fermés, épuisé de fatigue, la face très pâle et contractée, car il souffrait du foie et des reins ; puis, lorsqu'il eut, de ses mains tremblantes, porté le bol à ses lèvres et bu une gorgée, il soupira.

« Ah ! je suis éreinté, aujourd'hui !

– Pourquoi ne vous reposez-vous pas ? » demanda Saccard.

Gundermann tourna vers lui des yeux stupéfaits ; et, naïvement :

« Mais je ne peux pas ! »

En effet, on ne le laissait pas même boire son lait tranquille, car la réception des remisiers avait repris, le galop maintenant traversait la salle à manger, tandis que les personnes de la famille, les hommes, les femmes, habitués à cette bousculade, riaient, mangeaient fortement des viandes froides et des pâtisseries, et que les enfants, excités par deux doigts de vin pur, menaient un vacarme assourdissant.

Et Saccard, qui le regardait toujours, s'émerveillait de le voir avaler son lait à lentes gorgées, d'un tel effort,

qu'il semblait ne devoir jamais atteindre le fond du bol.
On l'avait mis au régime du lait, il ne pouvait même plus
toucher à une viande, ni à un gâteau. Alors, à quoi bon
un milliard ? Jamais non plus les femmes ne l'avaient
tenté : durant quarante ans, il était resté d'une fidélité
stricte à la sienne ; et, aujourd'hui, sa sagesse était forcée,
irrévocablement définitive. Pourquoi donc se lever dès
cinq heures, faire ce métier abominable, s'écraser de cette
fatigue immense, mener une vie de galérien que pas un
loqueteux n'aurait acceptée, la mémoire bourrée de chiffres, le crâne éclatant de tout un monde de préoccupations ? Pourquoi cet or inutile ajouté à tant d'or,
lorsqu'on ne peut acheter et manger dans la rue une livre
de cerises, emmener à une guinguette au bord de l'eau la
fille qui passe, jouir de tout ce qui se vend, de la paresse
et de la liberté ? Et Saccard, qui, dans ses terribles appétits, faisait cependant la part de l'amour désintéressé de
l'argent, pour la puissance qu'il donne, se sentait pris
d'une sorte de terreur sacrée, à voir se dresser cette figure,
non plus de l'avare classique qui thésaurise, mais de
l'ouvrier impeccable, sans besoin de chair, devenu comme
abstrait dans sa vieillesse souffreteuse, qui continuait à
édifier obstinément sa tour de millions, avec l'unique rêve
de la léguer aux siens pour qu'ils la grandissent encore,
jusqu'à ce qu'elle dominât la terre.

Enfin, Gundermann se pencha, se fit expliquer à demi-
voix la création projetée de la Banque universelle.
D'ailleurs, Saccard fut sobre de détails, ne fit qu'une allusion aux projets du portefeuille d'Hamelin, ayant senti,
dès les premiers mots, que le banquier cherchait à le
confesser, résolu d'avance à l'éconduire ensuite.

« Encore une banque, mon bon ami, encore une
banque [1] ! répéta-t-il de son air narquois. Mais une

---

1. Le XIXᵉ siècle, en particulier le second Empire, connut un développement exponentiel d'établissements bancaires – non seulement de
grands établissements comme le Crédit mobilier, le Crédit lyonnais ou
la Société générale, mais aussi une multitude de petites sociétés financières, plus ou moins honnêtes. « En 1879 et 1880, on ne comptait pas

affaire où je mettrais plutôt de l'argent, ce serait dans une machine, oui, une guillotine à couper le cou à toutes ces banques qui se fondent... Hein ? un râteau à nettoyer la Bourse. Votre ingénieur n'a pas ça, dans ses papiers ? »

Puis, affectant de se faire paternel, avec une cruauté tranquille :

« Voyons, soyez raisonnable, vous savez ce que je vous ai dit... Vous avez tort de rentrer dans les affaires, c'est un vrai service que je vous rends, en refusant de lancer votre syndicat. Infailliblement, vous ferez la culbute, c'est mathématique, ça ; car vous êtes beaucoup trop passionné, vous avez trop d'imagination ; puis, ça finit toujours mal, quand on trafique avec l'argent des autres... [1]. Pourquoi votre frère ne vous trouve-t-il pas une bonne place, hein ? une préfecture, ou bien une recette [2] ; non, pas une recette, c'est encore trop dangereux... Méfiez-vous, méfiez-vous, mon bon ami. »

Saccard s'était levé, frémissant.

« C'est bien décidé, vous ne prendrez pas d'actions, vous ne voulez pas être avec nous ?

– Avec vous, jamais de la vie !... Vous serez mangé avant trois ans. »

---

vingt-cinq maisons dans l'avenue de l'Opéra qui n'eussent, pour principal locataire, une institution financière quelconque : banque de crédit ou compagnie d'assurances », lit-on dans *Le Roman d'un coulissier* (1885), petit roman boursier d'un certain Alfred de Sauvenière. Et d'évoquer les chiffres du capital social, qu'on affichait alors aux balcons, « en grosses lettres dorées ». **1.** Expression décisive. On la retrouve d'abord dans la littérature : c'est en effet une saillie de la pièce boursière d'Alexandre Dumas fils *La Question d'argent*, 1857 (« Les affaires, c'est l'argent des autres »), mais aussi le titre d'un savoureux roman d'Émile Gaboriau en 1873. Établie dès la monarchie de Juillet, cette expression apparaît aussi dans les physiologies de la Bourse. D'un point de vue financier, elle recouvre avant tout, en particulier dans la bouche du personnage de Gundermann, une opposition majeure entre la banque qui opère sur ses fonds propres (celle de Gundermann dans la fiction, celle de Rothschild dans la réalité) et la banque moderne, agressive, fondée sur l'émission et le placement d'actions à grands renforts de réclame, donc sur l'argent des souscripteurs (la banque des Pereire, et en l'occurrence celle de Saccard et consorts). **2.** Charge de collecteur d'impôts ou receveur.

Il y eut un silence, gros de batailles, un échange aigu de regards qui se défiaient.

« Alors, bonsoir... Je n'ai pas encore déjeuné et j'ai très faim. Faudra voir qui est-ce qui sera mangé [1]. »

Et il le laissa, au milieu de sa tribu qui finissait de se bourrer bruyamment de pâtisseries, recevant les derniers courtiers* attardés, fermant par instants les yeux de lassitude, pendant qu'il achevait son bol à petits coups, les lèvres toutes blanches de lait.

Saccard se jeta dans son fiacre, en donnant l'adresse de la rue Saint-Lazare. Une heure sonnait, c'était une journée perdue, il rentrait déjeuner, hors de lui. Ah ! le sale juif ! en voilà un, décidément, qu'il aurait eu du plaisir à casser d'un coup de dent, comme un chien casse un os ! Certes, le manger, c'était un morceau terrible et trop gros. Mais est-ce qu'on savait ? les plus grands empires s'étaient bien écroulés, il y a toujours une heure où les puissants succombent. Non, pas le manger, l'entamer d'abord, lui arracher des lambeaux de son milliard ; ensuite, le manger, oui ! pourquoi pas ? les détruire, dans leur roi incontesté, ces juifs qui se croyaient les maîtres du festin ! Et ces réflexions, cette colère qu'il emportait de chez Gundermann, soulevaient Saccard d'un furieux zèle, d'un besoin de négoce, de succès immédiat : il aurait voulu bâtir d'un geste sa maison de banque, la faire fonctionner, triompher, écraser les maisons rivales. Brusquement, le souvenir de Daigremont lui revint ; et, sans discuter, d'un mouvement irrésistible, il se pencha, il cria au cocher de monter la rue La Rochefoucauld. S'il voulait voir Daigremont, il devait se hâter, quitte à déjeuner plus tard, car il savait que celui-ci sortait vers une heure. Sans doute, ce chrétien-là valait deux juifs, et il passait

---

1. Le lexique de la prédation et plus précisément de la dévoration se rencontre fréquemment dans le roman boursier – manière d'affirmer une sorte de darwinisme financier et de comparer les appétits. Il faut reconsidérer à cette aune la scène liminaire chez Champeaux. Dans le roman de Jules Claretie appelé *Le Million* (1882), la société lancée par le protagoniste s'appelle « La Boustifaille ».

pour un ogre dévorateur des jeunes affaires qu'on mettait en garde chez lui. Mais, à cette minute, Saccard aurait traité avec Cartouche [1], pour la conquête, même à la condition de partager. Plus tard, on verrait bien, il serait le plus fort.

Cependant, le fiacre, qui montait avec peine la rude côte de la rue, s'arrêta devant la haute porte monumentale d'un des derniers grands hôtels de ce quartier, qui en a compté de fort beaux. Le corps de bâtiments, au fond d'une vaste cour pavée, avait un air de royale grandeur ; et le jardin qui le suivait, planté encore d'arbres centenaires, restait un véritable parc, isolé des rues populeuses. Tout Paris connaissait cet hôtel pour ses fêtes splendides, surtout pour l'admirable collection de tableaux, que pas un grand-duc en voyage ne manquait de visiter. Marié à une femme célèbre par sa beauté, comme ses tableaux, et qui remportait dans le monde de vifs succès de cantatrice, le maître du logis menait un train princier, était aussi glorieux de son écurie de course que de sa galerie, appartenait à un des grands clubs, affichait les femmes les plus coûteuses, avait loge à l'Opéra, chaise à l'hôtel Drouot [2] et petit banc dans les lieux louches à la mode. Et toute cette large vie, ce luxe flambant dans une apothéose de caprice et d'art, était uniquement payé par la spéculation, une fortune sans cesse mouvante, qui semblait infinie comme la mer, mais qui en avait le flux et le reflux, des différences de deux et trois cent mille francs, à chaque liquidation de quinzaine.

Lorsque Saccard eut gravi le majestueux perron, un valet l'annonça, lui fit traverser trois salons encombrés de merveilles, jusqu'à un petit fumoir, où Daigremont achevait un cigare, avant de sortir. Âgé déjà de quarante-cinq ans, celui-ci luttait contre l'embonpoint, de haute taille, très élégant avec sa coiffure soignée, ne portant que

---

1. Louis Dominique Cartouche (1693-1721) fut un célèbre bandit de Paris et des alentours. 2. Établissement de vente aux enchères situé dans le 9e arrondissement de Paris.

les moustaches et la barbiche, en fanatique des Tuileries. Il affectait une grande amabilité, d'une confiance absolue en lui, certain de vaincre.

Tout de suite, il se précipita.

« Ah ! mon cher ami, que devenez-vous ? Je pensais encore à vous, l'autre jour... Mais n'êtes-vous pas mon voisin ? »

Pourtant, il se calma, renonça à cette effusion qu'il gardait pour le troupeau, lorsque Saccard, jugeant les finesses de transition inutiles, aborda immédiatement le but de sa visite. Il dit sa grande affaire, expliqua qu'avant de créer la Banque universelle, au capital de vingt-cinq millions, il cherchait à former un syndicat d'amis, de banquiers, d'industriels, qui assurerait à l'avance le succès de l'émission, en s'engageant à prendre les quatre cinquièmes de cette émission, soit quarante mille actions au moins. Daigremont était devenu très sérieux, l'écoutait, le regardait, comme s'il l'eût fouillé jusqu'au fond de la cervelle, pour voir quel effort, quel travail utile à lui-même, il pourrait encore tirer de cet homme, qu'il avait connu si actif, si plein de merveilleuses qualités, dans sa fièvre brouillonne. D'abord, il hésita.

« Non, non, je suis accablé, je ne veux rien entreprendre de nouveau. »

Puis, tenté pourtant, il posa des questions, voulut connaître les projets que patronnerait la nouvelle maison de crédit, projets dont son interlocuteur avait la prudence de ne parler qu'avec la plus extrême réserve. Et, lorsqu'il connut la première affaire qu'on lancerait, cette idée de syndiquer toutes les compagnies de transports de la Méditerranée, sous la raison sociale de Compagnie générale des Paquebots réunis, il parut très frappé, il céda tout d'un coup.

« Eh bien, je consens à en être. Seulement, c'est à une condition... Comment êtes-vous avec votre frère le ministre ? »

Saccard, surpris, eut la franchise de montrer son amertume.

« Avec mon frère… Oh ! il fait ses affaires, et je fais les miennes. Il n'a pas la corde très fraternelle, mon frère.

– Alors, tant pis ! déclara nettement Daigremont. Je ne veux être avec vous que si votre frère y est aussi… Vous entendez bien, je ne veux pas que vous soyez fâchés. »

D'un geste colère d'impatience, Saccard protesta. Est-ce qu'on avait besoin de Rougon ? est-ce que ce n'était pas aller chercher des chaînes, pour se lier pieds et mains ? Mais, en même temps, une voix de sagesse, plus forte que son irritation, lui disait qu'il fallait au moins s'assurer de la neutralité du grand homme. Cependant, il refusait brutalement.

« Non, non, il a toujours été trop cochon avec moi. Jamais je ne ferai le premier pas.

– Écoutez, reprit Daigremont, j'attends Huret à cinq heures, pour une commission dont il s'est chargé… Vous allez courir au Corps législatif[1], vous prendrez Huret dans un coin, vous lui conterez votre affaire, il en parlera tout de suite à Rougon, il saura ce que ce dernier en pense, et nous aurons la réponse ici, à cinq heures… Hein ! rendez-vous à cinq heures ? »

La tête basse, Saccard réfléchissait.

« Mon Dieu ! si vous y tenez !

– Oh ! absolument ! sans Rougon, rien ; avec Rougon, tout ce que vous voudrez.

– C'est bon, j'y vais. »

Il partait, après une vigoureuse poignée de main, lorsque l'autre le rappela.

« Ah ! dites donc, si vous sentez que les choses s'emmanchent, passez donc, en revenant, chez le marquis de Bohain et chez Sédille, faites-leur savoir que j'en suis et demandez-leur d'en être… Je veux qu'ils en soient ! »

À la porte, Saccard retrouva son fiacre, qu'il avait gardé, bien qu'il n'eût qu'à descendre le bout de la rue,

---

1. C'est-à-dire au Palais-Bourbon, qui abrite aujourd'hui l'Assemblée nationale.

pour être chez lui. Il le renvoya, comptant qu'il pourrait faire atteler, l'après-midi ; et il rentra vivement déjeuner. On ne l'attendait plus, ce fut la cuisinière qui lui servit elle-même un morceau de viande froide, qu'il dévora, tout en se querellant avec le cocher ; car, celui-ci, qu'il avait fait monter, lui ayant rendu compte de la visite du vétérinaire, il en résultait qu'il fallait laisser le cheval se reposer trois ou quatre jours. Et, la bouche pleine, il accusait le cocher de mauvais soins, il le menaçait de Mme Caroline, qui mettrait ordre à tout ça. Enfin, il lui cria d'aller au moins chercher un fiacre. De nouveau, une ondée diluvienne balayait la rue, il dut attendre plus d'un quart d'heure la voiture, dans laquelle il monta, sous des torrents d'eau, en jetant l'adresse :

« Au Corps législatif ! »

Son plan était d'arriver avant la séance, de façon à prendre Huret au passage et à l'entretenir tranquillement. Par malheur, on redoutait ce jour-là un débat passionné, car un membre de la gauche devait soulever l'éternelle question du Mexique[1] ; et Rougon, sans doute, serait forcé de répondre.

Comme Saccard entrait dans la salle des Pas-Perdus, il eut la chance de tomber sur le député. Il l'entraîna au fond d'un des petits salons voisins, ils s'y trouvèrent seuls, grâce à la grosse émotion qui régnait dans les couloirs. L'opposition devenait de plus en plus redoutable, le vent de catastrophe commençait à souffler, qui devait grandir et tout abattre. Aussi, Huret, préoccupé, ne comprit-il pas d'abord, et se fit-il expliquer à deux reprises la mission dont on le chargeait. Son effarement s'en augmenta.

« Oh ! mon cher ami, y pensez-vous ! parler à Rougon en ce moment ! Il m'enverra coucher, c'est sûr. »

Puis, l'inquiétude de son intérêt personnel se fit jour. Il n'existait, lui, que par le grand homme, à qui il devait sa candidature officielle, son élection, sa situation de

---

1. Voir *supra*, p. 15, note 1.

domestique bon à tout faire, vivant des miettes de la faveur du maître. À ce métier, depuis deux ans, grâce aux pots-de-vin, aux gains prudents ramassés sous la table, il arrondissait ses vastes terres du Calvados, avec la pensée de s'y retirer et d'y trôner après la débâcle [1]. Sa grosse face de paysan malin s'était assombrie, exprimait l'embarras où le jetait cette demande d'intervention, sans qu'on lui donnât le temps de se rendre compte s'il y aurait là, pour lui, bénéfice ou dommage.

« Non, non ! je ne peux pas... Je vous ai transmis la volonté de votre frère, je ne peux pas aller le relancer encore. Que diable ! songez un peu à moi. Il n'est guère tendre, quand on l'embête ; et, dame ! je n'ai pas envie de payer pour vous, en y laissant mon crédit. »

Alors, Saccard, comprenant, ne s'attacha plus qu'à le convaincre des millions qu'il y aurait à gagner, dans le lancement de la Banque universelle. À larges traits, avec sa parole ardente qui transformait une affaire d'argent en un conte de poète, il expliqua les entreprises superbes, le succès certain et colossal. Daigremont, enthousiasmé, se mettait à la tête du syndicat. Bohain et Sédille avaient déjà demandé d'en être. Il était impossible que lui, Huret, n'en fût pas : ces messieurs le voulaient absolument avec eux, à cause de sa haute situation politique. Même on espérait bien qu'il consentirait à faire partie du conseil d'administration, parce que son nom signifiait ordre et probité.

À cette promesse d'être nommé membre du conseil, le député le regarda bien en face.

« Enfin, qu'est-ce que vous désirez de moi, quelle réponse voulez-vous que je tire de Rougon ?

— Mon Dieu ! reprit Saccard, moi, je me serais passé volontiers de mon frère. Mais c'est Daigremont qui exige que je me réconcilie. Peut-être a-t-il raison... Alors, je

---

1. Le mot désigne ici la fin du régime, et il constituera en 1892 le titre de l'avant-dernier roman des *Rougon-Macquart* sur Sedan et la Commune. Mais c'est aussi un mot du vocabulaire financier.

crois que vous devez simplement parler de notre affaire
au terrible homme, et obtenir, sinon qu'il nous aide, du
moins qu'il ne soit pas contre nous. »

Huret, les yeux à demi fermés, ne se décidait toujours
pas.

« Voilà ! si vous apportez un mot gentil, rien qu'un
mot gentil, entendez-vous ! Daigremont s'en contentera,
et nous bâclons ce soir la chose à nous trois.

— Eh bien ! je vais essayer, déclara brusquement le
député, en affectant une rondeur paysanne ; mais il faut
que ce soit pour vous, car il n'est pas commode, oh ! non,
surtout quand la gauche le taquine... À cinq heures !

— À cinq heures ! »

Saccard resta près d'une heure encore, très inquiet des
bruits de lutte qui couraient Il entendit un des grands
orateurs de l'opposition annoncer qu'il prendrait la
parole. À cette nouvelle, il eut un instant l'envie de
retrouver Huret, pour lui demander s'il ne serait pas sage
de remettre au lendemain l'entretien avec Rougon. Puis,
fataliste, croyant à la chance, il trembla de tout compromettre, s'il changeait ce qui était arrêté. Peut-être, dans la
bousculade, son frère lâcherait-il plus facilement le mot
attendu. Et, pour laisser aller les choses, il partit, il
remonta dans son fiacre, qui reprenait déjà le pont de
la Concorde, lorsqu'il se souvint du désir exprimé par
Daigremont.

« Cocher, rue de Babylone. »

C'était rue de Babylone que demeurait le marquis de
Bohain. Il occupait les anciennes dépendances d'un
grand hôtel, un pavillon qui avait abrité le personnel des
écuries, et dont on avait fait une très confortable maison
moderne. L'installation était luxueuse, avec un bel air
d'aristocratie coquette. On ne voyait, du reste, jamais sa
femme, souffrante, disait-il, retenue dans son appartement par des infirmités. Cependant, la maison, les
meubles étaient à elle, il logeait en garni chez elle, n'ayant
à lui que ses effets, une malle qu'il aurait pu emporter
sur un fiacre, séparé de biens depuis qu'il vivait du jeu.

Dans deux catastrophes, déjà, il avait refusé nettement de payer ses différences, et le syndic, après s'être rendu compte de la situation, ne s'était pas même donné la peine de lui envoyer du papier timbré[1]. On passait l'éponge, simplement. Il empochait, tant qu'il gagnait. Puis, dès qu'il perdait, il ne payait pas : on le savait et on s'y résignait. Il avait un nom illustre, il était extrêmement décoratif dans les conseils d'administration[2] ; aussi les jeunes compagnies, en quête d'enseignes dorées, se le disputaient-elles : jamais il ne chômait. À la Bourse, il avait sa chaise, du côté de la rue Notre-Dame-des-Victoires, le côté de la spéculation riche, qui affectait de se désintéresser des petits bruits du jour. On le respectait, on le consultait beaucoup. Souvent il avait influencé le marché. Enfin, tout un personnage.

Saccard, qui le connaissait bien, fut quand même impressionné par la réception hautement polie de ce beau vieillard de soixante ans, à la tête très petite posée sur un corps de colosse, la face blême, encadrée d'une perruque brune, du plus grand air.

« Monsieur le marquis, je viens en véritable solliciteur... »

Il dit le motif de la visite, sans entrer d'abord dans les détails. D'ailleurs, dès les premiers mots, le marquis l'arrêta.

« Non, non, tout mon temps est pris, j'ai en ce moment dix propositions que je dois refuser. »

Puis, comme Saccard, souriant, ajoutait :

« C'est Daigremont qui m'envoie, il a songé à vous. »

Il s'écria aussitôt :

« Ah ! vous avez Daigremont là-dedans... Bon ! bon ! si Daigremont en est, j'en suis. Comptez sur moi. »

---

1. C'est-à-dire de lui envoyer un acte judiciaire signifiant le montant à acquitter. **2.** La constitution des conseils d'administration était un aspect essentiel de la réclame financière qu'orchestraient les nouvelles sociétés. Car la souscription obéissait en partie à l'argument d'autorité.

Et le visiteur ayant alors voulu lui fournir au moins quelques renseignements, pour lui apprendre dans quelle sorte d'affaire il allait entrer, il lui ferma la bouche, avec la désinvolture aimable d'un grand seigneur qui ne descend pas à ces détails et qui a une confiance naturelle dans la probité des gens.

« Je vous en prie, n'ajoutez pas un mot... Je ne veux pas savoir. Vous avez besoin de mon nom, je vous le prête, et j'en suis très heureux, voilà tout... Dites seulement à Daigremont qu'il arrange ça comme il lui plaira. »

En remontant dans son fiacre, Saccard, égayé, riait d'un rire intérieur.

« Il nous coûtera cher, pensait-il, mais il est vraiment très bien. »

Puis, à voix haute :

« Cocher, rue des Jeûneurs. »

La maison Sédille avait là ses magasins et ses bureaux, tenant, au fond d'une cour, tout un vaste rez-de-chaussée. Après trente ans de travail, Sédille, qui était de Lyon[1] et qui avait gardé là-bas des ateliers, venait enfin de faire de son commerce de soie un des mieux connus et des plus solides de Paris, lorsque la passion du jeu, à la suite d'un incident de hasard, s'était déclarée et propagée en lui avec la violence destructive d'un incendie. Deux gains considérables, coup sur coup, l'avaient affolé. À quoi bon donner trente ans de sa vie, pour gagner un pauvre million, lorsque, en une heure, par une simple opération de Bourse, on peut le mettre dans sa poche[2] ? Dès lors, il s'était désintéressé peu à peu de sa maison qui marchait

---

1. Ce sont les industriels de Lyon, en particulier dans la fabrication et le commerce de la soie, qui ont les premiers souffert du krach de l'Union générale d'Eugène Bontoux. La crise se profila à Lyon vers décembre 1881, avant d'éclater à Paris en janvier 1882. 2. L'énoncé de cette tentation de l'industriel vertueux, de cette antithèse entre revenu du travail et revenu de la spéculation, est un *topos* du théâtre boursier. Voir par exemple *La Bourse* (1856) de Ponsard et les vaudevilles du milieu des années 1830.

par la force acquise ; il ne vivait plus que dans l'espoir d'un coup d'agio* triomphant ; et, comme la déveine était venue, persistante, il engloutissait là tous les bénéfices de son commerce. À cette fièvre, le pis est qu'on se dégoûte du gain légitime, qu'on finit même par perdre la notion exacte de l'argent. Et la ruine était fatalement au bout, si les ateliers de Lyon rapportaient deux cent mille francs, lorsque le jeu en emportait trois cent mille.

Saccard trouva Sédille agité, inquiet, car celui-ci était un joueur sans flegme, sans philosophie. Il vivait dans le remords, toujours espérant, toujours abattu, malade d'incertitude, et cela parce qu'il restait honnête au fond. La liquidation de la fin d'avril venait de lui être désastreuse. Pourtant, sa face grasse, aux gros favoris blonds, se colora, dès les premières paroles.

« Ah ! mon cher, si c'est la chance que vous m'apportez, soyez le bienvenu ! »

Ensuite, il fut pris d'une terreur.

« Non, non ! ne me tentez pas. Je ferais mieux de m'enfermer avec mes pièces de soie et de ne plus bouger de mon comptoir. »

Voulant le laisser se calmer, Saccard lui parla de son fils Gustave, qu'il dit avoir vu le matin, chez Mazaud. Mais c'était, pour le négociant, un autre sujet de chagrin, car il avait rêvé de se décharger de sa maison sur ce fils, et celui-ci méprisait le commerce, âme de joie et de fête, apportant les dents blanches des fils de parvenu, bonnes seulement à croquer les fortunes faites. Son père l'avait mis chez Mazaud pour voir s'il mordrait aux questions de finance.

« Depuis la mort de sa pauvre mère, murmura-t-il, il m'a donné bien peu de satisfaction. Enfin, peut-être apprendra-t-il là-bas, à la charge, des choses qui me seront utiles.

– Eh bien ! reprit brusquement Saccard, êtes-vous avec nous ? Daigremont m'a dit de venir vous dire qu'il en était. »

Sédille leva au ciel des bras tremblants. Et, la voix altérée de désir et de crainte :

« Mais oui, j'en suis ! vous savez bien que je ne peux
pas faire autrement que d'en être ! Si je refusais et que
votre affaire marchât, j'en serais malade de regret...
Dites à Daigremont que j'en suis. »

Lorsque Saccard se retrouva dans la rue, il tira sa
montre et vit qu'il était à peine quatre heures. Le temps
qu'il avait devant lui, l'envie qu'il éprouvait de marcher
un peu, lui firent lâcher son fiacre. Il s'en repentit
presque tout de suite, car il n'était pas au boulevard,
qu'une nouvelle averse, un déluge mêlé de grêle, le força
de nouveau à se réfugier sous une porte. Quel chien de
temps, lorsqu'on avait Paris à battre ! Après avoir regardé
l'eau tomber pendant un quart d'heure, l'impatience le
prit, il héla une voiture vide qui passait. C'était une victoria, il eut beau ramener sur ses jambes le tablier de
cuir, il arriva trempé rue La Rochefoucauld [1], et en
avance d'une grande demi-heure.

Dans le fumoir où le valet le laissa, en disant que
Monsieur n'était pas rentré encore, Saccard marcha à
petits pas, regardant les tableaux. Mais une voix de
femme superbe, un contralto d'une puissance mélancolique et profonde, s'étant élevée dans le silence de l'hôtel,
il s'approcha de la fenêtre restée ouverte, pour écouter :
c'était madame qui répétait, au piano, un morceau
qu'elle devait sans doute chanter le soir, dans quelque
salon. Puis, bercé par cette musique, il en vint à songer
aux histoires extraordinaires que l'on contait de Daigremont : l'histoire de l'Hadamantine surtout, cet emprunt
de cinquante millions dont il avait gardé en main le stock
entier, le faisant vendre et revendre cinq fois par des
courtiers à lui, jusqu'à ce qu'il eût créé un marché, établi
un prix ; puis, la vente sérieuse, la dégringolade fatale de
trois cents francs à quinze francs, les bénéfices énormes

---

1. Rappelons que la victoria est une voiture découverte.

sur tout un petit monde de naïfs, ruinés du coup[1]. Ah ! il était fort, un terrible monsieur ! La voix de madame continuait, exhalant une plainte de tendresse, éperdue, d'une ampleur tragique ; tandis que Saccard, revenu au milieu de la pièce, s'était arrêté devant un Meissonier[2], qu'il estimait cent mille francs.

Mais quelqu'un entra, et il fut surpris de reconnaître Huret.

« Comment, c'est déjà vous ? Il n'est pas cinq heures… La séance est donc finie ?

– Ah ! oui, finie… Ils se chamaillent. »

Et il expliqua que, le député de l'opposition parlant toujours, Rougon, certainement, ne pourrait répondre que le lendemain. Alors, quand il avait vu ça, il s'était risqué à relancer le ministre, pendant une courte suspension de séance, entre deux portes.

« Eh bien ! demanda Saccard, nerveusement, qu'a-t-il dit, mon illustre frère[3] ? »

Huret ne répondit pas tout de suite.

« Oh ! il était d'une humeur de dogue… Je vous avoue que je comptais sur l'exaspération où je le voyais, espérant bien qu'il allait simplement m'envoyer promener…

---

1. Cette manœuvre, qui consiste à acquérir le monopole de certains objets sur le marché, et donc à pouvoir en fixer soi-même le prix, est l'*accaparement*. Les accapareurs, jusqu'à la Révolution, confisquaient les biens de première nécessité pour s'enrichir grâce à l'envolée des cours créée par la rareté. Avec la Bourse naît – c'est du moins ce qui intéresse nombre de romans financiers – une nouvelle forme possible d'accaparement : racheter tous les titres de sa banque sera bien, à la fin du roman, le rêve de Saccard. Le romancier américain Frank Norris, admirateur de Zola, a imité *L'Argent* en mettant en scène dans le roman *The Pit* (1901) un accaparement (*corner*) de céréales à la Bourse de Chicago. **2.** Un tableau de Jean Louis Ernest Meissonier (1815-1891), peintre très coté du second Empire, représentant typique de l'art dominant sous Napoléon III, et dont le réalisme « pompier » était aux antipodes du réalisme de Courbet ou de l'avant-garde impressionniste que défendait Zola. **3.** Zola, qui ne fait jamais apparaître directement Rougon dans *L'Argent*, lui confère ainsi la stature d'un grand homme, comparable aux souverains d'arrière-plan dans les romans historiques.

Donc, je lui ai lâché votre affaire, je lui ai dit que vous ne vouliez rien entreprendre sans son approbation.

– Et alors ?

– Alors, il m'a saisi par les deux bras, il m'a secoué, en me criant dans la figure : "Qu'il aille se faire pendre !" Et il m'a planté là. »

Saccard, devenu blême, eut un rire forcé.

« C'est gentil.

– Dame ! oui, c'est gentil, reprit le député, d'un ton convaincu. Je n'en demandais pas tant... Avec ça, nous pouvons marcher. »

Et, comme il entendit, dans le salon voisin, le pas de Daigremont qui rentrait, il ajouta tout bas :

« Laissez-moi faire. »

Évidemment, Huret avait la plus grande envie de voir se fonder la Banque universelle, et d'en être. Sans doute, il s'était déjà rendu compte du rôle qu'il y pourrait jouer. Aussi, dès qu'il eut serré la main de Daigremont, prit-il un visage rayonnant, en agitant un bras en l'air.

« Victoire ! cria-t-il, victoire !

– Ah ! vraiment. Contez-moi donc ça.

– Mon Dieu ! le grand homme a été ce qu'il devait être. Il m'a répondu : "Que mon frère réussisse !" »

Du coup, Daigremont se pâma, trouva le mot charmant. « Qu'il réussisse ! » ça contenait tout : qu'il ne fasse pas la bêtise de ne pas réussir, ou je le lâche ; mais qu'il réussisse, je l'aiderai. Exquis, en vérité !

« Et, mon cher Saccard, nous réussirons, soyez tranquille... Nous allons faire tout ce qu'il faudra pour ça. »

Puis, comme les trois hommes s'étaient assis, afin d'arrêter les points principaux, Daigremont se releva et alla fermer la fenêtre ; car la voix de madame, peu à peu enflée, jetait un sanglot d'une désespérance infinie, qui les empêchait de s'entendre. Et, même la fenêtre close, cette lamentation étouffée les accompagna, pendant qu'ils décidaient la création d'une maison de crédit, la Banque universelle, au capital de vingt-cinq millions, divisé en cinquante mille actions de cinq cents francs. Il était en outre entendu que Daigremont, Huret, Sédille, le marquis de Bohain et quelques-uns de leurs amis, formaient un syndicat, qui, d'avance, prenait et se partageait les quatre cinquièmes des actions, soit quarante mille ; de sorte que le succès de l'émission était assuré, et que, plus tard, détenant les titres, les rendant rares sur le marché, ils pourraient les faire monter à leur gré [1]. Seulement, tout faillit être rompu, lorsque Daigremont exigea une prime* de quatre cent mille francs, à répartir sur les quarante mille actions, soit dix francs par action. Saccard se récria, déclara qu'il n'était pas raisonnable de faire crier la vache avant même que de la traire. Les commencements seraient difficiles, pourquoi embarrasser la situation davantage ? Pourtant, il dut céder, devant l'attitude d'Huret qui, tranquillement, trouvait la chose toute naturelle, disant que ça se faisait toujours.

Ils se séparaient, en prenant un rendez-vous pour le lendemain, rendez-vous auquel l'ingénieur Hamelin devait assister, lorsque Daigremont se frappa brusquement le front, d'un air de désespoir.

« Et Kolb que j'oubliais ! Oh ! il ne me le pardonnerait pas, il faut qu'il en soit... Mon petit Saccard, si vous étiez gentil, vous iriez chez lui tout de suite. Il n'est pas six heures, vous le trouveriez encore... Oui, vous-même, et pas demain, ce soir, parce que ça le touchera et qu'il peut nous être utile. »

Docilement, Saccard se remit en marche, sachant que les journées de chance ne se recommencent pas. Mais il avait de nouveau renvoyé son fiacre, espérant rentrer chez lui, à deux pas ; et, la pluie ayant l'air enfin de cesser, il descendit à pied, heureux de sentir sous ses talons ce pavé de Paris, qu'il reconquérait. Rue Montmartre, quelques gouttes d'eau lui firent prendre par les passages. Il enfila le passage Verdeau, le passage Jouffroy ; puis,

---

1. Il s'agit encore d'une sorte d'accaparement (voir *supra*, p. 133, note 1).

dans le passage des Panoramas [1], comme il suivait une galerie latérale pour raccourcir et tomber rue Vivienne, il fut surpris de voir sortir d'une allée obscure Gustave Sédille, qui disparut, sans s'être retourné. Lui, s'était arrêté, regardant la maison, un discret hôtel meublé, lorsque, dans une petite femme blonde, voilée, qui sortait à son tour, il reconnut positivement Mme Conin, la jolie papetière. C'était donc là, quand elle avait un coup de tendresse, qu'elle amenait ses amants d'un jour, tandis que son bon gros garçon de mari la croyait en course pour des factures ! Ce coin de mystère, au beau milieu du quartier, était fort gentiment choisi, et un hasard seul venait de livrer le secret. Saccard souriait, très égayé, enviant Gustave : Germaine Cœur le matin, Mme Conin l'après-midi, il mettait les morceaux doubles, le jeune homme ! Et, à deux reprises, il regarda encore la porte, afin de la bien reconnaître, tenté d'en être, lui aussi.

Rue Vivienne, au moment où il entrait chez Kolb, Saccard tressaillit et s'arrêta de nouveau. Une musique légère, cristalline, qui sortait du sol, pareille à la voix des fées légendaires, l'enveloppait ; et il reconnut la musique de l'or, la continuelle sonnerie de ce quartier du négoce et de la spéculation, entendue déjà le matin. La fin de la journée en rejoignait le commencement. Il s'épanouit, à la caresse de cette voix, comme si elle lui confirmait le bon présage.

Justement, Kolb se trouvait en bas, à l'atelier de fonte ; et, en ami de la maison, Saccard descendit l'y rejoindre. Dans le sous-sol nu, que de larges flammes de gaz éclairaient éternellement, les deux fondeurs vidaient à la pelle les caisses doublées de zinc, pleines, ce jour-là, de pièces espagnoles, qu'ils jetaient au creuset, sur le grand fourneau carré. La chaleur était forte, il fallait parler haut pour s'entendre, au milieu de cette sonnerie d'harmonica,

---

1. Le quartier de la Bourse (2e arrondissement de Paris) est aussi celui où ont été percés de nombreux « passages », ou rues piétonnes couvertes, comparables à des galeries marchandes.

vibrante sous la voûte basse. Des lingots fondus, des pavés d'or, d'un éclat vif de métal neuf, s'alignaient le long de la table du chimiste-essayeur, qui en arrêtait les titres [1]. Et, depuis le matin, plus de six millions avaient passé là, assurant au banquier un bénéfice de trois ou quatre cents francs à peine ; car l'arbitrage sur l'or, cette différence réalisée entre deux cours, étant des plus minimes, s'appréciant par millièmes, ne peut donner un gain que sur des quantités considérables de métal fondu. De là, ce tintement d'or, ce ruissellement d'or, du matin au soir, d'un bout de l'année à l'autre, au fond de cette cave, où l'or venait en pièces monnayées, d'où il partait en lingots, pour revenir en pièces et repartir en lingots, indéfiniment, dans l'unique but de laisser aux mains du trafiquant quelques parcelles d'or.

Dès que Kolb, un homme petit, très brun, dont le nez en bec d'aigle, sortant d'une grande barbe, décelait l'origine juive, eut compris l'offre de Saccard, que l'or couvrait d'un bruit de grêle, il accepta.

« Parfait ! cria-t-il. Très heureux d'en être, si Daigremont en est ! Et merci de ce que vous vous êtes dérangé ! »

Mais ils s'entendaient à peine, ils se turent, restèrent là un instant encore, étourdis, béats dans cette sonnerie si claire et exaspérée, dont leur chair frémissait toute, comme d'une note trop haute tenue sans fin sur les violons, jusqu'au spasme.

Dehors, malgré le beau temps revenu, une limpide soirée de mai, Saccard, brisé de fatigue, reprit un fiacre pour rentrer. Une rude journée, mais bien remplie !

---

1. C'est-à-dire le dosage de métal précieux par unité de masse ou de volume.

IV

Des difficultés surgirent, l'affaire traîna, cinq mois s'écoulèrent sans que rien ne pût se conclure. On était déjà aux derniers jours de septembre, et Saccard enrageait de voir que, malgré son zèle, de continuels obstacles renaissaient, toute une série de questions secondaires, qu'il fallait résoudre d'abord, si l'on voulait fonder quelque chose de sérieux et de solide. Son impatience devint telle, qu'il fut un moment sur le point d'envoyer promener le syndicat*, hanté et séduit par la brusque idée de faire l'affaire avec la princesse d'Orviedo, toute seule. Elle avait les millions nécessaires au premier lancement, pourquoi ne les mettrait-elle pas dans cette opération superbe, quitte à laisser venir la petite clientèle, lors des futures augmentations du capital, qu'il projetait déjà ? Il était d'une bonne foi absolue, il avait la conviction de lui apporter un placement où elle déculperait sa fortune, cette fortune des pauvres, qu'elle répandrait en aumônes plus larges encore.

Donc, un matin, Saccard monta chez la princesse, et, en ami doublé d'un homme d'affaires, il lui expliqua la raison d'être et le mécanisme de la banque qu'il rêvait. Il dit tout, étala le portefeuille d'Hamelin, n'omit pas une des entreprises d'Orient. Même, cédant à cette faculté qu'il avait de se griser de son propre enthousiasme, d'arriver à la foi par son désir brûlant de réussir, il lâcha le rêve fou de la papauté à Jérusalem, il parla du triomphe définitif du catholicisme, le pape trônant aux lieux saints, dominant le monde, assuré d'un budget royal, grâce à la création du Trésor du Saint-Sépulcre. La princesse, d'une ardente dévotion, ne fut guère frappée que de ce projet suprême, ce couronnement de l'édifice, dont la grandeur chimérique flattait en elle l'imagination déréglée qui lui faisait jeter ses millions en bonnes œuvres d'un luxe colossal et inutile. Justement, les catholiques de France venaient d'être atterrés et irrités de la convention que l'empereur avait conclue avec le roi d'Italie, par laquelle il s'engageait, sous de certaines conditions de garantie, à retirer le corps de troupes français occupant Rome[1] ; il était bien certain que c'était Rome livrée à l'Italie, on voyait déjà le pape chassé, réduit à l'aumône, errant par les villes avec le bâton des mendiants ; et quel dénouement prodigieux, le pape se retrouvant pontife et roi à Jérusalem, installé là et soutenu par une banque dont les chrétiens du monde entier tiendraient à honneur d'être les actionnaires* ! C'était si beau, que la princesse déclara l'idée la plus grande du siècle, digne de passionner toute personne bien née ayant de la religion. Le succès lui semblait assuré, foudroyant. Son estime s'en accrut pour l'ingénieur Hamelin, qu'elle traitait avec considération, ayant su qu'il pratiquait. Mais elle refusa nettement d'être de l'affaire, elle entendait rester fidèle au serment qu'elle avait fait de rendre ses millions aux pauvres, sans jamais plus tirer d'eux un centime d'intérêt, voulant que cet argent du jeu se perdît, fût bu par la misère, comme une eau empoisonnée qui devait disparaître. L'argument que les pauvres profiteraient de la spéculation, ne la touchait pas, l'irritait même. Non, non ! la source maudite serait tarie, elle ne s'était pas donné d'autre mission.

Saccard, déconcerté, ne put qu'utiliser sa sympathie pour obtenir d'elle une autorisation, vainement sollicitée jusque-là. Il avait eu la pensée, dès que la Banque universelle serait fondée, de l'installer dans l'hôtel même ; ou

---

1. La politique italienne de l'Empire s'infléchit après le traité de Zurich (voir *supra*, p. 24, note 1). Les troupes françaises, initialement alliées de celles du roi d'Italie, protégeaient par leur occupation ce qui restait des possessions du pape.

du moins c'était Mme Caroline qui lui avait soufflé cette idée ; car, lui, voyait plus grand, aurait voulu tout de suite un palais. On se contenterait de vitrer la cour, pour servir de hall central ; on aménagerait en bureaux tout le rez-de-chaussée, les écuries, les remises ; au premier étage, il donnerait son salon qui deviendrait la salle du conseil, sa salle à manger et six autres pièces dont on ferait des bureaux encore, ne garderait qu'une chambre à coucher et un cabinet de toilette, quitte à vivre en haut avec les Hamelin, mangeant, passant les soirées chez eux ; de sorte qu'à peu de frais on installerait la banque d'une façon un peu étroite mais fort sérieuse. La princesse, comme propriétaire, avait d'abord refusé, dans sa haine de tout trafic d'argent : jamais son toit n'abriterait cette abomination. Puis, ce jour-là, mettant la religion dans l'affaire, émue de la grandeur du but, elle consentit. C'était une concession extrême, elle se sentait prise d'un petit frisson, lorsqu'elle songeait à cette machine infernale d'une maison de crédit, d'une maison de Bourse et d'agio*, dont elle laissait ainsi établir sous elle les rouages de ruine et de mort.

Enfin, une semaine après cette tentative avortée, Saccard eut la joie de voir l'affaire, si empêtrée d'obstacles, se bâcler brusquement, en quelques jours. Daigremont vint un matin lui dire qu'il avait toutes les adhésions, qu'on pouvait marcher. Dès lors, on étudia une dernière fois le projet des statuts, on rédigea l'acte de société. Et il était grand temps aussi pour les Hamelin, à qui la vie commençait à redevenir dure. Lui, depuis des années, n'avait qu'un rêve, être l'ingénieur-conseil d'une grande maison de crédit : comme il le disait, il se chargerait d'amener l'eau au moulin. Aussi, peu à peu, la fièvre de Saccard l'avait-elle gagné, brûlant du même zèle et de la même impatience. Au contraire, Mme Caroline, après s'être enthousiasmée à l'idée des belles et utiles choses qu'on allait accomplir, semblait plus froide, l'air songeur, depuis qu'on entrait dans les broussailles et les fondrières de l'exécution. Son grand bon sens, sa nature droite flairaient toutes sortes de trous obscurs et malpropres ; et elle tremblait surtout pour son frère, qu'elle adorait, qu'elle traitait parfois en riant de « grosse bête », malgré sa science ; non qu'elle soupçonnât le moins du monde l'honnêteté parfaite de leur ami, qu'elle voyait si dévoué à leur fortune ; mais elle avait une singulière sensation de terrain mouvant, une inquiétude de chute et d'engloutissement, au premier faux pas.

Ce matin-là, Saccard, lorsque Daigremont l'eut quitté, monta rayonnant à la salle des épures.

« Enfin, c'est fait ! » cria-t-il.

Hamelin, saisi, les yeux humides, vint lui serrer les mains, à les briser. Et, comme Mme Caroline s'était simplement tournée vers lui, un peu pâle, il ajouta :

« Eh bien, quoi donc, c'est tout ce que vous me dites ?... Ça ne vous fait pas plus de plaisir, à vous ? »

Elle eut alors un bon sourire.

« Mais si, je suis très contente, très contente, je vous assure. »

Puis, quand il eut donné à son frère des détails sur le syndicat, définitivement formé, elle intervint de son air paisible.

« Alors, c'est permis, n'est-ce pas ? de se réunir ainsi à plusieurs, pour se distribuer les actions* d'une banque, avant même que l'émission soit faite ? »

Violemment, il eut un geste d'affirmation.

« Mais, certainement, c'est permis !... Est-ce que vous nous croyez assez niais, pour risquer un échec ? Sans compter que nous avons besoin de gens solides, maîtres du marché, si les débuts sont difficiles... Voilà toujours les quatre cinquièmes de nos titres placés en des mains sûres. On va pouvoir aller signer l'acte de société chez le notaire. »

Elle osa lui tenir tête.

« Je croyais que la loi exigeait la souscription intégrale du capital social [1]. »

Cette fois, très surpris, il la regarda en face.

« Vous lisez donc le Code ? »

Et elle rougit légèrement, car il avait deviné : la veille, cédant à son malaise, cette peur sourde et sans cause précise, elle avait lu la loi sur les sociétés [2]. Un instant, elle fut sur le point de mentir. Puis, avouant, riant :

« C'est vrai, j'ai lu le Code, hier. J'en suis sortie, en tâtant mon honnêteté et celle des autres, comme on sort des livres de médecine, avec toutes les maladies. »

Mais lui se fâchait, car ce fait d'avoir voulu se renseigner la lui montrait méfiante, prête à le surveiller, de ses yeux de femme, fureteurs et intelligents.

« Ah ! reprit-il avec un geste qui jetait bas les vains scrupules, si vous croyez que nous allons nous conformer aux chinoiseries du Code ! Mais nous ne pourrions faire deux pas, nous serions arrêtés par des entraves, à chaque enjambée, tandis que les autres, nos rivaux, nous devanceraient, à toutes jambes !... Non, non, je n'attendrai certainement pas que tout le capital soit souscrit ; je préfère, d'ailleurs, nous réserver des titres, et je trouverai un homme à nous auquel j'ouvrirai un compte, qui sera notre prête-nom enfin [3].

– C'est défendu, déclara-t-elle simplement de sa belle voix grave.

---

1. En effet, la loi sur les sociétés, à l'époque de *L'Argent*, exige que la totalité du capital social soit souscrite (c'est-à-dire que les différents actionnaires s'engagent pour la totalité du capital annoncé), afin que la société démarre en étant assurée de disposer des moyens nécessaires à son activité. 2. La loi sur les sociétés évolua rapidement sous le second Empire, pour s'accorder à l'essor de l'économie (voir l'entrée « Société anonyme » dans le Lexique financier). 3. Trouver cet homme de paille sera l'un des enjeux du chapitre (voir l'entretien avec Sabatani, p. 147-149). Non seulement le capital social ne sera pas intégralement souscrit, mais Saccard entend aussi constituer une réserve de titres qui ne sont ni souscrits ni libérés, c'est-à-dire qui n'ont produit aucun apport d'argent. La réplique de Mme Caroline permet d'orienter le lecteur.

– Eh ! oui, c'est défendu, mais toutes les sociétés le font.

– Elles ont tort, puisque c'est mal. »

Saccard, se calmant par un brusque effort de volonté, crut alors devoir se tourner vers Hamelin, qui, gêné, écoutait, sans intervenir.

« Mon cher ami, j'espère que vous ne doutez pas de moi... Je suis un vieux routier de quelque expérience, vous pouvez vous remettre entre mes mains, pour le côté financier de l'affaire. Apportez-moi de bonnes idées, et je me charge de tirer d'elles tout le bénéfice désirable, en courant le moins de risques possible. Je crois qu'un homme pratique ne peut pas dire mieux. »

L'ingénieur, avec son fond invincible de timidité et de faiblesse, tourna la chose en plaisanterie, pour éviter de répondre directement.

« Oh ! vous aurez, dans Caroline, un vrai censeur. Elle est née maître d'école.

– Mais je veux bien aller à sa classe », déclara galamment Saccard.

Mme Caroline elle-même s'était remise à rire. Et la conversation continua sur un ton de familière bienveillance.

« C'est que j'aime beaucoup mon frère, c'est que je vous aime vous-même plus que vous ne pensez, et cela me ferait un gros chagrin de vous voir vous engager dans des trafics louches, où il n'y a, au bout, que désastre et que tristesse... Ainsi, tenez ! puisque nous en sommes là-dessus, la spéculation, le jeu à la Bourse, eh bien ! j'en ai une terreur folle. J'étais si heureuse, dans le projet de statuts, que vous m'avez fait recopier, d'avoir lu, à l'article 8, que la société s'interdisait rigoureusement toute opération à terme*. C'était s'interdire le jeu, n'est-ce pas ? Et puis, vous m'avez désenchantée, en vous moquant de moi, en m'expliquant que c'était là un simple article d'apparat, une formule de style que toutes les sociétés tenaient à honneur d'inscrire et que pas une n'observait... Vous ne savez pas ce que je voudrais, moi ?

ce serait qu'à la place de ces actions, ces cinquante mille actions que vous allez lancer, vous n'émettiez que des obligations*. Oh ! vous voyez que je suis très forte, depuis que je lis le Code, je n'ignore plus qu'on ne joue pas sur une obligation, qu'un obligataire est un simple prêteur qui touche tant pour cent sur son prêt, sans être intéressé dans les bénéfices, tandis que l'actionnaire est un associé courant la chance des bénéfices et des pertes... Dites, pourquoi pas des obligations, ça me rassurerait tant, je serais si heureuse ! »

Elle outrait plaisamment la supplication de sa requête, pour cacher sa réelle inquiétude. Et Saccard répondit sur le même ton, avec un emportement comique.

« Des obligations, des obligations ! mais jamais !... Que voulez-vous fiche avec des obligations ? C'est de la matière morte... Comprenez donc que la spéculation, le jeu est le rouage central, le cœur même, dans une vaste affaire comme la nôtre. Oui ! il appelle le sang, il le prend partout par petits ruisseaux, l'amasse, le renvoie en fleuves dans tous les sens, établit une énorme circulation d'argent, qui est la vie même des grandes affaires [1]. Sans lui, les grands mouvements de capitaux, les grands travaux civilisateurs qui en résultent, sont radicalement impossibles... C'est comme pour les sociétés anonymes*, a-t-on assez crié contre elles, a-t-on assez répété qu'elles étaient des tripots et des coupe-gorge ! La vérité est que, sans elles, nous n'aurions ni les chemins de fer, ni aucune des énormes entreprises modernes, qui ont renouvelé le monde ; car pas une fortune n'aurait suffi à les mener à bien, de même que pas un individu, ni même un groupe d'individus, n'aurait voulu en courir les risques. Les risques, tout est là, et la grandeur du but aussi. Il faut un projet vaste, dont l'ampleur saisisse l'imagination ; il

---

1. Voir, à propos de cette métaphore, la réflexion de Vallès dans les premières pages de *L'Argent* (1857) : « Une nation, comme un homme, a des membres, un cerveau, un cœur. La Bourse est peut-être à cette heure le cœur de la France. C'est là que par mille veines, mille canaux, arrive, s'agite et gronde, ce métal sacré, l'or, le sang des nations ! »

faut l'espoir d'un gain considérable, d'un coup de loterie qui décuple la mise de fonds, quand elle ne l'emporte pas ; et alors les passions s'allument, la vie afflue, chacun apporte son argent, vous pouvez repétrir la terre. Quel mal voyez-vous là ? Les risques courus sont volontaires, répartis sur un nombre infini de personnes, inégaux et limités selon la fortune et l'audace de chacun. On perd, mais on gagne, on espère un bon numéro, mais on doit s'attendre toujours à en tirer un mauvais, et l'humanité n'a pas de rêve plus entêté ni plus ardent, tenter le hasard, obtenir tout de son caprice, être roi, être dieu ! »

Peu à peu, Saccard ne riait plus, se redressait sur ses petites jambes, s'enflammait d'une ardeur lyrique, avec des gestes qui jetaient ses paroles aux quatre coins du ciel.

« Tenez ! nous autres, avec notre Banque universelle, n'allons-nous pas couvrir l'horizon le plus large, toute une trouée sur le vieux monde de l'Asie, un champ sans limite à la pioche du progrès et à la rêverie des chercheurs d'or ? Certes, jamais ambition n'a été plus colossale, et, je l'accorde, jamais non plus conditions de succès ou d'insuccès n'ont été plus obscures. Mais c'est justement pour cela que nous sommes dans les termes mêmes du problème, et que nous déterminerons, j'en ai la conviction, un engouement extraordinaire dans le public, dès que nous serons connus... Notre Banque universelle, mon Dieu ! elle va être d'abord la maison classique qui traitera de toutes affaires de banque, de crédit et d'escompte*, recevra des fonds en comptes courants, contractera, négociera ou émettra des emprunts. Seulement, l'outil que j'en veux faire surtout, c'est une machine à lancer les grands projets de votre frère : là sera son véritable rôle, ses bénéfices croissants, sa puissance peu à peu dominatrice. Elle est fondée, en somme, pour prêter son concours à des sociétés financières et industrielles, que nous établirons dans les pays étrangers, dont nous placerons les actions, qui nous devront la vie et nous assureront la souveraineté... Et, devant cet avenir aveuglant de conquêtes, vous venez me demander s'il est permis de se syndiquer* et d'avantager d'une prime* les syndicataires, quitte à la porter au compte de premier établissement [1] ; vous vous inquiétez des petites irrégularités fatales, des actions non souscrites, que la société fera bien de garder, sous le couvert d'un prête-nom ; enfin, vous partez en guerre contre le jeu, contre le jeu, Seigneur ! qui est l'âme même, le foyer, la flamme de cette géante mécanique que je rêve !... Sachez donc que ce n'est rien encore, tout ça ! que ce pauvre petit capital de vingt-cinq millions est un simple fagot jeté sous la machine [2], pour le premier coup de feu ! que j'espère bien le doubler, le quadrupler, le quintupler, à mesure que nos opérations s'élargiront ! qu'il nous faut la grêle des pièces d'or, la danse des millions, si nous voulons, là-bas, accomplir les prodiges annoncés !... Ah ! dame ! je ne réponds pas de la casse, on ne remue pas le monde, sans écraser les pieds de quelques passants. »

Elle le regardait, et, dans son amour de la vie, de tout ce qui était fort et actif, elle finissait par le trouver beau, séduisant de verve et de foi. Aussi, sans se rendre à ses théories qui révoltaient la droiture de sa claire intelligence, feignit-elle d'être vaincue.

« C'est bon, mettons que je ne sois qu'une femme et que les batailles de l'existence m'effraient... Seulement, n'est-ce pas ? tâchez d'écraser le moins de monde possible, et surtout n'écrasez personne de ceux que j'aime. »

Saccard, grisé de son accès d'éloquence, et qui triomphait de ce vaste plan exposé, comme si la besogne était faite, se montra tout à fait bonhomme.

« N'ayez donc pas peur ! Je fais l'ogre, c'est pour rire... Tout le monde sera très riche. »

---

1. C'est-à-dire que cette prime, qui marque la cupidité des gros syndicataires, est assimilée aux dépenses liées à la constitution même de la société, lesquelles devront être remboursées par une ponction sur les premiers revenus. 2. On observera dans le roman la comparaison récurrente de la Bourse avec une machine à vapeur, conformément à l'imaginaire thermodynamique de Zola.

Ils causèrent ensuite tranquillement des dispositions à prendre, et il fut convenu que, le lendemain même de la constitution définitive de la société, Hamelin se rendrait à Marseille, puis de là en Orient, pour hâter la mise en œuvre des grandes affaires.

Mais déjà, sur le marché de Paris, des bruits se répandaient, une rumeur ramenait le nom de Saccard, du fond trouble où il s'était noyé un instant ; et les nouvelles, d'abord chuchotées, peu à peu dites à voix plus haute, sonnaient si clairement le succès prochain, que, de nouveau, comme au parc Monceau jadis, son antichambre s'emplissait de solliciteurs, chaque matin. Il voyait Mazaud monter, par hasard, pour lui serrer la main et causer des nouvelles du jour ; il recevait d'autres agents de change*, le juif Jacoby, avec sa voix tonitruante, et son beau-frère Delarocque, un gros roux, qui rendait sa femme si malheureuse. La coulisse* venait aussi, dans la personne de Nathansohn, un petit blond très actif, que la chance portait. Et quant à Massias, résigné à sa dure besogne de remisier* malchanceux, il se présentait déjà chaque jour, bien qu'il n'y eût pas encore d'ordres à recevoir. C'était toute une foule montante.

Un matin, dès neuf heures, Saccard trouva l'antichambre pleine. N'ayant pas arrêté encore de personnel spécial, il était fort mal secondé par son valet de chambre et, le plus souvent, il se donnait la peine d'introduire les gens lui-même. Ce jour-là, comme il ouvrait la porte de son cabinet, Jantrou voulut entrer ; mais il avait aperçu Sabatani, qu'il faisait chercher depuis deux jours.

« Pardon, mon ami », dit-il en arrêtant l'ancien professeur, pour recevoir d'abord le Levantin.

Sabatani, avec son inquiétant sourire de caresse, sa souplesse de couleuvre, laissa parler Saccard, qui, très nettement d'ailleurs, en homme qui le connaissait, lui fit sa proposition.

« Mon cher, j'ai besoin de vous... Il nous faut un prête-nom. Je vous ouvrirai un compte, je vous ferai acheteur d'un certain nombre de nos titres, que vous paierez simplement par un jeu d'écritures... [1]. Vous voyez que je vais droit au but et que je vous traite en ami. »

Le jeune homme le regardait de ses beaux yeux de velours, si doux dans sa longue face brune.

« La loi, cher maître, exige d'une façon formelle le versement en espèces... Oh ! ce n'est pas pour moi que je vous dis ça. Vous me traitez en ami, et j'en suis très fier... Tout ce que vous voudrez ! »

Alors, Saccard, pour lui être agréable, lui dit l'estime où le tenait Mazaud, qui avait fini par prendre ses ordres, sans être couvert. Puis, il le plaisanta sur Germaine Cœur, avec laquelle il l'avait rencontré la veille, faisant allusion crûment au bruit qui le douait d'un véritable prodige, une exception géante, dont rêvaient les filles du monde de la Bourse, tourmentées de curiosité. Et Sabatani ne niait pas, riait de son rire équivoque sur ce sujet scabreux : oui, oui ! ces dames étaient très drôles à courir après lui, elles voulaient voir.

« Ah ! à propos, interrompit Saccard, nous aurons aussi besoin de signatures, pour régulariser certaines opérations, les transferts, par exemple... Pourrai-je envoyer chez vous les paquets de papiers à signer ?

– Mais certainement, cher maître. Tout ce que vous voudrez ! »

Il ne soulevait même pas la question de paiement, sachant que cela est sans prix, lorsqu'on rend de pareils services ; et, comme l'autre ajoutait qu'on lui donnerait un franc par signature, pour le dédommager de sa perte de temps, il acquiesça d'un simple mouvement de tête. Puis, avec son sourire :

« J'espère aussi, cher maître, que vous ne me refuserez pas des conseils. Vous allez être si bien placé, je viendrai aux renseignements.

---

1. La souscription est donc nulle et non avenue, le roman se constituant progressivement en réflexion sur la fiction.

– C'est ça, conclut Saccard, qui comprit [1]. Au revoir...
Ménagez-vous, ne cédez pas trop à la curiosité des
dames. »

Et, s'égayant de nouveau, il le congédia par une porte
de dégagement, qui lui permettait de renvoyer les gens,
sans leur faire retraverser la salle d'attente.

Ensuite, Saccard, étant allé rouvrir l'autre porte,
appela Jantrou. D'un coup d'œil, il le vit ravagé, sans
ressources, avec une redingote dont les manches s'étaient
usées sur les tables des cafés, à attendre une situation. La
Bourse continuait d'être une marâtre, et il portait beau
pourtant, la barbe en éventail, cynique et lettré, lâchant
encore de temps à autre une phrase fleurie d'ancien universitaire.

« Je vous aurais écrit prochainement, dit Saccard.
Nous dressons la liste de notre personnel, où je vous ai
inscrit un des premiers, et je crois bien que je vous appellerai au bureau des émissions. »

Jantrou l'arrêta d'un geste.

« Vous êtes bien aimable, je vous remercie... Mais j'ai
une affaire à vous proposer. »

Il ne s'expliqua pas tout de suite, débuta par des généralités, demanda quelle serait la part des journaux, dans
le lancement de la Banque universelle. L'autre prit feu
aux premiers mots, déclara qu'il était pour la publicité la
plus large, qu'il y mettrait tout l'argent disponible. Pas
une trompette n'était à dédaigner, même les trompettes
de deux sous, car il posait en axiome que tout bruit était
bon, en tant que bruit. Le rêve serait d'avoir tous les
journaux à soi ; seulement, ça coûterait trop cher.

« Tiens ! est-ce que vous auriez l'idée de nous organiser
notre publicité ?... Ce ne serait peut-être pas bête. Nous
en causerons.

---

1. Sabatani échange sa signature contre une participation aux délits
d'initiés que sont susceptibles de commettre Saccard et ses proches (voir
chap. VI).

– Oui, plus tard, si vous voulez… Mais qu'est-ce que vous diriez d'un journal à vous, complètement à vous, dont je serais le directeur. Chaque matin, une page vous serait réservée, des articles qui chanteraient vos louanges, de simples notes rappelant l'attention sur vous, des allusions dans des études complètement étrangères aux finances, enfin une campagne en règle, à propos de tout et de rien, vous exaltant sans relâche sur l'hécatombe de vos rivaux… [1]. Est-ce que ça vous tente ?

– Dame ! si ça ne coûtait pas les yeux de la tête.

– Non, le prix serait raisonnable. »

Et il nomma enfin le journal : *L'Espérance*, une feuille fondée, depuis deux ans, par un petit groupe de personnalités catholiques, les violents du parti, qui faisaient à l'empire une guerre féroce [2]. Le succès était, d'ailleurs, absolument nul, et le bruit de la disparition du journal courait chaque semaine.

Saccard se récria.

« Oh ! il ne tire pas à deux mille !

– Ça, ce sera notre affaire, d'arriver à un plus gros tirage.

– Et puis, c'est impossible : il traîne mon frère dans la boue, je ne peux pas me fâcher avec mon frère dès le début. »

Jantrou haussa doucement les épaules.

« Il ne faut se fâcher avec personne… Vous savez comme moi que, lorsqu'une maison de crédit a un journal, peu importe qu'il soutienne ou attaque le gouvernement : s'il est officieux, la maison est certaine de faire partie de tous les syndicats que forme le ministre des Finances pour assurer le succès des emprunts de l'État et des communes ; s'il est opposant, le même ministre a toutes sortes d'égards pour la banque qu'il représente,

---

1. Voir *supra*, p. 33, note 2. 2. L'engagement de Napoléon III, en 1858-1859, en faveur des Italiens contre l'Autriche eut des conséquences sur la politique intérieure française : comme l'unité italienne s'opérait notamment aux dépens de la papauté, les catholiques de France en faisaient le reproche à l'empereur.

un désir de le désarmer et de l'acquérir, qui se traduit souvent par plus de faveurs encore... Ne vous inquiétez donc pas de la couleur de *L'Espérance*. Ayez un journal, c'est une force. »

Un instant silencieux, Saccard, avec cette vivacité d'intelligence qui lui faisait d'un coup s'approprier l'idée d'un autre, la fouiller, l'adapter à ses besoins, au point qu'il la rendait complètement sienne, développait tout un plan : il achetait *L'Espérance*, en éteignait les polémiques acerbes, la mettait aux pieds de son frère qui était bien forcé de lui en avoir de la reconnaissance, mais lui conservait son odeur catholique, la gardait comme une menace, une machine toujours prête à reprendre sa terrible campagne, au nom des intérêts de la religion. Et, si l'on n'était pas aimable avec lui, il brandissait Rome, il risquait le grand coup de Jérusalem. Ce serait un joli tour, pour finir.

« Serions-nous libres ? demanda-t-il brusquement.

– Absolument libres. Ils en ont assez, le journal est tombé entre les mains d'un gaillard besogneux qui nous le livrera pour une dizaine de mille francs. Nous en ferons ce qu'il nous plaira. »

Une minute encore, Saccard réfléchit.

« Eh bien ! c'est fait. Prenez rendez-vous, amenez-moi votre homme ici... Vous serez directeur, et je verrai à centraliser entre vos mains toute notre publicité, que je veux exceptionnelle, énorme, oh ! plus tard, quand nous aurons de quoi chauffer sérieusement la machine. »

Il s'était levé. Jantrou se leva également, cachant sa joie de trouver du pain, sous son rire blagueur de déclassé, las de la boue parisienne.

« Enfin, je vais donc rentrer dans mon élément, mes chères belles-lettres [1] !

---

1. Ironie : le journalisme financier représentait, depuis le milieu du XIXe siècle, la pire des bohèmes (en témoigne, dans *L'Argent*, la description récurrente de la redingote crasseuse de Jantrou). Ce n'est pas la bohème romantique de la rive gauche, mais celle qu'on appelle parfois « la bohème crapuleuse de la rive droite », et que le jeune Vallès fait

– N'engagez personne encore, reprit Saccard en le reconduisant. Et, pendant que j'y songe, prenez donc note d'un protégé à moi, de Paul Jordan, un jeune homme à qui je trouve un talent remarquable, et dont vous ferez un excellent rédacteur littéraire. Je vais lui écrire d'aller vous voir. »

Jantrou sortait par la porte de dégagement, lorsque cette heureuse disposition des deux issues le frappa.

« Tiens ! c'est commode, dit-il avec sa familiarité. On escamote le monde… Quand il vient de belles dames, comme celle que j'ai saluée tout à l'heure dans l'anti-chambre, la baronne Sandorff… »

Saccard ignorait qu'elle fût là ; et d'un haussement d'épaules, il voulut dire son indifférence ; mais l'autre ricanait, refusait de croire à ce désintéressement. Les deux hommes échangèrent une vigoureuse poignée de main.

Lorsqu'il fut seul, Saccard, instinctivement, se rappro-cha de la glace, releva ses cheveux, où pas un fil blanc n'apparaissait encore. Il n'avait pourtant pas menti, les femmes ne le préoccupaient guère, depuis que les affaires le reprenaient tout entier ; et il ne cédait qu'à l'involon-taire galanterie qui fait qu'un homme, en France, ne peut se trouver seul avec une femme, sans craindre de passer pour un sot, s'il ne la conquiert pas. Dès qu'il eut fait entrer la baronne, il se montra très empressé.

« Madame, je vous en prie, veuillez vous asseoir… »

Jamais il ne l'avait vue si étrangement séduisante, avec ses lèvres rouges, ses yeux brûlants, aux paupières meur-tries, enfoncés sous les sourcils épais. Que pouvait-elle

---

mine de rejoindre en 1857 dans *L'Argent, par un homme de lettres devenu homme de Bourse*. Voir ce que le romancier populaire réaction-naire Charles Mérouvel écrit dans *Le Krach* (1882) de cette bohème financière : « pour quelques hommes du monde, on y coudoie des gavroches de cinquante ans, des titis à barbe grise, des fantoches sou-vent drôles et quelquefois spirituels, toujours sceptiques, d'une liberté, d'une licence de paroles dont les artistes chevelus, les naturalistes les plus orduriers ne donnent qu'une vague idée ».

lui vouloir ? et il demeura surpris, presque désenchanté, lorsqu'elle lui eut expliqué le motif de sa visite.

« Mon Dieu ! monsieur, je vous demande pardon de vous déranger, inutilement pour vous ; mais, entre gens du même monde, il faut bien se rendre de ces petits services… Vous avez eu dernièrement un chef de cuisine, que mon mari est sur le point d'engager. Je viens donc tout simplement aux renseignements. »

Alors, il se laissa questionner, répondit avec la plus grande obligeance, tout en ne la quittant pas du regard ; car il croyait deviner que c'était là un prétexte : elle se moquait bien du chef de cuisine, elle venait pour autre chose, évidemment. Et, en effet, elle manœuvra, finit par nommer un ami commun, le marquis de Bohain, qui lui avait parlé de la Banque universelle. On avait tant de peine à placer son argent, à trouver des valeurs solides ! Enfin, il comprit qu'elle prendrait volontiers des actions, avec la prime de dix pour cent abandonnée aux syndicataires ; et il comprit mieux encore que, s'il lui ouvrait un compte, elle ne paierait pas.

« J'ai ma fortune personnelle, mon mari ne s'en mêle jamais. Ça me donne beaucoup de tracas, ça m'amuse aussi un peu, je l'avoue… N'est-ce pas ? lorsqu'on voit une femme s'occuper d'argent, surtout une jeune femme, ça étonne, on est tenté de l'en blâmer… Il y a des jours où je suis dans le plus mortel embarras, n'ayant pas d'amis qui veuillent me conseiller. L'autre quinzaine encore, faute d'un renseignement, j'ai perdu une somme considérable… Ah ! maintenant que vous allez être en si bonne position pour savoir, si vous étiez assez gentil, si vous vouliez… »

La joueuse perçait sous la femme du monde, la joueuse âpre, enragée, cette fille des Ladricourt dont un ancêtre avait pris Antioche, cette femme d'un diplomate saluée très bas par la colonie étrangère de Paris, et que sa passion promenait en solliciteuse louche chez tous les gens de finance. Ses lèvres saignaient, ses yeux flambaient davantage, son désir éclatait, soulevait la femme ardente qu'elle semblait être. Et il eut la naïveté de croire qu'elle était venue s'offrir, simplement pour être de sa grande affaire et avoir, à l'occasion, d'utiles renseignements de Bourse.

« Mais, cria-t-il, je ne demande pas mieux, madame, que de mettre à vos pieds mon expérience. »

Il avait rapproché sa chaise, il lui prit la main. Du coup, elle parut dégrisée. Ah ! non, elle n'en était pas encore là, il serait toujours temps qu'elle payât d'une nuit la communication d'une dépêche. C'était déjà, pour elle, une corvée abominable que sa liaison avec le procureur général Delcambre, cet homme si sec et si jaune, que la ladrerie de son mari l'avait forcée d'accueillir. Et son indifférence sensuelle, le mépris secret où elle tenait l'homme, venait de se montrer en une lassitude blême, sur son visage de fausse passionnée, que l'espoir du jeu seul enflammait. Elle se leva, dans une révolte de sa race et de son éducation, qui lui faisaient encore manquer des affaires.

« Alors, monsieur, vous dites que vous étiez content de ce chef de cuisine ? »

Étonné, Saccard se mit debout à son tour. Qu'avait-elle donc espéré ? qu'il l'inscrirait et la renseignerait pour rien ? Décidément, il fallait se méfier des femmes, elles apportaient dans les marchés la plus insigne mauvaise foi. Et, bien qu'il eût envie de celle-ci, il n'insista pas, il s'inclina avec un sourire qui signifiait : « À votre aise, chère madame, quand il vous plaira », tandis que, tout haut, il disait :

« Très content, je vous le répète. Une question de réforme intérieure m'a seule décidé à me séparer de lui. »

La baronne Sandorff eut une hésitation d'une seconde à peine, non qu'elle regrettât sa révolte, mais sans doute elle sentait combien il était naïf de venir chez un Saccard, avant d'être résignée aux conséquences. Cela l'irritait contre elle-même, car elle avait la prétention d'être une femme sérieuse. Elle finit par répondre d'une simple inclinaison de tête au respectueux salut dont il la congédiait ; et il l'accompagnait jusqu'à la petite porte, lorsque celle-ci fut brusquement ouverte, d'une main familière. C'était Maxime, qui déjeunait chez son père, ce matin-là, et qui arrivait en intime, par le couloir. Il s'effaça, salua également, pour laisser sortir la baronne. Puis, quand elle fut partie, il eut un léger rire.

« Ça commence, ton affaire ? tu touches tes primes ? »

Malgré sa grande jeunesse encore, il avait un aplomb d'homme d'expérience, incapable de se dépenser inutilement dans un plaisir hasardeux. Son père comprit son attitude de supériorité ironique.

« Non, justement, je n'ai rien touché du tout, et ce n'est point par sagesse, car, mon petit, je suis aussi fier d'avoir toujours vingt ans que tu parais l'être d'en avoir soixante. »

Le rire de Maxime s'accentua, son ancien rire perlé de fille, dont il avait gardé le roucoulement équivoque, dans l'attitude correcte qu'il s'était faite de garçon rangé, désireux de ne pas gâter sa vie davantage. Il affectait la plus grande indulgence, pourvu que rien de lui ne fût menacé.

« Ma foi, tu as bien raison, du moment que ça ne te fatigue pas... Moi, tu sais, j'ai déjà des rhumatismes. »

Et, s'installant à l'aise dans un fauteuil, prenant un journal :

« Ne t'occupe pas de moi, finis de recevoir, si je ne te gêne pas... Je suis venu trop tôt, parce que j'avais à passer chez mon médecin et que je ne l'ai pas trouvé. »

À ce moment, le valet de chambre entrait dire que Mme la comtesse de Beauvilliers demandait à être reçue. Saccard, un peu surpris, bien qu'il eût déjà rencontré à l'Œuvre du Travail sa noble voisine, comme il la nommait, donna l'ordre de l'introduire immédiatement ; puis, rappelant le valet, il lui commanda de renvoyer tout le monde, fatigué, ayant très faim.

Lorsque la comtesse entra, elle n'aperçut même pas Maxime, que le dossier du grand fauteuil cachait. Et Saccard s'étonna davantage, en voyant qu'elle avait amené avec elle sa fille Alice. Cela donnait plus de solennité à la démarche : ces deux femmes si tristes et si pâles, la mère mince, grande, toute blanche, à l'air suranné, la fille vieillie déjà, le cou trop long, jusqu'à la disgrâce. Il avança des sièges, d'une politesse agitée, pour mieux montrer sa déférence.

« Madame, je suis extrêmement honoré... Si j'avais le bonheur de pouvoir vous être utile... »

D'une grande timidité, sous son allure hautaine, la comtesse finit par expliquer le motif de sa visite.

« Monsieur, c'est à la suite d'une conversation avec mon amie, Mme la princesse d'Orviedo, que la pensée m'est venue de me présenter chez vous... Je vous avoue que j'ai hésité d'abord, car on ne refait pas facilement ses idées à mon âge, et j'ai toujours eu grand-peur des choses d'aujourd'hui que je ne comprends pas... Enfin, j'en ai causé avec ma fille, je crois qu'il est de mon devoir de passer sur mes scrupules pour tenter d'assurer le bonheur des miens. »

Et elle continua, elle dit comment la princesse lui avait parlé de la Banque universelle, certes une maison de crédit telle que les autres, aux yeux des profanes, mais qui, aux yeux des initiés, allait avoir une excuse sans réplique, un but tellement méritoire et haut, qu'il devait imposer silence aux consciences les plus timorées. Elle ne prononça ni le nom du pape ni celui de Jérusalem : c'était là ce qu'on ne disait pas, ce qu'on chuchotait à peine entre fidèles, le mystère qui passionnait ; mais, de chacune de ses paroles, de ses allusions et de ses sous-entendus, un espoir et une foi se dégageaient, qui mettaient toute une flamme religieuse dans sa croyance au succès de la nouvelle banque.

Saccard lui-même fut étonné de son émotion contenue, du tremblement de sa voix. Il n'avait encore parlé de Jérusalem que dans l'excès lyrique de sa fièvre, il se méfiait au fond de ce projet fou, y flairant quelque ridicule, disposé à l'abandonner et à en rire, si des plaisanteries l'accueillaient. Et la démarche émue de cette sainte femme qui amenait sa fille, la façon profonde dont elle donnait à entendre qu'elle et tous les siens, toute la noblesse française croirait et s'engouerait, le frappait vivement, donnait un corps à une rêverie pure, élargissait à l'infini son champ d'évolution. C'était donc vrai qu'il y avait là un levier, dont l'emploi allait lui permettre de soulever le monde[1] ! Avec son assimilation si rapide, il entra d'un coup dans la situation, parla lui aussi en termes mystérieux de ce triomphe final qu'il poursuivrait en silence ; et sa parole était pénétrée de ferveur, il venait réellement d'être touché de la foi, de la foi en l'excellence du moyen d'action que la crise traversée par la papauté lui mettait aux mains. Il avait la faculté heureuse de croire, dès que l'exigeait l'intérêt de ses plans.

« Enfin, monsieur, continuait la comtesse, je suis décidée à une chose qui m'a répugnée jusqu'ici... Oui, l'idée de faire travailler de l'argent, de le placer à intérêts, ne m'est jamais entrée dans la tête : des façons anciennes d'entendre la vie, des scrupules qui deviennent un peu sots, je le sais ; mais, que voulez-vous ? on ne va point aisément contre les croyances qu'on a sucées avec le lait, et je m'imaginais que la terre seule, la grande propriété devait nourrir des gens tels que nous... Malheureusement, la grande propriété... »

Elle rougit faiblement, car elle en arrivait à l'aveu de cette ruine qu'elle dissimulait avec tant de soin.

« La grande propriété n'existe plus guère... Nous autres avons été très éprouvés... Il ne nous reste plus qu'une ferme. »

Saccard, alors, pour lui éviter toute gêne, renchérit, s'enflamma.

---

1. La caractéristique et le paradoxe de l'Union générale d'Eugène Bontoux ont été d'amener à la spéculation boursière les franges de la société qui en étaient, par leurs préjugés, les plus éloignées. Lorsque la banque catholique s'est effondrée pour malversation, les bulletins boursiers des journaux – en particulier celui du *Gil Blas*, bien connu de Zola – se sont montrés extrêmement moqueurs à l'égard de ces gogos ultra-conservateurs.

« Mais, madame, personne ne vit plus de la terre...
L'ancienne fortune domaniale est une forme caduque de
la richesse, qui a cessé d'avoir sa raison d'être. Elle était
la stagnation même de l'argent, dont nous avons décuplé
la valeur, en le jetant dans la circulation, et par le papier-
monnaie, et par les titres de toutes sortes, commerciaux
et financiers. C'est ainsi que le monde va être renouvelé,
car rien n'était possible sans l'argent, l'argent liquide qui
coule, qui pénètre partout, ni les applications de la
science, ni la paix finale, universelle... Oh ! la fortune
domaniale ! elle est allée rejoindre les pataches[1]. On
meurt avec un million de terres, on vit avec le quart de
ce capital placé dans de bonnes affaires, à quinze, vingt
et même trente pour cent. »

Doucement, avec sa tristesse infinie, la comtesse hocha
la tête.

« Je ne vous entends guère, et, je vous l'ai dit, je suis
restée d'une époque où ces choses effrayaient, comme des
choses mauvaises et défendues. Seulement, je ne suis pas
seule, je dois surtout songer à ma fille. Depuis quelques
années, j'ai réussi à mettre de côté, oh ! une petite
somme... »

Sa rougeur reparaissait.

« Vingt mille francs qui dorment chez moi, dans un
tiroir. Plus tard, j'aurais peut-être un remords de les avoir
laissés ainsi improductifs ; et, puisque votre œuvre est
bonne, ainsi que me l'a confié mon amie, puisque vous
allez travailler à ce que nous souhaitons tous, de nos
vœux les plus ardents, je me risque... Enfin je vous serai
reconnaissante, si vous pouvez me réserver des actions
de votre banque, pour une somme de dix à douze mille
francs. J'ai tenu à ce que ma fille m'accompagnât, car je
ne vous cache pas que cet argent est à elle. »

---

1. Voitures publiques inconfortables et dépassées. Il faut comprendre
que la fortune domaniale est, de même, obsolète.

Jusque-là, Alice n'avait pas ouvert la bouche, l'air effacé, malgré son vif regard d'intelligence. Elle eut un geste de reproche tendre.

« Oh ! à moi ! maman, est-ce que j'ai quelque chose à moi qui ne soit pas à vous ?

– Et ton mariage, mon enfant ?

– Mais vous savez bien que je ne veux pas me marier ! »

Elle avait dit cela trop vite, le chagrin de sa solitude criait dans sa voix grêle. Sa mère la fit taire d'un coup d'œil navré ; et toutes deux se regardèrent un instant, ne pouvant se mentir, dans le partage quotidien de ce qu'elles avaient à souffrir et à cacher.

Saccard était très ému.

« Madame, il n'y aurait plus d'actions, que j'en trouverais quand même pour vous. Oui, s'il le faut, j'en prendrai sur les miennes... Votre démarche me touche infiniment, je suis très honoré de votre confiance... »

Et, à cet instant, il croyait réellement faire la fortune de ces malheureuses, il les associait, pour une part, à la pluie d'or qui allait pleuvoir sur lui et autour de lui.

Ces dames s'étaient levées et se retiraient. À la porte seulement, la comtesse se permit une allusion directe à la grande affaire dont on ne parlait pas.

« J'ai reçu de mon fils Ferdinand, qui est à Rome, une lettre désolante sur la tristesse produite là-bas par l'annonce du retrait de nos troupes.

– Patience ! déclara Saccard avec conviction, nous sommes là pour tout sauver. »

Il y eut de profonds saluts, et il les accompagna jusqu'au palier, en passant cette fois à travers l'antichambre, qu'il croyait libre. Mais, comme il revenait, il aperçut, assis sur une banquette, un homme d'une cinquantaine d'années, grand et sec, vêtu en ouvrier endimanché, qui avait avec lui une jolie fille de dix-huit ans, mince et pâle.

« Quoi ? que voulez-vous ? »

La jeune fille s'était levée la première, et l'homme, intimidé par cet accueil brusque, se mit à bégayer une explication confuse.

« J'avais donné l'ordre de renvoyer tout le monde ! Pourquoi êtes-vous là ?... Dites-moi votre nom, au moins.

– Dejoie, monsieur, et je viens avec ma fille Nathalie... »

De nouveau, il s'embrouilla, si bien que Saccard, impatienté, allait le pousser à la porte, lorsqu'il comprit enfin que c'était Mme Caroline qui le connaissait depuis longtemps et qui lui avait dit d'attendre.

« Ah ! vous êtes recommandé par Mme Caroline. Il fallait le dire tout de suite... Entrez et dépêchez-vous, car j'ai très faim. »

Dans le cabinet, il laissa Dejoie et Nathalie debout, ne s'assit pas lui-même, pour les expédier plus vite. Maxime qui, à la sortie de la comtesse, avait quitté son fauteuil, n'eut plus la discrétion de s'écarter, dévisageant les nouveaux venus, l'air curieux. Et Dejoie, longuement, racontait son affaire.

« Voici, monsieur... J'ai fait mon congé, puis je suis entré comme garçon de bureau chez M. Durieu, le mari de Mme Caroline, quand il vivait et qu'il était brasseur. Puis, je suis entré chez M. Lamberthier, le facteur [1] à la halle. Puis, je suis entré chez M. Blaisot, un banquier que vous connaissez bien : il s'est fait sauter la cervelle, il y a deux mois, et alors je suis sans place... Il faut vous dire, avant tout, que je m'étais marié. Oui, j'avais épousé ma femme Joséphine, quand j'étais justement chez M. Durieu, et qu'elle était, elle, cuisinière chez la belle-sœur de Monsieur, Mme Lévêque, que Mme Caroline a bien connue. Ensuite, quand j'ai été chez M. Lamberthier, elle n'a pas pu y entrer, elle s'est placée chez un médecin de Grenelle, M. Renaudin. Ensuite, elle est allée

---

1. Intermédiaire entre les producteurs et les marchands au détail.

au magasin des Trois-Frères, rue Rambuteau, où, comme par un guignon, il n'y a jamais eu de place pour moi...

– Bref, interrompit Saccard, vous venez me demander un emploi, n'est-ce pas ? »

Mais Dejoie tenait à exprimer le chagrin de sa vie, la mauvaise chance qui lui avait fait épouser une cuisinière, sans que jamais il eût réussi à se placer dans les mêmes maisons qu'elle. C'était quasiment comme si l'on n'avait pas été marié, n'ayant jamais une chambre à tous les deux, se voyant chez les marchands de vin, s'embrassant derrière les portes des cuisines. Et une fille était née, Nathalie, qu'il avait fallu laisser en nourrice jusqu'à huit ans, jusqu'au jour où le père, ennuyé d'être seul, l'avait reprise dans son étroit cabinet de garçon. Il était ainsi devenu la vraie mère de la petite, l'élevant, la menant à l'école, la surveillant avec des soins infinis, le cœur débordant d'une adoration grandissante.

« Ah ! je puis bien dire, monsieur, qu'elle m'a donné de la satisfaction. C'est instruit, c'est honnête... Et, vous la voyez, il n'y a pas sa pareille pour la gentillesse. »

En effet, Saccard la trouvait charmante, cette fleur blonde du pavé parisien, avec sa grâce chétive, ses larges yeux sous les petits frisons de ses cheveux pâles. Elle se laissait adorer par son père, sage encore, n'ayant eu aucun intérêt à ne pas l'être, d'un féroce et tranquille égoïsme, dans cette clarté si limpide de ses yeux.

« Alors donc, monsieur, la voici en âge de se marier, et il y a justement un beau parti qui se présente, le fils du cartonnier, notre voisin. Seulement, c'est un garçon qui veut s'établir, et il demande six mille francs. Ça n'est pas trop, il pourrait prétendre à une fille qui aurait davantage... Il faut vous dire que j'ai perdu ma femme, il y a quatre ans, et qu'elle nous a laissé des économies, ses petits bénéfices de cuisinière, n'est-ce pas ?... J'ai quatre mille francs ; mais ça ne fait pas six mille, et le jeune homme est pressé, Nathalie aussi... »

La jeune fille qui écoutait, souriante, avec son clair regard si froid et si décidé, eut une brusque affirmation du menton.

« Bien sûr… Je ne m'amuse pas, je veux en finir, d'une manière ou d'une autre. »

De nouveau, Saccard les interrompit. Il avait jugé l'homme, borné, mais très droit, très bon, rompu à la discipline militaire. Puis, il suffisait qu'il se présentât au nom de Mme Caroline.

« C'est parfait, mon ami… Je vais avoir un journal, je vous prends comme garçon de bureau… Laissez-moi votre adresse, et au revoir. »

Cependant, Dejoie ne s'en allait point. Il continua, avec embarras :

« Monsieur est bien obligeant, j'accepte la place avec reconnaissance, parce qu'il faudra que je travaille, quand j'aurai casé Nathalie… Mais j'étais venu pour autre chose. Oui, j'ai su, par Mme Caroline et par d'autres personnes encore, que Monsieur va se trouver dans de grandes affaires et qu'il pourra faire gagner tout ce qu'il voudra à ses amis et connaissances… Alors, si Monsieur voulait bien s'intéresser à nous, si Monsieur consentait à nous donner de ses actions… »

Saccard, une seconde fois, fut ému, plus ému qu'il ne venait de l'être, la première, lorsque la comtesse lui avait confié, elle aussi, la dot de sa fille. Cet homme simple, ce tout petit capitaliste aux économies grattées sou à sou, n'était-ce pas la foule croyante, confiante, la grande foule qui fait les clientèles nombreuses et solides, l'armée fanatisée qui arme une maison de crédit d'une force invincible ? Si ce brave homme accourait ainsi, avant toute publicité, que serait-ce, lorsque les guichets seraient ouverts ? Son attendrissement souriait à ce premier petit actionnaire, il voyait là le présage d'un gros succès.

« Entendu, mon ami, vous aurez des actions. »

La face de Dejoie rayonna, comme à l'annonce d'une grâce inespérée.

« Monsieur est trop bon… N'est-ce pas ? en six mois, je puis bien, avec mes quatre mille, en gagner deux mille, de façon à compléter la somme… Et, puisque Monsieur y consent, j'aime mieux régler ça tout de suite. J'ai apporté l'argent. »

Il se fouilla, tira une enveloppe, qu'il tendit à Saccard, immobile, silencieux, saisi d'une admiration charmée, à ce dernier trait. Et le terrible corsaire, qui avait déjà écumé tant de fortunes, finit par éclater d'un bon rire, résolu honnêtement à l'enrichir aussi, cet homme de foi.

« Mais, mon brave, ça ne se fait point ainsi… Gardez votre argent, je vous inscrirai, et vous paierez en temps et lieu. »

Cette fois, il les congédia, après que Dejoie l'eut fait remercier par Nathalie, dont un sourire de contentement éclairait les beaux yeux durs et candides.

Lorsque Maxime se retrouva enfin seul avec son père, il dit, de son air d'insolence moqueuse :

« Voilà que tu dotes les jeunes filles, maintenant.

– Pourquoi pas ? répondit gaiement Saccard. C'est un bon placement que le bonheur des autres. »

Il rangeait quelques papiers, avant de quitter son cabinet. Puis, brusquement :

« Et toi, tu n'en veux pas, des actions ? »

Maxime, qui marchait à petits pas, se retourna d'un sursaut, se planta devant lui.

« Ah ! non, par exemple ! Est-ce que tu me prends pour un imbécile ? »

Saccard eut un geste de colère, trouvant la réponse d'un irrespect et d'un esprit déplorables, prêt à lui crier que l'affaire était réellement superbe, qu'il le jugeait vraiment trop bête, s'il le croyait un simple voleur, comme les autres. Mais, en le regardant, une pitié lui vint de son pauvre garçon, épuisé à vingt-cinq ans, rangé, avare même, si vieilli de vices, si inquiet de sa santé, qu'il ne risquait plus une dépense ni une jouissance, sans en avoir réglementé le bénéfice. Et, tout consolé, tout fier de l'imprudence passionnée de ses cinquante ans, il se remit à rire, il lui tapa sur l'épaule.

« Tiens ! allons déjeuner, mon pauvre petit, et soigne tes rhumatismes. »

Ce fut le surlendemain, le 5 octobre, que Saccard, assisté d'Hamelin et de Daigremont, se rendit chez maître Lelorrain, notaire, rue Sainte-Anne ; et l'acte fut reçu, qui constituait, sous la dénomination de société de la Banque universelle, une société anonyme, au capital de vingt-cinq millions, divisé en cinquante mille actions de cinq cents francs chacune, dont le quart seul était exigible[1]. Le siège de la société était fixé rue Saint-Lazare, à l'hôtel d'Orviedo. Un exemplaire des statuts, dressés suivant l'acte, fut déposé en l'étude de maître Lelorrain[2]. Il faisait, ce jour-là, un très clair soleil d'automne, et ces messieurs, lorsqu'ils sortirent de chez le notaire, allumèrent des cigares, remontèrent doucement par le boulevard et la rue de la Chaussée-d'Antin, heureux de vivre, s'égayant comme des collégiens échappés.

L'assemblée générale constitutive[3] n'eut lieu que la semaine suivante, rue Blanche, dans la salle d'un petit bal qui avait fait faillite, et où un industriel tâchait d'organiser des expositions de peinture. Déjà, les syndicataires avaient placé celles des actions souscrites par eux, qu'ils ne gardaient pas ; et il vint cent vingt-deux actionnaires, représentant près de quarante mille actions, ce qui aurait dû donner un total de deux mille voix, le chiffre de vingt actions étant nécessaire pour avoir le droit de siéger et de voter. Cependant, comme un actionnaire ne pouvait exprimer plus de dix voix, quel que fût

---

1. La loi exige qu'une somme correspondant au quart du montant des actions souscrites par chaque actionnaire soit immédiatement versée au capital social (l'actionnaire s'engage à verser à terme les trois quarts restants). Cela afin de s'assurer de la solvabilité minimale des actionnaires, et de permettre à la société de lancer ses projets. 2. En toute illégalité, puisqu'une partie des actions n'a pas été souscrite. 3. L'assemblée générale qui va voter la constitution du conseil d'administration et les premières modalités financières.

le chiffre de ses titres, le nombre exact des suffrages fut de seize cent quarante-trois.

Saccard tint absolument à ce qu'Hamelin présidât. Lui, s'était volontairement perdu dans le troupeau. Il avait inscrit l'ingénieur, et s'était inscrit lui-même, chacun pour cinq cents actions, qu'il devait payer par un jeu d'écritures [1]. Tous les syndicataires étaient là : Daigremont, Huret, Sédille, Kolb, le marquis de Bohain, chacun avec le groupe d'actionnaires qui marchait sous ses ordres. On remarquait également Sabatani, un des plus gros souscripteurs, ainsi que Jantrou, au milieu de plusieurs des hauts employés de la banque, en fonctions depuis l'avant-veille. Et toutes les décisions à prendre avaient été si bien prévues et réglées d'avance, que jamais assemblée constitutive ne fut si belle de calme, de simplicité et de bonne entente. À l'unanimité des voix, on reconnut sincère la déclaration de la souscription intégrale du capital, ainsi que celle du versement des cent vingt-cinq francs par action [2]. Puis, solennellement, on déclara la société constituée. Le conseil d'administration fut ensuite nommé : il devait se composer de vingt membres qui, outre les jetons de présence [3], chiffrés à un total annuel de cinquante mille francs, auraient à toucher, d'après un article des statuts, le dix pour cent sur les bénéfices. Cela n'étant pas à dédaigner, chaque syndicataire avait exigé de faire partie du conseil ; et Daigremont, Huret, Sédille, Kolb, le marquis de Bohain ainsi qu'Hamelin, que l'on voulait porter à la présidence, passèrent naturellement en tête de la liste, avec quatorze autres de moindre importance, triés parmi les plus obéissants et les plus décoratifs des actionnaires. Enfin, Saccard, resté dans l'ombre jusque-là, apparut, lorsque,

---

1. Entorse, une fois de plus, à la règle du quart exigible. **2.** L'une et l'autre sont fausses, puisqu'une part du capital n'a été souscrite que par un jeu d'écritures (notamment sur le compte Sabatani), et que tous les actionnaires, à commencer par Saccard et l'ignorant Hamelin, n'ont pas versé le quart exigible de leurs actions de cinq cents francs. **3.** Rémunération pour la participation aux réunions du conseil d'administration.

le moment de choisir un directeur étant arrivé, Hamelin le proposa. Un murmure sympathique accueillit son nom, il obtint lui aussi l'unanimité. Et il n'y avait plus qu'à élire les deux commissaires censeurs*, chargés de présenter à l'assemblée un rapport sur le bilan et de contrôler ainsi les comptes fournis par les administrateurs : fonction délicate autant qu'inutile, pour laquelle Saccard avait désigné un sieur Rousseau et un sieur Lavignière, le premier complètement inféodé au second, celui-ci grand, blond, très poli, approuvant toujours, dévoré de l'envie d'entrer plus tard dans le conseil, lorsqu'on serait content de ses services[1]. Rousseau et Lavignière nommés, on allait lever la séance, lorsque le président crut devoir parler de la prime de dix pour cent accordée aux syndicataires, en tout quatre cent mille francs, que l'assemblée, sur sa proposition, passa aux frais de premier établissement. C'était une vétille, il fallait bien faire la part du feu[2] ; et, laissant la foule des petits actionnaires s'écouler avec le piétinement d'un troupeau, les gros souscripteurs restèrent les derniers, échangèrent encore sur le trottoir des poignées de main, l'air souriant.

Dès le lendemain, le conseil se réunit à l'hôtel d'Orviedo, dans l'ancien salon de Saccard, transformé en salle des séances. Une vaste table, recouverte d'un tapis de velours vert, entourée de vingt fauteuils tendus de la même étoffe, en occupait le centre ; et il n'y avait pas d'autres meubles que deux corps de bibliothèque, aux vitres garnies à l'intérieur de petits rideaux de soie également verte. Les tentures d'un rouge foncé assombrissaient la pièce, dont les trois fenêtres ouvraient sur le jardin de l'hôtel Beauvilliers. Il ne venait de là qu'un jour crépusculaire, comme une paix de vieux cloître, endormi

---

1. Ce qui signifie que le commissaire aux comptes est d'emblée juge et partie. 2. On affecte donc de présenter comme anecdotique un procédé qui, selon Saccard lui-même à la fin du chapitre précédent, consistait à « faire crier la vache avant même que de la traire » (p. 135). D'emblée, l'Universelle est déséquilibrée *primo* par la portion fictive de son capital, *secundo* par les avantages accordés aux gros actionnaires.

sous l'ombre verte de ses arbres. Cela était sévère et noble, on entrait dans une honnêteté antique.

Le conseil se réunissait pour former son bureau ; et il se trouva presque tout de suite au grand complet, comme sonnaient quatre heures. Le marquis de Bohain, avec sa grande taille, sa petite tête blême et aristocratique, était vraiment très vieille France ; tandis que Daigremont, affable, représentait la haute fortune impériale, dans son succès fastueux. Sédille, moins tourmenté que de coutume, causait avec Kolb d'un mouvement imprévu qui venait de se produire sur le marché de Vienne[1] ; et, autour d'eux, les autres administrateurs, la bande, écoutaient, tâchaient de saisir un renseignement, ou bien s'entretenaient aussi de leurs occupations personnelles, n'étant là que pour faire nombre et pour ramasser leur part, les jours de butin. Ce fut, comme toujours, Huret qui arriva en retard, essoufflé, échappé à la dernière minute d'une commission de la Chambre. Il s'excusa, et l'on s'assit sur les fauteuils, entourant la table.

Le doyen d'âge, le marquis de Bohain, avait pris place au fauteuil présidentiel, un fauteuil plus haut et plus doré que les autres. Saccard, comme directeur, s'était placé en face de lui. Et, immédiatement, lorsque le marquis eut déclaré qu'on allait procéder à la nomination du président, Hamelin se leva, pour décliner toute candidature : il croyait savoir que plusieurs de ces messieurs avaient songé à lui pour la présidence ; mais il leur faisait remarquer qu'il devait partir dès le lendemain pour l'Orient, qu'il était en outre d'une inexpérience absolue en matière de comptabilité, de banque et de Bourse, qu'enfin il y avait là une responsabilité dont il ne pouvait accepter le poids. Très surpris, Saccard l'écoutait, car, la veille encore, la chose était entendue ; et il devinait l'influence de Mme Caroline sur son frère, sachant que, le matin, ils

---

1. Autre place boursière importante au XIXe siècle. Voir le retentissant *krach* de Vienne en 1873, qui marque d'ailleurs l'importation du mot en France.

avaient eu une longue conversation ensemble. Aussi, ne voulant pas d'un autre président qu'Hamelin, quelque indépendant qui le gênerait peut-être, se permit-il d'intervenir, en expliquant que la fonction était surtout honorifique, qu'il suffisait que le président fît acte de présence, au moment des assemblées générales, pour appuyer les propositions du conseil et prononcer les discours d'usage. D'ailleurs, on allait élire un vice-président, qui donnerait les signatures. Et, pour le reste, pour la partie purement technique, la comptabilité, la Bourse, les mille détails intérieurs d'une grande maison de crédit, est-ce qu'il ne serait pas là, lui, Saccard, le directeur, justement nommé à cet effet ? Il devait, d'après les statuts, diriger le travail des bureaux, effectuer les recettes et les dépenses, gérer les affaires courantes, assurer les délibérations du conseil, être en un mot le pouvoir exécutif de la société. Ces raisons semblaient bonnes. Hamelin ne s'en débattit pas moins longtemps encore, il fallut que Daigremont et Huret insistassent eux-mêmes de la manière la plus pressante. Majestueux, le marquis de Bohain se désintéressait. Enfin, l'ingénieur céda, il fut nommé président, et l'on choisit pour vice-président un obscur agronome, ancien conseiller d'État, le vicomte de Robin-Chagot[1], homme doux et ladre, excellente machine à signatures. Quant au secrétaire, il fut pris en dehors du conseil, dans le personnel des bureaux de la banque, le chef du service des émissions. Et, comme la nuit venait, dans la grande pièce grave, une ombre verdie d'une infinie tristesse, on jugea la besogne bonne et suffisante, on se sépara après avoir réglé les séances à deux par mois, le petit conseil le quinze, et le grand conseil le trente.

Saccard et Hamelin remontèrent ensemble dans la salle des épures, où Mme Caroline les attendait. Elle vit bien tout de suite, à l'embarras de son frère, qu'il venait de

---

1. Imitation fictionnelle du nom de Rohan-Chabot, l'un des membres « décoratifs » du conseil d'administration de l'Union générale de Bontoux.

céder une fois encore, par faiblesse ; et, un instant, elle en fut très fâchée.

« Mais, voyons, ce n'est pas raisonnable ! cria Saccard. Songez que le président touche trente mille francs, chiffre qui sera doublé, lorsque nos affaires s'étendront. Vous n'êtes pas assez riches pour dédaigner cet avantage... Et que craignez-vous, dites ?

– Mais je crains tout, répondit Mme Caroline. Mon frère ne sera pas là, moi-même je n'entends rien à l'argent... Tenez ! ces cinq cents actions que vous avez inscrites pour lui sans qu'il les paie tout de suite, eh bien, n'est-ce pas irrégulier, ne serait-il pas en faute, si l'opération tournait mal [1] ? »

Il s'était mis à rire.

« Une belle histoire ! cinq cents actions, un premier versement de soixante-deux mille cinq cents francs ! Si, au premier bénéfice, avant six mois, il ne pouvait rembourser cela, autant vaudrait-il nous aller jeter sur-le-champ à la Seine, plutôt que de nous donner le souci de rien entreprendre... [2]. Non, vous pouvez être tranquille, la spéculation ne dévore que les maladroits. »

Elle restait sévère, dans l'ombre croissante de la pièce. Mais on apporta deux lampes, et les murs furent largement éclairés, les vastes plans, les aquarelles vives, qui la faisaient si souvent rêver des pays de là-bas. La plaine encore était nue, les montagnes barraient l'horizon, elle évoquait la détresse de ce vieux monde endormi sur ses trésors, et que la science allait réveiller dans sa crasse et dans son ignorance. Que de grandes et belles et bonnes choses à accomplir ! Peu à peu, une vision lui montrait des générations nouvelles, toute une humanité plus forte et plus heureuse poussant de l'antique sol labouré à nouveau par le progrès.

---

1. Voir *supra*, p. 157, note 1. **2.** Pour la première fois est énoncée l'idée, filée dans tout le roman, que l'Universelle n'existe que par les gains qu'elle escompte.

« La spéculation, la spéculation, répéta-t-elle machinalement, combattue de doute. Ah ! j'en ai le cœur troublé d'angoisse. »

Saccard, qui connaissait bien ses habituelles pensées, avait suivi sur son visage cet espoir de l'avenir.

« Oui, la spéculation. Pourquoi ce mot vous fait-il peur ?... Mais la spéculation, c'est l'appât même de la vie, c'est l'éternel désir qui force à lutter et à vivre... Si j'osais une comparaison, je vous convaincrais... »

Il riait de nouveau, pris d'un scrupule de délicatesse. Puis, il osa tout de même, volontiers brutal devant les femmes.

« Voyons, pensez-vous que sans... comment dirai-je ? sans la luxure, on ferait beaucoup d'enfants ?... Sur cent enfants qu'on manque de faire, il arrive qu'on en fabrique un à peine. C'est l'excès qui amène le nécessaire, n'est-ce pas ?

– Certes, répondit-elle, gênée.

– Eh bien ! sans la spéculation, on ne ferait pas d'affaires, ma chère amie... [1]. Pourquoi diable voulez-vous que je sorte mon argent, que je risque ma fortune, si vous ne me promettez pas une jouissance extraordinaire, un brusque bonheur qui m'ouvre le ciel ?... Avec la rémunération légitime et médiocre du travail, le sage équilibre des transactions quotidiennes, c'est un désert d'une platitude extrême que l'existence, un marais où toutes les forces dorment et croupissent ; tandis que, violemment, faites flamber un rêve à l'horizon, promettez qu'avec un sou on en gagnera cent, offrez à tous ces endormis de se mettre à la chasse de l'impossible, des millions conquis en deux heures, au milieu des plus effroyables casse-cou ; et la course commence, les énergies sont décuplées, la bousculade est telle, que, tout en

---

1. Cette analogie consiste à subvertir la métaphore de la Bourse en prostituée, que développaient, depuis les années 1850, des pamphlétaires comme Eugène de Mirecourt (voir la Présentation).

suant uniquement pour leur plaisir, les gens arrivent parfois à faire des enfants, je veux dire des choses vivantes,
grandes et belles… Ah ! dame ! il y a beaucoup de saletés
inutiles, mais certainement le monde finirait sans elles. »

Mme Caroline s'était décidée à rire, elle aussi ; car elle
n'avait point de pruderie.

« Alors, dit-elle, votre conclusion est qu'il faut s'y résigner, puisque cela est dans le plan de la nature… Vous
avez raison, la vie n'est pas propre. »

Et une véritable bravoure lui était venue, à cette idée
que chaque pas en avant s'était fait dans le sang et la
boue. Il fallait vouloir. Le long des murs, ses yeux
n'avaient pas quitté les plans et les dessins, et l'avenir
s'évoquait, des ports, des canaux, des routes, des chemins
de fer, des campagnes aux fermes immenses et outillées
comme des usines, des villes nouvelles, saines, intelligen-
tes, où l'on vivait très vieux et très savant.

« Allons, reprit-elle gaiement, il faut bien que je cède,
comme toujours… Tâchons de faire un peu de bien pour
qu'on nous pardonne. »

Son frère, resté silencieux, s'était approché et l'embrassait. Elle le menaça du doigt.

« Oh ! toi, tu es un câlin. Je te connais… Demain,
quand tu nous auras quittés, tu ne t'inquiéteras guère de
savoir ce qui se passe ici ; et, là-bas, dès que tu te seras
enfoncé dans tes travaux, tout ira bien, tu rêveras de
triomphe, pendant que l'affaire craquera sous nos pieds
peut-être.

— Mais, cria plaisamment Saccard, puisqu'il est
entendu qu'il vous laisse près de moi comme un gendarme, pour m'empoigner, si je me conduis mal ! »

Tous trois éclatèrent.

« Et vous pouvez y compter, que je vous empoigne-
rais !… Rappelez-vous ce que vous nous avez promis, à
nous d'abord, puis à tant d'autres, par exemple à mon
brave Dejoie, que je vous recommande bien… Ah ! et à
nos voisines aussi, ces pauvres dames de Beauvilliers, que
j'ai vues aujourd'hui surveillant le lavage de quelques

nippes, fait par leur cuisinière, sans doute pour diminuer le compte de la blanchisseuse. »

Un instant encore, ils causèrent très amicalement tous trois, et le départ d'Hamelin fut réglé d'une façon définitive.

Comme Saccard redescendait à son cabinet, le valet de chambre lui dit qu'une femme s'était obstinée à l'attendre, bien qu'il lui eût répondu qu'il y avait conseil et que Monsieur ne pourrait sans doute pas la recevoir. D'abord, fatigué, il s'emporta, donna l'ordre de la renvoyer ; puis, la pensée qu'il se devait au succès, la crainte de changer la veine, s'il fermait sa porte, le firent se raviser. Le flot des solliciteurs augmentait chaque jour, et cette foule lui apportait une ivresse.

Une seule lampe éclairait le cabinet, il ne voyait pas bien la visiteuse.

« C'est M. Busch qui m'envoie, monsieur… »

La colère le tint debout, et il ne lui dit même pas de s'asseoir. Cette voix grêle, dans ce corps débordant, venait de lui faire reconnaître Mme Méchain. Une jolie actionnaire, cette acheteuse d'actions à la livre !

Elle, tranquillement, expliquait que Busch l'envoyait pour avoir des renseignements sur l'émission de la Banque universelle. Restait-il des titres disponibles ? Pouvait-on espérer en obtenir, avec la prime accordée aux syndicataires ? Mais ce n'était là, sûrement, qu'un prétexte, une façon d'entrer, de voir la maison, d'espionner ce qu'il s'y faisait, et de le tâter lui-même ; car ses yeux minces, percés à la vrille dans la graisse de son visage, furetaient partout, revenaient sans cesse le fouiller jusqu'à l'âme. Busch, après avoir patienté longtemps, mûrissant la fameuse affaire de l'enfant abandonné, se décidait à agir et l'envoyait en éclaireur.

« Il n'y a plus rien », répondit brutalement Saccard.

Elle sentit qu'elle n'en apprendrait pas davantage, qu'il serait imprudent de tenter quelque chose. Aussi, ce jour-là, sans lui laisser le temps de la pousser dehors, fit-elle d'elle-même un pas vers la porte.

« Pourquoi ne me demandez-vous pas des actions pour vous ? » reprit-il, voulant être blessant.

De sa voix zézayante, sa voix pointue qui avait l'air de se moquer, elle répondit :

« Oh ! moi, ce n'est pas mon genre d'opérations… Moi, j'attends. »

Et, à cette minute, ayant aperçu le vaste sac de cuir usé, qui ne la quittait point, il fut traversé d'un frisson. Un jour où tout avait marché à souhait, le jour où il était si heureux de voir naître enfin la maison de crédit tant désirée, est-ce que cette vieille coquine allait être la fée mauvaise, celle qui jette un sort sur les princesses au berceau ? Il le sentait plein de valeurs dépréciées*, de titres déclassés, ce sac qu'elle venait promener dans les bureaux de sa banque naissante ; il croyait comprendre qu'elle menaçait d'attendre aussi longtemps qu'il serait nécessaire, pour y enterrer à leur tour ses actions à lui, quand la maison croulerait. C'était le cri du corbeau qui part avec l'armée en marche, la suit jusqu'au soir du carnage, plane et s'abat, sachant qu'il y aura des morts à manger.

« Au revoir, monsieur », dit la Méchain en se retirant, essoufflée et très polie.

V

Un mois plus tard, dans les premiers jours de novembre, l'installation de la Banque universelle n'était pas terminée. Il y avait encore des menuisiers qui posaient des boiseries, des peintres qui achevaient de mastiquer l'énorme toiture vitrée dont on avait couvert la cour.

Cette lenteur venait de Saccard, qui, mécontent de la mesquinerie de l'installation, prolongeait les travaux par des exigences de luxe ; et, ne pouvant repousser les murs, pour contenter son continuel rêve de l'énorme, il avait fini par se fâcher et par se décharger sur Mme Caroline du soin de congédier enfin les entrepreneurs. Celle-ci surveillait donc la pose des derniers guichets. Il y avait un nombre de guichets extraordinaire ; la cour, transformée en hall central, en était entourée : guichets grillagés, sévères et dignes, surmontés de belles plaques de cuivre, portant les indications en lettres noires [1]. En somme, l'aménagement, bien que réalisé dans un local un peu étroit, était d'une disposition heureuse : au rez-de-chaussée, les services qui devaient être en relation suivie avec le public, les différentes caisses, les émissions, toutes les opérations courantes de banque ; et, en haut, le mécanisme en quelque sorte intérieur, la direction, la correspondance, la comptabilité, les bureaux du contentieux et

---

1. La description des guichets des banques est primordiale dans le roman boursier. *L'Argent des autres* (1873), roman de Gaboriau, décrit par exemple l'intérieur de la banque du point de vue du déposant ou de l'actionnaire qui y déambule. Moyen de développer par la description le *topos* de la phyiologie et de la caricature boursières du XIXe siècle selon lequel la Bourse est un « miroir aux alouettes ».

du personnel. Au total, dans un espace si resserré, s'agitaient là plus de deux cents employés. Et ce qui frappait déjà, en entrant, même au milieu de la bousculade des ouvriers, finissant de taper leurs clous, pendant que l'or sonnait au fond des sébiles, c'était cet air de sévérité, un air de probité antique, fleurant vaguement la sacristie, qui provenait sans doute du local, de ce vieil hôtel humide et noir, silencieux à l'ombre des arbres du jardin voisin. On avait la sensation de pénétrer dans une maison dévote.

Un après-midi, revenant de la Bourse, Saccard lui-même eut cette sensation, qui le surprit. Cela le consola des dorures absentes. Il témoigna son contentement à Mme Caroline.

« Eh bien, tout de même, pour commencer, c'est gentil. On a l'air en famille, une vraie petite chapelle. Plus tard, on verra... Merci, ma belle amie, de la peine que vous vous donnez, depuis que votre frère est absent. »

Et, comme il avait pour principe d'utiliser les circonstances imprévues, il s'ingénia dès lors à développer cette apparence austère de la maison, il exigea de ses employés une tenue de jeunes officiants, on ne parla plus que d'une voix mesurée, on reçut et on donna l'argent avec une discrétion toute cléricale.

Jamais Saccard, dans sa vie tumultueuse, ne s'était dépensé avec autant d'activité. Le matin, dès sept heures, avant tous les employés, avant même que le garçon de bureau eût allumé son feu, il était dans son cabinet, à dépouiller le courrier, à répondre déjà aux lettres les plus pressées. Puis, c'était, jusqu'à onze heures, un interminable galop, les amis et les clients considérables, les agents de change*, les coulissiers*, les remisiers*, toute la nuée de la finance ; sans compter le défilé des chefs de service de la maison, venant aux ordres. Lui-même, dès qu'il avait une minute de répit, se levait, faisait une rapide inspection des divers bureaux, où les employés vivaient dans la terreur de ses apparitions brusques, qui se produisaient à des heures sans cesse différentes. À onze heures, il montait déjeuner avec Mme Caroline, mangeait largement, buvait de même, avec une aisance d'homme maigre, sans en être incommodé ; et l'heure pleine qu'il employait là n'était pas perdue, car c'était le moment où, comme il le disait, il confessait sa belle amie, c'est-à-dire où il lui demandait son avis sur les hommes et sur les choses, quitte à ne pas savoir le plus souvent profiter de sa grande sagesse. À midi, il sortait, allait à la Bourse, voulant y être un des premiers, pour voir et causer. Du reste, il ne jouait pas ouvertement, se trouvait là ainsi qu'à un rendez-vous naturel, où il était certain de rencontrer les clients de sa banque. Pourtant, son influence s'y indiquait déjà, il y était rentré en victorieux, en homme solide, appuyé désormais sur de vrais millions ; et les malins se parlaient à voix basse en le regardant, chuchotaient des rumeurs extraordinaires, lui prédisaient la royauté. Vers trois heures et demie, il était toujours rentré, il s'attelait à la fastidieuse besogne des signatures, tellement entraîné à cette course mécanique de la main, qu'il mandait des employés, donnait des réponses, réglait des affaires, la tête libre et parlant à l'aise, sans discontinuer de signer. Jusqu'à six heures, il recevait encore des visites, terminait le travail du jour, préparait celui du lendemain. Et, quand il remontait près de Mme Caroline, c'était pour un repas plus copieux que celui de onze heures, des poissons fins et du gibier surtout, avec des caprices de vins qui le faisaient dîner au bourgogne, au bordeaux, au champagne, selon l'heureux emploi de sa journée.

« Dites que je ne suis pas sage ! s'écriait-il parfois, en riant. Au lieu de courir les femmes, les cercles, les théâtres, je vis là, en bon bourgeois, près de vous... Il faut écrire cela à votre frère, pour le rassurer. »

Il n'était pas si sage qu'il le prétendait, ayant eu, à cette époque, la fantaisie d'une petite chanteuse des Bouffes [1] ; et il s'était même un jour oublié, à son tour,

1. Le théâtre des Bouffes-Parisiens.

chez Germaine Cœur, où il n'avait trouvé aucune satisfaction. La vérité était que, le soir, il tombait de fatigue.
Il vivait, d'ailleurs, dans un tel désir, dans une telle
anxiété du succès, que ses autres appétits allaient en rester comme diminués et paralysés, tant qu'il ne se sentirait
pas triomphant, maître indiscuté de la fortune.

« Bah ! répondait gaiement Mme Caroline, mon frère
a toujours été si sage, que la sagesse est pour lui une
condition de nature, et non un mérite... Je lui ai écrit
hier que je vous avais déterminé à ne pas faire redorer la
salle du conseil. Cela lui fera plus de plaisir. »

Ce fut donc par un après-midi très froid des premiers
jours de novembre, au moment où Mme Caroline donnait au maître peintre l'ordre de lessiver simplement les
peintures de cette salle, qu'on lui apporta une carte, en
lui disant que la personne insistait beaucoup pour la voir.
La carte, malpropre, portait le nom de Busch, imprimé
grossièrement. Elle ne connaissait pas ce nom, elle donna
l'ordre de faire monter chez elle, dans le cabinet de son
frère, où elle recevait.

Si Busch, depuis bientôt six grands mois, patientait,
n'utilisait pas l'extraordinaire découverte qu'il avait faite
d'un fils naturel de Saccard, c'était d'abord pour les raisons qu'il avait pressenties, le médiocre résultat qu'il y
aurait à tirer seulement de lui les six cents francs des
billets souscrits à la mère, la difficulté extrême de le faire
chanter pour en obtenir davantage, une somme raisonnable de quelques milliers de francs. Un homme veuf,
libre de toutes entraves, que le scandale n'effrayait guère,
comment le terroriser, lui faire payer cher ce vilain
cadeau d'un enfant de hasard, poussé dans la boue,
graine de souteneur et d'assassin ? Sans doute, la
Méchain avait laborieusement dressé un gros compte de
frais, environ six mille francs : des pièces de vingt sous
prêtées à Rosalie Chavaille, sa cousine, la mère du petit,
puis ce que lui avait coûté la maladie de la malheureuse,
son enterrement, l'entretien de sa tombe, enfin ce qu'elle
dépensait pour Victor lui-même depuis qu'il était tombé

à sa charge, la nourriture, les vêtements, un tas de choses.
Mais, dans le cas où Saccard n'aurait point la paternité
tendre, n'était-il pas croyable qu'il allait les envoyer promener ? car rien au monde ne la prouverait, cette paternité, sinon la ressemblance de l'enfant ; et ils ne tireraient
toujours de lui que l'argent des billets, encore s'il n'invo-
quait pas la prescription.

D'autre part, si Busch avait tant tardé, c'était qu'il
venait de passer des semaines d'affreuse inquiétude, près
de son frère Sigismond, couché, terrassé par la phtisie.
Pendant quinze jours surtout, ce terrible remueur
d'affaires avait tout négligé, tout oublié des mille pistes
enchevêtrées qu'il suivait, ne paraissant plus à la Bourse,
ne traquant plus un débiteur, ne quittant pas le chevet
du malade, qu'il veillait, soignait, changeait, comme une
mère. Devenu prodigue, lui d'une ladrerie immonde, il
appelait les premiers médecins de Paris, aurait voulu
payer les remèdes plus cher au pharmacien, pour qu'ils
fussent plus efficaces ; et, comme les médecins avaient
défendu tout travail, et que Sigismond s'entêtait, il lui
cachait ses papiers, ses livres. Entre eux, c'était devenu
une guerre de ruses. Dès que, vaincu par la fatigue, son
gardien s'endormait, le jeune homme, trempé de sueur,
dévoré de fièvre, retrouvait un bout de crayon, une marge
de journal, se remettait à des calculs, distribuant la
richesse selon son rêve de justice, assurant à chacun sa
part de bonheur et de vie. Et Busch, à son réveil, s'irritait
de le voir plus malade, le cœur crevé de ce qu'il donnait
ainsi à sa chimère le peu qu'il lui restait d'existence. Faire
joujou avec ces bêtises-là, il le lui permettait, comme on
permet des pantins à un enfant, lorsqu'il était en bonne
santé ; mais s'assassiner avec des idées folles, imprati-
cables, vraiment c'était imbécile ! Enfin, ayant consenti à
être sage, par affection pour son grand frère, Sigismond
avait repris quelque force, et il commençait à se lever.

Ce fut alors que Busch, se remettant à ses besognes,
déclara qu'il fallait liquider l'affaire Saccard, d'autant
plus que Saccard était rentré en conquérant à la Bourse

et qu'il redevenait un personnage d'une solvabilité indiscutable. Le rapport de Mme Méchain, qu'il avait envoyée rue Saint-Lazare, était excellent. Cependant, il hésitait encore à attaquer son homme de face, il temporisait en cherchant par quelle tactique il le vaincrait, lorsqu'une parole échappée à la Méchain sur Mme Caroline, cette dame qui tenait la maison, dont tous les fournisseurs du quartier lui avaient parlé, le lança dans un nouveau plan de campagne. Est-ce que, par hasard, cette dame était la vraie maîtresse, celle qui avait la clef des armoires et du cœur ? Il obéissait assez souvent à ce qu'il appelait le coup de l'inspiration, cédant à une divination brusque, partant en chasse sur une simple indication de son flair, quitte ensuite à tirer des faits une certitude et une résolution. Et ce fut ainsi qu'il se rendit rue Saint-Lazare, pour voir Mme Caroline.

En haut, dans la salle des épures, Mme Caroline resta surprise devant ce gros homme mal rasé, à la figure plate et sale, vêtu d'une belle redingote graisseuse et cravaté de blanc. Lui-même la fouillait jusqu'à l'âme, la trouvait telle qu'il la souhaitait, si grande, si saine, avec ses admirables cheveux blancs, qui éclairaient de gaieté et de douceur son visage resté jeune ; et il était surtout frappé par l'expression de la bouche un peu forte, une telle expression de bonté, que tout de suite il se décida.

« Madame, dit-il, j'aurais désiré parler à M. Saccard, mais on vient de me répondre qu'il était absent… »

Il mentait, il ne l'avait même pas demandé, car il savait fort bien qu'il n'y était point, ayant guetté son départ pour la Bourse.

« Et je me suis alors permis de m'adresser à vous, préférant cela au fond, n'ignorant pas à qui je m'adresse… Il s'agit d'une communication si grave, si délicate… »

Mme Caroline, qui, jusque-là, ne lui avait pas dit de s'asseoir, lui indiqua un siège, avec un empressement inquiet.

« Parlez, monsieur, je vous écoute. »

Busch, en relevant avec soin les pans de sa redingote, qu'il semblait craindre de salir, se posa à lui-même, comme un point acquis, qu'elle couchait avec Saccard.

« C'est que, madame, ce n'est point commode à dire, et je vous avoue qu'au dernier moment je me demande si je fais bien de vous confier une pareille chose... J'espère que vous verrez, dans ma démarche, l'unique désir de permettre à M. Saccard de réparer d'anciens torts... »

D'un geste, elle le mit à l'aise, ayant compris de son côté à quel personnage elle avait affaire, désirant abréger les protestations inutiles. Du reste, il n'insista pas, conta longuement l'ancienne histoire, Rosalie séduite rue de la Harpe, l'enfant naissant après la disparition de Saccard, et la mère morte dans la débauche, et Victor laissé à la charge d'une cousine trop occupée pour le surveiller, poussant au milieu de l'abjection. Elle l'écouta, étonnée d'abord par ce roman qu'elle n'attendait point, car elle s'était imaginé qu'il s'agissait de quelque louche aventure d'argent ; puis, visiblement, elle s'attendrit, émue du triste sort de la mère et de l'abandon du petit, profondément remuée dans sa maternité de femme restée stérile.

« Mais, dit-elle, êtes-vous certain, monsieur, des faits que vous me racontez ?... Il faut des preuves bien fortes, absolues, dans ces sortes d'histoires. »

Il eut un sourire.

« Oh ! madame, il y a une preuve aveuglante, la ressemblance extraordinaire de l'enfant... Puis, les dates sont là, tout s'accorde et prouve les faits jusqu'à la dernière évidence. »

Elle demeurait tremblante, et il l'observait. Après un silence, il continua :

« Vous comprenez maintenant, madame, combien j'étais embarrassé pour m'adresser directement à M. Saccard. Moi, je n'ai aucun intérêt là-dedans, je ne viens qu'au nom de Mme Méchain, la cousine, qu'un hasard seul a mise sur la trace du père tant cherché ; car j'ai eu l'honneur de vous dire que les douze billets de cinquante francs, donnés à la malheureuse Rosalie, étaient signés du nom de Sicardot, chose que je ne me permets pas de juger, excusable, mon Dieu ! dans cette terrible vie de Paris. Seulement, n'est-ce pas ? M. Saccard aurait pu se méprendre sur le caractère de mon intervention... Et c'est alors que j'ai eu l'inspiration de vous voir la première, madame, pour m'en remettre complètement à vous sur la marche à suivre, sachant quel intérêt vous portez à M. Saccard... Voilà ! vous avez notre secret, pensez-vous que je doive l'attendre et lui tout dire, dès aujourd'hui ? »

Mme Caroline montra une émotion croissante.

« Non, non, plus tard ! »

Mais elle-même ne savait que faire, dans l'étrangeté de la confidence. Il continuait de l'étudier, satisfait de la sensibilité extrême qui la lui livrait, achevant de bâtir son plan, certain désormais de tirer d'elle plus que Saccard n'aurait jamais donné.

« C'est que, murmura-t-il, il faudrait prendre un parti.

– Eh bien, j'irai... Oui, j'irai à cette cité, j'irai voir cette Mme Méchain et l'enfant... Cela vaut mieux, beaucoup mieux que je me rende d'abord compte des choses. »

Elle pensait tout haut, la résolution lui venait de faire une soigneuse enquête, avant de rien dire au père. Ensuite, si elle était convaincue, il serait temps de l'avertir. N'était-elle pas là pour veiller sur sa maison et sur sa tranquillité ?

« Malheureusement, ça presse, reprit Busch, l'amenant peu à peu où il voulait. Le pauvre gamin souffre. Il est dans un milieu abominable. »

Elle s'était levée.

« Je mets un chapeau et j'y vais à l'instant. »

À son tour, il dut quitter sa chaise, et négligemment :

« Je ne vous parle pas du petit compte qu'il y aura à régler. L'enfant a coûté, naturellement ; et il y a aussi de l'argent prêté, du vivant de la mère... Oh ! moi, je ne sais pas au juste. Je n'ai voulu me charger de rien. Tous les papiers sont là-bas.

– Bon ! je vais voir. »

Alors, il parut s'attendrir lui-même.

« Ah ! madame, si vous saviez toutes les drôles de choses que je vois, dans les affaires ! Ce sont les gens les plus honnêtes qui ont à souffrir plus tard de leurs passions, ou, ce qui est pis, des passions de leurs parents... Ainsi, je pourrais vous citer un exemple. Vos infortunées voisines, ces dames de Beauvilliers... »

D'un mouvement brusque, il s'était approché d'une des fenêtres, il plongeait ses regards ardemment curieux dans le jardin voisin. Sans doute, depuis qu'il était entré, il méditait ce coup d'espionnage, aimant à connaître ses terrains de bataille. Dans l'affaire de la reconnaissance de dix mille francs, signée par le comte à la fille Léonie Cron, il avait deviné juste, les renseignements envoyés de Vendôme disaient l'aventure prévue : la fille séduite, restée sans un sou, à la mort du comte, avec son chiffon de papier inutile, et dévorée de l'envie de venir à Paris, et finissant par laisser le papier en nantissement [1] à l'usurier Charpier, pour cinquante francs peut-être. Seulement, s'il avait tout de suite retrouvé les Beauvilliers, il faisait battre Paris depuis six mois par la Méchain, sans pouvoir mettre la main sur Léonie. Elle y était tombée bonne à tout faire, chez un huissier, et il la suivait dans trois places ; puis, chassée pour inconduite notoire, elle disparaissait, il avait en vain fouillé tous les ruisseaux. Cela l'exaspérait d'autant plus, qu'il ne pouvait rien tenter sur la comtesse, tant qu'il n'aurait pas la fille comme une menace vivante de scandale. Mais il n'en nourrissait pas moins l'affaire, il était heureux, debout devant la fenêtre, de connaître le jardin de l'hôtel, dont il n'avait vu encore que la façade, sur la rue.

« Est-ce que ces dames seraient également menacées de quelque ennui ? » demanda Mme Caroline, avec une inquiète sympathie.

Il fit l'innocent.

---

1. C'est-à-dire en garantie du paiement ultérieur de sa dette.

« Non, je ne crois pas… Je voulais parler simplement de la triste situation où les a laissées la mauvaise conduite du comte… Oui, j'ai des amis à Vendôme, je sais leur histoire. »

Et, comme il se décidait enfin à quitter la fenêtre, il eut, dans l'émotion qu'il jouait, un brusque et singulier retour sur lui-même.

« Encore, quand ce ne sont que des plaies d'argent ! mais c'est lorsque la mort entre dans une maison ! »

Cette fois, de vraies larmes mouillaient ses yeux. Il venait de songer à son frère, il étouffait. Elle crut qu'il avait récemment perdu un des siens, elle ne le questionna pas, par discrétion. Jusque-là, elle ne s'était pas trompée sur les basses besognes du personnage, à la répugnance qu'il lui inspirait ; et ces larmes inattendues la déterminaient davantage que la plus savante des tactiques : son désir s'accrut de courir tout de suite à la cité de Naples.

« Madame, je compte donc sur vous.

– Je pars à l'instant. »

Une heure plus tard, Mme Caroline, qui avait pris une voiture, errait derrière la butte Montmartre [1], sans pouvoir trouver la cité. Enfin, dans une des rues désertes qui se relient à la rue Marcadet, une vieille femme la désigna au cocher. C'était, à l'entrée, comme un chemin de campagne, défoncé, obstrué de boue et de détritus, s'enfonçant au milieu d'un terrain vague ; et l'on ne distinguait qu'après un coup d'œil attentif les misérables constructions, faites de terre, de vieilles planches et de vieux zinc, pareilles à des tas de démolitions, rangés autour de la cour intérieure. Sur la rue, une maison à un étage, bâtie en moellons, celle-là, mais d'une décrépitude et d'une crasse repoussantes, semblait commander l'entrée, ainsi qu'une geôle. Et, en effet, Mme Méchain demeurait là, en

---

1. Les Batignolles et Montmartre (18ᵉ arrondissement), annexés à Paris en 1860, étaient un quartier populaire, alors encore en friche, qui s'étendait au nord de Paris entre la butte Montmartre et les fortifications.

propriétaire vigilante, sans cesse aux aguets, exploitant elle-même son petit peuple de locataires affamés.

Dès que Mme Caroline fut descendue de voiture, elle la vit apparaître sur le seuil, énorme, la gorge et le ventre coulant dans une ancienne robe de soie bleue, limée aux plis, craquée aux coutures, les joues si bouffies et si rouges, que le nez petit, disparu, semblait cuire entre deux brasiers. Elle hésitait, prise de malaise, lorsque la voix très douce, d'un charme aigrelet de pipeau champêtre, la rassura.

« Ah ! madame, c'est M. Busch qui vous envoie, vous venez pour le petit Victor… Entrez, entrez donc. Oui, c'est bien ici la cité de Naples. La rue n'est pas classée, nous n'avons pas encore de numéros… Entrez, il faut causer de tout ça, d'abord. Mon Dieu ! c'est si ennuyeux, c'est si triste ! »

Et Mme Caroline dut accepter une chaise dépaillée, dans une salle à manger noire de graisse, où un poêle rouge entretenait une chaleur et une odeur asphyxiantes. La Méchain, maintenant, se récriait sur la chance que la visiteuse avait de la rencontrer, car elle avait tant d'affaires dans Paris, elle ne remontait guère avant six heures. Il fallut l'interrompre.

« Pardon, madame, je venais pour ce malheureux enfant.

— Parfaitement, madame, je vais vous le montrer… Vous savez que sa mère était ma cousine. Ah ! je puis dire que j'ai fait mon devoir… Voici les papiers, voici les comptes. »

D'un buffet, elle tirait un dossier, bien en ordre, classé dans une chemise bleue, comme chez un agent d'affaires. Et elle ne tarissait plus sur la pauvre Rosalie : sans doute elle avait fini par mener une vie tout à fait dégoûtante, allant avec le premier venu, rentrant ivre et en sang, après des bordées de huit jours ; seulement, n'est-ce pas ? il fallait comprendre, car elle était bonne ouvrière avant que le père lui eût démis l'épaule, le jour où il l'avait prise sur l'escalier ; et ce n'était pas, avec son infirmité, en vendant des citrons aux Halles, qu'elle pouvait vivre sage.

« Vous voyez, madame, c'est par vingt sous, par quarante sous, que je lui ai prêté tout ça. Les dates y sont : le 20 juin, vingt sous ; le 27 juin, encore vingt sous ; le 3 juillet, quarante sous. Et, tenez ! elle a dû être malade à cette époque, parce que voici des quarante sous à n'en plus finir... Puis, il y avait Victor que j'habillais. J'ai mis un V devant toutes les dépenses faites pour le gamin... Sans compter que, lorsque Rosalie a été morte, oh ! bien salement, dans une maladie qui était une vraie pourriture, il est tombé complètement à ma charge. Alors, regardez ! j'ai mis cinquante francs par mois. C'est très raisonnable. Le père est riche, il peut bien donner cinquante francs par mois pour son garçon... Enfin, ça fait cinq mille quatre cent trois francs ; et, si nous ajoutons les six cents francs des billets, nous arrivons au total de six mille francs... Oui, tout pour six mille francs, voilà ! »

Malgré la nausée qui la pâlissait, Mme Caroline fit une réflexion.

« Mais les billets ne vous appartiennent pas, ils sont la propriété de l'enfant.

— Ah ! pardon, reprit la Méchain, aigrement, j'ai avancé de l'argent dessus. Pour rendre service à Rosalie, je les lui ai escomptés. Vous voyez derrière mon endos... [1]. C'est encore gentil de ma part de ne pas réclamer des intérêts... On réfléchira, ma bonne dame, on ne voudra pas faire perdre un sou à une pauvre femme comme moi. »

Sur un geste las de la bonne dame, qui acceptait le compte, elle se calma. Et elle retrouva sa petite voix flûtée pour dire :

« Maintenant, je vais faire appeler Victor. »

---

1. En endossant tout ou partie des billets de créance autrefois signés par Saccard, la Méchain a avancé de l'argent, prétend-elle, à Rosalie Chavaille ou directement à l'enfant.

Mais elle eut beau envoyer coup sur coup trois mioches qui rôdaient, se planter sur le seuil, faire de grands gestes : il fut acquis que Victor refusait de se déranger. Un des mioches rapporta même, pour toute réponse, un mot ignoble. Alors, elle s'ébranla, disparut comme pour aller le chercher par une oreille. Puis, elle reparut seule, ayant réfléchi, trouvant bon sans doute de le montrer dans toute son horreur.

« Si madame veut bien prendre la peine de me suivre. »

Et, en marchant, elle fournit des détails sur la cité de Naples, que son mari tenait d'un oncle. Ce mari devait être mort, personne ne l'avait connu, et elle n'en parlait jamais que pour expliquer la provenance de sa propriété. Une mauvaise affaire qui la tuerait, disait-elle, car elle y trouvait plus de soucis que de profits, surtout depuis que la préfecture la tracassait, lui envoyait des inspecteurs qui exigeaient des réparations, des améliorations, sous le prétexte que les gens crevaient chez elle comme des mouches. D'ailleurs, elle se refusait énergiquement à dépenser un sou. Est-ce qu'on n'allait pas bientôt exiger des cheminées ornées de glaces, dans des chambres qu'elle louait deux francs par semaine ! Et ce qu'elle ne disait point, c'était son âpreté à toucher ses loyers, jetant les familles à la rue, dès qu'on ne lui donnait pas d'avance ses deux francs, faisant elle-même sa police, si redoutée, que les mendiants sans asile n'auraient osé dormir pour rien contre un de ses murs.

Le cœur serré, Mme Caroline examinait la cour, un terrain ravagé, creusé de fondrières [1], que les ordures accumulées transformaient en un cloaque. On jetait tout là, il n'y avait ni fosse ni puisard [2], c'était un fumier sans cesse accru, empoisonnant l'air ; et heureusement qu'il

---

1. Trous pleins d'eau, dans un chemin défoncé. Ce mot est récurrent dans le roman, au sens propre et figuré (pour désigner les affaires de Bourse). On préférerait aujourd'hui le terme « ornières ». 2. Puits de pierre sèche pouvant recevoir les déchets, en particulier liquides, et relié aux égouts.

faisait froid, car la peste [1] s'en dégageait, sous les grands
soleils. D'un pied inquiet, elle cherchait à éviter les débris
de légumes et les os, en promenant ses regards aux deux
bords, sur les habitations, des sortes de tanières sans
nom, des rez-de-chaussée effondrés à demi, masures en
ruine consolidées avec les matériaux les plus hétéroclites.
Plusieurs étaient simplement couvertes de papier gou-
dronné. Beaucoup n'avaient pas de porte, laissaient
entrevoir des trous noirs de cave, d'où sortait une haleine
nauséabonde de misère. Des familles de huit et dix personnes s'entassaient dans ces charniers, sans même avoir
un lit souvent, les hommes, les femmes, les enfants en tas,
se pourrissant les uns les autres, comme les fruits gâtés,
livrés dès la petite enfance à l'instinctive luxure par la
plus monstrueuse des promiscuités. Aussi des bandes de
mioches, hâves, chétifs, mangés de la scrofule [2] et de la
syphilis [3] héréditaires, emplissaient-elles sans cesse la
cour, pauvres êtres poussés sur ce fumier ainsi que des
champignons véreux, dans le hasard d'une étreinte, sans
qu'on sût au juste quel pouvait être le père. Lorsqu'une
épidémie de fièvre typhoïde ou de variole soufflait, elle
balayait d'un coup au cimetière la moitié de la cité.

« Je vous expliquais donc, madame, reprit la Méchain,
que Victor n'a pas eu de trop bons exemples sous les
yeux, et qu'il serait temps de songer à son éducation, car
le voilà qui achève ses douze ans... Du vivant de sa mère,
n'est-ce pas ? il voyait des choses pas très convenables,
attendu qu'elle ne se gênait guère, quand elle était soûle.
Elle amenait les hommes, et tout ça se passait devant
lui... Ensuite, moi, je n'ai jamais eu le temps de le surveiller d'assez près, à cause de mes affaires dans Paris. Il

---

1. Terme à prendre visiblement ici dans un sens général, pour désigner toute maladie infectieuse. 2. Lésion, en particulier de la peau, qui
provoque indéfiniment des écoulements (de pus). La description de la
mère Eulalie, qui va suivre, en fait une scrofuleuse. 3. Maladie véné-
rienne contagieuse, autrefois appelée vérole, et dont on connaît la fortune en littérature.

courait toute la journée sur les fortifications [1]. Deux fois, j'ai dû aller le réclamer, parce qu'il avait volé, oh ! des bêtises seulement. Et puis, dès qu'il a pu, ç'a été avec les petites filles, tant sa pauvre mère lui en avait montré. Avec ça, vous allez le voir, à douze ans, c'est déjà un homme... Enfin, pour qu'il travaille un peu, je l'ai donné à la mère Eulalie, une femme qui vend à Montmartre des légumes au panier. Il l'accompagne à la Halle, il lui porte un de ses paniers. Le malheur est qu'en ce moment elle a des abcès à la cuisse... Mais nous y voici, madame, veuillez entrer. »

Mme Caroline eut un mouvement de recul. C'était, au fond de la cour, derrière une véritable barricade d'immondices, un des trous les plus puants, une masure écrasée dans le sol, pareille à un tas de gravats que des bouts de planches soutenaient. Il n'y avait pas de fenêtre. Il fallait que la porte, une ancienne porte vitrée, doublée d'une feuille de zinc, restât ouverte, pour qu'on vît clair ; et le froid entrait, terrible. Dans un coin, elle aperçut une paillasse, jetée simplement sur la terre battue. Aucun autre meuble n'était reconnaissable, parmi le pêle-mêle de tonneaux éclatés, de treillages arrachés, de corbeilles à demi pourries, qui devaient servir de sièges et de tables. Les murs suintaient, d'une humidité gluante. Une crevasse, une fente verte dans le plafond noir, laissait couler la pluie, juste au pied de la paillasse. Et l'odeur, l'odeur surtout était affreuse, l'abjection humaine dans l'absolu dénuement.

« Mère Eulalie, cria la Méchain, c'est une dame qui veut du bien à Victor... Qu'est-ce qu'il a, ce crapaud, à ne pas venir, quand on l'appelle ? »

---

1. Les fortifications, ou enceinte de Thiers, ont été édifiées en 1842-1845 autour de Paris et des hameaux environnants. En 1860, ces hameaux ont été annexés par la ville, et Paris s'est dès lors constitué en vingt arrondissements à l'intérieur des fortifications. Ces dernières étaient une zone ingrate, terrain de jeu d'une population parfois hors-la-loi, en particulier des « apaches », ces voyous qui peuplent le roman populaire du second XIXᵉ siècle et dont Victor est un exemple. Les « fortif' », décor de bien des chansons de Paris, ont été détruites en 1919, l'actuel périphérique en conservant à peu près le tracé.

Un paquet de chair informe grouilla sur la paillasse, dans un lambeau de vieille indienne [1] qui servait de drap ; et Mme Caroline distingua une femme d'une quarantaine d'années, toute nue là-dedans, faute de chemise, semblable à une outre à moitié vide, tant elle était molle et coupée de plis. La tête n'était point laide, fraîche encore, encadrée de petits cheveux blonds frisés.

« Ah ! geignit-elle, qu'elle entre, si c'est pour notre bien, car il n'est pas Dieu possible que ça continue !... Quand on pense, madame, que voilà quinze jours que je n'ai pu me lever, à cause de ces saletés de gros boutons qui me font des trous dans la cuisse !... Alors, il n'y a plus un sou, naturellement. Impossible de continuer le commerce. J'avais deux chemises que Victor est allé vendre ; et je crois bien que, ce soir, nous serions claqués de faim. »

Puis, haussant la voix :

« C'est bête, à la fin ! sors donc de là, petit !... La dame ne veut pas te faire du mal. »

Et Mme Caroline tressaillit, en voyant se dresser d'un panier un paquet, qu'elle avait pris pour un tas de loques. C'était Victor, vêtu des restes d'un pantalon et d'une veste de toile, par les trous desquels sa nudité passait. Il se trouvait en plein dans la clarté de la porte, elle restait béante, stupéfiée de son extraordinaire ressemblance avec Saccard. Tous ses doutes s'en allèrent, la paternité était indéniable.

« Je veux pas, moi, déclara-t-il, qu'on m'embête pour aller à l'école. »

Mais elle le regardait toujours, envahie d'un malaise croissant. Dans cette ressemblance qui la frappait, il était inquiétant, ce gamin, avec toute une moitié de la face plus grosse que l'autre, le nez tordu à droite, la tête comme écrasée sur la marche où sa mère, violentée, l'avait conçu [2]. En outre, il paraissait prodigieusement

---

1. Tissu bon marché, en coton peint ou imprimé. 2. Illustration de la théorie de l'imprégnation, que Zola a trouvée dans le *Traité de*

développé pour son âge, pas très grand, trapu, entièrement formé à douze ans, déjà poilu, ainsi qu'une bête précoce. Les yeux hardis, dévorants, la bouche sensuelle, étaient d'un homme. Et, dans cette grande enfance, au teint si pur encore, avec certains coins délicats de fille, cette virilité, si brusquement épanouie, gênait et effrayait, ainsi qu'une monstruosité.

« L'école vous fait donc bien peur, mon petit ami ? finit par dire Mme Caroline. Vous y seriez pourtant mieux qu'ici… Où couchez-vous ? »

D'un geste, il montra la paillasse.

« Là, avec elle. »

Contrariée de cette réponse franche, la mère Eulalie s'agita, cherchant une explication.

« Je lui avais fait un lit avec un petit matelas ; et puis, il a fallu le vendre… On couche comme on peut, n'est-ce pas ? quand tout a filé. »

La Méchain crut devoir intervenir, bien qu'elle n'ignorât rien de ce qui se passait.

« Ce n'est tout de même pas convenable, Eulalie… Et toi, garnement, tu aurais bien pu venir coucher chez moi, au lieu de coucher avec elle. »

Mais Victor se planta sur ses courtes et fortes jambes, se carrant dans sa précocité de mâle.

« Pourquoi donc, c'est ma femme ! »

Alors, la mère Eulalie, vautrée dans sa molle graisse, prit le parti de rire, tâchant de sauver l'abomination, en en parlant d'un air de plaisanterie. Et une admiration tendre perçait en elle.

---

l'hérédité du docteur Prosper Lucas, ouvrage qui l'a aidé à concevoir la « détermination générale » présidant au destin des Rougon et des Macquart. Selon cette théorie, erronée mais prise au sérieux par Zola en 1868-1869 (sans doute parce qu'il en mesure le potentiel romanesque), « l'énergie momentanée d'un facteur va jusqu'à reproduire chez l'enfant l'état du facteur au moment du coït » : ainsi Gervaise boîte, parce qu'elle a été conçue par Antoine Macquart et Joséphine Gavaudan dans la violence (voir *La Fortune des Rougon*).

« Oh ! ça, bien sûr que je ne lui confierais pas ma fille, si j'en avais une… C'est un vrai petit homme. »

Mme Caroline frémit. Le cœur lui manquait, dans une nausée affreuse. Eh quoi ? ce gamin de douze ans, ce petit monstre, avec cette femme de quarante, ravagée et malade, sur cette paillasse immonde, au milieu de ces tessons et de cette puanteur ! Ah ! misère, qui détruit et pourrit tout !

Elle laissa vingt francs, se sauva, revint se réfugier chez la propriétaire, pour prendre un parti et s'entendre définitivement avec celle-ci. Une idée s'était éveillée en elle, devant un tel abandon, celle de l'Œuvre du Travail : n'avait-elle pas été justement créée, cette œuvre, pour des déchéances pareilles, les misérables enfants du ruisseau qu'on tâchait de régénérer par de l'hygiène et un métier ? Au plus vite, il fallait enlever Victor de ce cloaque, le mettre là-bas, lui refaire une existence. Elle en était restée toute tremblante. Et, dans cette décision, il lui venait une délicatesse de femme : ne rien dire encore à Saccard, attendre d'avoir décrassé un peu le monstre, avant de le lui montrer ; car elle éprouvait comme une pudeur pour lui de cet effroyable rejeton, elle souffrait de la honte qu'il en aurait eue. Quelques mois suffiraient sans doute, elle parlerait ensuite, heureuse de sa bonne action.

La Méchain comprit difficilement.

« Mon Dieu ! madame, comme il vous plaira… Seulement, je veux mes six mille francs tout de suite. Victor ne bougera pas de chez moi, si je n'ai pas mes six mille francs. »

Cette exigence désespéra Mme Caroline. Elle n'avait pas la somme, elle ne voulait pas la demander au père, naturellement. En vain, elle discuta, supplia.

« Non, non ! Si je n'avais plus mon gage, je pourrais me fouiller [1]. Je connais ça. »

Enfin, voyant que la somme était grosse et qu'elle n'obtiendrait rien, elle fit un rabais.

---

1. Argot de l'époque pour signifier « je pourrais toujours courir ».

« Eh bien, donnez-moi deux mille francs tout de suite. J'attendrai pour le reste. »

Mais l'embarras de Mme Caroline restait le même, et elle se demandait où prendre ces deux mille francs, lorsque la pensée lui vint de s'adresser à Maxime. Elle ne voulut pas la discuter. Il consentirait bien à être du secret, il ne refuserait pas l'avance de ce peu d'argent, que certainement son père lui rembourserait. Et elle s'en alla, en annonçant qu'elle reviendrait prendre Victor le lendemain.

Il n'était que cinq heures, elle avait une telle fièvre d'en finir, qu'en remontant dans son fiacre, elle donna au cocher l'adresse de Maxime, avenue de l'Impératrice. Quand elle arriva, le valet de chambre lui dit que Monsieur était à sa toilette, mais qu'il allait tout de même l'annoncer.

Un instant, elle étouffa, dans le salon où elle attendait. C'était un petit hôtel installé avec un raffinement exquis de luxe et de bien-être. Les tentures, les tapis s'y trouvaient prodigués ; et une odeur fine, ambrée, s'exhalait, dans le tiède silence des pièces. Cela était joli, tendre et discret, bien qu'il n'y eût pas là de femme ; car le jeune veuf, enrichi par la mort de la sienne, avait réglé sa vie pour l'unique culte de lui-même, fermant sa porte, en garçon d'expérience, à tout nouveau partage. Cette jouissance de vivre, qu'il devait à une femme, il n'entendait pas qu'une autre femme la lui gâtât. Désabusé du vice, il ne continuait à en prendre que comme d'un dessert qui lui était défendu, à cause de son estomac déplorable. Il avait abandonné depuis longtemps son idée d'entrer au Conseil d'État, il ne faisait même plus courir, les chevaux l'ayant rassasié comme les filles. Et il vivait seul, oisif, parfaitement heureux, mangeant sa fortune avec art et précaution, d'une férocité de beau-fils pervers et entretenu, devenu sérieux.

« Si Madame veut me suivre, revint dire le valet. Monsieur la recevra tout de suite dans sa chambre. »

Mme Caroline avait avec Maxime des rapports familiers, depuis qu'il la voyait installée en intendante fidèle, chaque fois qu'il allait dîner chez son père. En entrant dans la chambre, elle trouva les rideaux fermés, six bougies brûlant sur la cheminée et sur un guéridon, éclairant d'une flamme tranquille ce nid de duvet et de soie, une chambre trop douillette de belle dame à vendre, avec ses sièges profonds, son immense lit, d'une mollesse de plumes. C'était la pièce aimée, où il avait épuisé les délicatesses, les meubles et les bibelots précieux, des merveilles du siècle dernier, fondus, perdus dans le plus délicieux fouillis d'étoffes qui se pût voir.

Mais la porte donnant sur le cabinet de toilette était grande ouverte, et il parut, disant :

« Quoi donc, qu'est-il arrivé ?... Papa n'est pas mort ? »

Au sortir du bain, il venait de passer un élégant costume de flanelle blanche, la peau fraîche et embaumée, avec sa jolie tête de fille, déjà fatiguée, les yeux bleus et clairs sur le vide du cerveau. Par la porte, on entendait encore l'égouttement d'un des robinets de la baignoire, tandis qu'un parfum de violente fleur montait, dans la douceur de l'eau tiède.

« Non, non, ce n'est pas si grave, répondit-elle, gênée par le ton tranquillement plaisant de la question. Et ce que j'ai à vous dire pourtant m'embarrasse un peu... Vous m'excuserez de tomber ainsi chez vous...

– C'est vrai, je dîne en ville, mais j'ai bien le temps de m'habiller... Voyons, qu'y a-t-il ? »

Il attendait, et elle hésitait maintenant, balbutiait, saisie de ce grand luxe, de ce raffinement jouisseur, qu'elle sentait autour d'elle. Une lâcheté la prenait, elle ne retrouvait plus son courage à tout dire. Était-ce possible que l'existence, si dure à l'enfant de hasard, là-bas, dans le cloaque de la cité de Naples, se fût montrée si prodigue, pour celui-ci, au milieu de cette savante richesse ? Tant de saletés ignobles, la faim et l'ordure inévitable d'un côté, et de l'autre une telle recherche de l'exquis, l'abondance, la vie belle ! L'argent serait-il donc l'éducation, la santé, l'intelligence ? Et, si la même boue humaine restait dessous, toute la civilisation n'était-elle pas dans cette supériorité de sentir bon et de bien vivre [1] ?

« Mon Dieu ! c'est une histoire. Je crois que je fais bien en vous la racontant... Du reste, j'y suis forcée, j'ai besoin de vous. »

Maxime l'écouta, d'abord debout ; puis, il s'assit devant elle, les jambes cassées par la surprise. Et, lorsqu'elle se tut :

« Comment ! comment ! je ne suis pas tout seul de fils, voilà un affreux petit frère qui me tombe du ciel, sans crier gare ! »

Elle le crut intéressé, fit une allusion à la question d'héritage.

« Oh ! l'héritage de papa ! »

Et il eut un geste d'insouciance ironique, qu'elle ne comprit pas. Quoi ? que voulait-il dire ? Ne croyait-il pas aux grandes qualités, à la fortune certaine de son père ?

« Non, non, mon affaire est faite, je n'ai besoin de personne... Seulement, en vérité, c'est si drôle, ce qui arrive, que je ne puis m'empêcher d'en rire. »

Il riait, en effet, mais vexé, inquiet sourdement, ne songeant qu'à lui, n'ayant pas encore eu le temps d'examiner ce que l'aventure pouvait lui apporter de bon ou de mauvais. Il se sentit à l'écart, il lâcha un mot où, brutalement, il se mit tout entier.

« Au fond, je m'en fiche, moi ! »

---

1. Dans le troisième paragraphe de l'Ébauche de son roman, Zola entend décrire « deux familles opposées peut-être ou, dans la même famille, deux branches, une très riche, l'autre très pauvre, et ce que cela amène dans les habitudes, les façons d'être, le côté physique, l'intelligence même ». Le contraste entre Victor et Maxime obéit, dans le roman achevé, à cette intention ancienne. Mais ces pages montrent-elles vraiment, comme l'entendait d'abord Zola, que « l'argent est devenu pour beaucoup la dignité de la vie » ?

S'étant levé, il passa dans le cabinet de toilette, en revint tout de suite avec un polissoir d'écaille, dont il se frottait doucement les ongles.

« Et qu'est-ce que vous allez en faire, de votre monstre ? On ne peut pas le mettre à la Bastille, comme le Masque de fer. »

Elle parla alors des comptes de la Méchain, expliqua son idée de faire entrer Victor à l'Œuvre du Travail, et lui demanda les deux mille francs.

« Je ne veux pas que votre père sache rien encore, je n'ai que vous à qui m'adresser, il faut que vous fassiez cette avance. »

Mais il refusa net.

« À papa, jamais de la vie ! pas un sou !... Écoutez, c'est un serment, papa aurait besoin d'un sou pour passer un pont, que je ne le lui prêterais pas... Comprenez donc ! il y a des bêtises trop bêtes, je ne veux pas être ridicule ! »

De nouveau, elle le regardait, troublée des choses vilaines qu'il insinuait. En ce moment de passion, elle n'avait ni le désir ni le temps de le faire causer.

« Et à moi, reprit-elle d'une voix brusque, me les prêterez-vous, ces deux mille francs ?

– À vous, à vous... »

Il continuait de se polir les ongles, d'un mouvement joli et léger, tout en l'examinant de ses yeux clairs, qui fouillaient les femmes jusqu'au sang du cœur.

« À vous, tout de même, je veux bien... Vous êtes une gobeuse [1], vous me les ferez rendre. »

Puis, quand il fut allé chercher les deux billets dans un petit meuble, et qu'il les lui eut remis, il lui prit les mains, les garda un instant entre les siennes, d'un air de gaieté amicale, en beau-fils qui a de la sympathie pour sa belle-maman.

« Vous avez des illusions sur papa, vous !... Oh ! ne vous en défendez pas, je ne vous demande pas vos

---

1. Une femme crédule.

affaires... Les femmes, c'est si bizarre, ça se distrait parfois à se dévouer ; et, naturellement, elles ont bien raison de prendre leur plaisir où elles le trouvent.. N'importe, si un jour vous en étiez mal récompensée, venez donc me voir, nous causerons. »

Lorsque Mme Caroline se retrouva dans son fiacre, étouffée encore par la tiédeur molle du petit hôtel, par le parfum d'héliotrope [1] qui avait pénétré ses vêtements, elle était frissonnante comme au sortir d'un lieu suspect, effrayée aussi de ces réticences, de ces plaisanteries du fils sur le père, qui aggravaient son soupçon de l'inavouable passé [2]. Mais elle ne voulait rien savoir, elle avait l'argent, elle se calma en combinant sa journée du lendemain, de façon que, dès le soir, l'enfant fût sauvé de son vice.

Aussi, le matin, dut-elle se mettre en course, car elle avait toutes sortes de formalités à remplir, pour être certaine que son protégé serait accueilli à l'Œuvre du Travail. Sa situation de secrétaire du conseil de surveillance, que la princesse d'Orviedo, la fondatrice, avait composé de dix dames du monde, lui facilita d'ailleurs ces formalités ; et, l'après-midi, elle n'eut plus qu'à aller chercher Victor à la cité de Naples. Elle avait emporté des vêtements convenables, elle n'était pas au fond sans inquiétude sur la résistance que le petit allait leur opposer, lui qui ne voulait pas entendre parler de l'école. Mais la Méchain, à qui elle avait envoyé une dépêche et qui l'attendait, lui apprit dès le seuil une nouvelle, dont elle était bouleversée elle-même : dans la nuit, brusquement, la mère Eulalie était morte, sans que le médecin eût pu dire au juste de quoi, une congestion peut-être, quelque ravage du sang gâté ; et l'effrayant, c'était que le gamin, couché avec elle, ne s'était aperçu de la mort, dans l'obscurité, qu'en la sentant contre lui devenir toute froide. Il avait fini sa nuit chez la propriétaire, hébété de ce drame, travaillé d'une sourde peur, si bien qu'il se

---

1. Parfum conçu à partir des fleurs, très odorantes, de l'héliotrope. 2. Voir *infra*, p. 277.

laissa habiller et qu'il parut content, à l'idée de vivre dans une maison qui avait un beau jardin. Rien ne le retenait plus là, puisque la grosse, comme il disait, allait pourrir dans le trou.

Cependant, la Méchain, en écrivant son reçu des deux mille francs, posait ses conditions.

« C'est bien entendu, n'est-ce pas ? vous compléterez les six mille en un seul paiement, à six mois... Autrement, je m'adresserai à M. Saccard.

– Mais, dit Mme Caroline, c'est M. Saccard lui-même qui vous paiera... Aujourd'hui, je le remplace, simplement »

Les adieux de Victor et de la vieille cousine furent sans tendresse : un baiser sur les cheveux, une hâte du petit à monter dans la voiture, tandis qu'elle, grondée par Busch d'avoir consenti à ne recevoir qu'un acompte, continuait à mâcher sourdement son ennui de voir ainsi son gage lui échapper.

« Enfin, madame, soyez honnête avec moi, autrement je vous jure que je saurai bien vous en faire repentir. »

De la cité de Naples à l'Œuvre du Travail, boulevard Bineau, Mme Caroline ne put tirer que des monosyllabes de Victor, dont les yeux luisants dévoraient la route, les larges avenues, les passants et les maisons riches. Il ne savait pas écrire, à peine lire, ayant toujours déserté l'école pour des bordées sur les fortifications ; et, de sa face d'enfant mûri trop vite, ne sortaient que les appétits exaspérés de sa race, une hâte, une violence à jouir, aggravées par le terreau de misère et d'exemples abominables, dans lequel il avait grandi. Boulevard Bineau, ses yeux de jeune fauve étincelèrent davantage, lorsque, descendu de voiture, il traversa la cour centrale, que le bâtiment des garçons et celui des filles bordaient à droite et à gauche. Déjà, il avait fouillé d'un regard les vastes préaux plantés de beaux arbres, les cuisines revêtues de faïence, dont les fenêtres ouvertes exhalaient des odeurs de viandes, les réfectoires ornés de marbre, longs et hauts comme des nefs de chapelle, tout ce luxe royal, que la princesse, s'entêtant à ses restitutions, voulait donner aux pauvres. Puis, arrivé au fond, dans le corps de logis que l'administration occupait, promené de service en service pour être admis avec les formalités d'usage, il écouta sonner ses souliers neufs le long des immenses corridors, des larges escaliers, de ces dégagements inondés d'air et de lumière, d'une décoration de palais. Ses narines frémissaient, tout cela allait être à lui.

Mais, comme Mme Caroline, redescendue au rez-de-chaussée pour la signature d'une pièce, lui faisait suivre un nouveau couloir, elle l'amena devant une porte vitrée, et il put voir un atelier où des garçons de son âge, debout devant des établis, apprenaient la sculpture sur bois.

« Vous voyez, mon petit ami, dit-elle, on travaille ici, parce qu'il faut travailler, si l'on veut être bien-portant et heureux… Le soir, il y a des classes, et je compte, n'est-ce pas ? que vous serez sage, que vous étudierez bien… C'est vous qui allez décider de votre avenir, un avenir tel que vous ne l'avez jamais rêvé. »

Un pli sombre avait coupé le front de Victor. Il ne répondit pas, et ses yeux de jeune loup ne jetèrent plus sur ce luxe étalé, prodigué, que des regards obliques de bandit envieux : avoir tout ça, mais sans rien faire ; le conquérir, s'en repaître, à la force des ongles et des dents. Dès lors, il ne fut plus là qu'en révolté, qu'en prisonnier qui rêve de vol et d'évasion.

« Maintenant, tout est réglé, reprit Mme Caroline. Nous allons monter à la salle de bains. »

L'usage était que chaque nouveau pensionnaire, à son entrée, prenait un bain ; et les baignoires se trouvaient en haut, dans des cabinets attenant à l'infirmerie, qui elle-même, composée de deux petits dortoirs, l'un pour les garçons, l'autre pour les filles, était voisine de la lingerie. Les six sœurs de la communauté régnaient là, dans cette lingerie superbe, tout en érable verni, à trois étages de profondes armoires, dans cette infirmerie modèle, d'une clarté, d'une blancheur sans tache, gaie et propre comme

la santé. Souvent aussi, les dames du conseil de surveillance venaient y passer une heure de l'après-midi,
moins pour contrôler que pour donner à l'œuvre l'appui
de leur dévouement.

Et, justement, la comtesse de Beauvilliers se trouvait
là, avec sa fille Alice, dans la salle qui séparait les deux
infirmeries. Souvent, elle l'amenait ainsi pour la distraire,
en lui donnant le plaisir de la charité. Ce jour-là, Alice
aidait une des sœurs à faire des tartines de confiture,
pour deux petites convalescentes, à qui on avait permis
de goûter.

« Ah ! dit la comtesse, à la vue de Victor qu'on venait
de faire asseoir en attendant son bain, voici un
nouveau. »

D'habitude, elle restait cérémonieuse à l'égard de
Mme Caroline, ne la saluant que d'un signe de tête, sans
jamais lui adresser la parole, de crainte peut-être d'avoir
à lier avec elle des relations de voisinage. Mais ce garçon
que celle-ci amenait, l'air d'active bonté dont elle s'occupait de lui, la touchaient sans doute, la faisaient sortir de
sa réserve. Et elles causèrent à demi-voix.

« Si vous saviez, madame, de quel enfer je viens de le
tirer ! Je le recommande à votre surveillance, comme je
l'ai recommandé à toutes ces dames et à tous ces messieurs.

— Est-ce qu'il a des parents ? Est-ce que vous les
connaissez ?

— Non, sa mère est morte… Il n'a plus que moi.

— Pauvre gamin !… Ah ! que de misère ! »

Pendant ce temps, Victor ne quittait pas des yeux les
tartines. Ses regards s'étaient allumés d'une féroce
convoitise ; et, de cette confiture que le couteau étalait,
il remontait aux fluettes mains blanches d'Alice, à son
cou trop mince, à toute sa personne de vierge chétive,
qui s'émaciait dans l'attente vaine du mariage. S'il s'était
trouvé seul avec elle, d'un bon coup de tête dans le ventre,
comme il l'aurait envoyée rouler contre le mur, pour les

lui prendre, ses tartines ! Mais la jeune fille avait remarqué ses regards gloutons ; et, d'un coup d'œil, ayant consulté la religieuse :

« Est-ce que vous avez faim, mon petit ami ?

– Oui.

– Et vous ne détestez pas la confiture ?

– Non.

– Alors, ça vous irait, si je vous faisais deux tartines, que vous mangeriez en sortant du bain ?

– Oui.

– Beaucoup de confiture sur pas beaucoup de pain, n'est-ce pas ?

– Oui. »

Elle riait, plaisantait, mais lui restait grave et béant, avec ses yeux dévorateurs qui la mangeaient, elle et ses bonnes choses.

À ce moment, des cris de joie, tout un violent tapage monta du préau des garçons, où la récréation de quatre heures commençait. Les ateliers se vidaient, les pensionnaires avaient une demi-heure pour goûter et se dégourdir les jambes.

« Vous voyez, reprit Mme Caroline, en l'amenant près d'une fenêtre, si l'on travaille, on joue aussi... Vous aimez travailler ?

– Non.

– Mais vous aimez jouer ?

– Oui.

– Eh bien, si vous voulez jouer, il faudra travailler... Tout cela s'arrangera, vous serez raisonnable, j'en suis sûre. »

Il ne répondit pas. Une flamme de plaisir lui avait chauffé la face, à la vue de ses camarades lâchés, sautant et criant ; et ses regards revinrent vers ses tartines que la jeune fille achevait et posait sur une assiette. Oui ! de la liberté, de la jouissance, tout le temps, il ne voulait rien d'autre. Son bain était prêt, on l'emmena.

« Voilà un petit monsieur qui ne sera guère commode, je crois, dit doucement la religieuse. Je me méfie d'eux, quand ils n'ont pas la figure d'aplomb.

– Il n'est pourtant pas laid, celui-ci, murmura Alice, et on lui donnerait dix-huit ans, à le voir vous regarder.

– C'est vrai, conclut Mme Caroline avec un léger frisson, il est très avancé pour son âge. »

Et, avant de s'en aller, ces dames voulurent se donner le plaisir de voir les petites convalescentes manger leurs tartines. L'une surtout était très intéressante, une blonde fillette de dix ans, avec des yeux savants déjà, un air de femme, la chair hâtive et malade des faubourgs parisiens. C'était, d'ailleurs, la commune histoire : un père ivrogne qui amenait ses maîtresses ramassées sur le trottoir, qui venait de disparaître avec une d'elles ; une mère qui avait pris un autre homme, puis un autre, tombée elle-même à la boisson ; et la petite, là-dedans, battue par tous ces mâles, quand ils n'essayaient pas de la violer. Un matin, la mère avait dû la retirer des bras d'un maçon, ramené par elle, la veille. On lui permettait pourtant, à cette mère misérable, de venir voir son enfant, car c'était elle qui avait supplié qu'on la lui enlevât, ayant gardé dans son abjection un ardent amour maternel. Et elle se trouvait précisément là, une femme maigre et jaune, dévastée, avec des paupières brûlées de larmes, assise près du lit blanc, où sa gamine, très propre, le dos appuyé contre des oreillers, mangeait gentiment ses tartines.

Elle reconnut Mme Caroline, étant allée chez Saccard chercher des secours.

« Ah ! madame, voilà encore ma pauvre Madeleine sauvée une fois. C'est tout notre malheur qu'elle a dans le sang, voyez-vous, et le médecin m'avait bien dit qu'elle ne vivrait pas, si elle continuait à être bousculée chez nous… Tandis qu'ici elle a de la viande, elle a du vin ; et puis, elle respire, elle est tranquille… Je vous en prie, madame, dites bien à ce bon monsieur que je ne vis pas une heure de mon existence sans le bénir. »

Un sanglot la suffoqua, son cœur se fondait de reconnaissance. C'était de Saccard qu'elle parlait, car elle ne connaissait que lui, comme la plupart des parents qui avaient des enfants à l'Œuvre du Travail. La princesse d'Orviedo ne paraissait point, tandis que lui s'était longtemps prodigué, peuplant l'œuvre, ramassant toutes les misères du ruisseau pour voir plus vite fonctionner cette machine charitable qui était un peu sa création, se passionnant du reste comme toujours, distribuant des pièces de cent sous de sa poche aux tristes familles dont il sauvait les petits. Et il restait le seul et vrai bon Dieu, pour tous ces misérables.

« N'est-ce pas ? madame, dites-lui bien qu'il y a quelque part une pauvre femme qui prie pour lui... Oh ! ce n'est pas que j'aie de la religion, je ne veux point mentir, je n'ai jamais été hypocrite. Non, les églises et nous, c'est fini, parce que nous n'y songeons seulement plus, tout ça ne servait à rien, d'aller y perdre son temps... Mais ça n'empêche qu'il y a tout de même quelque chose au-dessus de nous, et alors ça soulage, quand quelqu'un a été bon, d'appeler sur lui les bénédictions du Ciel. »

Ses larmes débordèrent, coulèrent sur ses joues flétries.

« Écoute-moi, Madeleine, écoute... »

La fillette, si pâle dans sa chemise de neige, et qui léchait la confiture de sa tartine d'un petit bout de langue gourmande, avec des yeux de bonheur, leva la tête, devint attentive, sans cesser son régal.

« Chaque soir, avant de t'endormir dans ton lit, tu joindras tes mains comme ça, et tu diras : "Mon Dieu, faites que M. Saccard soit récompensé de sa bonté, qu'il ait de longs jours et qu'il soit heureux..." Tu entends, tu me le promets ?

– Oui, maman. »

Les semaines qui suivirent, Mme Caroline vécut dans un grand trouble moral. Elle n'avait plus sur Saccard d'idées nettes. L'histoire de la naissance et de l'abandon de Victor, cette triste Rosalie prise sur une marche d'escalier, si violemment, qu'elle en était restée infirme, et les

billets signés et impayés, et le malheureux enfant sans
père grandi dans la boue, tout ce passé lamentable lui
donnait une nausée au cœur. Elle écartait les images de
ce passé, de même qu'elle n'avait pas voulu provoquer
les indiscrétions de Maxime : certainement, il y avait là
des tares anciennes, qui l'effrayaient, dont elle aurait eu
trop de chagrin. Puis, c'était cette femme en pleurs, joignant les mains de sa petite fille, la faisant prier pour cet
homme ; c'était Saccard adoré comme le Dieu de bonté,
et véritablement bon, et ayant réellement sauvé des âmes,
dans cette activité passionnée de brasseur d'affaires, qui
se haussait à la vertu, lorsque la besogne était belle. Aussi
arriva-t-elle à ne plus vouloir le juger, en se disant, pour
mettre en paix sa conscience de femme savante, ayant
trop lu et trop réfléchi, qu'il y avait chez lui, comme chez
tous les hommes, du pire et du meilleur.

Cependant, elle venait d'avoir un réveil sourd de
honte, à la pensée qu'elle lui avait appartenu. Cela la
stupéfiait toujours, elle se tranquillisait en se jurant que
c'était fini, que cette surprise d'un moment ne pouvait
recommencer. Et trois mois s'écoulèrent, pendant lesquels, deux fois par semaine, elle allait voir Victor ; et,
un soir, elle se retrouva dans les bras de Saccard, définitivement à lui, laissant s'établir des relations régulières.
Que se passait-il donc en elle ? Était-elle, comme les
autres, curieuse ? ces troubles amours de jadis, remués
par elle, lui avaient-ils donné le sensuel désir de savoir ?
Ou plutôt n'était-ce pas l'enfant qui était devenu le lien,
le rapprochement fatal entre lui, le père, et elle, la mère
de rencontre et d'adoption ? Oui, il ne devait y avoir eu
là qu'une perversion sentimentale. Dans son grand chagrin de femme stérile, cela certainement l'avait attendrie
jusqu'à la débâcle de sa volonté, de s'être occupée du fils
de cet homme, au milieu de si poignantes circonstances.
Chaque fois qu'elle le revoyait, elle se donnait davantage,
et une maternité était au fond de son abandon.

D'ailleurs, elle était femme de clair bon sens, elle acceptait les faits de la vie, sans s'épuiser à tâcher de s'en expliquer les mille causes complexes. Pour elle, dans ce dévidage du cœur et de la cervelle, dans cette analyse raffinée des cheveux coupés en quatre, il n'y avait qu'une distraction de mondaines inoccupées, sans ménage à tenir, sans enfant à aimer, des farceuses intellectuelles qui cherchent des excuses à leurs chutes, qui masquent de leur science de l'âme les appétits de la chair, communs aux duchesses et aux filles d'auberge. Elle, d'une érudition trop vaste, qui avait perdu son temps, autrefois, à brûler de connaître le vaste monde et à prendre parti dans les querelles des philosophes, en était revenue avec le grand dédain de ces récréations psychologiques [1], qui tendent à remplacer le piano et la tapisserie, et dont elle disait en riant qu'elles ont débauché plus de femmes qu'elles n'en ont corrigé. Aussi, les jours où des trous se produisaient en elle, où elle sentait une cassure dans son libre arbitre, préférait-elle avoir le courage d'accepter le fait, après l'avoir constaté ; et elle comptait sur le travail de la vie pour effacer la tare, pour réparer le mal, de même que la sève qui monte toujours ferme l'entaille au cœur d'un chêne, refait du bois et de l'écorce. Si elle était maintenant à Saccard sans l'avoir voulu, sans être certaine qu'elle l'estimait, elle se relevait de cette déchéance en ne le jugeant pas indigne d'elle, séduite par ses qualités d'homme d'action, par son énergie à vaincre, le croyant bon et utile aux autres. Sa honte première s'en était allée, dans ce besoin que l'on a de purifier ses fautes, et rien n'était en effet plus naturel ni plus tranquille que leur

---

1. Cette condamnation de la psychologie, par un personnage que Zola désigne dans l'Ébauche du roman comme son *alter ego* moral, laisse penser à une charge du romancier contre les auteurs contemporains qui se réclament de l'analyse psychologique du personnage (Paul Bourget, par exemple). À l'époque même de la parution de *L'Argent*, le journaliste Jules Huret mène une importante *Enquête sur l'évolution littéraire* (1891), où l'école dite des « Psychologues » figure parmi les détracteurs des « Naturalistes » (voir la Présentation).

liaison : un ménage de raison simplement, lui heureux de l'avoir là, le soir, quand il ne sortait pas, elle presque maternelle, d'une affection calmante, avec sa vive intelligence et sa droiture. Et c'était vraiment, pour ce forban du pavé de Paris, brûlé et tanné dans tous les guets-apens financiers, une chance imméritée, une récompense volée comme le reste, que d'avoir à lui cette adorable femme, si jeune et si saine à trente-six ans, sous la neige de son épaisse chevelure blanche, d'un bon sens si brave et d'une sagesse si humaine, dans sa foi à la vie, telle qu'elle est, malgré la boue que le torrent emporte.

Des mois se passèrent, et il faut dire que Mme Caroline trouva Saccard très énergique et très prudent, durant tous ces pénibles débuts de la Banque universelle. Ses soupçons de trafics louches, ses craintes qu'il ne les compromît, elle et son frère, se dissipèrent même entièrement, à le voir sans cesse en lutte avec les difficultés, se dépensant du matin au soir pour assurer le bon fonctionnement de cette grosse mécanique neuve, dont les rouages grinçaient, près d'éclater ; et elle lui en eut de la reconnaissance, elle l'admira. L'Universelle, en effet, ne marchait pas comme il l'avait espéré, car elle avait contre elle la sourde hostilité de la haute banque* : de mauvais bruits couraient, des obstacles renaissaient, immobilisant le capital, ne permettant pas les grandes tentatives fructueuses. Aussi s'était-il fait une vertu de cette lenteur d'allures, à laquelle on le réduisait, n'avançant que pas à pas sur un terrain solide, guettant les fondrières, trop occupé à éviter une chute pour oser se lancer dans les hasards du jeu. Il se rongeait d'impatience, piétinant comme une bête de course réduite à un petit trot de promenade ; mais jamais commencements d'une maison de crédit ne furent plus honorables ni plus corrects ; et la Bourse en causait, étonnée.

Ce fut de la sorte qu'on atteignit l'époque de la première assemblée générale. Elle avait été fixée au 25 avril. Dès le 20, Hamelin débarqua d'Orient, tout exprès pour la présider, rappelé en hâte par Saccard, qui étouffait dans la maison trop étroite. Il rapportait, d'ailleurs, d'excellentes nouvelles : les traités étaient conclus pour la formation de la Compagnie générale des Paquebots réunis et, d'autre part, il avait en poche les concessions qui assuraient à une société française l'exploitation des mines d'argent du Carmel ; sans parler de la Banque nationale turque, dont il venait de jeter les bases à Constantinople, et qui serait une véritable succursale de l'Universelle. Quant à la grosse question des chemins de fer de l'Asie Mineure, elle n'était pas mûre, il fallait la réserver ; du reste, il devait retourner là-bas, pour continuer ses études, dès le lendemain de l'assemblée. Saccard, ravi, eut avec lui une longue conversation, à laquelle assistait Mme Caroline, et il les persuada aisément qu'une augmentation du capital social était une nécessité absolue, si l'on voulait faire face à ces entreprises. Déjà, les forts actionnaires*, Daigremont, Huret, Sédille, Kolb, consultés, avaient approuvé cette augmentation ; de sorte qu'en deux jours la proposition put être étudiée et présentée au conseil d'administration, la veille même de la réunion des actionnaires.

Ce conseil d'urgence fut solennel, tous les administrateurs y assistèrent, dans la salle grave, verdie par le voisinage des grands arbres de l'hôtel Beauvilliers. D'ordinaire, il y avait deux conseils par mois : le petit, vers le 15, le plus important, celui auquel ne paraissaient que les vrais chefs, les administrateurs d'affaires ; et le grand, vers le 30, la réunion d'apparat, où tous venaient, les muets et les décoratifs, approuver les travaux préparés d'avance et donner des signatures. Ce jour-là, le marquis de Bohain, avec sa petite tête aristocratique, arriva un des premiers, apportant avec lui, dans son grand air fatigué, l'approbation de toute la noblesse française. Et le vicomte de Robin-Chagot, le vice-président, homme doux et ladre, avait charge de guetter les administrateurs qui n'étaient point au courant, les prenait à part et leur communiquait d'un mot les ordres du directeur, le vrai maître. Chose entendue, tous promettaient d'obéir, d'un signe de tête.

Enfin, on entra en séance. Hamelin fit connaître au conseil le rapport qu'il devait lire devant l'assemblée générale. C'était le gros travail que Saccard préparait depuis longtemps, qu'il venait de rédiger en deux jours, augmenté des notes apportées par l'ingénieur, et qu'il écoutait modestement, d'un air de vif intérêt, comme s'il n'en avait pas connu un seul mot. D'abord, le rapport parlait des affaires faites par la Banque universelle, depuis sa fondation : elles n'étaient que bonnes, de petites affaires au jour le jour, réalisées de la veille au lendemain, le courant banal des maisons de crédit. Pourtant, d'assez gros bénéfices s'annonçaient sur l'emprunt mexicain, qui venait d'être lancé le mois d'auparavant, après le départ de l'empereur Maximilien pour Mexico [1] : un emprunt de gâchis et de primes* folles, dans lequel Saccard regrettait mortellement de n'avoir pu barboter davantage, faute d'argent. Tout cela était ordinaire, mais on avait vécu. Pour le premier exercice, qui ne comprenait que trois mois, du 5 octobre, date de la fondation, au 31 décembre, l'excédent des bénéfices était seulement de quatre cents et quelques mille francs, ce qui avait permis d'amortir d'un quart les frais de premier établissement, de payer aux actionnaires leur cinq pour cent et de verser dix pour cent au fonds de réserve ; en outre, les administrateurs avaient prélevé le dix pour cent que leur accordaient les statuts, et il restait une somme d'environ soixante-huit mille francs, qu'on avait portée à l'exercice suivant. Seulement, il n'y avait pas eu de dividende* [2]. Rien à la fois de plus médiocre ni de plus honorable. C'était comme pour les cours des actions* de l'Universelle en Bourse, ils avaient lentement monté de cinq cents à six cents francs, sans secousse, d'une façon normale, ainsi que les cours

---

1. Voir *supra*, p. 15, note 1. 2. Les actionnaires ont perçu un « cinq pour cent » qui est un intérêt, et non pas à proprement parler un dividende.

des valeurs de toute banque qui se respecte ; et, depuis deux mois, ils demeuraient stationnaires, n'ayant aucune raison de s'élever davantage, dans le petit train journalier où semblait s'endormir la maison naissante.

Puis, le rapport passait à l'avenir, et ici c'était un brusque élargissement, le vaste horizon ouvert de toute une série de grandes entreprises. Il insistait particulièrement sur la Compagnie générale des Paquebots réunis, dont l'Universelle allait avoir à émettre les actions : une compagnie au capital de cinquante millions, qui monopoliserait tous les transports de la Méditerranée, et où se trouveraient syndiquées les deux grandes sociétés rivales, la Phocéenne, pour Constantinople, Smyrne et Trébizonde, par le Pirée et les Dardanelles, et la Société Maritime, pour Alexandrie, par Messine et la Syrie, sans compter des maisons moindres qui entraient dans le syndicat*, les Combarel et Cie, pour l'Algérie et la Tunisie, la veuve Henri Liotard, pour l'Algérie également, par l'Espagne et le Maroc, enfin les Féraud-Giraud frères, pour l'Italie, Naples et les villes de l'Adriatique, par Civita-Vecchia. On conquérait la Méditerranée entière, en faisant une seule compagnie de ces sociétés et de ces maisons rivales qui se tuaient les unes les autres. Grâce aux capitaux centralisés, on construirait des paquebots types, d'une vitesse et d'un confort inconnus, on multiplierait les départs, on créerait des escales nouvelles, on ferait de l'Orient le faubourg de Marseille ; et quelle importance prendrait la Compagnie, lorsque, le canal de Suez achevé, il lui serait permis de créer des services pour les Indes, le Tonkin, la Chine et le Japon ! Jamais affaire ne s'était présentée, d'une conception plus large ni plus sûre. Ensuite, viendrait l'appui donné à la Banque nationale turque, sur laquelle le rapport fournissait de longs détails techniques, qui en démontraient l'inébranlable solidité. Et il terminait cet exposé des opérations futures, en annonçant que l'Universelle prenait encore sous son patronage la Société française des mines d'argent du Carmel, fondée au capital de vingt millions. Des analyses de chimistes indiquaient, dans les échantillons du minerai, une proportion considérable d'argent. Mais, plus encore que la science, l'antique poésie des lieux saints faisait ruisseler cet argent en une pluie miraculeuse, éblouissement divin que Saccard avait mis à la fin d'une phrase dont il était très content [1].

Enfin, après ces promesses d'un avenir glorieux, le rapport concluait à l'augmentation du capital. On le doublait, on l'élevait de vingt-cinq à cinquante millions. Le système d'émission adopté était le plus simple du monde, pour qu'il entrât aisément dans toutes les cervelles : cinquante mille actions nouvelles seraient créées, et on les réserverait titre pour titre aux porteurs des cinquante mille actions primitives ; de façon qu'il n'y aurait pas même de souscription publique. Seulement, ces actions nouvelles seraient de cinq cent vingt francs, dont une prime de vingt francs, formant au total une somme d'un million, qu'on porterait au fonds de réserve. Il était juste et prudent de frapper les actionnaires de ce petit impôt, puisqu'on les avantageait [2]. D'ailleurs, le quart seul des actions était exigible [3], plus la prime.

Lorsque Hamelin cessa de lire, il se produisit un brouhaha d'approbation. C'était parfait, pas une observation à faire. Pendant tout le temps qu'avait duré la lecture, Daigremont, très intéressé par un examen soigneux de ses ongles, avait souri à des pensées vagues ; et le député Huret, renversé dans son fauteuil, les yeux clos, sommeillait à demi, se croyant à la Chambre ; tandis que Kolb, le banquier, tranquillement, sans se cacher, s'était livré à un long calcul, sur les quelques feuilles de papier qu'il avait devant lui, ainsi que chaque administrateur.

---

1. Dans son *Manuel du spéculateur à la Bourse* (1854 ; 1857), Proudhon ironisait sur la « fiction des assemblées générales » et sur les « balivernes » et « l'eau bénite de cour des Rapports » (c'est-à-dire des rapports d'activité des sociétés). 2. À condition de considérer comme un avantage l'incitation à souscrire les nouvelles actions émises... Il s'agit ici d'un résumé de la rhétorique manipulatoire du rapport. 3. Tout comme lors de la première émission.

Pourtant, Sédille, toujours anxieux et méfiant, voulut poser une question : que deviendraient les actions abandonnées par ceux des actionnaires qui ne voudraient pas user de leur droit ? la société, les garderait-elle à son compte, ce qui était illicite, puisque la déclaration légale ne pouvait avoir lieu, chez le notaire, que lorsque le capital était intégralement souscrit ? et, si elle s'en débarrassait, à qui et comment comptait-elle les céder ? Mais, dès les premiers mots du fabricant de soie, le marquis de Bohain, voyant l'impatience de Saccard, lui coupa la parole, en disant, de son grand air noble, que le conseil s'en remettait de ces détails à son président et au directeur, tous les deux si compétents et si dévoués. Et il n'y eut plus que des congratulations, la séance fut levée au milieu du ravissement de tous.

Le lendemain, l'assemblée générale donna lieu à des manifestations vraiment touchantes. Elle se tint encore dans la salle de la rue Blanche, où un entrepreneur de bals publics avait fait faillite ; et, avant l'arrivée du président, dans cette salle déjà pleine, couraient les meilleurs bruits, un surtout qu'on se chuchotait à l'oreille : violemment attaqué par l'opposition grandissante, Rougon, le ministre, le frère du directeur, était disposé à favoriser l'Universelle, si le journal de la société, *L'Espérance*, un ancien organe catholique, défendait le gouvernement. Un député de la gauche venait de lancer le terrible cri : « Le 2 décembre est un crime [1] ! » qui avait retenti d'un bout de la France à l'autre, comme un réveil de la conscience publique. Il était nécessaire de répondre par de grands

---

1. Cette exclamation est celle d'Ernest Picard (1821-1877), avocat qui fut l'un des cinq républicains élus dès 1857-1858 au Corps législatif, et qui rejoignit le gouvernement de Défense nationale après 1870. Faisant écho aux *Châtiments* (1853) de Victor Hugo, ce cri est une dénonciation du coup d'État qui a porté Louis Napoléon Bonaparte au pouvoir le 2 décembre 1851 ; il témoigne, en cette année 1864, de la vigueur croissante de l'opposition. Le ministre Eugène Rouher (1814-1884), qui fut l'un des modèles du personnage d'Eugène Rougon, était mis de plus en plus en difficulté au Palais-Bourbon.

actes, la prochaine Exposition universelle décuplerait le chiffre des affaires, on allait gagner gros au Mexique et ailleurs, dans le triomphe de l'empire à son apogée. Et, parmi un petit groupe d'actionnaires, qu'endoctrinaient Jantrou et Sabatani, on riait beaucoup d'un autre député qui, lors de la discussion sur l'armée, avait eu l'extraordinaire fantaisie de proposer d'établir en France le système de recrutement de la Prusse[1]. La Chambre s'en était amusée : fallait-il que la terreur de la Prusse troublât certaines cervelles, à la suite de l'affaire du Danemark[2] et sous le coup de la rancune sourde que nous gardait l'Italie, depuis Solferino[3]! Mais le bruit des conversations particulières, le grand murmure de la salle, tomba brusquement, lorsque Hamelin et le bureau parurent. Plus modeste encore que dans le conseil de surveillance, Saccard s'effaçait, perdu au milieu de la foule ; et il se contenta de donner le signal des applaudissements, approuvant le rapport qui soumettait à l'assemblée les comptes du premier exercice, revus et acceptés par les commissaires-censeurs*, Lavignière et Rousseau, et qui lui proposait de doubler le capital. Elle seule était compétente pour autoriser cette augmentation, qu'elle décida d'ailleurs d'enthousiasme, absolument grisée par les millions de la Compagnie générale des Paquebots réunis et de la Banque nationale turque, reconnaissant la nécessité de mettre le capital en rapport avec l'importance que l'Universelle allait prendre. Quant aux mines d'argent du Carmel, elles furent accueillies par un frémissement religieux. Et, lorsque les actionnaires se furent séparés, en votant des remerciements au président, au directeur et aux administrateurs, tous rêvèrent du Carmel, de cette miraculeuse pluie d'argent, tombant des lieux saints, au milieu d'une gloire.

---

1. Le service militaire était obligatoire en Prusse. En France, les conscrits étaient désignés au tirage au sort et on pouvait même « s'acheter un homme » (thème récurrent des romans de Jules Vallès, mais aussi de son livre sur la Bourse), c'est-à-dire se payer un remplaçant. 2. Voir *supra*, p. 14, note 3. 3. Voir *supra*, p. 24, note 1.

Deux jours après, Hamelin et Saccard, accompagnés cette fois du vice-président, le vicomte de Robin-Chagot, retournèrent rue Sainte-Anne, chez maître Lelorrain, pour déclarer l'augmentation du capital, qu'ils affirmaient avoir été intégralement souscrit. La vérité était que trois mille actions environ, refusées par les premiers actionnaires à qui elles appartenaient de droit, restaient aux mains de la société, laquelle les passa de nouveau au compte Sabatani, par un jeu d'écritures. C'était l'ancienne irrégularité, aggravée, le système qui consistait à dissimuler dans les caisses de l'Universelle une certaine quantité de ses propres valeurs, une sorte de réserve de combat [1], qui lui permettait de spéculer, de se jeter en pleine bataille de Bourse, s'il le fallait, pour soutenir les cours, au cas d'une coalition de baissiers*.

D'ailleurs, Hamelin, tout en désapprouvant cette tactique illégale, avait fini par s'en remettre complètement à Saccard, pour les opérations financières ; et il y eut une conversation à ce sujet, entre eux et Mme Caroline, relative seulement aux cinq cents actions qu'il les avait forcés de prendre, lors de la première émission, et que la seconde, naturellement, venait de doubler : mille actions en tout, représentant, pour le versement du quart et la prime, une somme de cent trente-cinq mille francs, que le frère et la sœur voulurent absolument payer, un héritage inattendu d'environ trois cent mille francs leur étant tombé d'une tante, morte dix jours après son fils unique, tous deux emportés par la même fièvre. Saccard les laissa faire, sans s'expliquer lui-même sur la manière dont il comptait libérer [2] ses propres actions.

« Ah ! cet héritage, dit en riant Mme Caroline, c'est la première chance qui nous arrive... Je crois bien que vous nous portez bonheur. Mon frère avec ses trente mille

---

1. Étrange expression, car l'Universelle se fragilise, au contraire, en n'engrangeant pas de capital. 2. Une action est dite « libérée » dès lors que sa valeur a été versée. Or au moment de cette première augmentation de capital, il semble qu'aucune des actions initialement émises n'a été pleinement payée.

francs de traitement, ses frais de déplacement considérables, et tout cet or qui tombe sur nous, parce que nous
n'en avons plus besoin sans doute... Nous voilà riches. »

Elle regardait Saccard, avec sa gratitude de bon cœur,
vaincue désormais, confiante en lui, perdant chaque jour
de sa clairvoyance, dans la tendresse croissante qu'il lui
inspirait. Puis, emportée tout de même par sa gaie franchise, elle continua :

« N'importe, si je l'avais gagné, cet argent, je vous
réponds que je ne le risquerais pas dans vos affaires...
Mais une tante que nous avons à peine connue, un argent
auquel nous n'avions jamais pensé, enfin de l'argent
trouvé par terre, quelque chose qui ne me semble même
pas très honnête et dont j'ai un peu honte... [1]. Vous comprenez, il ne me tient pas au cœur, je veux bien le perdre.

– Justement, dit Saccard, plaisantant à son tour, il va
grossir et vous donner des millions. Il n'y a rien de tel
pour profiter comme l'argent volé... Avant huit jours,
vous verrez, vous verrez la hausse ! »

Et, en effet, Hamelin, ayant dû retarder son départ,
assista avec surprise à une hausse rapide des actions de
l'Universelle. À la liquidation* de la fin de mai, le cours
de sept cents francs fut dépassé. Il y avait là l'ordinaire
résultat que produit toute augmentation de capital* :
c'est le coup classique, la façon de cravacher le succès, de
donner un temps de galop aux cours, à chaque émission
nouvelle. Mais il y avait aussi la réelle importance des
entreprises que la maison allait lancer ; et de grandes
affiches jaunes, collées dans tout Paris, annonçant la
prochaine exploitation des mines d'argent du Carmel,
achevaient de troubler les têtes, y allumaient un commencement de griserie, cette passion qui devait croître et
emporter toute raison. Le terrain était préparé, le terreau

---

1. Comme plus haut, l'argent de l'héritage et l'argent de la spéculation sont ici opposés à l'argent du travail. Le propos prêté à Mme Caroline correspond à une opposition majeure, dans la pensée et la
littérature du XIXᵉ siècle, entre le gain « moral » (agriculture, industrie)
et le gain « immoral » (Bourse, jeu, etc.).

impérial, fait de débris en fermentation, chauffé des appétits exaspérés, extrêmement favorable à une de ces poussées folles de la spéculation, qui, toutes les dix à quinze années, obstruent et empoisonnent la Bourse, ne laissant après elles que des ruines et du sang. Déjà, les sociétés véreuses naissaient comme des champignons, les grandes compagnies poussaient aux aventures financières, une fièvre intense du jeu se déclarait, au milieu de la prospérité bruyante du règne, tout un éclat de plaisir et de luxe, dont la prochaine Exposition promettait d'être la splendeur finale, la menteuse apothéose de féerie. Et, dans le vertige qui frappait la foule, parmi la bousculade des autres belles affaires s'offrant sur le trottoir, l'Universelle enfin se mettait en marche, en puissante machine destinée à tout affoler, à tout broyer, et que des mains violentes chauffaient sans mesure, jusqu'à l'explosion.

Lorsque son frère fut reparti pour l'Orient, Mme Caroline se retrouva seule avec Saccard, reprenant leur étroite vie d'intimité, presque conjugale. Elle s'entêtait à s'occuper de sa maison, à lui faire réaliser des économies, en intendante fidèle, bien que leur fortune à tous deux eût changé. Et, dans sa paix souriante, son humeur toujours égale, elle n'éprouvait qu'un trouble, son cas de conscience au sujet de Victor, l'hésitation de savoir si elle devait cacher plus longtemps au père l'existence de son fils. On était très mécontent de ce dernier, à l'Œuvre du Travail, qu'il ravageait. Les six mois d'expérience étaient écoulés, allait-elle produire le petit monstre, avant de l'avoir décrassé de ses vices ? Elle en ressentait parfois une vraie souffrance.

Un soir, elle fut sur le point de parler. Saccard, que l'installation mesquine de l'Universelle désespérait, venait de décider le conseil à louer le rez-de-chaussée de la maison voisine, pour agrandir les bureaux, en attendant qu'il osât proposer la construction de l'hôtel luxueux de ses rêves. De nouveau, il faisait percer des portes de communication, abattre des cloisons, poser

encore des guichets. Et, comme elle revenait du boulevard Bineau, désespérée d'une abomination de Victor,
qui avait presque mangé l'oreille à un camarade, elle le
pria de monter avec elle, chez eux.

« Mon ami, j'ai quelque chose à vous dire. »

Mais, en haut, quand elle le vit, une épaule couverte
de plâtre, enchanté d'une nouvelle idée d'agrandissement
qu'il venait d'avoir, celle de vitrer aussi la cour de la maison voisine, elle n'eut pas le courage de le bouleverser,
avec le déplorable secret. Non, elle attendrait encore, il
faudrait bien que l'affreux vaurien se corrigeât. Elle était
sans force devant la peine des autres.

« Eh bien, mon ami, c'était pour cette cour. J'avais eu
justement la même idée que vous. »

VI

Les bureaux de *L'Espérance*, le journal catholique en détresse que, sur l'offre de Jantrou, Saccard avait acheté, pour travailler au lancement de l'Universelle, se trouvaient rue Saint-Joseph, dans un vieil hôtel noir et humide, dont ils occupaient le premier étage, au fond de la cour. Un couloir partait de l'antichambre, où le gaz brûlait éternellement ; et il y avait, à gauche, le cabinet de Jantrou, le directeur, puis une pièce que Saccard s'était réservée, tandis que s'alignaient, à droite, la salle commune de la rédaction, le cabinet du secrétaire, des cabinets destinés aux différents services. De l'autre côté du palier, étaient installées l'administration et la caisse, qu'un couloir intérieur, tournant derrière l'escalier, reliait à la rédaction.

Ce jour-là, Jordan, en train d'achever une chronique, dans la salle commune, où il s'était installé de bonne heure pour n'être pas dérangé, en sortit comme quatre heures sonnaient, et vint trouver Dejoie, le garçon de bureau, qui, à la flamme large du gaz, malgré la radieuse journée de juin qu'il faisait dehors, lisait avidement le bulletin de la Bourse, qu'on apportait et dont il prenait le premier connaissance.

« Dites donc, Dejoie, c'est M. Jantrou qui vient d'arriver ?

– Oui, monsieur Jordan. »

Le jeune homme eut une hésitation, un court malaise qui l'arrêta pendant quelques secondes. Dans les commencements difficiles de son heureux ménage, des dettes anciennes étaient tombées ; et, malgré sa chance d'avoir trouvé ce journal où il plaçait des articles, il traversait une atroce gêne, d'autant plus qu'une saisie-arrêt était mise sur ses appointements[1] et qu'il avait à payer, ce jour-là, un nouveau billet, sous la menace de voir ses quatre meubles vendus. Déjà, deux fois, il avait demandé vainement une avance au directeur, qui s'était retranché derrière la saisie-arrêt, faite entre ses mains.

Pourtant, il se décidait, s'approchait de la porte, lorsque le garçon de bureau reprit :

« C'est que M. Jantrou n'est pas seul.

– Ah !... Avec qui est-il ?

– Il est arrivé avec M. Saccard, et M. Saccard m'a bien dit de ne laisser entrer que M. Huret, qu'il attend. »

Jordan respira, soulagé par ce délai, tant les demandes d'argent lui étaient pénibles.

« C'est bon, je vais finir mon article. Avertissez-moi, quand le directeur sera libre. »

Mais, comme il s'en allait, Dejoie le retint, avec un éclat de jubilation extrême.

« Vous savez que l'Universelle a fait 750[2]. »

D'un geste, le jeune homme dit qu'il s'en moquait bien, et il rentra dans la salle de rédaction.

Presque chaque jour, Saccard montait ainsi au journal, après la Bourse, et souvent même il donnait des rendez-vous dans la pièce qu'il s'était réservée, traitant là des affaires spéciales et mystérieuses. Jantrou, du reste, bien qu'officiellement il ne fût que directeur de *L'Espérance*, où il écrivait des articles politiques d'une littérature universitaire soignée et fleurie, que ses adversaires eux-mêmes reconnaissaient « du plus pur atticisme[3] », était son agent secret, l'ouvrier complaisant des besognes délicates. Et, entre autres choses, c'était lui qui venait d'organiser toute une vaste publicité autour de l'Universelle. Parmi les petites feuilles financières qui pullulaient, il en

---

1. Il est question d'une saisie sur le débiteur du débiteur, c'est-à-dire ici d'un prélèvement à la source sur le salaire que le journal verse à Jordan. **2.** C'est-à-dire que l'action a atteint le cours de 750 francs à la clôture de la séance de Bourse. **3.** Délicatesse de langage, finesse de goût propre au style classique athénien.

avait choisi et acheté une dizaine. Les meilleures appartenaient à de louches maisons de banque, dont la tactique,
très simple, consistait à les publier et à les donner pour
deux ou trois francs par an, somme qui ne représentait
même pas le prix de l'affranchissement ; et elles se rattra-
paient d'autre part, trafiquaient sur l'argent et les titres
des clients que leur amenait le journal [1]. Sous le prétexte
de publier les cours de la Bourse, les numéros sortis des
valeurs à lots [2], tous les renseignements techniques, utiles
aux petits rentiers*, peu à peu des réclames se glissaient,
en forme de recommandations et de conseils, d'abord
modestes, raisonnables, bientôt sans mesure, d'une impu-
dence tranquille, soufflant la ruine parmi les abonnés crédules. Dans le tas, au milieu des deux ou trois cents
publications qui ravageaient ainsi Paris et la France, son
flair venait d'être de choisir celles qui n'avaient pas trop
menti encore, qui n'étaient point trop déconsidérées.
Mais la grosse affaire qu'il méditait, c'était d'acheter une
d'elles, *La Cote financière*, qui avait déjà douze ans de
probité absolue ; seulement, ça menaçait d'être très cher,
une probité pareille ; et il attendait que l'Universelle fût
plus riche et se trouvât dans une de ces situations où un
dernier coup de trompette détermine les sonneries
assourdissantes du triomphe. Son effort, d'ailleurs, ne
s'était pas borné à grouper un bataillon docile de ces
feuilles spéciales, célébrant dans chaque numéro la
beauté des opérations de Saccard ; il traitait aussi à for-
fait avec les grands journaux politiques et littéraires, y
entretenait un courant de notes aimables, d'articles
louangeurs, à tant la ligne, s'assurait de leur concours
par des cadeaux de titres, lors des émissions nouvelles.
Sans parler de la campagne quotidienne menée sous ses
ordres, par *L'Espérance*, non point une campagne brutale, violemment approbative, mais des explications, de

---

1. Voir *supra*, p. 33, note 2. **2.** Valeurs qui, lors de leur remboursement par tirage au sort, donnent droit au versement de certaines
primes.

la discussion même, une façon lente de s'emparer du public et de l'étrangler, correctement.

Ce jour-là, c'était pour causer du journal que Saccard s'enfermait avec Jantrou. Il avait trouvé, dans le numéro du matin, un article d'Huret d'un éloge si outré sur un discours de Rougon, prononcé la veille à la Chambre, qu'il était entré dans une violente colère, et qu'il attendait le député, pour s'en expliquer avec lui. Est-ce qu'on le croyait à la solde de son frère ? est-ce qu'on le payait pour qu'il laissât compromettre la ligne du journal par une approbation sans réserve des moindres actes du ministre ? Lorsqu'il l'entendit parler de la ligne du journal, Jantrou eut un muet sourire. D'ailleurs, il l'écoutait, très calme, en s'examinant les ongles, du moment que l'orage ne menaçait pas de crever sur ses épaules. Lui, avec son cynisme de lettré désabusé, avait le plus parfait dédain pour la littérature, pour la une et la deux, comme il disait en désignant les pages du journal où paraissaient les articles, même les siens ; et il ne commençait à s'émouvoir qu'aux annonces. Maintenant, il était tout flambant neuf, serré dans une élégante redingote, la boutonnière fleurie d'une rosette[1] panachée de couleurs vives, portant l'été sur le bras un mince pardessus de nuance claire, enfoncé l'hiver dans une fourrure de cent louis[2], soignant surtout sa coiffure, des chapeaux irréprochables, d'un luisant de glace. Avec cela, il gardait des trous dans son élégance, la vague impression d'une malpropreté persistant en dessous, l'ancienne crasse du professeur déclassé, tombé du lycée de Bordeaux à la Bourse de Paris, la peau pénétrée et teinte des saletés immondes qu'il y avait essuyées pendant dix ans ; de même que, dans l'arrogante assurance de sa nouvelle fortune, il avait de basses humilités, s'effaçant, pris de la

---

1. Ici non pas une décoration, mais une petite broderie qui est un détail de coquetterie. 2. Le louis est une pièce d'or qui vaut vingt francs. En d'autres termes, cette fourrure vaut deux mille francs, soit le salaire annuel d'un petit employé de l'époque, comme Saccard lorsqu'il arrive à Paris en 1852.

peur brusque de quelque coup de pied au derrière, ainsi qu'autrefois. Il gagnait cent mille francs par an, en mangeait le double, on ne savait à quoi, car il n'affichait pas de maîtresse, tenaillé sans doute par quelque ignoble vice, la cause secrète qui l'avait fait chasser de l'Université. L'absinthe [1], du reste, le dévorait peu à peu, depuis ses jours de misère, continuant son œuvre, des infâmes cafés de jadis au cercle luxueux d'aujourd'hui, fauchant ses derniers cheveux, plombant son crâne et sa face, dont sa barbe noire en éventail demeurait l'unique gloire, une barbe de bel homme qui faisait illusion encore. Et Saccard, ayant de nouveau invoqué la ligne du journal, il l'avait arrêté d'un geste, de l'air fatigué d'un homme qui, n'aimant point perdre son temps en passion inutile, se décidait à lui parler d'affaires sérieuses, puisque Huret se faisait attendre.

Depuis quelque temps, Jantrou nourrissait des idées neuves de publicité. Il songeait d'abord à écrire une brochure, une vingtaine de pages sur les grandes entreprises que lançait l'Universelle, mais en leur donnant l'intérêt d'un petit roman, dramatisé en un style familier ; et il voulait inonder la province de cette brochure, qu'on distribuerait pour rien, au fond des campagnes les plus reculées. Ensuite, il projetait de créer une agence qui rédigerait et ferait autographier [2] un bulletin de la Bourse, pour l'envoyer à une centaine des meilleurs journaux des départements : on leur ferait cadeau de ce bulletin, ou ils le paieraient un prix dérisoire, et l'on aurait bientôt ainsi dans les mains une arme puissante, une force avec laquelle toutes les maisons de banque rivales seraient obligées de compter. Connaissant Saccard, il lui soufflait ainsi ses idées, jusqu'à ce que ce dernier les adoptât, les fît siennes, les élargît au point de les recréer réellement. Les minutes s'écoulaient, tous deux en étaient

---

1. Alcool toxique de couleur verte, extrait de la plante du même nom, et très en vogue à la fin du XIXe siècle. 2. L'autographie est un procédé de reproduction des écrits.

venus à régler l'emploi des fonds de la publicité pour le trimestre, les subventions à payer aux grands journaux, le terrible bulletinier d'une maison adverse dont il fallait acheter le silence, une part à prendre dans la mise aux enchères de la quatrième page d'une très ancienne feuille, très respectée. Et, de leur prodigalité, de tout cet argent qu'ils jetaient de la sorte en vacarme, aux quatre coins du ciel, se dégageait surtout leur dédain immense du public, le mépris de leur intelligence d'hommes d'affaires pour la noire ignorance du troupeau, prêt à croire tous les contes, tellement fermé aux opérations compliquées de la Bourse, que les raccrochages [1] les plus éhontés allumaient les passants et faisaient pleuvoir les millions.

Comme Jordan cherchait encore cinquante lignes pour arriver à ses deux colonnes, il fut dérangé par Dejoie, qui l'appelait.

« Ah ! dit-il, M. Jantrou est seul ?

– Non, monsieur Jordan, pas encore... C'est votre dame qui est là et qui vous demande. »

Très inquiet, Jordan se précipita. Depuis quelques mois, depuis que la Méchain avait enfin découvert qu'il écrivait sous son nom dans *L'Espérance*, il était traqué par Busch, pour les six billets de cinquante francs, signés autrefois à un tailleur. La somme de trois cents francs que représentaient les billets, il l'aurait encore payée ; mais ce qui l'exaspérait, c'était l'énormité des frais, ce total de sept cent trente francs quinze centimes, auquel était montée la dette. Pourtant, il avait pris un arrangement, s'était engagé à donner cent francs par mois ; et, comme il ne le pouvait pas, son jeune ménage ayant des besoins plus pressants, chaque mois les frais montaient davantage, les ennuis recommençaient, intolérables. En ce moment, il en était de nouveau à une crise aiguë.

« Quoi donc ? » demanda-t-il à sa femme, qu'il trouva dans l'antichambre.

---

1. Les réclames, les racolages.

Mais elle n'eut pas le temps de répondre, la porte du cabinet du directeur s'ouvrait violemment, et Saccard paraissait, criant :

« Ah ! çà, à la fin ! Dejoie, et M. Huret ? »

Interloqué, le garçon de bureau bégaya :

« Dame ! monsieur, il n'est pas là, je ne peux pas le faire venir plus vite, moi. »

La porte fut refermée avec un juron, et Jordan, qui avait emmené sa femme dans un des cabinets voisins, put l'interroger à l'aise.

« Quoi donc ? chérie. »

Marcelle, si gaie et si brave d'habitude, dont la petite personne grasse et brune, le clair visage aux yeux rieurs, à la bouche saine, exprimait le bonheur, même dans les heures difficiles, semblait complètement bouleversée.

« Oh ! Paul, si tu savais, il est venu un homme, oh ! un vilain homme affreux, qui sentait mauvais et qui avait bu, je crois... Alors, il m'a dit que c'était fini, que la vente de nos meubles était pour demain... Et il avait une affiche qu'il voulait absolument coller en bas, à la porte...

– Mais c'est impossible ! cria Jordan. Je n'ai rien reçu, il y a d'autres formalités.

– Ah ! oui, tu t'y connais encore moins que moi. Quand il vient des papiers, tu ne les lis seulement pas... Alors, pour qu'il ne collât pas l'affiche, je lui ai donné deux francs, et j'ai couru, et j'ai voulu te prévenir tout de suite. »

Ils se désespérèrent. Leur pauvre petit ménage de l'avenue de Clichy, ces quatre meubles d'acajou et de reps [1] bleu qu'ils avaient payés si difficilement à tant par mois, dont ils étaient si fiers, bien qu'ils en riaient parfois, le trouvant d'un goût bourgeois abominable ! Ils l'aimaient, parce qu'il avait fait partie de leur bonheur, dès la nuit des noces, dans ces deux étroites pièces, si ensoleillées, si ouvertes à l'espace, là-bas, jusqu'au mont Valérien ; et lui

---

1. Tissu d'ameublement côtelé en soie, laine ou coton.

qui avait planté tant de clous, et elle qui s'était ingéniée à draper de l'andrinople [1], pour donner au logement un air artiste ! Était-ce possible qu'on allait leur vendre tout ça, qu'on les chasserait de ce coin gentil, où même la misère leur était délicieuse ?

« Écoute, dit-il, je comptais demander une avance, je vais faire ce que je pourrai, mais je n'ai pas beaucoup d'espoir. »

Alors, hésitante, elle lui confia son idée.

« Moi, voici à quoi j'avais songé... Oh ! je ne l'aurais pas fait sans que tu veuilles bien ; et la preuve, c'est que je suis venue pour en causer avec toi... Oui, j'ai envie de m'adresser à mes parents. »

Vivement, il refusa.

« Non, non, jamais ! Tu sais que je ne veux rien leur devoir. »

Certes, les Maugendre restaient très convenables. Mais il gardait sur le cœur leur attitude refroidie, lorsque, après le suicide de son père, dans l'écroulement de sa fortune, ils n'avaient consenti au mariage depuis longtemps projeté de leur fille, que sur la volonté formelle de cette dernière, et en prenant contre lui des précautions blessantes, entre autres celle de ne pas donner un sou, convaincus qu'un garçon qui écrivait dans les journaux devait tout manger. Plus tard, leur fille hériterait. Et tous deux, elle autant que lui d'ailleurs, avaient mis jusque-là une coquetterie à crever de faim, sans rien demander aux parents, en dehors du repas qu'ils faisaient chez eux, une fois par semaine, le dimanche soir.

« Je t'assure, reprit-elle, c'est ridicule, notre réserve. Puisqu'ils n'ont que moi d'enfant, puisque tout doit me revenir un jour !... Mon père répète à qui veut l'entendre qu'il a gagné quinze mille francs de rentes, dans son commerce de bâches, à la Villette ; et, en plus, il y a leur petit hôtel, avec ce beau jardin, où ils se sont retirés... C'est

---

1. Tissu d'Andrinople, ville de Turquie réputée notamment pour son industrie textile.

stupide de nous faire tant de peine, lorsqu'ils regorgent de tout. Ils n'ont jamais été méchants, au fond. Je te dis que je vais aller les voir ! »

Elle avait une bravoure souriante, l'air décidé, très pratique dans son désir de rendre heureux son cher mari, qui travaillait tant, sans avoir trouvé encore, chez la critique et dans le public, autre chose que beaucoup d'indifférence et quelques gifles. Ah ! l'argent, elle aurait voulu en avoir des baquets pour les lui apporter, et il aurait été bien bête de faire le délicat, puisqu'elle l'aimait et qu'elle lui devait tout. C'était son conte de fées, sa *Cendrillon* à elle : les trésors de sa royale famille, qu'elle mettait, de ses petites mains, aux pieds de son prince ruiné, pour l'aider dans sa marche vers la gloire, à la conquête du monde.

« Voyons, dit-elle gaiement, en l'embrassant, il faut bien que je te serve à quelque chose, tu ne peux pas avoir toute la peine. »

Il céda, il fut convenu qu'elle allait tout de suite remonter aux Batignolles, rue Legendre, où ses parents demeuraient, et qu'elle reviendrait apporter l'argent, afin qu'il pût encore essayer de payer, le soir même. Et, comme il l'accompagnait jusqu'au palier, aussi ému que si elle était partie pour un grand danger, ils durent s'effacer et laisser passer Huret, qui arrivait enfin. Quand il retourna finir sa chronique dans la salle de rédaction, il entendit un violent fracas de voix sortir du cabinet de Jantrou.

Saccard, puissant à cette heure, redevenu le maître, voulait être obéi, sachant qu'il les tenait tous par l'espoir du gain et la terreur de la perte, dans la partie de colossale fortune qu'il jouait avec eux.

« Ah ! vous voilà donc, cria-t-il en apercevant Huret. Est-ce que c'est pour offrir au grand homme votre article encadré, que vous vous êtes attardé à la Chambre ?... J'en ai assez, vous savez, des coups d'encensoir dont vous lui cassez la figure, et je vous ai attendu pour vous dire que c'est fini, qu'il faudra, à l'avenir, nous donner autre chose. »

Interloqué, Huret regarda Jantrou. Mais celui-ci, bien décidé à ne pas s'attirer des ennuis en le secourant, s'était mis à passer les doigts dans sa belle barbe, les yeux perdus.

« Comment, autre chose ? finit par répondre le député, mais je vous donne ce que vous m'avez demandé !... Quand vous avez pris *L'Espérance*, cette feuille avancée du catholicisme et de la royauté, qui menait une si rude campagne contre Rougon, c'est vous qui m'avez prié d'écrire une série d'articles élogieux, pour montrer à votre frère que vous n'entendiez pas lui être hostile, et pour bien indiquer ainsi la nouvelle ligne du journal.

– La ligne du journal, précisément, reprit Saccard avec plus de violence, c'est la ligne du journal que je vous accuse de compromettre... Est-ce que vous croyez que je veux m'inféoder à mon frère ? Certes, je n'ai jamais marchandé mon admiration et mon affection reconnaissantes à l'empereur, je n'oublie pas ce que nous lui devons tous, ce que je lui dois, moi, en particulier. Seulement, ce n'est pas attaquer l'empire, c'est faire au contraire son devoir de sujet fidèle, que de signaler les fautes commises... La voilà, la ligne du journal : dévouement à la dynastie, mais indépendance entière à l'égard des ministres, des personnalités ambitieuses qui s'agitent et qui se disputent la faveur des Tuileries ! »

Et il se livra à un examen de la situation politique, pour prouver que l'empereur était mal conseillé. Il accusait Rougon de n'avoir plus son énergie autoritaire, sa foi de jadis au pouvoir absolu, de pactiser enfin avec les idées libérales [1], dans l'unique but de garder son portefeuille. Lui, se tapait du poing contre la poitrine, en se disant immuable, bonapartiste de la première heure, croyant du coup d'État, convaincu que le salut de la France était, aujourd'hui comme autrefois, dans le génie

---

1. Voir *supra*, p. 14, note 1.

et la force d'un seul. Oui, plutôt que d'aider à l'évolution
de son frère, plutôt que de laisser l'empereur se suicider
par de nouvelles concessions, il rallierait les intransi-
geants de la dictature, il ferait cause commune avec les
catholiques, pour enrayer la chute rapide qu'il prévoyait.
Et que Rougon prît garde, car *L'Espérance* pouvait
reprendre sa campagne en faveur de Rome !

Huret et Jantrou l'écoutaient, stupéfaits de sa colère,
n'ayant jamais soupçonné en lui des convictions politiques si ardentes[1]. Le premier s'avisa de vouloir
défendre les derniers actes du gouvernement.

« Dame ! mon cher, si l'empire va à la liberté, c'est que
toute la France est là qui pousse ferme... L'empereur est
entraîné, Rougon se trouve bien obligé de le suivre. »

Mais Saccard, déjà, sautait à d'autres griefs, sans se
soucier de mettre quelque logique dans ses attaques.

« Et, tenez ! c'est comme notre situation extérieure, eh
bien ! elle est déplorable... Depuis le traité de Villafranca, après Solferino, l'Italie nous garde rancune de ne
pas être allés jusqu'au bout de la campagne et de ne pas
lui avoir donné la Vénétie[2] ; si bien que la voici alliée
avec la Prusse, dans la certitude que celle-ci l'aidera à
battre l'Autriche... Lorsque la guerre éclatera, vous allez
voir la bagarre, et quel ennui sera le nôtre ; d'autant plus
que nous avons eu grand tort de laisser Bismarck et le
roi Guillaume s'emparer des duchés, dans l'affaire du
Danemark, au mépris d'un traité que la France avait

---

1. Aristide apparaît même, dans *La Fortune des Rougon* (1871),
comme un parfait opportuniste : journaliste républicain en décembre
1851, il feint d'être blessé et se met le bras en écharpe afin d'avoir une
excuse pour ne plus écrire d'articles, en attendant que se précise la
réussite du coup d'État de Louis Napoléon Bonaparte. 2. Le traité de
Villafranca, signé par Napoléon III et François-Joseph d'Autriche aux
lendemains des batailles de Magenta et Solférino en juin 1859, était un
traité préliminaire à la paix de Zurich (voir *supra*, p. 24, note 1). À
demi-fidèle à son engagement aux côtés des Italiens, Napoléon III y
prévoyait une confédération italienne à laquelle serait notamment ratta-
chée la Vénétie, mais celle-ci restait sous la domination de la Couronne
autrichienne, ce qui mécontentait les Italiens.

signé : c'est un soufflet, il n'y a pas à dire, nous n'avons plus qu'à tendre l'autre joue... Ah ! la guerre, elle est certaine, vous vous rappelez la baisse du mois dernier sur les fonds français et italiens, quand on a cru à une intervention possible de notre part dans les affaires d'Allemagne. Avant quinze jours peut-être, l'Europe sera en feu. »

De plus en plus surpris, Huret se passionna, contre son habitude.

« Vous parlez comme les journaux de l'opposition, vous ne voulez pourtant pas que *L'Espérance* emboîte le pas derrière *Le Siècle*[1] et les autres... Il ne vous reste plus qu'à insinuer, à l'exemple de ces feuilles, que, si l'empereur s'est laissé humilier, dans l'affaire des duchés, et s'il permet à la Prusse de grandir impunément, c'est qu'il a immobilisé tout un corps d'armée, pendant de longs mois, au Mexique. Voyons, soyez de bonne foi, c'est fini, le Mexique, nos troupes reviennent...[2]. Et puis, je ne vous comprends pas, mon cher. Si vous voulez garder Rome au pape, pourquoi avez-vous l'air de blâmer la paix hâtive de Villafranca ? La Vénétie à l'Italie, mais c'est les Italiens à Rome avant deux ans, vous le savez comme moi[3] ; et Rougon le sait aussi, bien qu'il jure le contraire, à la tribune...

– Ah ! vous voyez que c'est un fourbe ! cria superbement Saccard. Jamais on ne touchera au pape, entendez-vous ! sans que la France catholique entière se lève pour le défendre... Nous lui porterions notre argent, oui ! tout l'argent de l'Universelle ! J'ai mon projet, notre affaire est là, et vraiment, à force de m'exaspérer, vous me feriez dire des choses que je ne veux pas dire encore ! »

---

1. Journal de tendance républicaine, favorable à l'unité italienne et qui avait encouragé une intervention française en Italie. 2. Les troupes du général Bazaine ont remporté une victoire facile au Mexique. 3. Huret prend Saccard à ses propres contradictions, et celles-ci sont du reste celles de la diplomatie erratique de l'empereur : ce dernier était débordé par le mouvement d'unité nationale italienne qu'il avait lui-même favorisé, et qui nuisait aux possessions de la papauté.

Jantrou, très intéressé, avait brusquement dressé l'oreille, commençant à comprendre, tâchant de faire son profit d'une parole surprise au passage.

« Enfin, reprit Huret, je désire savoir à quoi m'en tenir, moi, à cause de mes articles, et il s'agit de nous entendre... Voulez-vous qu'on intervienne, voulez-vous qu'on n'intervienne pas ? Si nous sommes pour le principe des nationalités [1], de quel droit irions-nous nous mêler des affaires de l'Italie et de l'Allemagne ?... Voulez-vous que nous fassions une campagne contre Bismarck ? oui ! au nom de nos frontières menacées... »

Mais Saccard, hors de lui, debout, éclata.

« Ce que je veux, c'est que Rougon ne se fiche pas de moi davantage !... Comment ! après tout ce que j'ai fait ! J'achète un journal, le pire de ses ennemis, j'en fais un organe dévoué à sa politique, je vous laisse pendant des mois y chanter ses louanges. Et jamais ce bougre-là ne nous donnerait un coup d'épaule, j'en suis encore à attendre un service de sa part ! »

Timidement, le député fit remarquer que, là-bas, en Orient, l'appui du ministre avait singulièrement aidé l'ingénieur Hamelin, en lui ouvrant toutes les portes, en exerçant une pression sur certains personnages.

« Laissez-moi donc tranquille ! Il n'a pas pu faire autrement... Mais est-ce qu'il m'a jamais averti, la veille d'une hausse ou d'une baisse, lui qui est si bien placé pour tout savoir ? Souvenez-vous ! vingt fois je vous ai chargé de le sonder, vous qui le voyez tous les jours, et vous en êtes encore à m'apporter un vrai renseignement utile... Ce ne serait pourtant pas si grave, un simple mot que vous me répéteriez [2].

---

1. Voir *supra*, p. 24, note 1. 2. La primeur voire l'exclusivité de la nouvelle est déterminante à la Bourse. La littérature boursière s'est tôt plu à mettre en scène les effets de « bascule » (mot du vaudeville boursier des années 1820) causés par les nouvelles internationales qui tombaient à la Bourse, ou à ironiser sur la sensibilité du marché boursier à l'événement le plus indifférent. Saccard cherche en tout cas ici à commettre ce qu'on condamne aujourd'hui comme délit d'initié. Notons

– Sans doute, mais il n'aime pas ça, il dit que ce sont des tripotages dont on se repent toujours.

– Allons donc ! est-ce qu'il a de ces scrupules avec Gundermann ! Il fait de l'honnêteté avec moi, et il renseigne Gundermann.

– Oh ! Gundermann, sans doute ! Ils ont tous besoin de Gundermann, ils ne pourraient pas faire un emprunt sans lui. »

Du coup, Saccard triompha violemment, tapant dans ses mains.

« Nous y voilà donc, vous avouez ! L'empire est vendu aux juifs, aux sales juifs. Tout notre argent est condamné à tomber entre leurs pattes crochues. L'Universelle n'a plus qu'à crouler devant leur toute-puissance. »

Et il exhala sa haine héréditaire, il reprit ses accusations contre cette race de trafiquants et d'usuriers, en marche depuis des siècles à travers les peuples, dont ils sucent le sang, comme les parasites de la teigne et de la gale, allant quand même, sous les crachats et les coups, à la conquête certaine du monde, qu'ils posséderont un jour par la force invincible de l'or. Et il s'acharnait surtout contre Gundermann, cédant à sa rancune ancienne, au désir irréalisable et enragé de l'abattre, malgré le pressentiment que celui-là était la borne où il s'écraserait, s'il entrait jamais en lutte. Ah ! ce Gundermann ! un Prussien à l'intérieur, bien qu'il fût né en France [1] ! car il faisait évidemment des vœux pour la Prusse, il l'aurait volontiers soutenue de son argent, peut-être même la soutenait-il en secret ! N'avait-il pas osé dire, un soir,

---

que Zola écrit le roman alors que va éclater le scandale de Panamá, bel exemple de collusion politico-financière ; mais ce n'est pas une collusion qu'il montre, dès lors qu'il installe une méfiance entre les deux frères Rougon.   **1.** *Topos* de l'époque, tout particulièrement chez les chroniqueurs et romanciers antisémites. C'était une attaque en particulier adressée contre le baron James de Rothschild. Édouard Drumont, auteur du pamphlet *La France juive, essai d'histoire contemporaine* (1886) et fondateur du journal *La Libre parole* à partir de 1892, incarne ces attaques prétendument patriotes contre les Juifs.

dans un salon, que, si jamais une guerre éclatait entre la Prusse et la France, cette dernière serait vaincue !

« J'en ai assez, comprenez-vous, Huret ! et mettez-vous bien ça dans la tête : c'est que, si mon frère ne me sert à rien, j'entends ne lui servir à rien non plus... Quand vous m'aurez apporté de sa part une bonne parole, je veux dire un renseignement que nous puissions utiliser, je vous laisserai reprendre vos dithyrambes [1] en sa faveur. Est-ce clair ? »

C'était trop clair. Jantrou, qui retrouvait son Saccard, sous le théoricien politique, s'était remis à peigner sa barbe du bout de ses doigts. Mais Huret, bousculé dans sa finasserie prudente de paysan normand, paraissait fort ennuyé, car il avait placé sa fortune sur les deux frères, et il aurait bien voulu ne se fâcher ni avec l'un ni avec l'autre.

« Vous avez raison, murmura-t-il, mettons une sourdine, d'autant plus qu'il faut voir venir les événements... Et je vous promets de tout faire pour obtenir les confidences du grand homme. À la première nouvelle qu'il m'apprend, je saute dans un fiacre et je vous l'apporte. »

Déjà, ayant joué son rôle, Saccard plaisantait.

« C'est pour vous tous que je travaille, mes bons amis... Moi, j'ai toujours été ruiné et j'ai toujours mangé un million par an. »

Et, revenant à la publicité :

« Ah ! dites donc, Jantrou, vous devriez bien égayer un peu votre bulletin de la Bourse... Oui, vous savez, des mots pour rire, des calembours. Le public aime ça, rien ne l'aide comme l'esprit à avaler les choses... N'est-ce pas ? des calembours ! »

Ce fut le tour du directeur à être contrarié. Il se piquait de distinction littéraire. Mais il dut promettre. Et, comme il inventa une histoire, des femmes très bien qui lui avaient offert de se faire tatouer des annonces aux

---

1. Éloges outrés. Le dithyrambe, sous l'Antiquité, est un poème lyrique en l'honneur de Dionysos.

endroits les plus délicats de leur personne, les trois hommes, riant très fort, redevinrent les meilleurs amis du monde.

Cependant, Jordan avait enfin terminé sa chronique, et l'impatience le prenait de voir revenir sa femme. Des rédacteurs arrivaient, il causa, puis retourna dans l'antichambre. Et, là, il était resté un peu scandalisé de surprendre Dejoie, l'oreille collée contre la porte du directeur, en train d'écouter, tandis que sa fille Nathalie faisait le guet.

« N'entrez pas, balbutia le garçon de bureau, M. Saccard est toujours là… Je croyais qu'on m'avait appelé… »

La vérité était que, mordu d'un âpre désir de gain, depuis qu'il avait acheté huit actions* entièrement libérées [1] de l'Universelle, avec les quatre mille francs d'économies laissées par sa femme, il ne vivait plus que pour l'émotion joyeuse de voir monter ces actions ; et, à genoux devant Saccard, recueillant ses moindres mots, comme des paroles d'oracle, il ne pouvait résister, quand il le savait là, au besoin de connaître le fond de ses pensées, ce que disait le dieu dans le secret du sanctuaire. D'ailleurs, cela était encore dégagé de tout égoïsme, il ne songeait qu'à sa fille, il venait de s'exalter en calculant que ses huit actions, au cours de sept cent cinquante francs, lui donnaient déjà un gain de douze cents francs : ce qui, joint au capital, lui faisait cinq mille deux cents francs. Plus que cent francs de hausse, et il avait les six mille francs rêvés, la dot que le cartonnier exigeait pour laisser son fils épouser la petite. À cette idée, son cœur se fondait, il regardait avec des larmes cette enfant qu'il avait élevée, dont il était la vraie mère, dans le petit ménage si heureux qu'ils menaient ensemble, depuis le retour de nourrice.

Mais il continua, très troublé, lâchant des paroles quelconques, pour cacher son indiscrétion.

---

1. Voir p. 212, note 2.

« Nathalie, qui est montée me dire un petit bonjour, vient de rencontrer votre dame, monsieur Jordan.

– Oui, expliqua la jeune fille, elle tournait dans la rue Feydeau. Oh ! elle courait ! »

Son père la laissait sortir à sa guise, certain d'elle, disait-il. Et il avait raison de compter sur sa bonne conduite, car elle était trop froide au fond, trop résolue à faire elle-même son bonheur, pour compromettre par une sottise le mariage si longuement préparé. Avec sa taille mince, ses grands yeux dans son joli visage pâle, elle s'aimait, d'une égoïste obstination, l'air souriant.

Jordan, surpris, ne comprenant pas, s'écria :

« Comment, dans la rue Feydeau ? »

Et il n'eut pas le temps de questionner davantage, car Marcelle entra, essoufflée. Tout de suite, il l'emmena dans le cabinet voisin, y trouva le rédacteur des tribunaux, dut se contenter de s'asseoir avec elle sur une banquette, au fond du couloir.

« Eh bien ?

– Eh bien, mon chéri, c'est fait, mais ça n'a pas été sans peine. »

Dans son contentement, il voyait qu'elle avait le cœur gros ; et elle lui dit tout, d'une voix basse et rapide, car elle avait beau se promettre de lui cacher certaines choses, elle ne pouvait avoir de secrets.

Depuis quelque temps, les Maugendre changeaient à l'égard de leur fille. Elle les trouvait moins tendres, préoccupés, lentement envahis d'une passion nouvelle, le jeu. C'était la commune histoire : le père, un gros homme calme et chauve, à favoris blancs, la mère, sèche, active, ayant gagné sa part de la fortune, tous deux vivant trop grassement dans leur maison, de leurs quinze mille francs de rentes, s'ennuyant à ne plus rien faire. Lui, n'avait eu, dès lors, d'autre distraction que de toucher son argent. À cette époque, il tonnait contre toute spéculation, il haussait les épaules de colère et de pitié, en parlant des pauvres imbéciles qui se font dépouiller, dans un tas de voleries aussi sottes que malpropres. Mais, vers ce temps-là, une somme importante lui étant rentrée, il avait eu l'idée de l'employer en reports* : ça, ce n'était pas de la spéculation, c'était un simple placement ; seulement, à partir de ce jour, il avait pris l'habitude, après son premier déjeuner, de lire avec soin, dans son journal, la cote de la Bourse, pour suivre les cours. Et le mal était parti de là, la fièvre l'avait brûlé peu à peu, à voir la danse des valeurs, à vivre dans cet air empoisonné du jeu, l'imagination hantée de millions conquis en une heure, lui qui avait mis trente années à gagner quelques centaines de mille francs. Il ne pouvait s'empêcher d'en entretenir sa femme, pendant chacun de leurs repas : quels coups il aurait faits, s'il n'avait pas juré de ne jamais jouer ! et il expliquait l'opération, il manœuvrait ses fonds avec la savante tactique d'un général en chambre, il finissait toujours par battre triomphalement les parties adverses imaginaires, car il se piquait d'être devenu de première force dans les questions de primes* et de reports. Sa femme, inquiète, lui déclarait qu'elle aimerait mieux se noyer tout de suite, plutôt que de lui voir hasarder un sou ; mais il la rassurait, pour qui le prenait-elle ? Jamais de la vie ! Pourtant, une occasion s'était présentée, tous deux, depuis longtemps, avaient la folle envie de faire construire, dans leur jardin, une petite serre de cinq ou six mille francs ; si bien qu'un soir, les mains tremblantes d'une émotion délicieuse, il avait posé, sur la table à ouvrage de sa femme, les six billets, en disant qu'il venait de gagner ça à la Bourse : un coup dont il était sûr, une débauche qu'il promettait bien de ne pas recommencer, qu'il avait risquée uniquement à cause de la serre. Elle, partagée entre la colère et le saisissement de sa joie, n'avait point osé le gronder. Le mois suivant, il se lançait dans une opération à primes, en lui expliquant qu'il ne craignait rien, du moment où il limitait sa perte. Puis, que diable ! dans le tas, il y avait tout de même de bonnes affaires, il aurait été bien sot de laisser le voisin en profiter. Et, fatalement, il s'était mis à jouer à terme*, petitement d'abord, s'enhardissant peu à peu, tandis qu'elle, toujours agitée par ses angoisses de bonne ménagère, les yeux en flammes pourtant au moindre gain, continuait à lui prédire qu'il mourrait sur la paille.

Mais, surtout, le capitaine Chave, le frère de Mme Maugendre, blâmait son beau-frère. Lui qui ne pouvait se suffire avec les dix-huit cents francs de sa retraite, jouait bien à la Bourse ; seulement, il était le malin des malins, il allait là comme un employé va à son bureau, n'opérant que sur le comptant*, ravi quand il emportait sa pièce de vingt francs le soir : des opérations quotidiennes, faites à coup sûr, d'une modestie telle, qu'elles échappaient aux catastrophes. Sa sœur lui avait offert une chambre chez elle, dans la maison trop vaste, depuis que Marcelle était mariée ; mais il avait refusé, tenant à être libre, ayant des vices, occupant une seule pièce, au fond d'un jardin de la rue Nollet, où continuellement se glissaient des jupes. Ses gains devaient passer en bonbons et en gâteaux pour ses petites amies. Toujours il avait mis en garde Maugendre, lui répétant de ne pas jouer, de faire la vie plutôt [1] ; et, quand ce dernier lui criait : « Mais vous ? » il avait un geste énergique : oh ! lui, c'était différent, il n'avait pas quinze mille francs de rente, sans ça ! S'il jouait, la faute en était à cette saleté de gouvernement qui marchandait aux vieux braves la joie de leur vieillesse. Son grand argument contre le jeu était que, mathématiquement, le joueur devait toujours perdre : s'il gagne, il a à déduire le courtage* et le droit de timbre* ; s'il perd, il a en plus à payer les mêmes droits ; de sorte que, même en admettant qu'il gagne aussi souvent qu'il perd, il sort encore de sa poche le timbre et le courtage. Annuellement, à la Bourse de Paris, ces droits produisent l'énorme total de quatre-vingts millions. Et il brandissait ce chiffre, quatre-vingts millions

---

1. De profiter de la vie, de prendre du bon temps.

que ramassent l'État, les coulissiers* et les agents de change* !

Sur la banquette, au fond du corridor, Marcelle confessait à son mari une partie de cette histoire.

« Mon chéri, il faut dire que je suis mal tombée. Maman faisait une querelle à papa, à cause d'une perte qu'il a éprouvée à la Bourse... Oui, il paraît qu'il n'en sort plus. Ça m'a l'air si drôle, lui qui autrefois n'admettait que le travail... Enfin, ils se disputaient, et il y avait là un journal, *La Cote financière*, que maman lui agitait sous le nez, en lui criant qu'il n'y entendait rien, qu'elle avait bien prévu la baisse, elle. Alors, il est allé chercher un autre journal, justement *L'Espérance*, et il a voulu lui montrer l'article où il avait pris son renseignement... Imagine-toi, c'est plein de journaux chez eux, ils sont fourrés là-dedans du matin au soir, et je crois, Dieu me pardonne ! que maman commence à jouer, elle aussi, malgré son air furieux. »

Jordan ne put s'empêcher de rire, tellement elle était amusante, dans son chagrin à mimer la scène.

« Bref, je leur ai dit notre gêne, je les ai priés de nous prêter deux cents francs, pour arrêter les poursuites. Et si tu les avais entendus alors se récrier : deux cents francs, lorsqu'ils en perdaient deux mille à la Bourse ! est-ce que je me moquais d'eux ? est-ce que je voulais les ruiner ?... Jamais je ne les ai vus comme ça. Eux qui étaient si gentils pour moi, qui auraient tout dépensé pour me faire des cadeaux ! Il faut vraiment qu'ils deviennent fous, car ça n'a pas de bon sens de se gâter ainsi la vie, lorsqu'ils sont si heureux dans leur belle maison, sans un tracas, n'ayant plus qu'à manger à l'aise la fortune si durement gagnée.

– J'espère bien que tu n'as pas insisté, dit Jordan.

– Mais si, j'ai insisté, et alors ils sont tombés sur toi... Tu vois que je te dis tout, je m'étais tant promis de garder ça pour moi, et puis ça m'échappe... Ils m'ont répété qu'ils l'avaient bien prévu, que ce n'est pas un métier d'écrire dans les journaux, que nous finirions à l'hôpital... [1]. Enfin, comme je me mettais en colère à mon tour, j'allais partir, lorsque le capitaine est arrivé. Tu sais qu'il m'a toujours adorée, l'oncle Chave. Et, devant lui, ils sont devenus raisonnables, d'autant plus qu'il triomphait, qu'il demandait à papa s'il allait continuer à se faire voler... Maman m'a prise à l'écart, m'a glissé cinquante francs dans la main, en me disant qu'avec ça nous obtiendrions quelques jours, le temps de nous retourner.

— Cinquante francs [2]! une aumône! et tu les as acceptés ? »

Marcelle lui avait tendrement saisi les mains, le calmant de toute sa tranquille raison.

« Voyons, ne te fâche pas... Oui, je les ai acceptés, et j'ai si bien compris que jamais tu n'oserais les porter à l'huissier, que j'y suis allée tout de suite moi-même, chez cet huissier, tu sais, rue Cadet. Mais figure-toi qu'il a refusé de les prendre, en m'expliquant qu'il avait des ordres formels de M. Busch, et que M. Busch seul pouvait arrêter les poursuites... Oh! ce Busch! je ne hais personne, mais ce qu'il m'exaspère et me dégoûte, celui-là! Ça ne fait rien, j'ai couru chez lui, rue Feydeau, et il a bien fallu qu'il se contentât des cinquante francs, et voilà! nous en avons pour quinze jours à ne pas être tourmentés. »

Une grosse émotion avait contracté le visage de Jordan, tandis que des larmes qu'il retenait mouillaient le bord de ses yeux.

« Tu as fait cela, petite femme, tu as fait cela!

— Mais oui, je ne veux pas qu'on t'ennuie davantage, moi! Qu'est-ce que ça me fait de recevoir des sottises, si on te laisse travailler tranquille! »

---

1. C'est-à-dire qu'ils n'auront plus de toit dans leur vieillesse. « Finir à l'hôpital », comme les petites courtisanes chez Balzac ou les poètes des mansardes chez Murger, représente la fin misérable caractéristique, dans la société et les romans du XIXe siècle. 2. Soit environ la moitié du salaire mensuel d'une institutrice de l'époque.

Et elle riait maintenant, elle racontait son arrivée chez Busch, dans la crasse de ses dossiers, la façon brutale dont il l'avait accueillie, ses menaces de ne pas leur laisser une nippe, s'il n'était pas payé à l'instant de toute la dette. Le drôle était qu'elle avait pris le régal de le mettre hors de lui, en lui contestant la légitime propriété de cette dette, ces trois cents francs de billets, montés avec les frais à sept cent trente francs quinze centimes, et qui ne lui avaient peut-être pas coûté cent sous, dans quelque lot de vieux chiffons. Il étranglait de fureur : d'abord, il les avait justement achetés très cher, ceux-là ; puis, et son temps perdu, et la fatigue des courses qu'il avait faites pendant deux ans pour retrouver le signataire, et l'intelligence qu'il lui fallait déployer dans cette chasse à l'homme, est-ce qu'il ne devait pas se rembourser de tout ça ? Tant pis pour ceux qui se laissaient pincer ! Enfin, il avait tout de même pris les cinquante francs, parce que son système de prudence était de transiger toujours.

« Ah ! petite femme, que tu es brave et que je t'aime ! » dit Jordan, qui se laissa aller à embrasser Marcelle, bien qu'à ce moment le secrétaire de la rédaction passât.

Puis, baissant la voix :

« Combien te reste-t-il à la maison ?

– Sept francs.

– Bon ! reprit-il, très heureux, nous avons de quoi aller deux jours [1], et je ne vais pas demander une avance, qu'on me refuserait d'ailleurs. Ça me coûte trop... Demain, j'irai voir si l'on veut me prendre un article au *Figaro*... [2]. Ah ! si j'avais fini mon roman, si ça se vendait un petit peu ! »

Marcelle à son tour l'embrassait.

---

1. Cela signifie que le jeune journaliste et sa femme ont le train de vie d'un ouvrier. 2. *Le Figaro*, dirigé par Henri de Villemessant, était l'un des quotidiens français les plus importants de l'époque. Et, comme tous les journaux, il comprenait plus de rubriques littéraires que la presse quotidienne actuelle. Cela dit, Jordan ne semble pas se restreindre à des articles littéraires, de même que Zola journaliste publiait à la fois des chroniques littéraires et politiques.

« Oui, va, ça marchera très bien !... Tu remontes avec moi, n'est-ce pas ? Ce sera gentil et nous achèterons, pour demain matin, un hareng saur, au coin de la rue de Clichy, où j'en ai vu de superbes. Ce soir, nous avons des pommes de terre au lard. »

Jordan, après avoir prié un camarade de revoir ses épreuves, partit avec sa femme. D'ailleurs, Saccard et Huret s'en allaient, eux aussi. Dans la rue, un coupé s'arrêtait justement devant la porte du journal ; et ils en virent descendre la baronne Sandorff, qui les salua d'un sourire, puis qui monta lestement. Parfois, elle rendait ainsi visite à Jantrou. Saccard, qu'elle excitait beaucoup, avec ses grands yeux meurtris, fut sur le point de remonter.

En haut, dans le cabinet du directeur, la baronne ne voulut même pas s'asseoir. Un petit bonjour en passant, uniquement l'idée de lui demander s'il ne savait rien. Malgré sa brusque fortune, elle le traitait toujours comme à l'époque où il venait chaque matin chez son père, M. de Ladricourt, avec l'échine basse du remisier* en quête d'un ordre. Son père était d'une brutalité révoltante, elle ne pouvait oublier le coup de pied dont il l'avait jeté à la porte, dans la colère d'une grosse perte. Et, maintenant qu'elle le voyait à la source des nouvelles, elle était redevenue familière, elle tâchait de le confesser.

« Eh bien, rien de nouveau ?

– Ma foi, non, je ne sais rien. »

Mais elle continuait de le regarder en souriant, persuadée qu'il ne voulait rien dire. Alors, pour le forcer aux confidences, elle parla de cette bête de guerre qui allait mettre aux prises l'Autriche, l'Italie et la Prusse [1]. La spéculation s'affolait, une terrible baisse se déclarait sur les fonds italiens, ainsi que sur toutes les valeurs, du reste.

---

1. L'Italie et la Prusse avaient chacune intérêt à s'allier contre l'Autriche, la première dans l'espoir d'obtenir enfin la Vénétie, la seconde pour s'étendre vers le sud. Napoléon III, en 1865, favorisa cette alliance, espérant tirer bénéfice de ce double conflit.

Et elle était fort ennuyée, car elle ignorait jusqu'à quel point elle devait suivre ce mouvement, ayant d'assez grosses sommes engagées pour la liquidation* prochaine.

« Votre mari ne vous renseigne donc pas ? demanda plaisamment Jantrou. Il est pourtant bien placé, à l'ambassade.

– Oh ! mon mari, murmura-t-elle avec un geste dédaigneux, mon mari, je n'en tire plus rien. »

Il s'égaya davantage, il poussa les choses jusqu'à faire allusion au procureur général Delcambre, l'amant qui, disait-on, payait ses différences*, quand elle se résignait à les payer.

« Et vos amis, ils ne savent donc rien, ni à la cour, ni au palais ? »

Elle affecta de ne pas comprendre, elle reprit, suppliante, sans le quitter des yeux :

« Voyons, vous, soyez aimable... Vous savez quelque chose. »

Déjà une fois, dans son enragement après toutes les jupes, malpropres ou élégantes, qui l'effleuraient, il avait songé à se la payer, comme il disait brutalement, cette joueuse, si familière avec lui. Mais, au premier mot, au premier geste, elle s'était redressée, si répugnée, si méprisante, qu'il avait bien juré de ne pas recommencer. Avec cet homme que son père recevait à coups de pied, ah ! jamais ! Elle n'en était pas encore là.

« Aimable, pourquoi le serais-je ? dit-il en riant d'un air gêné. Vous ne l'êtes guère avec moi. »

Tout de suite, elle redevint grave, les yeux durs. Et elle lui tournait le dos pour s'en aller, lorsque, de dépit, cherchant à la blesser, il ajouta :

« Vous venez de rencontrer Saccard à la porte, n'est-ce pas ? Pourquoi ne l'avez-vous pas interrogé, lui, puisqu'il n'a rien à vous refuser ? »

Elle revint brusquement.

« Que voulez-vous dire ?

– Dame ! ce qu'il vous plaira de comprendre… Voyons, ne faites donc pas la cachottière, je vous ai vue chez lui, je le connais ! »

Une révolte la soulevait, tout l'orgueil de sa race, vivant encore, remontait du fond trouble, de la boue où sa passion la noyait un peu plus chaque jour. D'ailleurs, elle ne s'emporta pas, elle dit simplement d'une voix nette et rude :

« Ah ! çà, mon cher, pour qui me prenez-vous ? Vous êtes fou… Non, je ne suis pas la maîtresse de votre Saccard, parce que je n'ai pas voulu. »

Et lui, alors, avec sa politesse fleurie de lettré, la salua d'une révérence.

« Eh bien, madame, vous avez eu le plus grand tort… Croyez-moi, si c'est à recommencer, ne manquez pas l'affaire, parce que, vous qui êtes toujours à la chasse des renseignements, vous les trouveriez, sans tant de peine, sous le traversin de ce monsieur-là… Oh ! mon Dieu ! oui, le nid y sera bientôt, vous n'aurez qu'à y fourrer vos jolis doigts. »

Elle prit le parti de rire, comme résignée à faire la part de son cynisme. Quand elle lui serra la main, il sentit la sienne toute froide. Vraiment, s'en serait-elle tenue à sa corvée avec le glacial et osseux Delcambre, cette femme aux lèvres si rouges, que l'on disait insatiable ?

Le mois de juin s'écoula, l'Italie avait déclaré le 15 [1] la guerre à l'Autriche. D'autre part, la Prusse, en deux semaines à peine, par une marche foudroyante, venait d'envahir le Hanovre, de conquérir les deux Hesses, Bade, la Saxe [2], en surprenant en pleine paix des populations désarmées. La France n'avait pas bougé, les gens bien informés chuchotaient tout bas, à la Bourse, qu'une entente secrète la liait à la Prusse, depuis que Bismarck s'était rendu près de l'empereur, à Biarritz ; et l'on parlait

---

1. Le 15 juin 1866. 2. Ces duchés ou royaumes marquaient la progression de la Prusse vers le sud. Ils allaient dès lors entrer dans la confédération prussienne, plus tard Empire allemand.

mystérieusement des compensations qui devaient payer sa neutralité[1]. Mais la baisse ne s'en accentuait pas moins, d'une désastreuse façon. Lorsque, le 4 juillet, arriva la nouvelle de Sadowa[2], ce coup de tonnerre si brusque, ce fut un effondrement de toutes les valeurs. On croyait à une continuation acharnée de la guerre[3] ; car, si l'Autriche était battue par la Prusse, elle avait vaincu l'Italie, à Custozza ; et l'on disait déjà qu'elle rassemblait les débris de son armée, en abandonnant la Bohême. Les ordres de vente pleuvaient à la corbeille*, on ne trouvait plus d'acheteurs.

Le 4 juillet, Saccard, qui était monté au journal très tard, vers six heures, n'y trouva pas Jantrou, que ses passions, depuis quelque temps, dérangeaient : des disparitions brusques, des bordées, d'où il revenait anéanti, les yeux troubles, sans qu'on pût savoir qui, des filles ou de l'alcool, le ravageait davantage. À ce moment-là, le journal se vidait, il ne restait guère que Dejoie, dînant sur le coin de sa table, dans l'antichambre. Et Saccard, après avoir écrit deux lettres, allait partir, lorsque, le sang au visage, Huret entra en tempête, sans même prendre le temps de refermer les portes.

« Mon bon ami, mon bon ami… »

Il étouffait, il mit les deux mains sur sa poitrine.

« Je sors de chez Rougon… J'ai couru, parce que je n'avais pas de fiacre. Enfin, j'en ai trouvé un… Rougon a reçu une dépêche de là-bas. Je l'ai vue… Une nouvelle, une nouvelle… »

---

1. Napoléon III avait en effet adopté le principe d'une « neutralité attentive » dont il attendait deux bénéfices : en échange de sa neutralité vis-à-vis de la Prusse, il attendait que Bismarck lui accordât une révision du tracé de la frontière franco-prussienne héritée de 1815 ; en échange de sa neutralité vis-à-vis de l'Autriche, il espérait que l'Autriche livrât enfin la Vénétie à l'Italie, comme la France s'y était engagée en 1859. **2.** Cette victoire des Prussiens contre les Autrichiens eut lieu le 3 juillet 1866. **3.** C'était en effet le pari de Napoléon III lui-même, qui avait mal évalué le déséquilibre des forces en présence.

D'un geste violent, Saccard l'arrêta, et il se précipita pour fermer la porte, ayant aperçu Dejoie qui rôdait déjà, l'oreille tendue.

« Enfin, quoi ?

– Eh bien, l'empereur d'Autriche cède la Vénétie à l'empereur des Français, en acceptant sa médiation, et ce dernier va s'adresser aux rois de Prusse et d'Italie pour amener un armistice [1]. »

Il y eut un silence.

« C'est la paix, alors ?

– Évidemment »

Saccard, saisi, sans idée encore, laissa échapper un juron. « Tonnerre de Dieu ! et toute la Bourse qui est à la baisse ! »

Puis, machinalement :

« Et cette nouvelle, pas une âme ne la sait ?

– Non, la dépêche est confidentielle, la note ne paraîtra pas même demain matin au *Moniteur*. Paris ne saura sans doute rien avant vingt-quatre heures. »

Alors, ce fut le coup de foudre, l'illumination brusque. Il courut de nouveau à la porte, l'ouvrit pour voir si personne n'écoutait. Et il était hors de lui, il revint se planter devant le député, le saisit par les deux revers de sa redingote.

« Taisez-vous ! pas si haut !… Nous sommes les maîtres, si Gundermann et sa bande ne sont pas avertis… Entendez-vous ! pas un mot, à personne au monde ! ni à vos amis, ni à votre femme !… Justement, une chance ! Jantrou n'est pas là, nous serons seuls à savoir, nous aurons le temps d'agir… Oh ! je ne veux pas travailler que pour moi. Vous en êtes, nos collègues de l'Universelle en sont aussi. Seulement, un secret ne se garde point à

---

1. Napoléon III offrit sa médiation après la victoire écrasante des Prussiens, mais il n'était plus en position de force. L'Italie reçut en effet la Vénétie, mais elle la considérait comme un dû depuis longtemps. Bismarck quant à lui n'accorda pas les compensations attendues. Dans toute la suite du chapitre, le texte suggère que l'Empire a enjolivé son rôle de faiseur de paix pour masquer son échec diplomatique.

plusieurs. Tout est perdu, si la moindre indiscrétion se commet demain, avant la Bourse. »

Huret, très ému, bouleversé de la grandeur du coup qu'ils allaient tenter [1], promit d'être absolument muet. Et ils se distribuèrent la besogne, ils décidèrent qu'il fallait tout de suite entrer en campagne. Saccard avait déjà son chapeau, quand une question lui vint aux lèvres.

« Alors, c'est Rougon qui vous a chargé de m'apporter cette nouvelle ?

– Sans doute. »

Il avait hésité, il mentait : la dépêche, simplement, traînait sur le bureau du ministre, où il avait eu l'indiscrétion de la lire, étant resté seul une minute. Mais, son intérêt se trouvant dans une entente cordiale des deux frères, ce mensonge lui parut ensuite très adroit, d'autant plus qu'il les savait peu désireux de se voir et de causer de ces choses.

« Allons, déclara Saccard, il n'y a pas à dire, il a été gentil, cette fois… En route ! »

Dans l'antichambre, il n'y avait toujours que Dejoie, qui s'était efforcé d'entendre, sans rien saisir de distinct. Ils le sentirent pourtant fiévreux, ayant flairé la proie énorme qui passait dans l'air, si agité de cette odeur d'argent, qu'il se mit à la fenêtre du palier, pour les voir traverser la cour.

La difficulté était d'agir vivement, avec la plus grande prudence. Aussi se quittèrent-ils dans la rue : Huret se chargeait de la petite Bourse du soir [2], tandis que

---

1. Il s'agit d'un délit d'initié : une asymétrie d'information garantit un gain certain sur le marché boursier. **2.** De même qu'il existait des intermédiaires financiers non officiels, il existait des lieux et des temps de transaction hors du palais Brongniart et de la séance de 13 h à 15 h. Henri Cozic, contemporain de Zola, a détaillé dans son livre *La Bourse* la journée du boursier : le matin, lecture des nouvelles et visites pour recueillir des informations ; avant midi, le premier cours de la coulisse, en particulier de la rente, est connu ; les commis d'agent se mettent vers midi à exécuter les ordres donnés au cours moyen, pour ne pas surcharger la Bourse ; à la même heure, on affiche à la Bourse les nouvelles et les cours de Londres ; après la séance, vers 16 h 30, les journaux du

Saccard, malgré l'heure tardive, se lançait à la recherche des remisiers, des coulissiers, des agents de change, pour donner des ordres d'achat. Seulement, ces ordres, il désirait les diviser, les éparpiller le plus possible, par crainte d'éveiller un soupçon ; et, surtout, il voulait avoir l'air de rencontrer les gens, au lieu d'aller les relancer chez eux, ce qui aurait paru singulier. Le hasard le servit heureusement, il aperçut sur le boulevard l'agent de change Jacoby, avec qui il plaisanta, et qu'il chargea d'une forte opération, sans trop l'étonner. Cent pas plus loin, il tombait sur une grande fille blonde, qu'il savait être la maîtresse d'un autre agent, Delarocque, le beau-frère de Jacoby ; et, comme elle disait justement qu'elle l'attendait, cette nuit-là, il la chargea de lui remettre deux mots écrits au crayon sur une carte. Puis, sachant que Mazaud se rendait le soir à un banquet d'anciens condisciples, il s'arrangea pour se trouver au restaurant, il changea les positions qu'il l'avait chargé de prendre, le jour même. Mais sa plus grande chance, au moment où il rentrait, vers minuit, ce fut d'être accosté par Massias, qui sortait des Variétés [1]. Ils remontèrent ensemble vers la rue Saint-Lazare, il eut le temps de se poser en original qui croyait à la hausse, oh ! pas tout de suite ; si bien qu'il finit par le charger d'ordres d'achat multiples pour Nathansohn et d'autres coulissiers, en disant qu'il agissait au nom d'un groupe d'amis, ce qui était vrai en somme. Quand il se coucha, il avait pris position à la hausse, pour plus de cinq millions de valeurs.

---

soir amènent un regain d'activité des coulissiers. Enfin, de 20 h 45 à 22 h environ, c'est la petite Bourse du soir, qui se fait en 1885 dans le hall du Crédit lyonnais. À l'époque dont parle Zola, la petite Bourse se tient à la Chaussée d'Antin, au passage de l'Opéra, aux abords du célèbre café Tortoni ou sur le boulevard des Italiens. Voir chap. X, p. 404. **1.** Comme le théâtre du Gymnase ou le théâtre du Vaudeville, le théâtre des Variétés, sur le boulevard (voir *infra*, p. 280, note 1), était un théâtre qui jouait des vaudevilles, pièces gaies et courtes, entrecoupées d'airs chantés, et au dénouement toujours heureux. Un théâtre pouvait jouer jusqu'à quatre vaudevilles de suite, et ce divertissement s'adressait à un large éventail de la société.

Le lendemain matin, dès sept heures, Huret était chez Saccard, lui racontant comment il avait opéré, à la petite Bourse, devant le passage de l'Opéra, sur le trottoir, où il avait fait acheter le plus possible, avec mesure cependant, pour ne pas trop relever les cours. Ses ordres montaient à un million, et tous deux, jugeant le coup beaucoup trop modeste encore, résolurent de rentrer en campagne. Ils avaient la matinée. Mais, auparavant, ils se jetèrent sur les journaux, tremblant d'y trouver la nouvelle, une note, une simple ligne qui ferait crouler leur combinaison. Non ! la presse ne savait rien, elle était toute à la guerre, encombrée par des dépêches, par de longs détails sur la bataille de Sadowa. Si aucun bruit ne transpirait avant deux heures de l'après-midi, s'ils avaient à eux une heure de Bourse, une demi-heure seulement, le coup était fait, ils opéraient la grande rafle sur la juiverie, comme disait Saccard. Et ils se séparèrent de nouveau, chacun courut de son côté engager d'autres millions dans la bataille.

Cette matinée-là, Saccard la passa à battre le pavé, flairant l'air, ayant un tel besoin de marcher, qu'il avait renvoyé sa voiture, après sa première course faite. Il entra chez Kolb, où le tintement de l'or lui fut délicieux à l'oreille, ainsi qu'une promesse de victoire ; et il eut la force de ne rien dire au banquier, qui ne savait rien. Il monta ensuite chez Mazaud, non pour donner un nouvel ordre, simplement pour feindre d'être inquiet au sujet de celui qu'il avait donné la veille. Là aussi, on ignorait tout encore. Le petit Flory seul lui causa quelque inquiétude, par la persistance avec laquelle il tournait autour de lui : la cause unique en était la profonde admiration du jeune employé pour l'intelligence financière du directeur de l'Universelle ; et, comme Mlle Chuchu commençait à lui coûter gros, il risquait quelques petites opérations, il rêvait de connaître les ordres de son grand homme et de se mettre dans son jeu.

Enfin, après un déjeuner rapide chez Champeaux, où il avait eu la joie profonde d'entendre les doléances pessimistes de Moser et de Pillerault lui-même, pronostiquant une nouvelle dégringolade des cours, Saccard, dès midi et demi, se trouva sur la place de la Bourse. Il désirait, selon son expression, voir arriver le monde. La chaleur était accablante, un soleil ardent tombait d'aplomb, blanchissant les marches, dont la réverbération chauffait le péristyle d'un air lourd et embrasé de four ; et les chaises vides craquaient dans ces flammes, tandis que les spéculateurs, debout, cherchaient les minces raies d'ombre des colonnes. Sous un arbre du jardin, il aperçut Busch et la Méchain, qui se mirent à causer vivement, en le voyant ; même il lui sembla que tous deux étaient sur le point de l'aborder, puis qu'ils se ravisaient : savaient-ils donc quelque chose, ces bas chiffonniers des valeurs tombées au ruisseau, en continuelle quête ? un instant, il en eut le frisson. Mais une voix l'appela, et il reconnut sur un banc Maugendre et le capitaine Chave, tous les deux en querelle, car le premier, maintenant, était plein de moqueries pour le petit jeu misérable du capitaine, ce louis gagné sur le comptant, comme au fond d'un café de province, après des parties de piquet [1] acharnées : voyons, ce jour-là, ne pouvait-il risquer à coup sûr une opération sérieuse ? la baisse n'était-elle pas certaine, aussi éclatante que le soleil ? Et il appelait Saccard à témoin : n'est-ce pas qu'on baisserait ? Lui, avait pris à la baisse une forte position, si convaincu, qu'il y aurait mis sa fortune. Ainsi interrogé directement, Saccard répondit par des sourires, des hochements de tête vagues, avec le remords de ne pas avertir ce pauvre homme qu'il avait connu si laborieux, d'esprit si net, lorsqu'il vendait des bâches ; mais il s'était juré le silence absolu, il avait la férocité du joueur qui ne veut pas déranger la chance. Puis, à ce moment, il eut une distraction : le coupé de la baronne Sandorff passait, il le suivit des yeux, le vit

_____
1. Jeu de cartes.

s'arrêter cette fois rue de la Banque. Tout d'un coup, il songea au baron Sandorff, conseiller à l'ambassade d'Autriche : la baronne savait sûrement, elle allait tout perdre, par quelque maladresse de femme. Déjà, il avait traversé la rue, il rôdait autour du coupé, immobile, muet, l'air mort, avec le cocher raidi sur le siège. Pourtant une des glaces s'abaissa, et il salua, s'approcha galamment.

« Eh bien, monsieur Saccard, nous baissons encore ? »

Il crut à un piège.

« Mais oui, madame. »

Puis, comme elle le regardait anxieusement, avec un vacillement des yeux qu'il connaissait bien chez les joueurs, il comprit qu'elle non plus ne savait rien. Un flot de sang tiède lui remonta au crâne, l'inonda de délices.

« Alors, monsieur Saccard, vous n'avez rien à me dire ?

– Ma foi, madame, rien que vous ne sachiez déjà sans doute. »

Et il la quitta en pensant : « Toi, tu n'as pas été gentille, ça m'amusera que tu boives un coup[1]. Peut-être, une autre fois, ça te rendra-t-il plus aimable. » Jamais elle ne lui avait paru plus désirable, il était certain de l'avoir, à son heure.

Comme il revenait sur la place de la Bourse, la vue de Gundermann, au loin, débouchant de la rue Vivienne, lui donna un nouveau frisson au cœur. Si rapetissé qu'il fût par l'éloignement, c'était bien lui, avec sa marche lente, sa tête qu'il portait droite et blême, sans regarder personne, comme seul, dans sa royauté, au milieu de la foule. Et il le suivait avec terreur, interprétait chacun de ses mouvements. L'ayant vu aborder Nathansohn, il crut tout perdu. Mais le coulissier se retirait, l'air déconfit, et il reprit espoir. Il trouvait décidément au banquier son air de tous les jours. Puis, brusquement, son cœur sauta de joie : Gundermann venait d'entrer chez le confiseur faire son achat de bonbons pour ses petites-filles ; et

1. Expression familière pour signifier « que tu aies des déboires ».

c'était là un signe certain, jamais il n'y entrait, les jours de crise.

Une heure sonna, la cloche annonça l'ouverture du marché. Ce fut une Bourse mémorable, une de ces grandes journées de désastre, d'un de ces désastres à la hausse, si rares, dont le souvenir reste légendaire. Dans l'accablante chaleur, au début, les cours baissèrent encore. Puis, des achats brusques, isolés, comme des coups de feu de tirailleurs avant que la bataille s'engage [1], étonnèrent. Mais les opérations restaient lourdes quand même, au milieu de la méfiance générale. Les achats se multiplièrent, s'allumèrent de toutes parts, à la coulisse*, au parapet [2] ; on n'entendait plus que les voix de Nathansohn sous la colonnade, de Mazaud, de Jacoby, de Delarocque à la corbeille, criant qu'ils prenaient toutes les valeurs, à tous les prix ; et ce fut alors un frémissement, une houle croissante, sans que personne pourtant osât se risquer, dans le désarroi de ce revirement inexplicable. Les cours avaient légèrement monté, Saccard eut le temps de donner de nouveaux ordres à Massias, pour Nathansohn. Il pria également le petit Flory, qui passait en courant, de remettre à Mazaud une fiche, où il le chargeait d'acheter, d'acheter toujours ; si bien que Flory,

---

1. Métaphore commune dans la littérature boursière, et qui ira s'accentuant dans la suite du roman. Vallès écrivait de la Bourse, dans *L'Argent* (1857) : « Dans cette guerre des intérêts, dans ce bruit des millions qui sautent, des locomotives qui soufflent, des villes qui naissent, comme dans les livres écrits avec la plume ou l'épée, je vois une poésie émouvante, sérieuse et profonde, que j'appellerai, Dieu me damne, la *Poésie sacrée* du XIXe siècle. » La Bourse est un thème épique. Dans *L'Argent* de Zola, la bataille boursière redouble en quelque sorte la guerre armée, qui clôt d'ailleurs la série. Chez certains romanciers américains à la même époque, l'ère de la guerre commerciale, boursière en particulier, est évoquée comme la suite logique de l'époque de la guerre armée. 2. Il y a au palais Brongniart une galerie au premier étage, d'où les « curieux », les « étrangers », les « provinciaux » et les « pauvres », selon *L'Argent* de Vallès (1857), pouvaient observer les séances de Bourse. On ne sait si c'est cette galerie que le texte évoque ici, car on s'explique mal comment des joueurs pouvaient donner de là des ordres.

ayant lu la fiche, frappé d'un accès de foi, joua le jeu de
son grand homme, acheta lui aussi pour son compte. Et
ce fut à cette minute, à deux heures moins un quart, que
le tonnerre éclata en pleine Bourse : l'Autriche cédait la
Vénétie à l'empereur, la guerre était finie. D'où venait
cette nouvelle ? personne ne le sut, elle sortait de toutes
les bouches à la fois, des pavés eux-mêmes. Quelqu'un
l'avait apportée, tous la répétaient dans une clameur, qui
grossissait avec la voix haute d'une marée d'équinoxe.
Par bonds furieux, les cours se mirent à monter, au
milieu de l'effroyable vacarme. Avant le coup de cloche
de la clôture, ils s'étaient relevés de quarante, de cinquante francs. Ce fut une mêlée inexprimable, une de ces
batailles confuses où tous se ruent, soldats et capitaines,
pour sauver leur peau, assourdis, aveuglés, n'ayant plus
la conscience nette de la situation [1]. Les fronts ruisselaient de sueur, l'implacable soleil qui tapait sur les
marches mettait la Bourse dans un flamboiement
d'incendie.

Et, à la liquidation, lorsqu'on put évaluer le désastre,
il apparut immense. Le champ de bataille restait jonché
de blessés et de ruines. Moser, le baissier*, était parmi
les plus atteints. Pillerault expiait durement sa faiblesse,
pour l'unique fois qu'il avait désespéré de la hausse.
Maugendre perdait cinquante mille francs, sa première
perte sérieuse. La baronne Sandorff eut à payer de si
grosses différences que Delcambre, disait-on, se refusait
à les donner ; et elle était toute blanche de colère et de
haine, au seul nom de son mari, le conseiller d'ambassade, qui avait eu la dépêche entre les mains avant

---

1. Dès lors qu'on est engagé à la baisse (sous-entendu, à terme) et
que la tendance s'inverse, on se retrouve obligé de racheter à un prix
qui s'envole des valeurs qu'on avait prévu de vendre à un cours bas.
Sur cette transaction à terme, on fait donc une perte. Et il faut le plus
rapidement possible adopter une position à la hausse pour tenter de
compenser cette perte. La manœuvre est d'autant plus difficile que tous
les baissiers opèrent ce revirement en même temps : les marges de gain
sont beaucoup plus faibles.

Rougon lui-même, sans lui en rien dire. Mais la haute banque*, la banque juive, surtout, avait essuyé une défaite terrible, un vrai massacre. On affirmait que Gundermann, simplement pour sa part, y laissait huit millions. Et cela stupéfiait, comment n'avait-il pas été averti ? lui le maître indiscuté du marché, dont les ministres n'étaient que les commis et qui tenait les États dans sa souveraine dépendance ! Il y avait eu là un de ces concours de circonstances extraordinaires qui font les grands coups du hasard. C'était un effondrement imprévu, imbécile, en dehors de toute raison et de toute logique.

Cependant, l'histoire se répandit, Saccard passa grand homme. D'un coup de râteau, il venait de ramasser la presque totalité de l'argent perdu par les baissiers. Personnellement, il avait mis en poche deux millions. Le reste allait entrer dans les caisses de l'Universelle, ou plutôt se fondre aux mains des administrateurs. À grand-peine, il finit par persuader à Mme Caroline que la part d'Hamelin, dans ce butin si légitimement conquis sur les juifs, était d'un million. Huret, lui, ayant été à la besogne, s'était taillé son morceau, royalement. Quant aux autres, les Daigremont, les marquis de Bohain, ils ne se firent nullement prier. Tous votèrent des remerciements et des félicitations à l'éminent directeur. Et un cœur surtout brûlait de gratitude pour Saccard, celui de Flory, qui avait gagné dix mille francs, une fortune, de quoi habiter avec Chuchu un petit logement de la rue Condorcet et aller ensemble, le soir, rejoindre Gustave Sédille et Germaine Cœur dans des restaurants chers. Au journal, il fallut donner une gratification à Jantrou, qui s'emportait de ce qu'on ne l'avait pas prévenu. Seul, Dejoie demeurait mélancolique, car il devait garder l'éternel regret d'avoir senti, un soir, la fortune passer dans l'air, mystérieuse et vague, inutilement [1].

---

1. Il est difficile de ne pas songer ici à la gravure colorée de Chéret utilisée pour la réclame du roman de Zola.

Ce premier triomphe de Saccard sembla être comme une floraison de l'empire à son apogée. Il entrait dans l'éclat du règne, il en était un des reflets glorieux. Le soir même où il grandissait parmi les fortunes écroulées, à l'heure où la Bourse n'était plus qu'un champ morne de décombres, Paris entier se pavoisait, s'illuminait, ainsi que pour une grande victoire ; et des fêtes aux Tuileries, des réjouissances dans les rues, célébraient Napoléon III maître de l'Europe, si haut, si grand, que les empereurs et les rois le choisissaient comme arbitre dans leurs querelles, et lui remettaient des provinces pour qu'il en disposât entre eux. À la Chambre, des voix avaient bien protesté, des prophètes de malheur annonçaient confusément le terrible avenir, la Prusse grandie de tout ce que la France avait toléré, l'Autriche battue, l'Italie ingrate. Mais des rires, des cris de colère étouffaient ces voix inquiètes, et Paris, centre du monde, flambait par toutes ses avenues et tous ses monuments, au lendemain de Sadowa, en attendant les nuits noires et glacées, les nuits sans gaz, traversées par la mèche rouge des obus [1]. Ce soir-là, Saccard, débordant de son succès, battit les rues, la place de la Concorde, les Champs-Élysées, tous les trottoirs où brûlaient des lampions. Emporté dans le flot montant des promeneurs, les yeux aveuglés par cette clarté de plein jour, il pouvait croire qu'on illuminait pour le fêter : n'était-il pas, lui aussi, le vainqueur inattendu, celui qui s'élevait au milieu des désastres ? Un seul ennui venait de gâter sa joie, la colère de Rougon, qui, terrible, avait chassé Huret, quand il avait compris d'où

---

1. Allusion à la guerre franco-prussienne de 1870 et au siège de Paris. L'échec diplomatique que représenta Sadowa en 1866 consacra le déséquilibre des forces entre la France et la dangereuse Prusse. Tous les volumes des *Rougon-Macquart*, comme l'indiquait la préface de *La Fortune des Rougon* du 1er juillet 1871, sont orientés vers cette fin : « La chute des Bonaparte, dont j'avais besoin comme artiste, et que toujours je trouvais fatalement au bout du drame, sans oser l'espérer si prochaine, est venue me donner le dénouement terrible et nécessaire de mon œuvre. »

venait le coup de Bourse. Ce n'était donc pas le grand homme qui s'était montré bon frère, en lui envoyant la nouvelle ? Faudrait-il qu'il se passât de ce haut patronage, même qu'il attaquât le tout-puissant ministre ? Brusquement, en face du palais de la Légion d'honneur [1], que surmontait une gigantesque croix de feu, braisillant [2] dans le ciel noir, il en prit la résolution hardie, pour le jour où il se sentirait les reins assez forts. Et, grisé par les chants de la foule et les claquements des drapeaux, il revint rue Saint-Lazare, au travers de Paris en flammes.

Deux mois après, en septembre, Saccard, que sa victoire sur Gundermann rendait audacieux, décida qu'il fallait donner un nouvel élan à l'Universelle. Dans l'assemblée générale qui avait eu lieu à la fin d'avril, le bilan présenté portait, pour l'année 1864 [3], un bénéfice de neuf millions, en y comprenant les vingt francs de prime sur chacune des cinquante mille actions nouvelles, lors du doublement du capital. On avait amorti complètement le compte de premier établissement [4], servi aux actionnaires* leur cinq pour cent et aux administrateurs leur dix pour cent, laissé à la réserve une somme de cinq millions, outre le dix pour cent réglementaire ; et, avec le million qui restait, on était arrivé à distribuer un dividende* de dix francs par action [5]. C'était un beau résultat, pour une société qui n'avait pas deux ans d'existence. Mais Saccard procédait par coups de fièvre, appliquant au terrain financier la méthode de la culture intensive,

---

1. La Légion d'honneur, ordre conçu en 1802 par Napoléon Ier pour récompenser les meilleurs serviteurs de l'État, fait face à l'entrée de l'actuel musée d'Orsay et, depuis la rive gauche, aux Tuileries. Cette institution est l'un des attributs du régime impérial. **2.** Brasillant : luisant (erreur ou incorrection délibérée de Zola). **3.** On peut s'étonner que l'assemblée générale d'avril 1866 n'ait pas permis d'étudier les comptes de 1865 mais ceux de 1864. **4.** C'est-à-dire que l'exercice a essentiellement servi à constituer le capital qui n'avait pas été versé ni même réellement souscrit initialement (voir l'entrée « Augmentation de capital » dans le Lexique financier). **5.** C'est l'une des différences avec les comptes du premier exercice (octobre-décembre 1863) récapitulés dans le chapitre V.

chauffant, surchauffant le sol, au risque de brûler la récolte ; et il fit accepter, d'abord par le conseil d'administration, ensuite par une assemblée générale extraordinaire [1], qui se réunit le 15 septembre, une seconde augmentation du capital* : on le doublait encore, on l'élevait de cinquante à cent millions, en créant cent mille actions nouvelles, exclusivement réservées aux actionnaires, titre pour titre. Seulement, cette fois, les titres étaient émis à 675 francs, soit une prime de 175 francs, destinée à être versée au fonds de réserve. Les succès croissants, les affaires heureuses déjà faites, surtout les grandes entreprises que l'Universelle allait lancer, étaient les raisons invoquées pour justifier cette énorme augmentation du capital, doublé ainsi coup sur coup ; car il fallait bien donner à la maison une importance et une solidité en rapport avec les intérêts qu'elle représentait. D'ailleurs, le résultat fut immédiat : les actions qui, depuis des mois, restaient stationnaires, à la Bourse, au cours moyen de sept cent cinquante, montèrent à neuf cents, en trois jours.

Hamelin n'avait pu revenir d'Orient, pour présider l'assemblée générale extraordinaire, et il écrivit à sa sœur une lettre inquiète, où il exprimait des craintes sur cette façon de mener l'Universelle au galop, d'un train fou. Il devinait bien qu'on avait fait encore, chez maître Lelorrain, des déclarations mensongères. En effet, toutes les actions nouvelles n'avaient pas été légalement souscrites, la société était restée propriétaire des titres que refusaient les actionnaires ; et, les versements n'étant point exécutés, un jeu d'écritures avait passé ces titres au compte Sabatani. En outre, d'autres prête-noms, des employés, des administrateurs, lui avaient permis de souscrire elle-même à sa propre émission ; de sorte qu'elle détenait alors près de trente mille de ses actions,

---

1. Réunion des actionnaires entre deux assemblées « ordinaires », en vue de prendre une décision importante (augmentation de capital, modification des statuts de la société, etc.).

représentant une somme de dix-sept millions et demi. Outre qu'elle était illégale, la situation pouvait devenir dangereuse, car l'expérience a démontré que toute maison de crédit qui joue sur ses valeurs est perdue [1]. Mais Mme Caroline n'en répondit pas moins gaiement à son frère, le plaisantant de ce qu'il devenait le trembleur aujourd'hui, au point que c'était elle, jadis soupçonneuse, qui devait le rassurer. Elle disait veiller toujours, ne rien voir de louche, être émerveillée, au contraire, des grandes choses, claires et logiques, auxquelles elle assistait. La vérité était qu'elle ne savait naturellement rien de ce qu'on lui cachait, et que, sur le reste, son admiration pour Saccard, l'émotion de sympathie où la jetaient l'activité et l'intelligence de ce petit homme, l'aveuglaient.

En décembre, le cours de mille francs fut dépassé. Et alors, en face de l'Universelle triomphante, la haute banque s'émut, on rencontra Gundermann, sur la place de la Bourse, l'air distrait, entrant acheter des bonbons chez le confiseur, de son pas automatique. Il avait payé ses huit millions de perte sans une plainte, sans qu'un seul de ses familiers eût surpris sur ses lèvres une parole de colère et de rancune. Quand il perdait ainsi, chose rare, il disait d'ordinaire que c'était bien fait, que cela lui apprendrait à être moins étourdi ; et l'on souriait, car l'étourderie de Gundermann ne s'imaginait guère. Mais, cette fois, la dure leçon devait lui rester en travers du cœur, l'idée d'avoir été battu par ce casse-cou de Saccard, ce fou passionné, lui si froid, si maître des faits et des hommes, lui était assurément insupportable. Aussi, dès cette époque, se mit-il à le guetter, certain de sa revanche. Tout de suite, devant l'engouement qui accueillait l'Universelle, il avait pris position, en observateur convaincu que les succès trop rapides, les prospérités mensongères

---

1. C'est le tout premier principe que Zola a retenu de sa conversation du 18 avril 1890 avec le banquier Georges Lévy : « Le désastre est fatal pour une société, dès qu'elle se met à acheter de ses actions », note-t-il (« Conversation avec G. Lévy », dossier préparatoire de *L'Argent*, BnF, Ms. NAF 10269, f° 156).

menaient aux pires désastres. Cependant, le cours de mille francs était encore raisonnable, et il attendait pour se mettre à la baisse. Sa théorie était qu'on ne provoquait pas les événements à la Bourse, qu'on pouvait au plus les prévoir et en profiter, quand ils s'étaient produits [1]. La logique seule régnait, la vérité était, en spéculation comme ailleurs, une force toute-puissante [2]. Dès que les cours s'exagéreraient par trop, ils s'effondreraient : la baisse alors se ferait mathématiquement, il serait simplement là pour voir son calcul se réaliser et empocher son gain. Et, déjà, il fixait au cours de quinze cents francs son entrée en guerre. À quinze cents, il commença donc à vendre de l'Universelle, peu d'abord, davantage à chaque liquidation, d'après un plan arrêté d'avance. Pas besoin d'un syndicat de baissiers, lui seul suffirait, les gens sages auraient la nette sensation de la vérité et joueraient son jeu. Cette Universelle bruyante, cette Universelle qui encombrait si rapidement le marché et qui se dressait comme une menace devant la haute banque juive, il attendait froidement qu'elle se lézardât d'elle-même, pour la jeter par terre d'un coup d'épaule.

Plus tard, on raconta que ce fut même Gundermann qui, en secret, facilita à Saccard l'achat d'une antique bâtisse, rue de Londres, que celui-ci avait l'intention de démolir, pour élever à la place l'hôtel de ses rêves, le

---

1. « M. G. Lévy ne croit pas à un syndicat de baissiers, à un complot arrêté à l'avance pour déprécier une valeur, agissant dans ce but et arrivant à ses fins », avait noté Zola après sa conversation avec ce banquier (*ibid.*, f° 157). Précision décisive, car elle va distinguer l'intrigue financière du roman de Zola de celle qui prévaut dans les romans boursiers volontiers antisémites qui s'écrivent aux lendemains du krach de l'Union générale de Bontoux. Ceux-ci présentent la chute de la banque catholique comme le résultat d'un complot de la « haute banque juive ». Or « Il ne faut pas faire un mélodrame de l'Ambigu », conclut Zola dans ses notes, en comprenant que l'Union générale a « sauté » dans un contexte de bulle spéculative. 2. Zola reformule ici deux phrases des notes prises à partir de sa conversation avec Georges Lévy. L'idée que « la vérité est à la Bourse une force toute-puissante » et que « la logique règne » est à l'opposé de la théorie du complot.

palais où logerait fastueusement son œuvre. Il était parvenu à convaincre le conseil d'administration, les ouvriers se mirent au travail, dès le milieu d'octobre.

Le jour même où la première pierre fut posée, en grande cérémonie, Saccard se trouvait au journal, vers quatre heures, à attendre Jantrou, qui était allé porter des comptes rendus de la solennité dans les feuilles amies, lorsqu'il reçut la visite de la baronne Sandorff. Elle avait d'abord demandé le rédacteur en chef, puis était tombée, comme par hasard, sur le directeur de l'Universelle, qui s'était mis galamment à sa disposition pour tous les renseignements qu'elle désirerait, en l'emmenant dans la pièce réservée, au fond du corridor. Et là, à la première attaque brutale, elle céda, sur le divan, ainsi qu'une fille, d'avance résignée à l'aventure.

Mais une complication se produisit, il arriva que Mme Caroline, en course dans le quartier Montmartre, monta au journal. Elle y tombait parfois de la sorte, pour donner une réponse à Saccard, ou simplement pour prendre des nouvelles. D'ailleurs, elle connaissait Dejoie qu'elle y avait placé, elle s'arrêtait toujours à causer une minute, heureuse de la gratitude qu'il lui témoignait. Ce jour-là, ne l'ayant pas trouvé dans l'antichambre, elle enfila le couloir, se heurta contre lui, comme il revenait d'écouter à la porte. Maintenant, c'était une maladie, il tremblait de fièvre, il collait son oreille à toutes les serrures, pour surprendre les secrets de Bourse. Seulement, ce qu'il avait entendu et compris, cette fois, l'avait un peu gêné ; et il souriait d'un air vague.

« Il est là, n'est-ce pas ? » dit Mme Caroline, en voulant passer outre.

Il l'avait arrêtée, balbutiant, n'ayant pas le temps de mentir.

« Oui, il est là, mais vous ne pouvez pas entrer.

— Comment, je ne peux pas entrer ?

— Non, il est avec une dame. »

Elle devint toute blanche, et lui, qui ne savait rien de la situation, clignait les yeux, allongeait le cou, indiquait par une mimique expressive, l'aventure.

« Quelle est cette dame ? » demanda-t-elle d'une voix brève.

Il n'avait aucune raison de lui cacher le nom, à elle, sa bienfaitrice. Il se pencha à son oreille.

« La baronne Sandorff... Oh ! il y a longtemps qu'elle tourne autour ! »

Mme Caroline resta immobile un instant. Dans l'ombre du couloir, on ne pouvait distinguer la pâleur livide de son visage. Elle venait d'éprouver, en plein cœur, une douleur si aiguë, si atroce, qu'elle ne se souvenait pas d'avoir jamais tant souffert ; et c'était la stupeur de cette affreuse blessure qui la clouait là. Qu'allait-elle faire à présent, enfoncer cette porte, se ruer sur cette femme, les souffleter tous les deux d'un scandale ?

Et, comme elle demeurait sans volonté encore, étourdie, elle fut gaiement abordée par Marcelle, qui était montée pour prendre son mari. La jeune femme avait dernièrement fait sa connaissance.

« Tiens ! c'est vous, chère madame... Imaginez-vous que nous allons au théâtre, ce soir ! Oh ! c'est toute une histoire, il ne faut pas que ça coûte cher... Mais Paul a découvert un petit restaurant où nous nous régalons pour trente-cinq sous par tête... »

Jordan arrivait, il interrompit sa femme en riant.

« Deux plats, un carafon de vin, du pain à discrétion.

— Et puis, continua Marcelle, nous ne prenons pas de voiture, c'est si amusant de rentrer à pied, quand il est très tard !... Ce soir, comme nous sommes riches, nous remonterons un gâteau aux amandes de vingt sous... Fête complète, noce à tout casser ! »

Elle s'en alla, enchantée, au bras de son mari. Et Mme Caroline, qui était revenue avec eux dans l'antichambre, avait retrouvé la force de sourire.

« Amusez-vous bien », murmura-t-elle, la voix tremblante.

Puis elle partit à son tour. Elle aimait Saccard, elle en
emportait l'étonnement et la douleur, comme d'une plaie
honteuse qu'elle ne voulait pas montrer.

VII

Deux mois plus tard, par un après-midi gris et doux de novembre, Mme Caroline monta à la salle des épures, tout de suite après le déjeuner, pour se mettre au travail. Son frère, alors à Constantinople, où il s'occupait de sa grande affaire des chemins de fer d'Orient, l'avait chargée de revoir toutes les notes prises autrefois par lui, dans leur premier voyage, puis de rédiger une sorte de mémoire, qui serait comme un résumé historique de la question ; et, depuis deux grandes semaines, elle tâchait de s'absorber tout entière dans cette besogne. Ce jour-là, il faisait si chaud, qu'elle laissa mourir le feu et ouvrit la fenêtre, d'où elle regarda un instant, avant de s'asseoir, les grands arbres nus de l'hôtel Beauvilliers, violâtres sur le ciel pâle.

Il y avait près d'une demi-heure qu'elle écrivait, lorsque le besoin d'un document l'égara dans une longue recherche, parmi les dossiers entassés sur sa table. Elle se leva, alla remuer d'autres papiers, revint s'asseoir, les mains pleines ; et, comme elle classait des feuilles volantes, elle tomba sur des images de sainteté, une vue enluminée du Saint-Sépulcre, une prière encadrée des instruments de la Passion, souveraine pour assurer le salut, dans les moments de détresse où l'âme est en danger. Alors, elle se souvint, son frère avait acheté ces images à Jérusalem, en grand enfant pieux. Une émotion soudaine la saisit, des larmes mouillèrent ses joues. Ah ! ce frère, si intelligent, si longtemps méconnu, qu'il était heureux de croire, de ne pas sourire devant ce Saint-Sépulcre naïf pour boîte à bonbons, de puiser une sereine force dans sa foi à l'efficacité de cette prière, rimée en

vers de confiseur ! Elle le revoyait trop confiant, trop
facile à se laisser duper peut-être, mais si droit, si tranquille, sans une révolte, sans une lutte même. Et elle qui,
depuis deux mois, luttait et souffrait, elle qui ne croyait
plus, brûlée de lectures, dévastée de raisonnements, avec
quelle ardeur elle souhaitait, aux heures de faiblesse,
d'être restée simple et ingénue comme lui, au point de
pouvoir endormir son cœur saignant, en répétant trois
fois, matin et soir, l'oraison enfantine que les clous et la
lance, la couronne et l'éponge de la Passion entouraient !

Au lendemain du hasard brutal qui lui avait appris la
liaison de Saccard et de la baronne Sandorff, elle s'était
raidie de toute sa volonté, pour résister au besoin de les
surveiller et de savoir. Elle n'était point la femme de cet
homme, elle ne voulait point être sa maîtresse passionnée, jalouse jusqu'au scandale ; et sa misère était qu'elle
continuait à ne pas se refuser, dans leur intimité de
chaque heure. Cela venait de la façon paisible, simplement affectueuse, dont elle avait d'abord considéré leur
aventure : une amitié ayant abouti fatalement au don de
la personne, comme il arrive entre homme et femme. Elle
n'avait plus vingt ans, elle était devenue d'une grande
tolérance, après la dure expérience de son mariage. À
trente-six ans, étant si sage, se croyant sans illusions, ne
pouvait-elle donc fermer les yeux, se conduire plus en
mère qu'en amante, à l'égard de cet ami auquel elle
s'était résignée sur le tard, dans une minute d'absence
morale, et qui, lui aussi, avait singulièrement dépassé
l'âge des héros ? Parfois, elle répétait qu'on accordait
trop d'importance à ces rapports des sexes, simples rencontres souvent, dont on embarrassait ensuite l'existence
entière. D'ailleurs, elle souriait la première de l'immoralité de sa remarque, car n'étaient-ce pas alors toutes les
fautes permises, toutes les femmes à tous les hommes ?
Et, pourtant, que de femmes sont raisonnables en acceptant le partage avec une rivale ! que la pratique courante
l'emporte en heureuse bonhomie sur la jalouse idée de la
possession unique et totale ! Mais ce n'étaient là que des

façons théoriques de rendre la vie supportable, elle avait beau se forcer à l'abnégation, continuer à être l'intendante dévouée, la servante d'intelligence supérieure qui veut bien donner son corps, quand elle a donné son cœur et son cerveau : une révolte de sa chair, de sa passion la soulevait, elle souffrait affreusement de ne pas tout savoir, de ne pas rompre violemment, après avoir jeté à la face de Saccard l'affreux mal qu'il lui faisait. Elle s'était domptée cependant, au point de se taire, de rester calme et souriante ; et jamais, dans son existence si rude jusquelà, elle n'avait eu besoin de plus de force.

Encore un instant, elle regarda les images de sainteté, qu'elle tenait toujours, avec son sourire douloureux d'incrédule, tout ému de tendresse. Mais elle ne les voyait plus, elle reconstruisait ce que Saccard avait pu faire la veille, ce qu'il faisait ce jour-là même, par un travail involontaire et incessant de son esprit, qui retournait d'instinct à cet espionnage, dès qu'elle ne l'occupait plus. Saccard, d'ailleurs, semblait mener sa vie accoutumée, le matin les tracas de sa direction, l'après-midi la Bourse, le soir les invitations à dîner, les premières représentations, une vie de plaisirs, des filles de théâtre dont elle n'était point jalouse. Et, cependant, elle sentait bien un nouvel intérêt en lui, une chose, qui lui prenait des heures occupées auparavant d'une autre façon, sans doute cette femme, des rendez-vous dans quelque endroit qu'elle se défendait de connaître. Cela la rendait soupçonneuse et méfiante, elle se remettait malgré elle à « faire le gendarme », comme disait son frère en riant, même au sujet des affaires de l'Universelle, qu'elle avait cessé de surveiller, tant sa confiance un moment était devenue grande. Des irrégularités la frappaient et la chagrinaient. Puis, elle était toute surprise de s'en moquer au fond, de ne pas trouver la force de parler ni d'agir, tellement une seule angoisse la tenait au cœur, cette trahison qu'elle aurait voulu accepter, qui l'étouffait. Et, honteuse de sentir les larmes la gagner de nouveau, elle cacha les images, avec le mortel regret de ne pouvoir aller s'agenouiller et se soulager dans une église, en pleurant pendant des heures toutes les larmes de son corps.

Depuis dix minutes, Mme Caroline, calmée, s'était remise à rédiger le mémoire, lorsque le valet de chambre vint lui dire que Charles, un cocher renvoyé la veille, voulait absolument parler à Madame. C'était Saccard qui, après l'avoir engagé lui-même, l'avait surpris volant sur l'avoine. Elle hésita, puis consentit à le recevoir.

Grand, beau garçon, avec la face et le cou rasés, se dandinant de l'air assuré et fat des hommes que les femmes paient, Charles se présenta insolemment.

« Madame, c'est pour les deux chemises que la blanchisseuse m'a perdues et dont elle refuse de me tenir compte. Sans doute, Madame ne pense pas que je puisse faire une perte pareille... Et, comme Madame est responsable, je veux que Madame me rembourse mes chemises... Oui, je veux quinze francs. »

Sur ces questions de ménage, elle était très sévère. Peut-être aurait-elle donné les quinze francs, pour éviter toute discussion. Mais l'effronterie de cet homme, pris la veille la main dans le sac, la révolta.

« Je ne vous dois rien, je ne vous donnerai pas un sou... D'ailleurs, Monsieur m'a mise en garde et m'a absolument défendu de faire quelque chose pour vous. »

Alors, Charles s'avança, menaçant.

« Ah ! Monsieur a dit ça, je m'en doutais, et il a eu tort, Monsieur, parce que nous allons rire... Je ne suis pas assez bête pour ne pas avoir remarqué que Madame était la maîtresse... »

Rougissante, Mme Caroline se leva, voulant le chasser. Mais il ne lui en laissa pas le temps, il continuait plus haut :

« Et peut-être que Madame sera contente de savoir où va Monsieur, de quatre à six, deux et trois fois par semaine, quand il est sûr de trouver la personne seule... »

Elle était devenue brusquement très pâle, tout son sang refluait à son cœur. D'un geste violent, elle tenta de lui rentrer dans la gorge ce renseignement qu'elle évitait d'apprendre depuis deux mois.

« Je vous défends bien… »

Seulement, il criait plus fort qu'elle.

« C'est Mme la baronne Sandorff… M. Delcambre l'entretient et a loué, pour l'avoir à son aise, un petit rez-de-chaussée de la rue Caumartin, presque au coin de la rue Saint-Nicolas, dans une maison où il y a une fruitière… Et Monsieur y va donc prendre la place toute chaude… »

Elle avait allongé le bras vers la sonnette, pour qu'on jetât cet homme dehors ; mais il aurait certainement continué devant les domestiques.

« Oh ! quand je dis chaude !… J'ai une amie là-dedans, Clarisse, la femme de chambre, qui les a regardés ensemble, et qui a vu sa maîtresse, un vrai glaçon, lui faire un tas de saletés…

– Taisez-vous, malheureux !… Tenez ! voici vos quinze francs. »

Et, d'un geste d'indicible dégoût, elle lui remit l'argent, comprenant que c'était la seule façon de le renvoyer. Tout de suite, en effet, il redevint poli.

« Moi, je ne veux que le bien de Madame… La maison où il y a une fruitière. Le perron au fond de la cour… C'est aujourd'hui jeudi, il est quatre heures, si Madame veut les surprendre… »

Elle le poussait vers la porte, sans desserrer les lèvres, livide.

« D'autant plus qu'aujourd'hui Madame assisterait peut-être bien à quelque chose de rigolo… Plus souvent que Clarisse resterait dans une boîte pareille ! Et, quand on a eu de bons maîtres, on leur laisse un petit souvenir, n'est-ce pas ?… Bonsoir, Madame. »

Enfin, il était parti. Mme Caroline resta quelques secondes immobile, cherchant, comprenant qu'une scène pareille menaçait Saccard. Puis, sans force, avec un long gémissement, elle vint s'abattre sur sa table de travail ; et

les larmes qui l'étouffaient depuis si longtemps ruisselèrent.

Cette Clarisse, une maigre fille blonde, venait simplement de trahir sa maîtresse, en offrant à Delcambre de
la lui faire surprendre avec un autre homme, dans le logement même qu'il payait. Elle avait d'abord exigé cinq
cents francs ; mais, comme il était fort avare, elle dut,
après marchandage, se contenter de deux cents francs,
payables de la main à la main, au moment où elle lui
ouvrirait la porte de la chambre. Elle couchait là, dans
une petite pièce, derrière le cabinet de toilette. La
baronne l'avait prise, par une délicatesse, pour ne pas
confier le soin du ménage à la concierge. Le plus souvent,
elle vivait oisive, n'ayant rien à faire entre les rendez-
vous, au fond de ce logement vide, s'effaçant du reste,
disparaissant, dès que Delcambre ou Saccard arrivait.
C'était dans la maison qu'elle avait connu Charles, qui
longtemps était venu, la nuit, occuper avec elle le grand
lit des maîtres, encore ravagé par la débauche de la journée ; et même c'était elle qui l'avait recommandé à
Saccard, comme un très bon sujet, très honnête. Depuis
son renvoi, elle épousait sa rancune, d'autant plus que sa
maîtresse lui faisait des « crasses » et qu'elle avait une
place où elle gagnerait cinq francs de plus par mois.
D'abord, Charles voulait écrire au baron Sandorff ; mais
elle avait trouvé plus drôle et plus lucratif d'organiser,
avec Delcambre, une surprise. Et, ce jeudi-là, ayant tout
préparé pour le grand coup, elle attendit.

À quatre heures, lorsque Saccard arriva, la baronne
Sandorff était déjà là, allongée sur la chaise longue,
devant le feu. Elle se montrait d'habitude très exacte, en
femme d'affaires qui sait le prix du temps. Les premières
fois, il avait eu la désillusion de ne pas trouver l'ardente,
amoureuse qu'il espérait, chez cette femme si brune, aux
paupières bleues, à la provocante allure de bacchante [1]
en folie. Elle était de marbre, lasse de son inutile effort à

---

1. Voir *supra*, p. 36, note 1.

la recherche d'une sensation qui ne venait point, tout
entière prise par le jeu, dont l'angoisse au moins lui
chauffait le sang. Puis, l'ayant sentie curieuse, sans
dégoût, résignée à la nausée, si elle croyait y découvrir
un frisson nouveau, il l'avait dépravée, obtenant d'elle
toutes les caresses. Elle causait Bourse, lui tirait des renseignements ; et, comme le hasard aidant sans doute, elle
gagnait depuis sa liaison, elle traitait un peu Saccard en
fétiche, l'objet ramassé que l'on garde et que l'on baise,
même malpropre, pour la chance qu'il vous porte.

Clarisse avait fait un si grand feu, ce jour-là, qu'ils ne
se mirent pas au lit, par un raffinement de rester devant
les hautes flammes, sur la chaise longue. Dehors, la nuit
allait se faire. Mais les volets étaient fermés, les rideaux
soigneusement tirés ; et deux grosses lampes, aux globes
dépolis, sans abat-jour, les éclairaient d'une lumière crue.

À peine Saccard était-il entré, que Delcambre, à son
tour, descendit de voiture. Le procureur général Delcambre, personnellement lié avec l'empereur, en passe de
devenir ministre, était un homme maigre et jaune de cinquante ans, à la haute taille solennelle, à la face rase,
coupée de plis profonds, d'une austère sévérité. Son nez
dur, en bec d'aigle, semblait sans défaillance comme sans
pardon. Et, lorsqu'il monta le perron, de son pas ordinaire, mesuré et grave, il avait toute sa dignité, son air
froid des grands jours d'audience. Personne ne le
connaissait dans la maison, il n'y venait guère qu'à la
nuit tombée.

Clarisse l'attendait dans l'étroite antichambre.

« Si Monsieur veut me suivre, et je recommande bien
à Monsieur de ne pas faire de bruit. »

Il hésitait, pourquoi ne pas entrer par la porte qui
ouvrait directement sur la chambre ? Mais, à voix très
basse, elle lui expliqua que le verrou était mis sûrement,
qu'il faudrait briser tout et que Madame, avertie, aurait
le temps de s'arranger. Non ! ce qu'elle voulait, c'était la
lui faire surprendre telle qu'elle l'avait vue, un jour, en
risquant un œil au trou de la serrure. Pour cela, elle avait

imaginé quelque chose de bien simple. Sa chambre, autrefois, communiquait avec le cabinet de toilette par une porte, aujourd'hui fermée à clef ; et, la clef ayant été ensuite jetée au fond d'un tiroir, elle avait eu seulement à la reprendre là, puis à rouvrir ; de sorte que, grâce à cette porte condamnée, oubliée, on pouvait maintenant pénétrer sans bruit dans le cabinet de toilette, qui lui-même n'était séparé de la chambre que par une portière. Certainement, Madame n'attendait personne de ce côté.

« Que Monsieur se confie entièrement à moi. J'ai intérêt, n'est-ce pas ? à la réussite. »

Elle se glissa par la porte entrebâillée, disparut un instant, laissant Delcambre seul, dans son étroite chambre de bonne, au lit en désordre, à la cuvette d'eau savonneuse, et dont elle avait déjà déménagé sa malle, le matin, pour filer, dès que le coup serait fait. Puis, elle revint, referma doucement la porte sur elle.

« Il faut que Monsieur attende un petit peu. Ce n'est pas encore ça. Ils causent. »

Delcambre restait digne, sans un mot, debout et immobile sous les regards vaguement blagueurs de cette fille qui le dévisageait. Cependant, il se lassait, un tic nerveux tirait toute la moitié gauche de son visage, dans la rage contenue dont le flot montait à son crâne. Le furieux mâle, aux appétits d'ogre, qu'il y avait en lui, caché derrière la glaciale sévérité de son masque professionnel, commençait à gronder sourdement, irrité de cette chair qu'on lui volait.

« Faisons vite, faisons vite », répéta-t-il, sans savoir ce qu'il disait, les mains fiévreuses.

Mais, lorsque Clarisse, disparue de nouveau, revint, un doigt sur les lèvres, elle le supplia de patienter encore.

« Je vous assure, Monsieur, soyez raisonnable, autrement vous perdrez le plus beau... Dans un moment, ça y sera en plein. »

Et, Delcambre, les jambes brusquement cassées, dut s'asseoir sur le petit lit de bonne. La nuit tombait, il resta ainsi dans l'ombre, tandis que la femme de chambre, aux écoutes, ne perdait aucun des bruits légers qui venaient de la chambre, et qu'il entendait, lui, décuplés par un tel bourdonnement de ses oreilles, qu'ils lui paraissaient être le piétinement d'une armée en marche.

Enfin, il sentit la main de Clarisse tâtonnant le long de son bras. Il comprit, lui donna, sans une parole, une enveloppe, où il avait glissé les deux cents francs promis. Et elle marcha la première, écarta la portière du cabinet, le poussa dans la chambre, en disant :

« Tenez ! les v'là ! »

Devant le grand feu, aux braises ardentes, Saccard était sur le dos, couché au bord de la chaise longue, n'ayant gardé que sa chemise, qui, roulée, remontée jusqu'aux aisselles, découvrait, de ses pieds à ses épaules, sa peau brune, envahie avec l'âge d'un poil de bête ; tandis que la baronne, entièrement nue, toute rose des flammes qui la cuisaient, était agenouillée ; et les deux grosses lampes les éclairaient d'une clarté si vive, que les moindres détails s'accusaient, avec un relief d'ombre excessif.

Béant, suffoqué par ce flagrant délit anormal, Delcambre s'était arrêté, pendant que les deux autres, comme foudroyés, stupides de voir entrer cet homme par le cabinet, ne bougeaient pas, les yeux élargis et fous.

« Ah ! cochons ! bégaya enfin le procureur général, cochons ! cochons [1] ! »

Il ne trouvait que ce mot, il le répéta sans fin, l'accentua du même geste saccadé, pour lui donner plus de

---

1. C'est l'injure que les contemporains réservent aux naturalistes. Zola, en particulier à l'époque de *Nana* (1880), s'est insurgé contre l'hypocrisie qui consistait à l'accuser d'avoir créé « la littérature obscène » et de « spéculer sur le vice ». Voir son article « De la moralité dans la littérature » (octobre 1880), dans les *Documents littéraires* (1881), sur « les choses dont il est devenu peu à peu inconvenant de parler » : « l'homme distingué, l'honnête homme est celui qui fait ces choses sans en parler, tandis que celui qui en parle sans les faire, comme certains romanciers de ma connaissance, sont traités de gens orduriers et traînés journellement dans le ruisseau ». C'est dire que cette scène centrale a aussi valeur de manifeste.

force. Cette fois, d'un bond, la femme s'était levée, éperdue de sa nudité, tournant sur elle-même, cherchant ses vêtements, qu'elle avait laissés dans le cabinet de toilette, où elle ne pouvait aller les reprendre ; et, ayant mis la main sur un jupon blanc resté là, elle s'en couvrit les épaules, garda les deux bouts de la ceinture entre les dents, afin de le serrer autour de son cou, contre sa poitrine. L'homme, qui avait quitté aussi la chaise longue, rabattit sa chemise, l'air très ennuyé.

« Cochons ! répéta encore Delcambre, cochons ! dans cette chambre que je paie ! »

Et, montrant le poing à Saccard, s'affolant de plus en plus, à l'idée que ces ordures se faisaient sur un meuble acheté avec son argent, il délira.

« Vous êtes ici chez moi, cochon que vous êtes ! Et cette femme est à moi, vous êtes un cochon et un voleur ! »

Saccard, qui ne se fâchait pas, aurait voulu le calmer, fort embarrassé d'être ainsi en chemise, et tout à fait contrarié de l'aventure. Mais le mot de voleur le blessa.

« Dame ! monsieur, répondit-il, quand on veut avoir une femme à soi tout seul, on commence par lui donner ce dont elle a besoin. »

Cette allusion à son avarice acheva d'enrager Delcambre. Il était méconnaissable, effroyable, comme si le bouc humain, tout le priape[1] caché lui sortait de la peau. Ce visage, si digne et si froid, avait brusquement rougi, et il se gonflait, se tuméfiait, s'avançait en un mufle furieux. L'emportement lâchait la brute charnelle, dans l'affreuse douleur de cette fange remuée.

« Besoin, besoin, balbutia-t-il, besoin du ruisseau… Ah ! garce ! »

Et il eut vers la baronne un geste si violent, qu'elle prit peur. Elle était restée debout, immobile, ne parvenant à

---

1. Priape, dans l'Antiquité romaine, était le dieu de la fertilité des jardins ; le terme suggère ici la lubricité masculine.

se voiler la gorge, avec le jupon, qu'en laissant à découvert le ventre et les cuisses. Alors, ayant compris que cette nudité coupable, ainsi étalée, l'exaspérait davantage, elle recula jusqu'à une chaise, s'y assit en serrant les jambes, en remontant les genoux, de façon à cacher tout ce qu'elle pouvait. Puis, elle demeura là, sans un geste, sans un mot, la tête un peu basse, les yeux obliques et sournois sur la bataille, en femelle que les mâles se disputent, et qui attend, pour être au vainqueur.

Saccard, courageusement, s'était jeté devant elle.

« Vous n'allez pas la battre, peut-être ! »

Les deux hommes se trouvèrent face à face.

« Enfin, monsieur, reprit-il, il faut en finir. Nous ne pouvons pas nous disputer comme des cochers... C'est très vrai, je suis l'amant de madame. Et je vous répète que, si vous avez payé les meubles ici, moi j'ai payé...

– Quoi ?

– Beaucoup de choses : par exemple, l'autre jour, les dix mille francs de son ancien compte chez Mazaud, que vous aviez absolument refusé de régler... J'ai autant de droits que vous. Un cochon, c'est possible ! mais un voleur, ah ! non ! Vous allez retirer le mot. »

Hors de lui, Delcambre cria :

« Vous êtes un voleur, et je vais vous casser la tête, si vous ne déguerpissez pas à l'instant. »

Mais Saccard, à son tour, s'irritait. Tout en remettant son pantalon, il protesta.

« Ah ! çà, dites donc, vous m'embêtez, à la fin ! Je m'en irai si je veux... Ce n'est pas encore vous qui me ferez peur, mon bonhomme ! »

Et, quand il eut enfilé ses bottines, il tapa résolument des pieds sur le tapis, en disant :

« Là, maintenant, je suis d'aplomb, je reste. »

Étouffant de rage, Delcambre s'était rapproché, le mufle en avant.

« Sale cochon, veux-tu filer !

– Pas avant toi, vieille crapule !

– Et si je te flanque ma main sur la figure ! »

– Moi, je te plante mon pied quelque part ! »

Nez à nez, les crocs dehors, ils aboyaient. Oublieux d'eux-mêmes, dans cette débâcle de leur éducation, dans ce flot de vase immonde du rut qu'ils se disputaient, le magistrat et le financier en vinrent à une querelle de charretiers ivres, à des mots abominables, qu'ils se lançaient avec un besoin croissant de l'ordure, comme des crachats. Leurs voix s'étranglaient dans leur gorge, ils écumaient de la boue.

Sur sa chaise, la baronne attendait toujours que l'un des deux eût jeté l'autre dehors. Et, calmée déjà, arrangeant l'avenir, elle n'était plus gênée que par la présence de la femme de chambre, qu'elle devinait derrière la portière du cabinet de toilette, restée là pour se faire un peu de bon sang. Cette fille, en effet, ayant allongé la tête, avec un ricanement d'aise, à entendre des messieurs se dire des choses si dégoûtantes, les deux femmes s'aperçurent, la maîtresse accroupie et nue, la servante droite et correcte, avec son petit col plat ; et elles échangèrent un flamboyant regard, la haine séculaire des rivales, dans cette égalité des duchesses et des vachères, quand elles n'ont plus de chemise [1].

Mais Saccard, lui aussi, avait vu Clarisse. Il achevait de s'habiller violemment, enfilait son gilet et revenait lâcher une injure dans la figure de Delcambre, passait la manche gauche de sa redingote et en criait une autre, passait la manche droite et en trouvait d'autres, d'autres

---

1. Cette scène relève aussi du manifeste naturaliste. Zola écrivait dans son article « De la moralité », dans *Le Roman expérimental* (1880) : « Lorsque nous placerons un juron dans la bouche d'un homme bien mis ; lorsque nous noterons une conversation ordurière, chuchotée par des dames, dans un salon ; lorsque nous ouvrirons l'alcôve et montrerons l'adultère vautré sur des dentelles ; lorsque nous retrouverons le laquais et la prostituée sous l'habit noir et la robe de velours : dira-t-on encore que nous mentons, haussera-t-on les épaules en affirmant que nous ne connaissons pas le monde, nous accusera-t-on de le diffamer et de le salir à plaisir ? Le monde, le voilà, quand une passion le secoue, quand un drame violent le jette en dehors de ses politesses et de ses conventions. »

toujours, à pleins baquets, à la volée. Puis, tout d'un coup, pour en finir :

« Clarisse, venez donc ! Ouvrez les portes, ouvrez les fenêtres, pour que toute la maison et toute la rue entendent !… M. le Procureur général veut qu'on sache qu'il est ici, et je vais le faire connaître, moi ! »

Pâlissant, Delcambre recula, en le voyant se diriger vers une des fenêtres, comme s'il voulait en tourner la crémone. Ce terrible homme était très capable d'exécuter sa menace, lui qui se moquait du scandale.

« Ah ! canaille, canaille ! murmura le magistrat. Ça fait bien la paire, vous et cette catin. Et je vous la laisse…

– C'est ça, décampez ! On n'a pas besoin de vous… Au moins, ses factures seront payées, elle ne pleurera plus misère… Tenez ! voulez-vous six sous, pour prendre l'omnibus ? »

Sous l'insulte, Delcambre s'arrêta un instant, au seuil du cabinet de toilette. Il avait de nouveau sa haute taille maigre, sa face blême, coupée de plis rigides. Il étendit le bras, il fit un serment.

« Je jure que vous me paierez tout ça… Oh ! je vous retrouverai, prenez garde ! »

Puis, il disparut. Tout de suite, derrière lui, on entendit la fuite d'une jupe : c'était la femme de chambre qui, par crainte d'une explication, se sauvait, très égayée, à l'idée de la bonne farce.

Saccard, secoué encore, piétinant, alla fermer les portes, revint dans la chambre, où la baronne était restée, clouée sur sa chaise. Il se promena à grands pas, repoussa dans la cheminée un tison qui s'écroulait ; et la voyant seulement alors, si singulière et si peu couverte, avec ce jupon sur les épaules, il se montra très convenable.

« Habillez-vous donc, ma chère… Et ne vous émotionnez pas. C'est bête, mais ce n'est rien, rien du tout.. Nous nous reverrons ici, après-demain, pour nous arranger, n'est-ce pas ? Moi, il faut que je file, j'ai un rendez-vous avec Huret. »

Et, comme elle remettait enfin sa chemise, et qu'il partait, il lui cria de l'antichambre :

« Surtout, si vous achetez de l'Italien [1], pas de bêtise ! ne le prenez qu'à prime*. »

Pendant ce temps, à la même heure, Mme Caroline, la tête abattue sur sa table de travail, sanglotait. Le brutal renseignement du cocher, cette trahison de Saccard qu'elle ne pouvait ignorer désormais, remuait en elle tous les soupçons, toutes les craintes qu'elle avait voulu y ensevelir. Elle s'était forcée à la tranquillité et à l'espoir, dans les affaires de l'Universelle, complice, par l'aveuglement de sa tendresse, de ce qu'on ne lui disait pas, de ce qu'elle ne cherchait pas à apprendre. Aussi, maintenant, se reprochait-elle, avec un violent remords, la lettre rassurante qu'elle avait écrite à son frère, lors de la dernière assemblée générale ; car elle le savait, depuis que sa jalousie lui ouvrait de nouveau les yeux et les oreilles, les irrégularités continuaient, s'aggravaient sans cesse : ainsi le compte Sabatani avait grossi, la société jouait de plus en plus, sous le couvert de ce prête-nom, sans parler des réclames énormes et mensongères, des fondations de sable et de boue qu'on donnait à la colossale maison dont la montée si prompte, comme miraculeuse, la frappait de plus de terreur que de joie. Ce qui surtout l'angoissait, c'était ce terrible train, ce galop continu dont on menait l'Universelle, pareille à une machine, bourrée de charbon, lancée sur des rails diaboliques, jusqu'à ce que tout crevât et sautât, sous un dernier choc. Elle n'était point une naïve, une nigaude, que l'on pût tromper ; même ignorante de la technique des opérations de banque, elle comprenait parfaitement les raisons de ce surmenage, de cet enfièvrement, destiné à griser la foule, à l'entraîner dans cette épidémique folie de la danse des

---

1. De l'emprunt italien. Les États, pour se financer, en appellent à l'épargne populaire en émettant des emprunts, qui sont un placement relativement sûr. Ce mot de la fin renvoie peut-être à la situation internationale décrite dans le chapitre précédent.

millions. Chaque matin devait apporter sa hausse, il fallait faire croire toujours à plus de succès, à des guichets monumentaux, des guichets enchantés qui absorbaient des rivières, pour rendre des fleuves, des océans d'or. Son pauvre frère, si crédule, séduit, emporté, allait-elle donc le trahir, l'abandonner à ce flot qui menaçait, un jour, de les noyer tous ? Elle était désespérée de son inaction et de son impuissance.

Cependant, le crépuscule assombrissait la salle des épures, que le foyer éteint n'éclairait même pas d'un reflet ; et, dans ces ténèbres accrues, Mme Caroline pleurait plus fort. C'était lâche de pleurer ainsi, car elle sentait bien que tant de larmes ne venaient point de son inquiétude sur les affaires de l'Universelle. Saccard, certainement, menait à lui seul le terrible galop, fouaillait la bête avec une férocité, une inconscience morale extraordinaire, quitte à la tuer. Il était l'unique coupable, elle avait un frisson à tâcher de lire en lui, dans cette âme obscure d'un homme d'argent, ignorée de lui-même, où l'ombre cachait de l'ombre, l'infini boueux de toutes les déchéances. Ce qu'elle n'y distinguait pas encore nettement, elle le soupçonnait, elle en tremblait. Mais la découverte lente de tant de plaies, la crainte d'une catastrophe possible, ne l'auraient pas ainsi jetée sur cette table, pleurante et sans force, l'auraient au contraire redressée, dans un besoin de lutte et de guérison. Elle se connaissait, elle était une guerrière. Non ! si elle sanglotait si fort, telle qu'une enfant débile, c'était qu'elle aimait Saccard et que Saccard, à cette minute même, se trouvait avec une autre femme. Et cet aveu qu'elle était obligée de se faire l'emplissait de honte, redoublait ses pleurs, au point de l'étouffer.

« N'avoir pas plus de fierté, mon Dieu ! balbutiait-elle à voix haute. Être à ce point fragile et misérable ! Ne pas pouvoir, quand on veut ! »

À ce moment, dans la pièce noire, elle eut l'étonnement d'entendre une voix. C'était Maxime qui, en familier de la maison, venait d'entrer.

« Comment ! vous êtes sans lumière, et vous pleurez ! »

Confuse d'être ainsi surprise, elle s'efforça de maîtriser ses sanglots, pendant qu'il ajoutait :

« Je vous demande pardon, je croyais mon père revenu de la Bourse... Une dame m'a prié de le lui amener à dîner. »

Mais le valet de chambre apportait une lampe, et il se retira, après l'avoir posée sur la table. Toute la vaste pièce s'était éclairée de la calme lumière qui tombait de l'abat-jour.

« Ce n'est rien, voulut expliquer Mme Caroline, un bobo de femme, moi qui suis pourtant si peu nerveuse. »

Et, les yeux secs, le buste droit, elle souriait déjà, de son air héroïque de combattante. Un instant, le jeune homme la regarda, si fièrement redressée, avec ses grands yeux clairs, ses fortes lèvres, son visage de bonté virile, que l'épaisse couronne de ses cheveux blancs avait adouci et pénétré d'un grand charme ; et il la trouvait jeune encore, toute blanche ainsi, les dents également très blanches, une femme adorable, devenue belle. Puis il songea à son père, il eut un haussement d'épaules plein d'une méprisante pitié.

« C'est lui, n'est-ce pas ? qui vous met dans un état pareil. »

Elle voulut nier, mais elle étranglait, des larmes remontaient à ses paupières.

« Ah ! ma pauvre madame, je vous disais bien que vous aviez des illusions sur papa et que vous en seriez mal récompensée... C'était fatal, qu'il vous mangeât, vous aussi ! »

Alors, elle se souvint du jour où elle était allée lui emprunter les deux mille francs, pour l'acompte sur la rançon de Victor. Ne lui avait-il pas promis de causer avec elle, lorsqu'elle voudrait savoir ? l'occasion ne s'offrait-elle pas de tout apprendre du passé, en le questionnant ? Et un irrésistible besoin la poussait : maintenant qu'elle avait commencé de descendre, il lui fallait toucher le fond. Cela seul était brave, digne d'elle, utile à tous.

Mais elle répugnait à cette enquête, elle prit un détour, ayant l'air de rompre la conversation.

« Je vous dois toujours deux mille francs, dit-elle. Vous ne m'en voulez pas trop, de vous faire attendre ? »

Il eut un geste, pour lui donner tout le temps désirable. Puis, brusquement :

« À propos, et mon petit frère, ce monstre ?

– Il me désole, je n'ai encore rien dit à votre père… Je voudrais tant décrasser un peu le pauvre être, pour qu'on pût l'aimer ! »

Un rire de Maxime l'inquiéta, et comme elle l'interrogeait des yeux :

« Dame ! je crois que vous prenez encore là un souci bien inutile. Papa ne comprendra guère toute cette peine… Il en a tant vu, des ennuis de famille ! »

Elle le regardait toujours, si correct dans son égoïste jouissance de la vie, si joliment désabusé des liens humains, même de ceux que crée le plaisir. Il avait souri, goûtant seul la méchanceté cachée de sa dernière phrase [1]. Et elle eut conscience qu'elle touchait au secret de ces deux hommes.

« Vous avez perdu votre mère de bonne heure ?

– Oui, je l'ai à peine connue… J'étais encore à Plassans, au collège, lorsqu'elle est morte, ici, à Paris… Notre oncle, le docteur Pascal, a gardé là-bas avec lui ma sœur Clotilde que je n'ai jamais revue qu'une fois [2].

– Mais votre père s'est remarié ? »

Il eut une hésitation. Ses yeux si clairs, si vides, s'étaient troublés d'une petite fumée rousse.

---

1. Cette phrase est un euphémisme pour désigner en particulier l'inceste de Maxime et sa belle-mère Renée, que Saccard tolère par intérêt dans *La Curée* (voir *supra*, p. 61, note 1). **2.** Clotilde sera la protagoniste du dernier volume des *Rougon-Macquart*, *Le Docteur Pascal*. De son amour pour son oncle Pascal naîtra un enfant qui incarne l'avenir et le renouveau, après la « bousculade des ambitions et des appétits » qu'a illustrée la famille.

« Oh ! oui, oui, remarié… La fille d'un magistrat, une Béraud du Châtel… Renée, pas une mère pour moi, une bonne amie… »

Puis, d'un mouvement familier, s'asseyant près d'elle :

« Voyez-vous, il faut comprendre papa. Il n'est pas, mon Dieu ! pire que les autres. Seulement, ses enfants, ses femmes, enfin tout ce qui l'entoure, ça ne passe pour lui qu'après l'argent. Oh ! entendons-nous, il n'aime pas l'argent en avare, pour en avoir un gros tas, pour le cacher dans sa cave. Non ! s'il en veut faire jaillir de partout, s'il en puise à n'importe quelles sources, c'est pour le voir couler chez lui en torrents, c'est pour toutes les jouissances qu'il en tire, de luxe, de plaisir, de puissance… Que voulez-vous ? il a ça dans le sang. Il nous vendrait, vous, moi, n'importe qui, si nous entrions dans quelque marché. Et cela en homme inconscient et supérieur, car il est vraiment le poète du million, tellement l'argent le rend fou et canaille, oh ! canaille dans le très grand ! »

C'était bien ce que Mme Caroline avait compris, et elle écoutait Maxime, en approuvant d'un hochement de tête. Ah ! l'argent, cet argent pourrisseur, empoisonneur, qui desséchait les âmes, en chassait la bonté, la tendresse, l'amour des autres ! Lui seul était le grand coupable, l'entremetteur de toutes les cruautés et de toutes les saletés humaines. À cette minute, elle le maudissait, l'exécrait dans la révolte indignée de sa noblesse et de sa droiture de femme. D'un geste, si elle en avait eu le pouvoir, elle aurait anéanti tout l'argent du monde, comme on écraserait le mal d'un coup de talon, pour sauver la santé de la terre.

« Et votre père s'est remarié », répéta-t-elle au bout d'un silence, d'une voix lente et embarrassée, dans un éveil confus de souvenirs.

Qui donc, devant elle, avait fait allusion à cette histoire ? Elle n'aurait pu le dire : une femme sans doute, quelque amie, aux premiers temps de son installation rue Saint-Lazare, lorsque le nouveau locataire était venu habiter le premier étage. Ne s'agissait-il pas d'un mariage d'argent, de quelque marché honteux conclu ? et, plus tard, le crime n'était-il pas tranquillement entré dans le ménage, toléré et vivant là, un adultère monstrueux, touchant à l'inceste ?

« Renée, reprit Maxime très bas, comme malgré lui, n'avait que quelques années de plus que moi... »

Il avait levé la tête, il regardait Mme Caroline ; et, dans un abandon subit, dans une confiance irraisonnée en cette femme, qui lui semblait si bien-portante et si sage, il conta le passé, non pas en phrases suivies, mais par lambeaux, par aveux incomplets, comme involontaires, qu'elle devait coudre. Était-ce une ancienne rancune contre son père qu'il soulageait, cette rivalité qui avait existé entre eux, qui les faisait étrangers, aujourd'hui encore, sans intérêts communs ? Il ne l'accusait pas, semblait incapable de colère ; mais son petit rire tournait au ricanement, il parlait de ces abominations avec la joie mauvaise et sournoise de le salir, en remuant tant de vilenies.

Et ce fut ainsi que Mme Caroline apprit tout au long l'effrayante histoire : Saccard vendant son nom, épousant pour de l'argent une fille séduite ; Saccard, par son argent, sa vie folle et éclatante, achevant de détraquer cette grande enfant malade [1] ; Saccard, dans un besoin d'argent, ayant à obtenir d'elle une signature, tolérant chez lui les amours de sa femme et de son fils, fermant les yeux en bon patriarche qui veut bien qu'on s'amuse [2]. L'argent, l'argent roi, l'argent Dieu, au-dessus du sang,

---

1. À la fin de *La Curée* (1872), Renée meurt d'une méningite. Mais ce n'est que la conclusion d'une progression de la folie que souligne le dernier moment où elle s'observe dans un miroir : « Elle était finie. Elle se vit morte. Toute sa face lui disait que le craquement cérébral s'achevait. Maxime, cette perversion dernière de ses sens, avait terminé son œuvre, épuisé sa chair, détraqué son intelligence » (chap. VI). Ce n'est pas seulement Maxime qui la tue, mais l'entente du père et du fils par-delà sa chute. 2. Dans *La Curée*, Saccard organise des fêtes dans son hôtel du parc Monceau, rapproche son fils et la jeune marâtre qu'il n'a pas épousée que pour sa dot (elle était enceinte d'un tiers), délibère avec Maxime sur les plaisirs et finance sa débauche à Paris. Le moment culminant de cette tolérance est lorsque Saccard surprend chez lui son fils et Renée (chap. VI), et ravale sa colère en apercevant l'acte signé par lequel sa femme lui cède la dernière partie de sa fortune.

au-dessus des larmes, adoré plus haut que les vains scrupules humains, dans l'infini de sa puissance ! Et, à mesure que l'argent grandissait, que Saccard se révélait à elle avec cette diabolique grandeur, Mme Caroline se trouvait prise d'une véritable épouvante, glacée, éperdue, à l'idée qu'elle était au monstre, après tant d'autres.

« Voilà ! dit en finissant Maxime. Vous me faites de la peine, il vaut mieux que vous soyez prévenue... Et que cela ne vous fâche pas avec mon père. J'en serais désolé, parce que ce serait encore vous qui en pleureriez, et pas lui... Comprenez-vous maintenant pourquoi je refuse de lui prêter un sou ? »

Comme elle ne répondait point, la gorge serrée, frappée au cœur, il se leva, donna un coup d'œil à une glace, avec la tranquille aisance d'un joli homme, certain de sa correction dans la vie. Puis, il revint devant elle.

« N'est-ce pas ? des exemples pareils vous vieillissent vite... Moi, je me suis rangé tout de suite, j'ai épousé une jeune fille qui était malade et qui est morte, je jure bien aujourd'hui qu'on ne me fera pas refaire des bêtises... Non ! voyez-vous, papa est incorrigible, parce qu'il n'a pas de sens moral. »

Il lui prit la main, la garda un instant dans la sienne, en la sentant toute froide.

« Je m'en vais, puisqu'il ne rentre pas... Mais ne vous faites donc pas de chagrin ! Je vous croyais si forte ! Et dites-moi merci, car il n'y a qu'une chose de bête : c'est d'être dupe. »

Enfin, il partait, lorsqu'il s'arrêta à la porte, riant, ajoutant encore :

« J'oubliais, dites-lui que Mme de Jeumont veut l'avoir à dîner... Vous savez, Mme de Jeumont, celle qui a couché avec l'empereur, pour cent mille francs... Et n'ayez pas peur, car, si fou que papa soit resté, j'ose espérer qu'il n'est pas capable de payer une femme ce prix-là. »

Seule, Mme Caroline ne bougea pas. Elle demeurait anéantie sur sa chaise, dans la vaste pièce tombée à un lourd silence, regardant fixement la lampe, de ses yeux

élargis. C'était comme un brusque déchirement du voile :
ce qu'elle n'avait pas voulu distinguer nettement jusque-
là, ce qu'elle ne faisait que soupçonner en tremblant, elle
le voyait à cette heure dans sa crudité affreuse, sans complaisance possible. Elle voyait Saccard à nu, cette âme
dévastée d'un homme d'argent, compliquée et trouble
dans sa décomposition. Il était en effet sans liens ni bar-
rières, allant à ses appétits avec l'instinct déchaîné de
l'homme qui ne connaît d'autre borne que son impuissance. Il avait partagé sa femme avec son fils, vendu son
fils, vendu sa femme, vendu tous ceux qui lui étaient tombés sous la main ; il s'était vendu lui-même, et il la vendrait elle aussi, il vendrait son frère, battrait monnaie
avec leurs cœurs et leurs cerveaux. Ce n'était plus qu'un
faiseur d'argent, qui jetait à la fonte les choses et les êtres
pour en tirer de l'argent. Dans une brève lucidité, elle vit
l'Universelle suer l'argent de toutes parts, un lac, un
océan d'argent, au milieu duquel, avec un craquement
effroyable, tout d'un coup, la maison coulait à pic. Ah !
l'argent, l'horrible argent qui salit et dévore !

D'un mouvement emporté, Mme Caroline se leva.
Non, non ! c'était monstrueux, c'était fini, elle ne pouvait
rester davantage avec cet homme. Sa trahison, elle la lui
aurait pardonnée ; mais un écœurement la prenait de
toute cette ordure ancienne, une terreur l'agitait devant
la menace des crimes possibles du lendemain. Elle n'avait
plus qu'à partir sur-le-champ, si elle ne voulait pas elle-
même être éclaboussée de boue, écrasée sous les
décombres. Et le besoin lui venait d'aller loin, très loin,
de rejoindre son frère au fond de l'Orient, plus encore
pour disparaître que pour l'avertir. Partir, partir tout de
suite ! Il n'était pas six heures, elle pouvait prendre le
rapide de Marseille, à sept heures cinquante-cinq, car
cela lui semblait au-dessus de ses forces de revoir
Saccard. À Marseille, avant de s'embarquer, elle ferait ses
achats. Rien qu'un peu de linge dans une malle, une robe
de rechange, et elle partait. En un quart d'heure, elle
allait être prête. Puis, la vue de son travail, sur la table,

le mémoire commencé, l'arrêta un instant. À quoi bon emporter cela, puisque tout devait crouler, pourri à la base ? Elle se mit pourtant à ranger avec soin les documents, les notes, par une habitude de bonne ménagère qui ne voulait rien laisser en désordre derrière elle. Cette besogne lui prit quelques minutes, calma la première fièvre de sa décision. Et c'était dans la pleine possession d'elle-même qu'elle donnait un dernier coup d'œil autour de la pièce, avant de la quitter, lorsque le valet de chambre reparut et lui remit un paquet de journaux et de lettres.

D'un coup d'œil machinal, Mme Caroline regarda les suscriptions et, dans le tas, reconnut une lettre de son frère, qui lui était adressée. Elle arrivait de Damas, où Hamelin se trouvait alors, pour l'embranchement projeté, de cette ville à Beyrouth. D'abord, elle commença à la parcourir, debout, près de la lampe, se promettant de la lire lentement, plus tard, dans le train. Mais chaque phrase la retenait, elle ne pouvait plus sauter un mot, elle finit par se rasseoir devant la table et par se donner tout entière à la lecture passionnante de cette longue lettre, qui avait douze pages.

Hamelin, justement, était dans un de ses jours de gaieté. Il remerciait sa sœur des dernières bonnes nouvelles qu'elle lui avait adressées de Paris, et il lui envoyait des nouvelles meilleures encore de là-bas, car tout y marchait à souhait. Le premier bilan de la Compagnie générale des Paquebots réunis s'annonçait superbe, les nouveaux transports à vapeur réalisaient de grosses recettes, grâce à leur installation parfaite et à leur vitesse plus grande. En plaisantant, il disait qu'on y voyageait pour le plaisir, et il montrait les ports de la côte envahis par le monde de l'Occident, il racontait qu'il ne pouvait faire une course à travers les sentiers perdus, sans se trouver nez à nez avec quelque Parisien du boulevard [1]. C'était réellement, comme il

---

1. Le boulevard était le haut lieu de la vie parisienne au XIXe siècle. S'y trouvaient de nombreux théâtres, restaurants et cafés. Le tracé du

l'avait prévu, l'Orient ouvert à la France. Bientôt, des villes repousseraient aux flancs fertiles du Liban. Mais, surtout, il faisait une peinture très vive de la gorge écartée du Carmel, où la mine d'argent était en pleine exploitation. Le site sauvage s'humanisait, on avait découvert des sources dans l'écroulement gigantesque de rochers qui bouchait le vallon au nord ; et des champs se créaient, le blé remplaçait les lentisques [1], tandis que tout un village déjà s'était bâti près de la mine, d'abord de simples cabanes de bois, un baraquement pour abriter les ouvriers, maintenant de petites maisons de pierre avec des jardins, un commencement de cité qui allait grandir, tant que les filons ne s'épuiseraient pas. Il y avait là près de cinq cents habitants, une route venait d'être achevée, qui reliait le village à Saint-Jean-d'Acre. Du matin au soir, les machines d'extraction ronflaient, des chariots s'ébranlaient au claquement des fouets sonores, des femmes chantaient, des enfants jouaient et criaient, dans ce désert, dans ce silence de mort où seuls les aigles autrefois mettaient le bruit lent de leurs ailes. Et les myrtes et les genêts embaumaient toujours l'air tiède, d'une délicieuse pureté. Enfin, Hamelin ne tarissait pas sur la première ligne ferrée qu'il devait ouvrir, de Brousse à Beyrouth, par Angora et Alep. Toutes les formalités étaient terminées à Constantinople ; certaines modifications heureuses qu'il avait fait subir au tracé, pour le passage difficile des cols du Taurus [2], l'enchantaient ; et il parlait de ces cols, des plaines qui s'étendaient au pied des montagnes, avec le ravissement d'un homme de science qui y avait trouvé de nouvelles mines de charbon et qui croyait voir le pays se couvrir d'usines. Ses points de repère étaient posés, les emplacements des stations choisis, quelques-uns en pleine solitude : une ville ici, une ville plus loin, des

boulevard correspond à celui des anciennes fortifications de Louis XIII, c'est-à-dire à l'actuelle limite nord des 2e et 3e arrondissements, depuis la place de la Bastille jusqu'à la place de la Madeleine.　**1.** Sorte de pistachier des régions méditerranéennes, produisant le mastic. Il s'agit d'une plante coriace. **2.** Le Taurus est une chaîne de montagnes d'Asie Mineure, qui va de Rhodes jusqu'en Arménie (voir carte, p. 496).

villes naîtraient autour de chacune de ces stations, au croisement des routes naturelles. Déjà la moisson des hommes
et des grandes choses futures était semée, tout germait, ce
serait avant quelques années un monde nouveau. Et il
finissait en embrassant bien tendrement sa sœur adorée,
heureux de l'associer à cette résurrection d'un peuple, lui
disant qu'elle y serait pour beaucoup, elle qui depuis si
longtemps l'aidait de sa bravoure et de sa belle santé.

Mme Caroline avait achevé sa lecture, la lettre restait
ouverte sur la table, et elle songeait, les yeux de nouveau
sur la lampe. Puis, machinalement, ses regards se
levèrent, firent le tour des murs, s'arrêtant à chacun des
plans, à chacune des aquarelles. À Beyrouth, le pavillon
pour le directeur de la Compagnie des Paquebots réunis
était à cette heure construit, au milieu de vastes magasins. Au mont Carmel, c'était ce fond de gorge sauvage,
obstrué de broussailles et de pierres, qui se peuplait,
pareil au nid gigantesque d'une population naissante.
Dans le Taurus, ces nivellements, ces profils, changeaient
les horizons, ouvraient un chemin au libre commerce. Et,
devant elle, de ces feuilles aux lignes géométriques, aux
teintes lavées, que quatre pointes simplement clouaient,
toute une évocation surgissait du lointain pays parcouru
autrefois, tant aimé pour son beau ciel éternellement
bleu, pour sa terre si fertile. Elle revoyait les jardins étagés de Beyrouth, les vallées du Liban aux grands bois
d'oliviers et de mûriers, les plaines d'Antioche et d'Alep,
immenses vergers de fruits délicieux. Elle se revoyait avec
son frère en continuelles courses par cette merveilleuse
contrée, dont les richesses incalculables se perdaient,
ignorées ou gâchées, sans routes, sans industrie ni agriculture, sans écoles, dans la paresse et l'ignorance. Mais
tout cela, maintenant, se vivifiait, sous une extraordinaire poussée de sève jeune. L'évocation de cet Orient de
demain dressait déjà devant ses yeux des cités prospères,
des campagnes cultivées, toute une humanité heureuse.
Et elle les voyait, et elle entendait la rumeur travailleuse

des chantiers, et elle constatait que cette vieille terre endormie, réveillée enfin, venait d'entrer en enfantement.

Alors, Mme Caroline eut la brusque conviction que l'argent était le fumier dans lequel poussait cette humanité de demain [1]. Des phrases de Saccard lui revenaient, des lambeaux de théories sur la spéculation. Elle se rappelait cette idée que, sans la spéculation, il n'y aurait pas de grandes entreprises vivantes et fécondes, pas plus qu'il n'y aurait d'enfants, sans la luxure. Il faut cet excès de la passion, toute cette vie bassement dépensée et perdue, à la continuation même de la vie. Si, là-bas, son frère s'égayait, chantait victoire, au milieu des chantiers qui s'organisaient, des constructions qui sortaient du sol, c'était qu'à Paris l'argent pleuvait, pourrissait tout, dans la rage du jeu. L'argent, empoisonneur et destructeur, devenait le ferment de toute végétation sociale, servait de terreau nécessaire aux grands travaux dont l'exécution rapprocherait les peuples et pacifierait la terre. Elle avait maudit l'argent, elle tombait maintenant devant lui dans une admiration effrayée : lui seul n'était-il pas la force qui peut raser une montagne, combler un bras de mer, rendre la terre enfin habitable aux hommes, soulagés du travail, désormais simples conducteurs de machines ? Tout le bien naissait de lui, qui faisait tout le mal. Et elle ne savait plus, ébranlée jusqu'au fond de son être, décidée déjà à ne pas partir, puisque le succès paraissait complet en Orient et que la bataille était à Paris, mais incapable encore de se calmer, le cœur saignant toujours.

Mme Caroline se leva, vint appuyer son front à la vitre d'une des fenêtres qui donnaient sur le jardin de l'hôtel Beauvilliers. La nuit s'était faite, elle ne distinguait qu'une faible lueur dans la petite pièce écartée où la

---

1. On aura compris que tout ce chapitre est structuré comme une antithèse démonstrative, conforme à ce que prévoyait l'Ébauche du roman (f° 391) : « Ne pas frapper sur l'argent. La pire et la meilleure des choses. Les grandes choses qu'on fait avec. » Saccard incarne cette ambivalence : « À la fin, avoir ce concert de bénédictions et d'exécrations. »

comtesse et sa fille vivaient, pour ne rien salir et ne pas dépenser de feu. Vaguement, derrière la mince mousseline des rideaux, elle distinguait le profil de la comtesse, raccommodant elle-même quelque nippe, tandis qu'Alice peignait des aquarelles, bâclées à la douzaine, qu'elle devait vendre en cachette. Un malheur leur était arrivé, une maladie de leur cheval, qui pendant deux semaines les avait clouées chez elles, entêtées à ne pas être vues à pied, et reculant devant une location. Mais, dans cette gêne si héroïquement cachée, un espoir désormais les tenait debout, plus vaillantes, la hausse continue des actions* de l'Universelle, ce gain déjà très gros, qu'elles voyaient resplendir et tomber en pluie d'or, le jour où elles réaliseraient*, au cours le plus élevé. La comtesse se promettait une robe vraiment neuve, rêvait de donner quatre dîners par mois, l'hiver, sans se mettre pour cela au pain et à l'eau pendant quinze jours. Alice ne riait plus, de son air d'indifférence affectée, lorsque sa mère lui parlait mariage, l'écoutait avec un léger tremblement des mains, en commençant à croire que cela se réaliserait peut-être, qu'elle pourrait avoir, elle aussi, un mari et des enfants. Et Mme Caroline, à regarder brûler la petite lampe qui les éclairait, sentait monter vers elle un grand calme, un attendrissement, frappée de cette remarque que l'argent encore, rien qu'un espoir d'argent, suffisait au bonheur de ces pauvres créatures. Si Saccard les enrichissait, ne le béniraient-elles pas, ne resterait-il pas, pour elles deux, charitable et bon ? La bonté était donc partout, même chez les pires, qui sont toujours bons pour quelqu'un, qui ont toujours, au milieu de l'exécration d'une foule, d'humbles voix isolées les remerciant et les adorant. À cette réflexion, sa pensée, tandis que ses yeux s'aveuglaient sur les ténèbres du jardin, s'en était allée vers l'Œuvre du Travail. La veille, de la part de Saccard, elle y avait distribué des jouets et des dragées, en réjouissance d'un anniversaire ; et elle souriait involontairement, au souvenir de la joie bruyante des enfants. Depuis un mois, on était plus content de Victor, elle avait lu des notes satisfaisantes chez la princesse d'Orviedo, avec laquelle, deux fois par semaine, elle causait longuement de la maison. Mais, à cette image de Victor, qui tout d'un coup apparaissait, elle s'étonnait de l'avoir oublié, dans sa crise de désespoir, lorsqu'elle voulait partir. Aurait-elle pu l'abandonner ainsi, compromettre la bonne action menée avec tant de peine ? De plus en plus pénétrante, une douceur montait de l'obscurité des grands arbres, un flot d'ineffable renoncement, de tolérance divine qui lui élargissait le cœur ; tandis que la petite lampe pauvre des dames de Beauvilliers continuait à briller là-bas, comme une étoile.

Lorsque Mme Caroline revint devant sa table, elle eut un léger frisson. Quoi donc ? elle avait froid ! Et cela l'égaya, elle qui se vantait de passer l'hiver sans feu. Elle était comme au sortir d'un bain glacé, rajeunie et forte, le pouls très calme. Les matins de belle santé, elle se levait ainsi. Puis, elle eut l'idée de remettre une bûche dans la cheminée ; et, en voyant que le feu était mort, elle s'amusa à le rallumer elle-même, sans vouloir sonner le domestique. Ce fut tout un travail, elle n'avait pas de petit bois, elle parvint à embraser les bûches, simplement avec de vieux journaux, qu'elle brûlait un à un. À genoux devant l'âtre, elle en riait toute seule. Un instant, elle resta là, heureuse et surprise. Voilà donc qu'une de ses grandes crises était encore passée, elle espérait de nouveau, quoi ? elle n'en savait toujours rien, l'éternel inconnu qui était au bout de la vie, au bout de l'humanité. Vivre, cela devait suffire, pour que la vie lui apportât sans cesse la guérison des blessures que la vie lui faisait. Une fois de plus, elle se rappelait les débâcles de son existence, son mariage affreux, sa misère à Paris, son abandon par le seul homme qu'elle eût aimé ; et, à chaque écroulement, elle retrouvait la vivace énergie, la joie immortelle qui la remettait debout, au milieu des ruines. Tout ne venait-il pas de crouler ? Elle restait sans estime pour son amant, en face de son effroyable passé, comme de saintes femmes sont devant des plaies immondes qu'elles pansent matin et soir, sans compter les cicatriser jamais. Elle allait continuer à lui appartenir, en le sachant à d'autres, en ne cherchant même pas à le leur disputer. Elle allait vivre dans un brasier, dans la forge haletante de la spéculation, sous l'incessante menace d'une catastrophe finale, où son frère pouvait laisser son honneur et son sang. Et elle était quand même debout, presque insouciante, ainsi qu'au matin d'un beau jour, goûtant à faire face au danger une allégresse de bataille. Pourquoi ? pour rien raisonnablement, pour le plaisir d'être ! Son frère le lui disait, elle était l'invincible espoir.

Saccard, lorsqu'il rentra, vit Mme Caroline enfoncée dans son travail, achevant, de sa ferme écriture, une page du mémoire sur les chemins de fer d'Orient. Elle leva la tête, lui sourit d'un air paisible, tandis qu'il effleurait des lèvres sa belle et rayonnante chevelure blanche.

« Vous avez beaucoup couru, mon ami ?

– Oh ! des affaires à n'en plus finir ! J'ai vu le ministre des Travaux publics, j'ai fini par rejoindre Huret, j'ai dû retourner chez le ministre, où il n'y avait plus qu'un secrétaire… Enfin, j'ai la promesse pour là-bas. »

En effet, depuis qu'il avait quitté la baronne Sandorff, il ne s'était plus arrêté, tout aux affaires, dans son emportement de zèle accoutumé. Elle lui remit la lettre d'Hamelin, qui l'enchanta ; et elle le regardait exulter du prochain triomphe, en se disant que, désormais, elle le surveillerait de près, afin d'empêcher les folies certaines. Pourtant, elle ne parvenait pas à lui être sévère.

« Votre fils est venu vous inviter, au nom de Mme de Jeumont. »

Il se récria.

« Mais elle m'a écrit !… J'ai oublié de vous dire que j'y allais ce soir… Ce que cela m'assomme, fatigué comme je suis ! »

Et il partit, après avoir de nouveau baisé ses cheveux blancs. Elle se remit à son travail, avec son sourire ami-cal, plein d'indulgence. N'était-elle pas seulement une amie qui se donnait ? La jalousie lui causait une honte, comme si elle eût sali davantage leur liaison. Elle voulait être supérieure à l'angoisse du partage, dégagée de l'égoïsme charnel de l'amour. Être à lui, le savoir à d'autres, cela n'avait pas d'importance. Et elle l'aimait pourtant, de tout son cœur courageux et charitable. C'était l'amour triomphant, ce Saccard, ce bandit du trottoir financier, aimé si absolument par cette adorable femme, parce qu'elle le voyait, actif et brave, créer un monde, faire de la vie [1].

---

1. C'est aussi le mot de la fin du roman. Voir les toutes premières lignes de l'Ébauche du roman (f°378) : « Je voudrais, dans ce roman, ne pas conclure au dégoût de la vie (pessimisme). La vie telle qu'elle est, mais acceptée, malgré tout, pour l'amour d'elle-même, dans sa force. »

VIII

Ce fut le 1ᵉʳ avril que l'Exposition universelle de 1867 ouvrit, au milieu de fêtes, avec un éclat triomphal [1]. La grande saison de l'empire commençait, cette saison de gala suprême, qui allait faire de Paris l'auberge du monde, une auberge pavoisée, pleine de musiques et de chants, où l'on mangeait, où l'on forniquait dans toutes les chambres. Jamais règne, à son apogée, n'avait convoqué les nations à une si colossale ripaille. Vers les Tuileries flamboyantes, dans une apothéose de féerie, le long défilé des empereurs, des rois et des princes, se mettait en marche, des quatre coins de la terre.

Et ce fut à la même époque, quinze jours plus tard, que Saccard inaugura l'hôtel monumental qu'il avait voulu, pour y loger royalement l'Universelle. Six mois venaient de suffire, on avait travaillé jour et nuit, sans perdre une heure, faisant ce miracle qui n'est possible qu'à Paris ; et la façade se dressait, fleurie d'ornements, tenant du temple et du café-concert, une façade dont le luxe étalé arrêtait le monde sur le trottoir. À l'intérieur, c'était une somptuosité, les millions des caisses ruisselant le long des murs. Un escalier d'honneur conduisait à la salle du conseil, rouge et or, d'une splendeur de salle d'opéra. Partout, des tapis, des tentures, des bureaux installés avec une richesse d'ameublement éclatante. Dans le sous-sol, où se trouvait le service des titres, des coffres-forts étaient scellés, immenses, ouvrant des gueules profondes de four, derrière les glaces sans tain

1. Voir *supra*, p. 16, note 1.

des cloisons, qui permettaient au public de les voir, rangés comme les tonneaux des contes, où dorment les trésors incalculables des fées. Et les peuples avec leurs rois, en marche vers l'Exposition, pouvaient venir et défiler là : c'était prêt, l'hôtel neuf les attendait, pour les aveugler, les prendre un à un à cet irrésistible piège de l'or, flambant au grand soleil.

Saccard trônait dans le cabinet le plus somptueusement installé, un meuble Louis XIV, à bois doré, recouvert de velours de Gênes. Le personnel venait d'être augmenté encore, il dépassait quatre cents employés ; et c'était maintenant à cette armée que Saccard commandait, avec un faste de tyran adoré et obéi, car il se montrait très large de gratifications. En réalité, malgré son simple titre de directeur, il régnait, au-dessus du président du conseil, au-dessus du conseil d'administration lui-même, qui ratifiait simplement ses ordres. Aussi Mme Caroline vivait-elle désormais dans une continuelle alerte, très occupée à connaître chacune de ses décisions, pour tâcher de se mettre en travers, s'il le fallait. Elle désapprouvait cette nouvelle installation, beaucoup trop magnifique, sans pouvoir cependant la blâmer en principe, ayant reconnu la nécessité d'un local plus vaste, aux beaux jours de tendre confiance, lorsqu'elle plaisantait son frère qui s'inquiétait. Sa crainte avouée, son argument, pour combattre tout ce luxe, était que la maison y perdait son caractère de probité décente, de haute gravité religieuse. Que penseraient les clients habitués à la discrétion monacale, au demi-jour recueilli du rez-de-chaussée de la rue Saint-Lazare, lorsqu'ils entreraient dans ce palais de la rue de Londres, aux grands étages égayés de bruits, inondés de lumière ? Saccard répondait qu'ils seraient foudroyés d'admiration et de respect, que ceux qui apportaient cinq francs, en tireraient dix de leur poche, saisis d'amour-propre, grisés de confiance. Et ce fut lui, dans sa brutalité du clinquant, qui eut raison. Le succès de l'hôtel était prodigieux, dépassait en vacarme efficace les plus extraordinaires réclames de Jantrou. Les petits rentiers* dévots des quartiers tranquilles, les pauvres prêtres de campagne débarqués le matin du chemin de fer, bâillaient de béatitude devant la porte, en ressortaient rouges du plaisir d'avoir des fonds là-dedans [1].

À la vérité, ce qui contrariait surtout Mme Caroline, c'était de ne plus pouvoir être toujours dans la maison même, à exercer sa surveillance. À peine lui était-il permis de se rendre rue de Londres, de loin en loin, sous un prétexte. Elle vivait seule à présent, dans la salle des épures, elle ne voyait guère Saccard que le soir. Il avait gardé là son appartement, mais tout le rez-de-chaussée restait fermé, ainsi que les bureaux du premier étage ; et la princesse d'Orviedo, heureuse au fond de ne plus avoir le sourd remords de cette banque, cette boutique d'argent installée chez elle, ne cherchait pas même à louer, avec son insouciance voulue de tout gain, même légitime. La maison vide, résonnante à chaque voiture qui passait, semblait un tombeau. Mme Caroline n'entendait plus, au travers des plafonds, monter que ce silence frissonnant des guichets clos, d'où, sans relâche, pendant deux années, il lui était venu un léger tintement d'or. Les journées lui en paraissaient plus lourdes et plus longues. Elle travaillait pourtant beaucoup, toujours occupée par son frère, qui, d'Orient, lui envoyait des tâches d'écritures. Mais, parfois, dans son travail, elle s'arrêtait, écoutait, prise d'une anxiété instinctive, ayant besoin de savoir ce

---

1. Voir la scène-type de souscription qu'on peut lire dans *L'Argent des autres* (1873) de Gaboriau. Le texte commence par mettre en scène l'ébahissement honteux du déposant devant les locaux de la banque : « Tout en marchant, il rougit du peu d'importance de sa souscription. Il a honte de la modicité de la somme qu'il apporte à ces caisses qui lui semblent renfermer, sous leurs triples serrures, les trésors des *Mille et Une Nuits.* » Les phrases suivantes montrent sa fierté d'actionnaire : « Les six ou huit titres qu'il sent dans son portefeuille lui donnent de l'assurance. Il semble que sur toutes les splendeurs qui l'environnent il a un certain droit de propriété. C'est d'un pied plus ferme et d'un jarret mieux tendu qu'il foule les marches de l'escalier. Il y a du maître dans le geste dont il repousse la porte du vestibule… »

qui se passait en bas ; et rien, pas un souffle, l'anéantissement des salles déménagées, vides, noires, fermées à double tour. Alors, un petit froid la prenait, elle s'oubliait
quelques minutes, inquiète. Que faisait-on, rue de
Londres ? n'était-ce point à cette seconde précise, que se
produisait la lézarde dont périrait l'édifice ?

Le bruit se répandit, vague et léger encore, que Saccard
préparait une nouvelle augmentation du capital*. De cent
millions, il voulait le porter à cent cinquante. C'était une
heure de particulière excitation, l'heure fatale où toutes les
prospérités du règne, les immenses travaux qui avaient
transformé la ville, la circulation enragée de l'argent, les
furieuses dépenses du luxe, devaient aboutir à une fièvre
chaude de la spéculation. Chacun voulait sa part, risquait
sa fortune sur le tapis vert, pour la décupler et jouir,
comme tant d'autres, enrichis en une nuit. Les drapeaux
de l'Exposition qui claquaient au soleil, les illuminations
et les musiques du Champ-de-Mars, les foules du monde
entier inondant les rues, achevaient de griser Paris, dans
un rêve d'inépuisable richesse et de souveraine domination. Par les soirées claires, de l'énorme cité en fête, atta-
blée dans les restaurants exotiques, changée en foire
colossale où le plaisir se vendait librement sous les étoiles,
montait le suprême coup de démence, la folie joyeuse et
vorace des grandes capitales menacées de destruction. Et
Saccard, avec son flair de coupeur de bourses, avait tellement bien senti chez tous cet accès, ce besoin de jeter au
vent son argent, de vider ses poches et son corps, qu'il
venait de doubler les fonds destinés à la publicité, en exci-
tant Jantrou au plus assourdissant des tapages. Depuis
l'ouverture de l'Exposition, tous les jours, c'étaient, dans
la presse, des volées de cloche en faveur de l'Universelle.
Chaque matin amenait son coup de cymbales, pour faire
retourner le monde : un fait divers extraordinaire, l'histoire d'une dame qui avait oublié cent actions* dans un
fiacre ; un extrait d'un voyage en Asie Mineure, où il était
expliqué que Napoléon avait prédit la maison de la rue de
Londres ; un grand article de tête, où, politiquement, le

rôle de cette maison était jugé par rapport à la solution
prochaine de la question d'Orient [1] ; sans compter les
notes continuelles des journaux spéciaux, tous embriga-
dés, marchant en masse compacte. Jantrou avait imaginé,
avec les petites feuilles financières, des traités à l'année, qui
lui assuraient une colonne dans chaque numéro ; et il
employait cette colonne, avec une fécondité, une variété
d'imagination étonnantes, allant jusqu'à attaquer, pour le
triomphe de vaincre ensuite. La fameuse brochure qu'il
méditait, venait d'être lancée par le monde entier, à un million d'exemplaires. Son agence nouvelle était également
créée, cette agence qui, sous le prétexte d'envoyer un bulletin financier aux journaux de province, se rendait maîtresse absolue du marché de toutes les villes importantes.
Et *L'Espérance* enfin, habilement conduite, prenait de jour
en jour une importance politique plus grande. On y avait
beaucoup remarqué une série d'articles, à la suite du décret
du 19 janvier, qui remplaçait l'adresse par le droit d'interpellation [2], nouvelle concession de l'empereur, en marche
vers la liberté. Saccard, qui les inspirait, n'y faisait pas
encore attaquer ouvertement son frère, resté ministre
d'État quand même, résigné, dans sa passion du pouvoir,
à défendre aujourd'hui ce qu'il condamnait hier ; mais on
l'y sentait aux aguets, surveillant la situation fausse de
Rougon, pris à la Chambre entre le tiers parti [3], affamé de
son héritage, et les cléricaux, ligués avec les bonapartistes

---

1. Question relative, notamment, au démantèlement de l'Empire
ottoman, lequel occupait l'est de la Méditerranée. **2.** Par une lettre du
19 janvier 1867 à Eugène Rouher, publiée dans *Le Moniteur*, Napoléon III annonça une nouvelle série de mesures libérales, en particulier
le remplacement du droit d'adresse par le droit d'interpellation. Le
droit d'adresse avait été rétabli en 1860 et permettait au Corps législatif
et au Sénat d'adresser une question, une fois par session, au gouvernement. Le droit d'interpellation, étape supérieure de la libéralisation du
régime, autorisait un député ou un sénateur à poser une question à un
ministre. **3.** Le « tiers parti », qu'on nomme parfois « Thiers parti » en
manière de plaisanterie, représente, entre les républicains et les députés
qui soutiennent le pouvoir, l'opposition libérale, pour laquelle l'Empire
est encore trop autoritaire et la politique étrangère catastrophique.

autoritaires contre l'empire libéral ; et les insinuations commençaient déjà, le journal redevenait catholique militant, se montrait plein d'aigreur, à chacun des actes du ministre. *L'Espérance* passée à l'opposition, c'était la popularité, un vent de fronde achevant de lancer le nom de l'Universelle aux quatre coins de la France et du monde.

Alors, sous cette poussée formidable de publicité, dans ce milieu exaspéré, mûr pour toutes les folies, l'augmentation probable du capital, cette rumeur d'une émission nouvelle de cinquante millions, acheva d'enfiévrer les plus sages. Des humbles logis aux hôtels aristocratiques, de la loge des concierges au salon des duchesses, les têtes prenaient feu, l'engouement tournait à la foi aveugle, héroïque et batailleuse. On énumérait les grandes choses déjà faites par l'Universelle, les premiers succès foudroyants, les dividendes* inespérés, tels qu'aucune autre société n'en avait distribués à ses débuts. On rappelait l'idée si heureuse de la Compagnie des Paquebots réunis, si prompte en magnifiques résultats, cette Compagnie dont les actions faisaient déjà cent francs de prime* ; et la mine d'argent du Carmel, d'un produit miraculeux, à laquelle un orateur sacré, lors du dernier carême de Notre-Dame, avait fait une allusion, en parlant d'un cadeau de Dieu à la chrétienté confiante ; et une autre société créée pour l'exploitation d'immenses gisements de houille, et celle qui allait mettre en coupes réglées les vastes forêts du Liban, et la fondation de la Banque nationale turque, à Constantinople, d'une solidité inébranlable. Pas un échec, un bonheur croissant qui changeait en or tout ce que la maison touchait, déjà un large ensemble de créations prospères donnant une base solide aux opérations futures, justifiant l'augmentation rapide du capital. Puis, c'était l'avenir qui s'ouvrait devant les imaginations surchauffées, cet avenir si gros d'entreprises plus considérables encore, qu'il nécessitait la demande des cinquante millions, dont l'annonce suffisait à bouleverser ainsi les cervelles. Là, le champ des bruits de Bourse et de salons était sans limite, mais la grande affaire prochaine de la Compagnie des chemins de fer d'Orient se détachait au milieu des autres projets, occupait toutes les conversations, niée par les uns, exaltée par les autres. Les femmes surtout se passionnaient, faisaient en faveur de l'idée une propagande enthousiaste. Dans des coins de boudoir, aux dîners de gala, derrière les jardinières en fleur, à l'heure tardive du thé, jusqu'au fond des alcôves, il y avait des créatures charmantes, d'une câlinerie persuasive, qui catéchisaient les hommes : « Comment, vous n'avez pas de l'Universelle ? Mais il n'y a que ça ! achetez vite de l'Universelle, si vous voulez qu'on vous aime ! » C'était la nouvelle Croisade, comme elles disaient, la conquête de l'Asie, que les croisés de Pierre l'Ermite et de saint Louis n'avaient pu faire [1], et dont elles se chargeaient, elles, avec leurs petites bourses d'or. Toutes affectaient d'être bien renseignées, parlaient en termes techniques de la ligne mère qu'on allait ouvrir d'abord, de Brousse à Beyrouth, par Angora et Alep. Plus tard, viendrait l'embranchement de Smyrne à Angora ; plus tard, celui de Trébizonde à Angora, par Erzeroum et Sivas ; plus tard encore, celui de Damas à Beyrouth [2]. Et là, elles souriaient, clignaient les yeux, chuchotaient qu'il y en aurait un autre peut-être, oh ! dans longtemps, de Beyrouth à Jérusalem, par les anciennes villes du littoral, Saïda, Saint-Jean-d'Acre, Jaffa, puis, mon Dieu ! qui sait ? de Jérusalem à Port-Saïd et à Alexandrie. Sans compter que Bagdad n'était pas loin de Damas, et que, si une ligne ferrée était poussée jusque-là, ce serait un jour la Perse, l'Inde, la Chine, acquises à l'Occident. Il semblait que, sur un mot de leurs jolies bouches, les trésors retrouvés des califes resplendissaient, dans un conte merveilleux des *Mille et Une Nuits*. Les bijoux, les pierreries du rêve, pleuvaient dans les

---

1. Allusion à la première croisade (1096-1099 ; prise de Jérusalem), que Pierre l'Ermite prêcha, ainsi qu'à la septième croisade (1248-1254 ; Égypte) et à la huitième (Tunis), où Saint Louis combattit et mourut. Après les croisades, les Lieux saints restèrent aux mains des musulmans. 2. Voir carte, p. 496.

caisses de la rue de Londres, tandis que fumait l'encens du Carmel, un fond délicat et vague de légendes bibliques, qui divinisait les gros appétits de gain. N'était-ce pas l'Éden reconquis, la Terre sainte délivrée, la religion triomphante, au berceau même de l'humanité ? Et elles s'arrêtaient, refusaient d'en dire davantage, les regards brillant de ce qu'il fallait cacher. Cela ne se confiait même pas à l'oreille. Beaucoup d'entre elles l'ignoraient, affectaient de le savoir. C'était le mystère, ce qui n'arriverait peut-être jamais, et qui peut-être éclaterait un jour comme un coup de foudre : Jérusalem rachetée au sultan, donnée au pape, avec la Syrie, pour royaume ; la papauté ayant un budget fourni par une banque catholique, le Trésor du Saint-Sépulcre, qui la mettrait à l'abri des perturbations politiques ; enfin, le catholicisme rajeuni, dégagé des compromissions, retrouvant une autorité nouvelle, dominant le monde, du haut de la montagne où le Christ a expiré.

Maintenant, le matin, Saccard, dans son luxueux cabinet Louis XIV, était obligé de défendre sa porte, lorsqu'il voulait travailler ; car c'était un assaut, le défilé d'une cour venant comme au lever d'un roi, des courtisans, des gens d'affaires, des solliciteurs, une adoration et une mendicité effrénées autour de la toute-puissance. Un matin des premiers jours de juillet surtout, il se montra impitoyable, ayant donné l'ordre formel de n'introduire personne. Pendant que l'antichambre regorgeait de monde, d'une foule qui s'entêtait, malgré l'huissier, attendant, espérant quand même, il s'était enfermé avec deux chefs de service, pour achever d'étudier l'émission nouvelle. Après l'examen de plusieurs projets, il venait de se décider en faveur d'une combinaison qui, grâce à cette émission nouvelle de cent mille actions, devait permettre de libérer complètement les deux cent mille actions anciennes, sur lesquelles cent vingt-cinq francs seulement avaient été versés ; et, afin d'arriver à ce résultat, l'action réservée aux seuls actionnaires* à raison d'un titre nouveau pour deux titres anciens, serait émise à huit cent cinquante francs, immédiatement exigibles, dont cinq cents francs pour le capital et une prime de trois cent cinquante francs pour la libération projetée. Mais des complications se présentaient, il y avait encore tout un trou à boucher, ce qui rendait Saccard très nerveux. Le bruit des voix, dans l'antichambre, l'irritait. Ce Paris à plat ventre, ces hommages qu'il recevait d'habitude avec une bonhomie de despote familier, l'emplissaient de mépris, ce jour-là. Et Dejoie, qui parfois lui servait d'huissier le matin, s'étant permis de faire le tour et d'apparaître par une petite porte du couloir, il l'accueillit furieusement.

« Quoi ? Je vous ai dit personne, personne, entendez-vous !... Tenez ! prenez ma canne, plantez-la à ma porte, et qu'ils la baisent ! »

Dejoie, impassible, se permit d'insister.

« Pardon, Monsieur, c'est la comtesse de Beauvilliers. Elle m'a supplié, et comme je sais que monsieur veut lui être agréable...

– Eh ! cria Saccard emporté, qu'elle aille au diable avec les autres ! »

Mais tout de suite il se ravisa, d'un geste de colère contenue.

« Faites-la entrer, puisqu'il est dit qu'on ne me fichera pas la paix !... Et par cette petite porte, pour que le troupeau n'entre pas avec elle. »

L'accueil que Saccard fit à la comtesse de Beauvilliers fut d'une brusquerie d'homme tout secoué encore. La vue d'Alice, qui accompagnait sa mère, de son air muet et profond, ne le calma même pas. Il avait renvoyé les deux chefs de service, il ne songeait qu'à les rappeler pour continuer son travail.

« Je vous en prie, madame, dites vite, car je suis horriblement pressé. »

La comtesse s'arrêta, surprise, toujours lente, avec sa tristesse de reine déchue.

« Mais, monsieur, si je vous dérange... »

Il dut leur indiquer des sièges ; et la jeune fille, plus brave, s'assit la première, d'un mouvement résolu, tandis que la mère reprenait :

« Monsieur, c'est pour un conseil… Je suis dans l'hésitation la plus douloureuse, je sens que je ne me déciderai jamais toute seule… »

Et elle lui rappela qu'à la fondation de la banque, elle avait pris cent actions, qui, doublées, lors de la première augmentation du capital et doublées encore lors de la seconde, faisaient aujourd'hui un total de quatre cents actions, sur lesquelles elle avait versé, primes comprises, la somme de quatre-vingt-sept mille francs [1]. En dehors de ses vingt mille francs d'économies, elle avait donc dû, pour payer cette somme, emprunter soixante-dix mille francs sur sa ferme des Aublets.

« Or, continua-t-elle, je trouve aujourd'hui un acquéreur pour les Aublets… Et, n'est-ce pas ? il est question d'une émission nouvelle, de sorte que je pourrais peut-être placer toute notre fortune dans votre maison. »

Saccard s'apaisait, flatté de voir les deux pauvres femmes, les dernières d'une grande et antique race, si confiantes, si anxieuses devant lui. Rapidement, avec des chiffres, il les renseigna.

« Une nouvelle émission, parfaitement, je m'en occupe… L'action sera de huit cent cinquante francs, avec la prime… Voyons, nous disons que vous avez quatre cents actions. Il va donc vous en être attribué deux cents, ce qui vous obligera à un versement de cent soixante-dix mille francs. Mais tous vos titres seront libérés, vous aurez six cents actions bien à vous, ne devant rien à personne [2]. »

---

1. Cent actions à 500 francs + cent autres à 520 francs (dont 20 francs de prime) + deux cents à 675 francs (dont 175 francs de prime) = 237 000 francs. Les Beauvilliers ont versé plus d'un tiers de la somme. **2.** L'explication de Saccard n'en est pas moins absurde : une fois de plus, l'augmentation de capital est censée constituer le capital social précédemment affiché.

Elles ne comprenaient pas, il dut leur expliquer cette libération des titres, à l'aide de la prime ; et elles restaient un peu pâles, devant ces gros chiffres, oppressées à l'idée du coup d'audace qu'il fallait risquer.

« Comme argent, murmura enfin la mère, ce serait bien cela... On m'offre deux cent quarante mille francs des Aublets, qui en valaient autrefois quatre cent mille ; de sorte que, lorsque nous aurions remboursé la somme empruntée déjà, il nous resterait juste de quoi faire le versement... Mais, mon Dieu ! quelle terrible chose, cette fortune déplacée, toute notre existence jouée ainsi ! »

Et ses mains tremblaient, il y eut un silence, pendant lequel elle songeait à cet engrenage qui lui avait pris d'abord ses économies, puis les soixante-dix mille francs empruntés, et qui menaçait maintenant de lui prendre la ferme entière. Son ancien respect de la fortune domaniale, en labours, en prés, en forêts, sa répugnance pour le trafic sur l'argent, cette basse besogne de juifs, indigne de sa race [1], revenaient et l'angoissaient, à cette minute décisive où tout allait être consommé. Muette, sa fille la regardait, de ses yeux ardents et purs.

Saccard eut un sourire encourageant.

« Dame ! il est bien certain qu'il faut que vous ayez confiance en nous... Seulement, les chiffres sont là. Examinez-les, et toute hésitation me semble dès lors impossible... Admettons que vous fassiez l'opération, vous avez donc six cents actions, qui, libérées, vous ont coûté la somme de deux cent cinquante-sept mille francs. Or, elles sont aujourd'hui au cours moyen de treize cents francs, ce qui vous fait un total de sept cent quatre-vingt mille francs. Déjà, vous avez plus que triplé votre argent... Et ça continuera, vous verrez la hausse, après l'émission ! Je vous promets le million avant la fin de l'année.

---

1. Où l'on constate que l'antisémitisme peut rassembler des aristocrates et un roturier parvenu comme Saccard.

– Oh ! maman ! » laissa échapper Alice, dans un soupir, comme malgré elle.

Un million ! L'hôtel de la rue Saint-Lazare débarrassé de ses hypothèques, nettoyé de sa crasse de misère ! Le train de maison remis sur un pied convenable, tiré de ce cauchemar des gens qui ont voiture et qui manquent de pain ! La fille mariée avec une dot décente, pouvant avoir enfin un mari et des enfants, cette joie que se permet la dernière pauvresse des rues ! Le fils, que le climat de Rome tuait, soulagé là-bas, mis en état de tenir son rang, en attendant de servir la grande cause, qui l'utilisait si peu ! La mère rétablie en sa haute situation, payant son cocher, ne lésinant plus pour ajouter un plat à ses dîners du mardi, et ne se condamnant plus au jeûne pour le reste de la semaine ! Ce million flambait, était le salut, le rêve.

La comtesse, conquise, se tourna vers sa fille, pour l'associer à sa volonté.

« Voyons, qu'en penses-tu ? »

Mais celle-ci ne disait plus rien, fermait lentement les paupières, éteignant l'éclat de ses yeux.

« C'est vrai, reprit la mère, souriante à son tour, j'oublie que tu veux me laisser maîtresse absolue... Mais je sais combien tu es brave et tout ce que tu espères... »

Et, s'adressant à Saccard :

« Ah ! monsieur, on parle de vous avec tant d'éloges !... Nous ne pouvons aller nulle part, sans qu'on nous raconte des choses très belles, très touchantes. Ce n'est pas seulement la princesse d'Orviedo, ce sont toutes mes amies qui sont enthousiastes de votre œuvre. Beaucoup me jalousent d'être de vos premières actionnaires, et si on les écoutait, on vendrait jusqu'à ses matelas, pour prendre de vos actions. »

Elle plaisantait doucement.

« Je les trouve même un peu folles, oui ! un peu folles, en vérité. C'est sans doute que je ne suis plus assez jeune... Ma fille est une de vos admiratrices. Elle croit en votre mission, elle fait de la propagande dans tous les salons où je la mène. »

Charmé, Saccard regarda Alice, et elle était en ce moment si animée, si vibrante de foi, qu'elle lui parut vraiment très jolie, malgré son teint jaune et son cou trop mince, déjà fané. Aussi se trouvait-il grand et bon, à l'idée d'avoir fait le bonheur de cette triste créature, que l'espoir d'un mari suffisait à embellir.

« Oh ! dit-elle d'une voix très basse et comme lointaine, c'est si beau, cette conquête, là-bas... Oui, une ère nouvelle, la croix rayonnante... »

C'était le mystère, ce que personne ne disait ; et sa voix baissait encore, se perdait en un souffle de ravissement. Lui, d'ailleurs, la faisait taire d'un geste amical ; car il ne tolérait pas qu'on parlât en sa présence de la grande chose, le but suprême et caché. Son geste enseignait qu'il fallait toujours y tendre, mais n'en jamais ouvrir les lèvres. Dans le sanctuaire, les encensoirs se balançaient, aux mains des quelques initiés.

Après un silence attendri, la comtesse se leva enfin.

« Eh bien, monsieur, je suis convaincue, je vais écrire à mon notaire que j'accepte l'offre qui se présente pour les Aublets... Que Dieu me pardonne si je fais mal ! »

Saccard, debout, déclara avec une gravité émue :

« C'est Dieu lui-même qui vous inspire, madame, soyez-en certaine. »

Et, comme il les accompagnait jusque dans le couloir, évitant l'antichambre, où l'entassement continuait, il rencontra Dejoie, qui rôdait, l'air gêné.

« Qu'y a-t-il ? Ce n'est pas quelqu'un encore, j'imagine ?

– Non, non, Monsieur... Si j'osais demander un avis à Monsieur... C'est pour moi... »

Et il manœuvrait de telle façon que Saccard se retrouva dans son cabinet, tandis que lui restait sur le seuil, très déférent.

« Pour vous ?... Ah ! c'est vrai, vous êtes actionnaire, vous aussi... Eh bien, mon garçon, prenez les nouveaux titres qui vont vous être réservés, vendez plutôt vos chemises pour les prendre. C'est le conseil que je donne à tous nos amis.

– Oh ! monsieur, le morceau est trop gros, ma fille et moi n'avons pas tant d'ambition… Au début, j'ai pris huit actions, avec les quatre mille francs d'économies que ma pauvre femme nous a laissés ; et je n'ai toujours que ces huit-là, parce que, n'est-ce pas ? aux autres émissions, lorsqu'on a doublé deux fois le capital, nous n'avons pas eu l'argent, pour accepter les titres qui nous revenaient… Non, non, il ne s'agit pas de ça, il ne faut pas être si gourmand ! Je voulais seulement demander à Monsieur, sans l'offenser, si Monsieur est d'avis que je vende.

– Comment ! que vous vendiez ? »

Alors, Dejoie, avec toutes sortes de circonlocutions inquiètes et respectueuses, exposa son cas. Au cours de treize cents francs, ses huit actions représentaient dix mille quatre cents francs. Il pouvait donc largement donner à Nathalie les six mille francs de dot que le cartonnier exigeait. Mais, devant la hausse continue des titres, un appétit d'argent lui était venu, l'idée vague d'abord, puis tyrannique, de se faire sa part, d'avoir à lui une petite rente de six cents francs, qui lui permettrait de se retirer. Seulement, un capital de douze mille francs ajouté aux six mille francs de sa fille, cela faisait l'énorme total de dix-huit mille francs ; et il désespérait d'arriver jamais à ce chiffre, car il avait calculé que, pour cela, il lui faudrait attendre le cours de deux mille trois cents francs.

« Vous comprenez, Monsieur, que si ça ne doit plus monter, j'aime mieux vendre, parce que le bonheur de Nathalie avant tout, n'est-ce pas ?… Tandis que, si ça monte encore, j'aurai un tel crève-cœur d'avoir vendu… »

Saccard éclata.

« Ah ! çà, mon garçon, vous êtes stupide !… Est-ce que vous croyez que nous allons nous arrêter à treize cents ? Est-ce que je vends, moi ?… Vous les aurez, vos dix-huit mille francs, j'en réponds. Et décampez ! et flanquez-moi dehors tout ce monde qui est là, en disant que je suis sorti ! »

Quand il se retrouva seul, Saccard put rappeler les deux chefs de service et terminer son travail en paix.

Il fut décidé qu'une assemblée générale extraordinaire aurait lieu en août, pour voter la nouvelle augmentation du capital. Hamelin, qui devait la présider, débarqua à Marseille, dans les derniers jours de juillet. Sa sœur, depuis deux mois, à chacune de ses lettres, lui conseillait de revenir, d'une façon de plus en plus pressante. Elle avait, au milieu du succès brutal qui se déclarait chaque jour davantage, la sensation d'un danger sourd, une crainte irraisonnée, dont elle n'osait même parler ; et elle préférait que son frère fût là, à se rendre compte des choses par lui-même, car elle en arrivait à douter d'elle, craignant d'être sans force contre Saccard, de se laisser aveugler, au point de trahir ce frère qu'elle aimait tant. N'aurait-il pas fallu lui avouer sa liaison, qu'il ne soupçonnait certainement pas, dans son innocence d'homme de foi et de science, traversant la vie en dormeur éveillé ? Cette idée lui était extrêmement pénible ; et elle se laissait aller aux capitulations lâches, elle discutait avec le devoir, qui, très net, lui ordonnait, maintenant qu'elle connaissait Saccard et son passé, de tout dire, pour qu'on se méfiât. Dans ses heures de force, elle se faisait la promesse d'avoir une explication décisive, de ne pas abandonner sans contrôle le maniement de sommes d'argent si considérables à des mains criminelles, entre lesquelles tant de millions déjà avaient craqué, s'étaient effondrés, écrasant le monde. C'était le seul parti à prendre, viril et honnête, digne d'elle. Puis, sa lucidité se troublait, elle faiblissait, temporisait, ne trouvait plus, comme griefs, que des irrégularités, communes à toutes les maisons de crédit, affirmait-il. Peut-être avait-il raison de lui dire en riant que le monstre dont elle avait peur, c'était le succès, ce succès de Paris qui retentit et frappe en coup de foudre, et qui la laissait tremblante, ainsi que sous l'imprévu et l'angoisse d'une catastrophe. Elle ne savait plus, il y avait même des heures où elle l'admirait davantage, pleine de cette infinie tendresse qu'elle lui gardait,

tout en ayant cessé de l'estimer. Jamais elle n'aurait cru
son cœur si compliqué, elle se sentait femme, elle redoutait de ne plus pouvoir agir. Et c'est pourquoi elle se
montra très heureuse du retour de son frère.

Ce fut, dès le soir du retour d'Hamelin, que Saccard,
dans la salle des épures où ils étaient certains de n'être
pas dérangés, voulut lui soumettre les résolutions que le
conseil d'administration aurait à approuver, avant de les
faire voter par l'assemblée générale. Mais le frère et la
sœur devancèrent l'heure du rendez-vous, d'un tacite
accord, et ils se trouvèrent un instant seuls, ils purent
causer. Hamelin revenait très gai, ravi d'avoir mené à
bien l'affaire complexe des chemins de fer, dans ce pays
d'Orient, si endormi de paresse, si obstrué d'obstacles
politiques, administratifs et financiers. Enfin, le succès
était complet, les premiers travaux allaient commencer,
des chantiers s'ouvriraient, de toutes parts, aussitôt que
la société aurait achevé de se constituer à Paris. Et il se
montrait si enthousiaste, si confiant en l'avenir, que ce
fut pour Mme Caroline une nouvelle cause de silence,
tellement cela lui coûtait de gâter cette belle joie. Cependant, elle exprima des doutes, le mit en garde contre
l'engouement qui emportait le public. Il l'arrêta, la
regarda en face : savait-elle quelque chose de louche ?
pourquoi ne parlait-elle pas ? Et elle ne parla pas, elle ne
trouvait à articuler rien de net.

Saccard, qui n'avait pas encore revu Hamelin, lui sauta
au cou, l'embrassa, avec son exubérance méridionale.
Puis, lorsque ce dernier lui eut confirmé ses dernières
lettres, en lui donnant des détails sur l'absolue réussite
de son long voyage, il s'exalta.

« Ah ! mon cher, cette fois, nous allons être les maîtres
de Paris, les rois du marché... Moi aussi, j'ai bien travaillé, j'ai une idée extraordinaire. Vous allez voir. »

Tout de suite, il lui expliqua sa combinaison, pour porter
le capital de cent à cent cinquante millions, en émettant
cent mille actions nouvelles, et pour libérer du même coup
tous les titres, aussi bien les anciens que les nouveaux. Il

lançait l'action à huit cent cinquante francs, se faisait ainsi, avec les trois cent cinquante francs de prime, une réserve qui, augmentée des sommes déjà mises de côté à chaque bilan, atteignait le chiffre de vingt-cinq millions ; et il ne lui restait qu'à trouver une pareille somme, pour obtenir les cinquante millions nécessaires à la libération des deux cent mille actions anciennes. Or, c'est ici qu'il avait eu son idée extraordinaire, celle de faire dresser un bilan approximatif des gains de l'année courante, gains qui, selon lui, monteraient à un minimum de trente-six millions. Il y puisait tranquillement les vingt-cinq millions qui lui manquaient. Et l'Universelle allait ainsi, à partir du 31 décembre 1867, avoir un capital définitif de cent cinquante millions, divisé en trois cent mille actions entièrement libérées. On unifiait les actions, on les mettait au porteur, de façon à faciliter leur libre circulation sur le marché. C'était le triomphe définitif, l'idée de génie [1].

« Oui, de génie ! cria-t-il, le mot n'est pas trop fort ! »

Un peu étourdi, Hamelin feuilletait les pages du projet, examinait les chiffres.

« Je n'aime guère ce bilan si actif, dit-il enfin. Ce sont de véritables dividendes que vous allez donner là à vos actionnaires, puisque vous libérez leurs titres ; et il faut être certain que toutes les sommes sont bien acquises : autrement, on nous accuserait avec raison d'avoir distribué des dividendes fictifs. »

Saccard s'emporta.

« Comment ! mais je suis au-dessous de l'estimation ! Voyez donc si je n'ai pas été raisonnable : est-ce que les Paquebots, est-ce que le Carmel, est-ce que la Banque

---

1. Cette page est sans doute la plus difficile du roman. Il faut comprendre que ce plan, qui est censé permettre la libération de tous les titres, c'est-à-dire le versement intégral, au capital social, de la valeur représentée par toutes les actions, ne compense pas les irrégularités antérieures, mais les aggrave plutôt. Comme Hamelin va le faire remarquer, cette nouvelle augmentation marque aussi l'accroissement, proportionnel, des comptes fictifs ; en outre, elle consiste à préjuger des résultats futurs.

turque ne vont pas donner des gains supérieurs à ceux que j'ai inscrits ? Vous m'apportez de là-bas des bulletins de victoire, tout marche, tout prospère, et c'est vous qui me chicanez sur la certitude de notre succès ! »

Souriant, Hamelin le calma d'un geste. Si, si ! il avait la foi. Seulement, il était pour le cours régulier des choses.

« En effet, dit doucement Mme Caroline, à quoi bon se presser ? Ne pourrait-on attendre avril pour cette augmentation de capital ?... Ou encore, puisque vous avez besoin de vingt-cinq millions de plus, pourquoi n'émettez-vous pas les actions à mille ou douze cents francs tout de suite, ce qui vous éviterait d'anticiper sur les gains du prochain bilan ? »

Un instant interloqué, Saccard la regardait, en s'étonnant qu'elle eût trouvé cela.

« Sans doute, à onze cents francs, au lieu de huit cent cinquante, les cent mille actions produiraient juste les vingt-cinq millions.

– Eh bien ! c'est tout trouvé, alors, reprit-elle. Vous ne craignez pas que les actionnaires regimbent. Ils donneront aussi bien onze cents francs que huit cent cinquante.

– Ah ! oui, certes ! ils donneront tout ce qu'on voudra ! et ils se battront encore, à qui donnera davantage !... Les voilà en folie, ils démoliraient l'hôtel pour nous apporter leur argent. »

Mais, brusquement, il revint à lui, il eut un sursaut de violente protestation.

« Qu'est-ce que vous me chantez là ? Je ne veux pas leur demander onze cents francs à aucun prix ! Ce serait vraiment trop bête et trop simple... Comprenez donc que, dans ces questions de crédit, il faut toujours frapper l'imagination. L'idée de génie, c'est de prendre dans la poche des gens l'argent qui n'y est pas encore. Du coup, ils s'imaginent qu'ils ne le donnent pas, que c'est un cadeau qu'on leur fait. Et puis, vous ne voyez pas l'effet colossal de ce bilan anticipé paraissant dans tous les journaux, de ces trente-six millions de gain annoncés d'avance, à toute fanfare !... La Bourse va prendre feu, nous dépassons le cours de deux mille, et nous montons, et nous montons, et nous ne nous arrêtons plus ! »

Il gesticulait, il était debout, se grandissant sur ses petites jambes ; et, en vérité, il devenait grand, le geste dans les étoiles, en poète de l'argent que les faillites et les ruines n'avaient pu assagir. C'était son système instinctif, l'élan même de tout son être, cette façon de fouailler les affaires, de les mener au triple galop de sa fièvre. Il avait forcé le succès, allumé les convoitises par cette foudroyante marche de l'Universelle : trois émissions en trois ans, le capital sautant de vingt-cinq à cinquante, à cent, à cent cinquante millions, dans une progression qui semblait annoncer une miraculeuse prospérité. Et les dividendes, eux aussi, procédaient par bonds : rien la première année, puis dix francs, puis trente-trois francs, puis les trente-six millions, la libération de tous les titres ! Et cela dans le surchauffement mensonger de toute la machine, au milieu des souscriptions fictives, des actions gardées par la société pour faire croire au versement intégral, sous la poussée que le jeu déterminait à la Bourse, où chaque augmentation du capital exagérait la hausse !

Hamelin, toujours enfoncé dans l'examen du projet, n'avait pas soutenu sa sœur. Il hocha la tête, il revint aux observations de détail.

« N'importe ! c'est incorrect, votre bilan anticipé, du moment que les gains ne sont pas acquis... Je ne parle même plus de nos entreprises, bien qu'elles soient à la merci des catastrophes, comme toutes les œuvres humaines... Mais je vois là le compte Sabatani, trois mille et tant d'actions qui représentent plus de deux millions. Or, vous les mettez à notre crédit, et c'est à notre débit qu'il faudrait les mettre, puisque Sabatani n'est que notre homme de paille [1]. N'est-ce pas ? nous pouvons nous dire cela, entre

---

1. Phrase un peu curieuse car de toute façon, les versements des actionnaires correspondent à des dettes de la société et doivent être inscrits au passif du bilan. Voir Hélène Gomart, *Les Opérations financières dans le roman réaliste* (Honoré Champion, 2004).

nous… Et, tenez ! je reconnais également ici plusieurs de nos employés, même quelques-uns de nos administrateurs, tous des prête-noms, oh ! je le devine, vous n'avez pas besoin de me le dire… Cela me fait trembler, de voir que nous gardons un si grand nombre de nos actions. Non seulement, nous n'encaissons pas, mais nous nous immobilisons, et nous finirons par nous dévorer un jour. »

Du regard, Mme Caroline l'encourageait, car il disait enfin toutes ses craintes, il trouvait la cause de ce sourd malaise, qui grandissait en elle, avec le succès.

« Ah ! le jeu ! murmura-t-elle.

– Mais nous ne jouons pas ! cria Saccard. Seulement, il est bien permis de soutenir ses valeurs, et nous serions vraiment ineptes de ne pas veiller à ce que Gundermann et les autres ne déprécient pas nos titres en jouant contre nous à la baisse. S'ils n'ont point trop osé encore, cela peut venir. C'est pourquoi je suis assez content d'avoir en main un certain nombre de nos actions ; et, je vous en préviens, si l'on m'y force, je suis même prêt à en acheter, oui ! j'en achèterai, plutôt que de les laisser tomber d'un centime ! »

Il avait prononcé ces derniers mots avec une force extraordinaire, comme s'il eût prêté le serment de mourir plutôt que d'être battu. Puis, il s'apaisa d'un effort, il se mit à rire, de son air de bonhomie un peu grimaçante.

« Voyons, voilà que ça va recommencer, la méfiance ! Je croyais que nous nous étions expliqués une fois pour toutes sur ces choses. Vous aviez consenti à vous remettre entre mes mains, laissez-moi donc agir ! Je ne veux que votre fortune, une grande, grande fortune ! »

Il s'interrompit, baissa la voix, comme effrayé lui-même de l'énormité de son désir.

« Vous ne savez pas ce que je veux ? Je veux le cours de trois mille francs [1]. »

---

1. Pour une action qui représentait à l'émission 500 francs, c'est une progression considérable. Mais Zola respecte les ordres de grandeur correspondant à l'aventure de l'Union générale en 1882. Le 18 janvier de cette année-là, le chroniqueur boursier du journal *Gil Blas* estimait que la valeur réelle du titre tournait autour de 900 francs. Quinze jours

D'un geste, il l'indiquait dans le vide, il le voyait monter comme un astre, incendier l'horizon de la Bourse, ce cours triomphal de trois mille francs.

« C'est fou ! dit Mme Caroline.

– Dès que le cours aura dépassé deux mille francs, déclara Hamelin, toute hausse nouvelle deviendra un danger ; et, quant à moi, je vous avertis que je vendrai, pour ne pas tremper dans une pareille démence. »

Mais Saccard se mit à chantonner. On dit toujours qu'on vendra, et puis on ne vend pas. Il les enrichirait malgré eux. De nouveau, il souriait, très caressant, légèrement moqueur.

« Confiez-vous à moi, il me semble que je n'ai pas trop mal conduit vos affaires… Sadowa vous a rapporté un million. »

C'était vrai, les Hamelin n'y songeaient plus : ils avaient accepté ce million, pêché dans les eaux troubles de la Bourse [1]. Ils restèrent un moment silencieux, pâlissants, avec ce trouble au cœur des gens honnêtes encore, qui ne sont plus certains d'avoir fait leur devoir. Est-ce qu'eux-mêmes étaient pris de la lèpre du jeu ? est-ce qu'ils se pourrissaient, dans ce milieu enragé de l'argent, où leurs affaires les forçaient à vivre ?

« Sans doute, finit par murmurer l'ingénieur, mais si j'avais été là… »

Saccard ne voulut pas le laisser achever.

« Laissez donc, n'ayez aucun remords : c'est de l'argent reconquis sur ces sales juifs ! »

Tous les trois s'égayèrent [2]. Et Mme Caroline, qui s'était assise, eut un geste de tolérance et d'abandon. Pouvait-on se laisser manger et ne pas manger les

---

auparavant, le titre était coté à 3 075 francs. Quinze jours après, il était tombé à 500 francs.   **1.** Cliché, au moins depuis les physiologies de la monarchie de Juillet. La seconde partie du roman d'Émile Gaboriau, *L'Argent des autres* (1873), s'intitule « La pêche en eaux troubles ». **2.** Cet enchaînement est sans doute le plus étonnant du roman. Il sera contredit à la fin par la profession de tolérance de Mme Caroline (voir *infra*, p. 478, note 1).

autres ? C'était la vie. Il aurait fallu des vertus trop
sublimes ou la solitude sans tentation d'un cloître.

« Voyons, voyons ! continuait-il gaiement, n'ayez pas
l'air de cracher sur l'argent : c'est idiot d'abord, et
ensuite il n'y a que les impuissants qui dédaignent une
force... [1]. Ce serait illogique de vous tuer au travail pour
enrichir les autres, sans vous tailler votre légitime part.
Autrement, couchez-vous et dormez ! »

Il les dominait, ne leur permettait plus de placer un
mot.

« Savez-vous que vous allez bientôt avoir en poche une
jolie somme !... Attendez ! »

Et, avec une pétulance d'écolier, il s'était précipité à la
table de Mme Caroline, avait pris un crayon et une feuille
de papier, sur laquelle il alignait des chiffres.

« Attendez ! Je vais vous faire votre compte. Oh ! je le
connais... Vous avez eu, à la fondation, cinq cents
actions, doublées une première fois, puis doublées encore,
ce qui vous en fait actuellement deux mille. Vous en aurez
donc trois mille, après notre émission prochaine. »

Hamelin tenta de l'interrompre.

« Non ! non ! je sais que vous avez de quoi les payer,
avec les trois cent mille francs de votre héritage d'une
part, et avec votre million de Sadowa de l'autre... Regardez ! vos deux mille premières actions vous ont coûté
quatre cent trente-cinq mille francs, les mille autres vous
coûteront huit cent cinquante mille francs, en tout douze
cent quatre-vingt-cinq mille francs... Donc, il vous restera encore quinze mille francs pour faire le jeune
homme, sans compter vos appointements de trente mille
francs, que nous allons porter à soixante mille. »

Étourdis, tous deux l'écoutaient, finissaient par s'intéresser violemment à ces chiffres.

---

1. L'idée que l'argent est une « force irrésistible » apparaît dès le
troisième paragraphe de l'Ébauche du roman. Et Zola déclarait le
8 avril 1890 à un journaliste du *Gil Blas* : « Je ne suis pas de ceux qui
déblatèrent contre l'argent. » Voir la Présentation.

« Vous voyez bien que vous êtes honnêtes, que vous payez ce que vous prenez... Mais tout ça, c'est des bagatelles. J'en voulais venir à ceci... »

Il se releva, brandit la feuille de papier, d'un air de victoire.

« Au cours de trois mille, vos trois mille actions vous donneront neuf millions.

– Comment ! au cours de trois mille ! s'écrièrent-ils, protestant du geste contre cette obstination dans la folie.

– Eh ! sans doute ! Je vous défends bien de vendre plus tôt, je saurai vous en empêcher, oui ! par la force, par le droit qu'on a d'empêcher ses amis de faire des bêtises... Le cours de trois mille, il me le faut, je l'aurai ! »

Que répondre à ce terrible homme, dont la voix perçante, pareille à une voix de coq, sonnait le triomphe ? Ils rirent de nouveau en affectant de hausser les épaules. Et ils déclarèrent qu'ils étaient bien tranquilles, que le fameux cours ne serait jamais atteint. Lui, venait de se remettre à la table, où il faisait d'autres calculs, son compte à lui. Avait-il payé, paierait-il ses trois mille actions ? cela restait vague. Il devait même posséder un chiffre d'actions beaucoup plus fort ; mais il était difficile de le savoir ; car, lui aussi, servait de prête-nom à la société, et comment distinguer, dans le tas, les titres qui lui appartenaient ? Le crayon allongeait les lignes de chiffres, à l'infini. Puis, il biffa tout d'un trait fulgurant, froissa le papier. Ça et les deux millions ramassés dans la boue et le sang de Sadowa, c'était sa part.

« J'ai un rendez-vous, je vous laisse, dit-il, en reprenant son chapeau. Mais tout est bien convenu, n'est-ce pas ? Dans huit jours, le conseil d'administration, et, immédiatement après, l'assemblée générale extraordinaire, pour voter. »

Lorsque Mme Caroline et Hamelin se retrouvèrent seuls, effarés et las, ils demeurèrent un moment muets, en face l'un de l'autre.

« Que veux-tu ? déclara-t-il enfin, répondant aux secrètes réflexions de sa sœur, nous y sommes, il faut bien y rester. Il a raison de dire que ce serait niais à nous de refuser cette fortune… Moi, je ne me suis jamais considéré que comme un homme de science qui amène de l'eau au moulin ; et je l'y ai amenée, je crois, claire, abondante, des affaires excellentes, auxquelles la maison doit sa prospérité si rapide… Alors, puisque aucun reproche ne peut m'atteindre, ne nous décourageons pas, travaillons ! »

Elle avait quitté sa chaise, chancelante, balbutiante.

« Oh ! tout cet argent… tout cet argent… »

Et, étranglée d'une émotion invincible, à l'idée de ces millions qui allaient tomber sur eux, elle se pendit à son cou, elle pleura. C'était de la joie sans doute, le bonheur de le voir enfin dignement récompensé de son intelligence et de ses travaux ; mais c'était de la peine aussi, une peine dont elle n'aurait pu dire au juste la cause, où il y avait comme de la honte et de la peur. Il la plaisanta, ils affectèrent de s'égayer encore, et pourtant un malaise leur restait, un sourd mécontentement d'eux-mêmes, le remords inavoué d'une complicité salissante.

« Oui, il a raison, répéta Mme Caroline, tout le monde en est là. C'est la vie. »

Le conseil d'administration eut lieu dans la nouvelle salle du somptueux hôtel de la rue de Londres. Ce n'était plus le salon humide que verdissait le pâle reflet d'un jardin voisin, mais une vaste pièce, éclairée sur la rue par quatre fenêtres, et dont le haut plafond, les murs majestueux, décorés de grandes peintures, ruisselaient d'or. Le fauteuil du président était un véritable trône, dominant les autres fauteuils, qui s'alignaient, superbes et graves, ainsi que pour une réunion de ministres royaux, autour de l'immense table, recouverte d'un tapis de velours rouge. Et, sur la monumentale cheminée de marbre blanc, où, l'hiver, brûlaient des arbres, était un buste du pape, une figure aimable et fine, qui semblait sourire malicieusement de se trouver là.

Saccard avait achevé de mettre la main sur tous les membres du conseil, en les achetant simplement, pour la plupart. Grâce à lui, le marquis de Bohain, compromis dans une histoire de pot-de-vin frisant l'escroquerie, pris la main au fond du sac, avait pu étouffer le scandale, en désintéressant la compagnie volée ; et il était devenu ainsi son humble créature, sans cesser de porter haut la tête, fleur de noblesse, le plus bel ornement du conseil. Huret, de même, depuis que Rougon l'avait chassé, après le vol de la dépêche annonçant la cession de la Vénétie, s'était donné tout entier à la fortune de l'Universelle, la représentant au Corps législatif, pêchant pour elle dans les eaux fangeuses de la politique, gardant la plus grosse part de ses effrontés maquignonnages, qui pouvaient, un beau matin, le jeter à Mazas [1]. Et le vicomte de Robin-Chagot, le vice-président, touchait cent mille francs de prime secrète pour donner sans examen les signatures, pendant les longues absences d'Hamelin ; et le banquier Kolb se faisait également payer sa complaisance passive, en utilisant à l'étranger la puissance de la maison qu'il allait jusqu'à compromettre, dans ses arbitrages*, et Sédille lui-même, le marchand de soie, ébranlé à la suite d'une liquidation* terrible, s'était fait prêter une grosse somme, qu'il n'avait pu rendre. Seul, Daigremont gardait son indépendance absolue vis-à-vis de Saccard ; ce qui inquiétait ce dernier, parfois, bien que l'aimable homme restât charmant, l'invitant à ses fêtes, signant tout lui aussi sans observation, avec sa bonne grâce de Parisien sceptique qui trouve que tout va bien, tant qu'il gagne.

Ce jour-là, malgré l'importance exceptionnelle de la séance, le conseil fut d'ailleurs mené aussi rondement que les autres jours. C'était devenu une affaire d'habitude : on ne travaillait réellement qu'aux petites réunions du 15, et les grandes réunions de la fin du mois sanctionnaient

---

1. Prison, autrefois sur le boulevard Mazas, où l'on enfermait notamment les individus poursuivis pour dettes. Mirès, qui inspira le personnage de Saccard, y fut incarcéré en 1861.

simplement les résolutions, en grand apparat. L'indifférence était telle chez les administrateurs, que, les procès-verbaux menaçant d'être toujours les mêmes, d'une constante banalité dans l'approbation générale, il avait fallu prêter à des membres des scrupules, des observations, toute une discussion imaginaire, qu'aucun ne s'étonnait d'entendre lire, à la séance suivante, et qu'on signait, sans rire.

Daigremont s'était précipité, avait serré les mains d'Hamelin, sachant les bonnes, les grandes nouvelles qu'il apportait.

« Ah ! mon cher président, que je suis heureux de vous féliciter ! »

Tous l'entouraient, le fêtaient, Saccard lui-même, comme s'il ne l'eût pas encore vu ; et, lorsque la séance fut ouverte, lorsqu'il eut commencé la lecture du rapport qu'il devait présenter à l'assemblée générale, on écouta, ce qu'on ne faisait jamais. Les beaux résultats acquis, les magnifiques promesses d'avenir, l'ingénieuse augmentation du capital qui libérait en même temps les anciens titres, tout fut accueilli avec des hochements de tête admiratifs. Et pas un n'eut l'idée de provoquer des explications. C'était parfait. Sédille ayant relevé une erreur dans un chiffre, on convint même de ne pas insérer sa remarque au procès-verbal, pour ne pas déranger la belle unanimité des membres, qui signèrent tous rapidement, à la file, sous le coup de l'enthousiasme, sans observation aucune.

Déjà la séance était levée, on était debout, riant, plaisantant, au milieu des dorures éclatantes de la salle. Le marquis de Bohain racontait une chasse à Fontainebleau ; tandis que le député Huret, qui était allé à Rome, disait comment il en avait rapporté la bénédiction du pape. Kolb venait de disparaître, courant à un rendez-vous. Et les autres administrateurs, les comparses, recevaient de Saccard des ordres à voix basse, sur l'attitude qu'ils devaient prendre à la prochaine assemblée.

Mais Daigremont, que le vicomte de Robin-Chagot ennuyait par ses éloges outrés du rapport d'Hamelin, saisit au passage le bras du directeur, pour lui souffler à l'oreille :

« Pas trop d'emballement, hein ! »

Saccard s'arrêta net, le regarda. Il se rappelait combien il avait hésité, au début, à le mettre dans l'affaire, le sachant d'un commerce peu sûr.

« Ah ! qui m'aime me suive ! » répondit-il très haut, de façon à être entendu de tout le monde.

Trois jours plus tard, l'assemblée générale extraordinaire fut tenue dans la grande salle des fêtes de l'hôtel du Louvre. Pour une telle solennité, on avait dédaigné la pauvre salle nue de la rue Blanche, on voulait une galerie de gala, encore toute chaude, entre un repas de corps [1] et un bal de mariage. Il fallait être, d'après les statuts, possesseur d'au moins vingt actions, pour être admis, et il vint plus de douze cents actionnaires, représentant quatre mille et quelques voix. Les formalités de l'entrée, la présentation des cartes et la signature sur le registre demandèrent près de deux heures. Un tumulte de conversations heureuses emplissait la salle, où l'on reconnaissait tous les administrateurs et beaucoup des hauts employés de l'Universelle. Sabatani était là, au milieu d'un groupe, parlant de l'Orient, son pays, avec des caresses de voix languissantes, racontant de merveilleuses histoires, comme si l'on n'avait eu qu'à s'y baisser pour ramasser l'argent, l'or et les pierres précieuses ; et Maugendre, qui s'était, en juin, décidé à acheter cinquante actions de l'Universelle à douze cents francs, convaincu de la hausse, l'écoutait bouche béante, ravi de son flair ; tandis que Jantrou, tombé décidément dans une noce crapuleuse, depuis qu'il était riche, ricanait en dessous, la bouche tordue d'ironie, dans l'accablement d'une débauche de la veille. Après la nomination du bureau,

---

1. Repas de groupe. S'emploie plutôt pour une unité militaire (un corps d'armée, un corps d'officiers).

lorsque Hamelin, président de droit, eut ouvert la séance, Lavignière, réélu commissaire-censeur*, et qu'on devait hausser après l'exercice au titre d'administrateur, son rêve, fut invité à lire un rapport sur la situation financière de la société, telle qu'elle serait au 31 décembre prochain : c'était, pour obéir aux statuts, une façon de contrôler d'avance le bilan anticipé dont il allait être question. Il rappela le bilan du dernier exercice, présenté à l'assemblée ordinaire du mois d'avril, ce bilan magnifique qui accusait un bénéfice net de onze millions et demi, et qui avait permis, après les prélèvements du cinq pour cent des actionnaires, du dix pour cent des administrateurs et du dix pour cent de la réserve, de distribuer encore un dividende de trente-trois pour cent. Puis, il établissait sous un déluge de chiffres, que la somme de trente-six millions, donnée comme total approximatif des bénéfices de l'exercice courant, loin de lui paraître exagérée, se trouvait au-dessous des plus modestes espérances. Sans doute, il était de bonne foi, et il devait avoir examiné consciencieusement les pièces soumises à son contrôle ; mais rien n'est plus illusoire, car pour étudier à fond une comptabilité, il faut en refaire une autre, entièrement[1]. D'ailleurs, les actionnaires n'écoutaient pas. Quelques dévots, Maugendre et d'autres, les petits qui représentaient une voix ou deux, buvaient seuls chaque chiffre, au milieu du murmure persistant des conversations. Le contrôle des commissaires-censeurs, cela n'avait pas la moindre importance. Et un silence religieux ne s'établit que lorsque Hamelin, enfin, se leva. Des applaudissements éclatèrent même avant qu'il eût ouvert la bouche, en hommage à son zèle, au génie obstiné et brave de cet homme qui était allé si loin chercher des tonneaux d'or pour les éventrer sur Paris. Ce ne fut plus, dès lors, qu'un succès croissant, tournant à l'apothéose.

---

1. Ce principe se trouve inscrit par Zola dans ses notes préparatoires sur le krach de l'Union générale.

On acclama un nouveau rappel du bilan de l'année précédente, que Lavignière n'avait pu faire entendre. Mais les estimations sur le prochain bilan excitèrent surtout la joie : des millions pour les Paquebots réunis, des millions pour la Mine d'argent du Carmel, des millions pour la Banque nationale turque ; et l'addition n'en finissait plus, les trente-six millions se groupaient d'une façon aisée, toute naturelle, tombaient en cascade, avec un bruit retentissant. Puis, l'horizon s'élargit encore, sur les opérations futures. La Compagnie générale des chemins de fer d'Orient apparut, d'abord la grande ligne centrale dont les travaux étaient prochains, ensuite les embranchements, tout le filet de l'industrie moderne jeté sur l'Asie, le retour triomphal de l'humanité à son berceau, la résurrection d'un monde ; tandis que, dans le lointain perdu, entre deux phrases, se levait la chose qu'on ne disait pas, le mystère, le couronnement de l'édifice qui étonnerait les peuples. Et l'unanimité fut absolue, lorsque, pour conclure, Hamelin en arriva à expliquer les résolutions qu'il allait soumettre au vote de l'assemblée : le capital porté à cent cinquante millions, l'émission de cent mille actions nouvelles à huit cent cinquante francs, les anciens titres libérés, grâce à la prime de ces actions et aux bénéfices du prochain bilan, dont on disposait d'avance. Un tonnerre de bravos accueillit cette idée géniale. On voyait, par-dessus les têtes, les grosses mains de Maugendre tapant de toute leur force. Sur les premiers bancs, les administrateurs, les employés de la maison, faisaient rage, dominés par Sabatani qui, s'étant mis debout, lançait des : brava ! brava ! comme au théâtre. Toutes les résolutions furent votées d'enthousiasme.

Cependant, Saccard avait réglé un incident, qui se produisit alors. Il n'ignorait pas qu'on l'accusait de jouer, il voulait effacer jusqu'aux moindres soupçons des actionnaires défiants, s'il s'en trouvait dans la salle.

Jantrou, stylé par lui, se leva. Et, de sa voix pâteuse :

« Monsieur le Président, je crois me faire l'interprète de beaucoup d'actionnaires en demandant qu'il soit bien établi que la société ne possède pas une de ses actions. »

Hamelin, n'étant point prévenu, demeura un instant gêné. Instinctivement, il se tourna vers Saccard, perdu à sa place jusque-là, et qui se haussa d'un coup, pour grandir sa petite taille, en répondant de sa voix perçante :

« Pas une, monsieur le Président ! »

Des bravos, on ne sut pourquoi, éclatèrent de nouveau, à cette réponse. S'il mentait au fond, la vérité était pourtant que la société n'avait pas un seul titre à son nom, puisque Sabatani et d'autres la couvraient. Et ce fut tout, on applaudissait encore, la sortie fut très gaie et très bruyante.

Dès les jours suivants, le compte rendu de cette séance, publié dans les journaux, produisit un effet énorme à la Bourse et dans tout Paris. Jantrou avait réservé pour ce moment-là une poussée dernière de réclames, la plus tonitruante des fanfares qu'on eût soufflée depuis longtemps dans les trompettes de la publicité ; et il courut même une plaisanterie, on raconta qu'il avait fait tatouer ces mots : *Achetez de l'Universelle*, aux petits coins les plus secrets et les plus délicats des dames aimables, en les lançant dans la circulation. D'ailleurs, il venait d'exécuter enfin son grand coup, l'achat de *La Cote financière*, ce vieux journal solide, qui avait derrière lui une honnêteté impeccable de douze ans. Cela avait coûté cher, mais la sérieuse clientèle, les bourgeois trembleurs, les grosses fortunes prudentes, tout l'argent qui se respecte se trouvait conquis. En quinze jours, à la Bourse, on atteignit le cours de quinze cents ; et, dans la dernière semaine d'août, par bonds successifs, il était à deux mille. L'engouement s'était encore exaspéré, l'accès allait en s'aggravant à chaque heure, sous l'épidémique fièvre de l'agio*. On achetait, on achetait, même les plus sages, dans la conviction que ça monterait encore, que ça monterait sans fin. C'étaient les cavernes mystérieuses des

Mille et Une Nuits qui s'ouvraient, les incalculables trésors des califes qu'on livrait à la convoitise de Paris. Tous
les rêves, chuchotés depuis des mois, semblaient se réaliser devant l'enchantement public : le berceau de l'humanité réoccupé, les antiques cités historiques du littoral
ressuscitées de leur sable, Damas, puis Bagdad, puis
l'Inde et la Chine exploitées, par la troupe envahissante
de nos ingénieurs. Ce que Napoléon n'avait pu faire avec
son sabre, cette conquête de l'Orient, une Compagnie
financière le réalisait, en y lançant une armée de pioches
et de brouettes. On conquérait l'Asie à coups de millions,
pour en tirer des milliards. Et la croisade des femmes
surtout triomphait, aux petites réunions intimes de cinq
heures, aux grandes réceptions mondaines de minuit, à
table et dans les alcôves. Elles l'avaient bien prévu :
Constantinople était prise, on aurait bientôt Brousse,
Angora et Alep, on aurait plus tard Smyrne, Trébizonde,
toutes les villes dont l'Universelle faisait le siège,
jusqu'au jour où l'on aurait la dernière, la ville sainte,
celle qu'on ne nommait pas, qui était comme la promesse
eucharistique de la lointaine expédition. Les pères, les
maris, les amants, que violentait cette ardeur passionnée
des femmes, n'allaient plus donner leurs ordres aux
agents de change* qu'au cri répété de : Dieu le veut !
Puis, ce fut enfin l'effrayante cohue des petits, la foule
piétinante qui suit les grosses armées, la passion descendue du salon à l'office, du bourgeois à l'ouvrier et au
paysan, et qui jetait, dans ce galop fou des millions, de
pauvres souscripteurs n'ayant qu'une action, trois, quatre, dix actions, des concierges près de se retirer, des
vieilles demoiselles vivant avec un chat, des retraités de
province dont le budget est de dix sous par jour, des
prêtres de campagne dénudés par l'aumône, toute la
masse hâve et affamée des rentiers infimes, qu'une catastrophe de Bourse balaie comme une épidémie et couche
d'un coup dans la fosse commune.

Et cette exaltation des titres de l'Universelle, cette ascension qui les emportait comme sous un vent religieux, semblait se faire aux musiques de plus en plus hautes qui montaient des Tuileries et du Champ-de-Mars, des continuelles fêtes dont l'Exposition affolait Paris [1]. Les drapeaux claquaient plus sonores dans l'air lourd des chaudes journées, il n'y avait pas de soir où la ville en feu n'étincelât sous les étoiles, ainsi qu'un colossal palais au fond duquel la débauche veillait jusqu'à l'aube. La joie avait gagné de maison en maison, les rues étaient une ivresse, un nuage de vapeurs fauves, la fumée des festins, la sueur des accouplements, s'en allait à l'horizon, roulait au-dessus des toits la nuit des Sodome, des Babylone et des Ninive [2]. Depuis mai, les empereurs et les rois étaient venus en pèlerinage des quatre coins du monde, des cortèges qui ne cessaient point, près d'une centaine de souverains et de souveraines, de princes et de princesses. Paris était repu de Majestés et d'Altesses ; il avait acclamé l'empereur de Russie et l'empereur d'Autriche, le sultan et le vice-roi d'Égypte ; et il s'était jeté sous les roues des carrosses pour voir de plus près le roi de Prusse, que M. de Bismarck suivait comme un dogue fidèle. Continuellement, des salves de réjouissance tonnaient aux Invalides, tandis que la foule s'écrasait à l'Exposition, faisait un succès populaire aux canons de Krupp, énormes et sombres, que l'Allemagne avait exposés [3]. Presque chaque semaine, l'Opéra allumait ses lustres pour quelque gala officiel. On s'étouffait dans les petits théâtres et dans les restaurants, les trottoirs n'étaient plus assez larges pour le torrent débordé de la prostitution. Et ce fut Napoléon III qui voulut distribuer

---

1. Voir *supra*, p. 16, note 1. 2. Ces trois villes, dans la Bible, représentent le vice et la corruption. 3. Les coups de canon festifs opposés aux canons allemands, pour l'instant silencieux, qui furent en effet exposés en 1867... Le terme « Allemagne » rappelle que la Prusse de Bismarck réalisa en effet l'unité allemande, après les guerres contre le Danemark (1864, chap. I), contre l'Autriche (1866, chap. VI) et contre la France.

lui-même les récompenses aux soixante mille exposants, dans une cérémonie qui dépassa en magnificence toutes les autres, une gloire brûlant au front de Paris, le resplendissement du règne, où l'empereur apparut, dans un mensonge de féerie, en maître de l'Europe, parlant avec le calme de la force et promettant la paix. Le jour même, on apprenait aux Tuileries l'effroyable catastrophe du Mexique, l'exécution de Maximilien, le sang et l'or français versés en pure perte [1] ; et l'on cachait la nouvelle, pour ne pas attrister les fêtes. Un premier coup de glas, dans cette fin de jour superbe, éblouissante de soleil.

Alors, il sembla, au milieu de cette gloire, que l'astre de Saccard, lui aussi, montât encore, à son éclat le plus grand. Enfin, comme il s'y efforçait depuis tant d'années, il la possédait donc, la fortune, en esclave, ainsi qu'une chose à soi, dont on dispose, qu'on tient sous clef, vivante, matérielle ! Tant de fois le mensonge avait habité ses caisses, tant de millions y avaient coulé, fuyant par toutes sortes de trous inconnus [2] ! Non, ce n'était plus la richesse menteuse de la façade, c'était la vraie royauté de l'or, solide, trônant sur des sacs pleins ; et, cette royauté, il ne l'exerçait pas comme un Gundermann, après l'épargne d'une lignée de banquiers, il se flattait orgueilleusement de l'avoir conquise par lui-même, en capitaine d'aventure qui emporte un royaume d'un coup de main. Souvent, à l'époque de ses trafics sur les terrains du quartier de l'Europe, il était monté très haut ; mais jamais il n'avait senti Paris vaincu si humble à ses pieds. Et il se rappelait le jour où, déjeunant chez Champeaux,

---

1. Le frère de l'empereur autrichien, auquel Napoléon III avait offert en avril 1864 la couronne du Mexique (voir *supra*, p. 15, note 1), fut en butte aux guérillas populaires dès que la France retira ses troupes du pays, sous la pression des États-Unis. Il fut fusillé à Quertaro le 19 juin 1867, et cette exécution signa l'échec retentissant de la politique étrangère de l'empereur français, violemment critiquée par l'opposition. **2.** Voir *supra*, p. 17, note 2. La jubilation de Saccard est cependant infondée, car le mécanisme des augmentations de capital a justement créé une richesse fictive.

doutant de son étoile, ruiné une fois de plus, il jetait sur la Bourse des regards affamés, pris de la fièvre de tout recommencer pour tout reconquérir, dans une rage de revanche. Aussi à cette heure qu'il redevenait le maître, quelle fringale de jouissances ! D'abord, dès qu'il se crut tout-puissant, il congédia Huret, il chargea Jantrou de lancer contre Rougon un article où le ministre, au nom des catholiques, se trouvait nettement accusé de jouer double jeu, dans la question romaine. C'était la déclaration de guerre définitive entre les deux frères. Depuis la convention du 15 septembre 1864, surtout depuis Sadowa, les cléricaux affectaient de montrer de vives inquiétudes sur la situation du pape[1] ; et, dès lors, *L'Espérance*, reprenant son ancienne politique ultra-montaine, attaqua violemment l'empire libéral, tel qu'avaient commencé à le faire les décrets du 19 janvier[2]. Un mot de Saccard circulait à la Chambre : il disait que, malgré sa profonde affection pour l'empereur, il se résignerait à Henri V[3], plutôt que de laisser l'esprit révolutionnaire mener la France à des catastrophes. Ensuite, son audace croissant avec ses victoires, il ne cacha plus son plan de s'attaquer à la haute banque* juive, dans la personne de Gundermann, dont il s'agissait de battre en brèche le milliard, jusqu'à l'assaut et à la capture finale. L'Universelle avait si miraculeusement grandi, pourquoi cette maison, soutenue par toute la chrétienté, ne serait-elle pas, en quelques années encore, la souveraine maîtresse de la Bourse ? Et il se posait en rival, en roi voisin, d'une égale puissance, plein d'une forfanterie batailleuse ; tandis que Gundermann, très flegmatique, sans même se permettre une moue d'ironie, continuait à guetter et à attendre, l'air simplement très intéressé par la hausse

---

1. Voir *supra*, p. 150, note 2. 2. Voir *supra*, p. 292, note 2. 3. C'est-à-dire au comte de Chambord (1820-1883), petit-fils de Charles X, prétendant au trône soutenu par le parti royaliste d'alors. Saccard affecte de préférer un retour des rois à un Empire qui ne serait plus autoritaire.

continue des actions, en homme qui a mis toute sa force
dans la patience et la logique.

C'était sa passion qui élevait ainsi Saccard, et sa passion qui devait le perdre. Dans l'assouvissement de ses
appétits, il aurait voulu se découvrir un sixième sens,
pour le satisfaire. Mme Caroline, qui en était arrivée à
sourire toujours, même lorsque son cœur saignait, restait
une amie, qu'il écoutait avec une sorte de déférence
conjugale. La baronne Sandorff, dont les paupières
meurtries et les lèvres rouges mentaient décidément,
commençait à ne plus l'amuser, d'une froideur de glace,
au milieu de ses curiosités perverses. Et, d'ailleurs, lui-
même n'avait jamais connu de grandes passions, étant de
ce monde de l'argent, trop occupé, dépensant autre part
ses nerfs, payant l'amour au mois. Aussi, lorsque l'idée
de la femme lui vint, sur le tas de ses nouveaux millions,
ne songea-t-il qu'à en acheter une très cher, pour l'avoir
devant tout Paris, comme il se serait fait cadeau d'un
très gros brillant, simplement vaniteux de le piquer à sa
cravate. Puis, n'était-ce pas là une excellente publicité ?
un homme capable de mettre beaucoup d'argent à une
femme, n'a-t-il pas dès lors une fortune cotée ? Tout de
suite son choix tomba sur Mme de Jeumont, chez qui il
avait dîné deux ou trois fois avec Maxime. Elle était
encore fort belle à trente-six ans, d'une beauté régulière
et grave de Junon [1], et sa grande réputation venait de ce
que l'empereur lui avait payé une nuit cent mille francs,
sans compter la décoration pour son mari, un homme
correct qui n'avait d'autre situation que ce rôle d'être le
mari de sa femme. Tous deux vivaient largement, allaient
partout, dans les ministères, à la cour, alimentés par des
marchés rares et choisis, se suffisant de trois ou quatre
nuits par an. On savait que cela coûtait horriblement
cher, c'était tout ce qu'il y avait de plus distingué. Et
Saccard, qu'excitait particulièrement l'envie de mordre à
ce morceau d'empereur, alla jusqu'à deux cent mille

---

1. Femme de Jupiter, le roi des dieux.

francs, le mari ayant d'abord fait la moue sur cet ancien financier louche, le trouvant trop mince personnage et d'une immoralité compromettante.

Ce fut vers cette même époque que la petite Mme Conin refusa carrément de prendre du plaisir avec Saccard. Il fréquentait beaucoup la papeterie de la rue Feydeau, ayant toujours des carnets à acheter, très séduit par cette adorable blonde, rose et potelée, aux cheveux de soie pâle, en neige, un petit mouton frisé, et gracieuse, et câline, toujours gaie.

« Non, je ne veux pas, jamais avec vous ! »

Quand elle avait dit jamais, c'était chose réglée, rien ne la faisait revenir sur son refus.

« Mais pourquoi ? Je vous ai bien vue avec un autre, un jour que vous sortiez d'un hôtel, passage des Panoramas... »

Elle rougit, mais sans cesser de le regarder bravement en face. Cet hôtel, tenu par une vieille dame, son amie, lui servait en effet de lieu de rendez-vous, lorsqu'un caprice la faisait céder à un monsieur du monde de la Bourse, aux heures où son brave homme de mari collait ses registres et où elle battait Paris, toujours dehors pour les courses de la maison.

« Vous savez bien, Gustave Sédille, ce jeune homme, votre amant. »

D'un joli geste, elle protesta. Non, non ! elle n'avait pas d'amant. Pas un homme ne pouvait se vanter de l'avoir eue deux fois. Pour qui la prenait-il ? Une fois, oui ! par hasard, par plaisir, sans que ça tirât autrement à conséquence ! Et tous restaient ses amis, très reconnaissants, très discrets.

« C'est donc parce que je ne suis plus jeune ? »

Mais, d'un nouveau geste, avec son continuel rire, elle sembla dire qu'elle s'en moquait bien, qu'on fût jeune ! Elle avait cédé à des moins jeunes, à des moins beaux encore, à de pauvres diables souvent.

« Pourquoi alors, dites pourquoi ?

– Mon Dieu ! c'est simple… Parce que vous ne me plaisez pas. Avec vous, jamais ! »

Et elle restait tout de même très aimable, l'air désolé de ne pouvoir le satisfaire.

« Voyons, reprit-il brutalement, ce sera ce que vous voudrez… Voulez-vous mille, voulez-vous deux mille, pour une fois, une seule fois ? »

À chaque surenchère qu'il mettait, elle disait non de la tête, gentiment.

« Voulez-vous… Voyons, voulez-vous dix mille, voulez-vous vingt mille ? »

Doucement, elle l'arrêta, en posant sa petite main sur la sienne.

« Pas dix, pas cinquante, pas cent mille ! Vous pourriez monter longtemps comme ça, ce serait non, toujours non… Vous voyez bien que je n'ai pas un bijou sur moi. Ah ! on m'en a offert, des choses, de l'argent, et de tout ! Je ne veux rien, est-ce que ça ne suffit pas, quand ça fait plaisir ?… Mais comprenez donc que mon mari m'aime de tout son cœur, et que je l'aime aussi beaucoup, moi. C'est un très honnête homme, mon mari. Alors, bien sûr que je ne vais pas le tuer en lui causant du chagrin… Qu'est-ce que vous voulez que j'en fasse, de votre argent, puisque je ne peux pas le donner à mon mari ? Nous ne sommes pas malheureux, nous nous retirerons un jour avec une jolie fortune ; et, si ces messieurs me font tous l'amitié de continuer à se fournir chez nous, ça, je l'accepte… Oh ! je ne me pose pas pour plus désintéressée que je ne suis. Si j'étais seule, je verrais. Seulement, encore un coup, vous ne vous imaginez pas que mon mari prendrait vos cent mille francs, après que j'aurais couché avec vous… Non, non ! pas pour un million ! »

Et elle s'entêta. Saccard, exaspéré par cette résistance inattendue, s'acharna de son côté pendant près d'un mois. Elle le bouleversait, avec sa figure rieuse, ses grands yeux tendres, pleins de compassion. Comment ! l'argent ne donnait donc pas tout ? Voilà une femme que d'autres

avaient pour rien, et qu'il ne pouvait avoir, lui, en y mettant un prix fou ! Elle disait non, c'était sa volonté. Il en
souffrait cruellement, dans son triomphe, comme d'un
doute à sa puissance, d'une désillusion secrète sur la force
de l'or, qu'il avait crue jusque-là absolue et souveraine.

Mais, un soir, il eut pourtant la jouissance de vanité la
plus vive. Ce fut la minute culminante de son existence.
Il y avait un bal au ministère des Affaires étrangères, et
il avait choisi cette fête, donnée à propos de l'Exposition,
pour prendre acte publiquement de son bonheur d'une
nuit, avec Mme de Jeumont ; car, dans les marchés que
passait cette belle personne, il entrait toujours que l'heureux acquéreur aurait, une fois, le droit de l'afficher, de
façon que l'affaire eût pleinement toute la publicité voulue. Donc, vers minuit, dans les salons où les épaules
nues s'écrasaient parmi les habits noirs, sous la clarté
ardente des lustres, Saccard entra, ayant au bras Mme de
Jeumont ; et le mari suivait. Quand ils parurent, les
groupes s'écartèrent, on ouvrit un large passage à ce
caprice de deux cent mille francs qui s'étalait, à ce scandale fait de violents appétits et de prodigalité folle. On
souriait, on chuchotait, l'air amusé, sans colère, au
milieu de l'odeur grisante des corsages, dans le bercement
lointain de l'orchestre. Mais, au fond d'un salon, tout un
autre flot de curieux se pressait autour d'un colosse, vêtu
d'un uniforme de cuirassier blanc, éclatant et superbe.
C'était le comte de Bismarck, dont la grande taille dominait toutes les têtes, riant d'un rire large, les yeux gros, le
nez fort, avec une mâchoire puissante, que barraient des
moustaches de conquérant barbare. Après Sadowa, il
venait de donner l'Allemagne à la Prusse [1] ; les traités
d'alliance, longtemps niés, étaient depuis des mois signés
contre la France ; et la guerre, qui avait failli éclater en

---

1. C'est-à-dire qu'il venait de promouvoir l'unité de l'Allemagne.
Voir *supra*, p. 319, note 3.

mai, à propos de l'affaire du Luxembourg [1], était désormais fatale. Lorsque Saccard, triomphal, traversa la pièce, ayant à son bras Mme de Jeumont, et suivi du mari, le comte de Bismarck s'interrompit de rire un instant, en bon géant goguenard, pour les regarder curieusement passer.

---

1. Depuis 1866, la France ne cessait de manifester le vœu d'une révision de sa frontière avec l'Allemagne. Ses exigences avaient peu à peu été revues à la baisse, mais la revendication du Luxembourg se heurtait encore à l'attitude de plus en plus intraitable de l'Allemagne.

IX

Mme Caroline, de nouveau, se trouva seule. Hamelin était resté à Paris jusqu'aux premiers jours de novembre, pour les formalités que nécessitait la constitution définitive de la société, au capital de cent cinquante millions ; et ce fut encore lui, sur le désir de Saccard, qui alla faire, chez maître Lelorrain, rue Sainte-Anne, les déclarations légales, affirmant que toutes les actions* étaient bien souscrites et le capital versé, ce qui n'était pas vrai. Ensuite, il partit pour Rome, où il devait passer deux mois, ayant à y étudier de grosses affaires, qu'il taisait, sans doute son fameux rêve du pape à Jérusalem, ainsi qu'un autre projet, plus pratique et considérable, celui de la transformation de l'Universelle en une banque catholique, s'appuyant sur les intérêts chrétiens du monde entier, toute une vaste machine destinée à écraser, à balayer du globe la banque juive [1] ; et, de là, il comptait retourner une fois encore en Orient, où l'appelaient les travaux du chemin de fer de Brousse à Beyrouth. Il s'éloignait heureux de la rapide prospérité de la maison, absolument convaincu de sa solidité inébranlable, n'ayant même au fond que la sourde inquiétude de ce succès trop grand. Aussi, la veille de son départ, dans la conversation qu'il eut avec sa sœur, ne lui fit-il qu'une recommandation pressante, celle de résister à l'engouement général et de vendre leurs titres, si le cours de deux mille deux cents

---

1. Ce discret passage du texte souligne qu'Hamelin, personnage *a priori* inoffensif, incarne pleinement le projet idéologique et financier qui avait été celui de l'Union générale d'Eugène Bontoux.

francs était dépassé, parce qu'il entendait protester personnellement contre cette hausse continue, qu'il jugeait folle et dangereuse.

Dès qu'elle fut seule, Mme Caroline se sentit plus troublée encore par le milieu surchauffé où elle vivait. Vers la première semaine de novembre, on atteignit le cours de deux mille deux cents ; et c'était, autour d'elle, un ravissement, des cris de remerciement et d'espoir illimité : Dejoie venait se fondre en gratitude, les dames de Beauvilliers la traitaient en égale, en amie du dieu qui allait relever leur antique maison. Un concert de bénédictions montait de la foule heureuse des petits et des grands, les filles enfin dotées, les pauvres brusquement enrichis, assurés d'une retraite, les riches brûlant de l'insatiable joie d'être plus riches encore. Au lendemain de l'Exposition, dans Paris grisé de plaisir et de puissance, l'heure était unique, une heure de foi au bonheur, la certitude d'une chance sans fin. Toutes les valeurs avaient monté, les moins solides trouvaient des crédules, une pléthore d'affaires véreuses gonflait le marché, le congestionnait jusqu'à l'apoplexie, tandis que, dessous, sonnait le vide, le réel épuisement d'un règne qui avait beaucoup joui, dépensé des milliards en grands travaux, engraissé des maisons de crédit énormes, dont les caisses béantes s'éventraient de toutes parts. Au premier craquement, dans ce vertige, c'était la débâcle. Et Mme Caroline, sans doute, avait ce pressentiment anxieux, lorsqu'elle sentait son cœur se serrer, à chaque nouveau bond des cours de l'Universelle. Aucune rumeur mauvaise ne courait, à peine un léger frémissement des baissiers*, étonnés et domptés. Pourtant, elle avait bien conscience d'un malaise, quelque chose qui déjà minait l'édifice, mais quoi ? rien ne se précisait ; et elle était forcée d'attendre, devant l'éclat du triomphe grandissant, malgré ces légères secousses d'ébranlement qui annoncent les catastrophes.

D'ailleurs, Mme Caroline eut alors un autre ennui. À l'Œuvre du Travail, on était enfin satisfait de Victor, devenu silencieux et sournois ; et, si elle n'avait pas déjà tout conté à Saccard, c'était par un singulier sentiment d'embarras, reculant de jour en jour son récit, souffrant de la honte qu'il en aurait. D'autre part, Maxime, à qui, vers ce temps, elle rendit, de sa poche, les deux mille francs, s'égaya au sujet des quatre mille que Busch et la Méchain réclamaient encore : ces gens la volaient, son père serait furieux. Aussi, désormais, repoussait-elle les demandes réitérées de Busch, qui exigeait le complément de la somme promise. Après des démarches sans nombre, celui-ci finit par se fâcher, d'autant plus que son ancienne idée de faire chanter Saccard renaissait, depuis la situation nouvelle de ce dernier, cette haute situation où il le croyait à sa merci, devant la peur du scandale. Un jour donc, exaspéré de ne rien tirer d'une affaire si belle, il résolut de s'adresser directement à lui, il lui écrivit de bien vouloir passer à son bureau pour prendre connaissance d'anciens papiers trouvés dans une maison de la rue de la Harpe. Il donnait le numéro, il faisait une allusion si claire à la vieille histoire, que Saccard, saisi d'inquiétude, ne pouvait manquer d'accourir. Justement, cette lettre, portée rue Saint-Lazare, tomba entre les mains de Mme Caroline, qui reconnut l'écriture. Elle trembla, elle se demanda un instant si elle n'allait pas courir chez Busch, afin de le désintéresser. Puis, elle se dit qu'il écrivait peut-être pour tout autre chose, et qu'en tout cas c'était une façon d'en finir, heureuse même dans son émoi qu'un autre eût l'embarras de la confidence. Mais, le soir, lorsque Saccard rentra et que, devant elle, il ouvrit la lettre, elle le vit simplement devenir grave, elle crut à quelque complication d'argent. Pourtant, il avait éprouvé une profonde surprise, sa gorge s'était serrée, à l'idée de tomber entre de si sales mains, flairant quelque ignominie. D'un geste tranquille, il mit la lettre dans sa poche, il décida qu'il irait au rendez-vous.

Des jours s'écoulèrent, la seconde quinzaine de novembre arriva, et Saccard remettait chaque matin la visite, étourdi par le torrent qui l'emportait. Le cours de

deux mille trois cents francs venait d'être dépassé, il en
était ravi, tout en sentant, à la Bourse, une résistance
se faire, s'accentuer, à mesure que s'affolait la hausse :
évidemment, il y avait un groupe de baissiers qui prenaient position, engageant la lutte, timides encore, dans
de simples combats d'avant-poste. Et, à deux reprises, il
se crut obligé de donner lui-même des ordres d'achat,
sous des prête-noms, pour que la marche ascensionnelle
des cours ne fût pas arrêtée. Le système de la société
achetant ses propres titres, jouant sur eux, se dévorant,
commençait [1].

Un soir, tout secoué de sa passion, Saccard ne put
s'empêcher d'en parler à Mme Caroline.

« Je crois bien que ça va chauffer. Oh ! nous voici trop
forts, nous les gênons trop... Je flaire Gundermann, c'est
sa tactique : il va procéder à des ventes régulières, tant
aujourd'hui, tant demain, en augmentant le chiffre,
jusqu'à ce qu'il nous ébranle... »

Elle l'interrompit de sa voix grave.

« S'il a de l'Universelle, il a raison de vendre.

– Comment ! il a raison de vendre ?

– Sans doute, mon frère vous l'a dit : les cours, à partir
de deux mille, sont absolument fous. »

Il la regardait, il éclata, hors de lui.

« Vendez donc alors, osez donc vendre vous-même...
Oui, jouez contre moi, puisque vous voulez ma défaite. »

Elle rougit légèrement, car, la veille, elle avait précisément vendu mille de ses actions, pour obéir aux ordres
de son frère, soulagée, elle aussi, par cette vente, comme
par un acte tardif d'honnêteté. Mais, puisqu'il ne la ques-
tionnait pas directement, elle ne lui en fit pas l'aveu,
d'autant plus gênée, qu'il ajouta :

---

1. Il y a ici transition entre l'intrigue bancaire, concernant la constitution du capital de l'Universelle et l'émission des actions, et l'intrigue
plus proprement boursière. L'action va se déplacer de la rue de Londres
vers le palais Brongniart.

« Ainsi, hier, il y a eu des défections, j'en suis sûr. Il est arrivé tout un paquet de valeurs sur le marché, les cours auraient certainement fléchi, si je n'étais intervenu... Ce n'est pas Gundermann qui fait de ces coups-là. Il a une méthode plus lente, plus écrasante à la longue... Ah ! ma chère, je suis bien rassuré, mais je tremble tout de même, car ce n'est rien de défendre sa vie, le pis est de défendre son argent et celui des autres. »

En effet, à partir de ce moment, Saccard cessa de s'appartenir. Il fut l'homme des millions qu'il gagnait, triomphant, et sans cesse sur le point d'être battu. Il ne trouvait même plus le temps d'aller voir la baronne Sandorff, dans le petit rez-de-chaussée de la rue Caumartin. À la vérité, elle l'avait lassé par le mensonge de ses yeux de flamme, cette froideur que ses tentatives perverses ne parvenaient pas à échauffer. Puis, un désagrément lui était arrivé, le même qu'il avait fait subir à Delcambre : un soir, par la bêtise d'une femme de chambre, cette fois, il était entré au moment où la baronne se trouvait entre les bras de Sabatani. Dans l'orageuse explication qui avait suivi, il ne s'était calmé qu'après une confession entière, celle d'une simple curiosité, coupable sans doute, mais si explicable. Ce Sabatani, toutes les femmes en parlaient comme d'un tel phénomène, on chuchotait sur cette chose si énorme, qu'elle n'avait pu résister à l'envie de voir. Et Saccard pardonna, lorsque, à une question brutale, elle eut répondu que, mon Dieu ! après tout, ce n'était pas si étonnant. Il ne la voyait plus guère qu'une fois par semaine, non pas qu'il lui gardât rancune, mais parce qu'elle l'ennuyait, simplement.

Alors, la baronne Sandorff, qui le sentait se détacher, retomba dans ses ignorances et ses doutes d'autrefois. Depuis qu'elle le confessait aux heures intimes, elle jouait presque à coup sûr, elle gagnait beaucoup, de moitié dans sa chance. Aujourd'hui, elle voyait bien qu'il ne voulait plus répondre, elle craignait même qu'il ne lui mentît ; et, soit que la chance tournât, soit qu'il se fût en effet amusé à la lancer sur une piste fausse, il arriva un jour

qu'elle perdit, en suivant un de ses conseils. Sa foi en
fut ébranlée. S'il l'égarait ainsi, qui donc allait la guider
maintenant ? Et le pis était que le frémissement d'hostilité, à la Bourse, d'abord si léger, augmentait de jour en
jour contre l'Universelle. Ce n'étaient encore que des
rumeurs, on ne formulait rien de précis, aucun fait
n'entamait la solidité de la maison. Seulement, on laissait
entendre qu'il devait y avoir quelque chose, que le ver se
trouvait dans le fruit. Ce qui, d'ailleurs, n'empêchait pas
la hausse des titres de s'accentuer, formidable.

À la suite d'une opération manquée sur l'Italien, la
baronne, décidément inquiète, résolut de se rendre aux
bureaux de *L'Espérance*, pour tâcher de faire causer
Jantrou.

« Voyons, qu'y a-t-il ? vous devez savoir, vous… L'Universelle, tout à l'heure, a encore monté de vingt francs,
et pourtant un bruit courait, personne n'a pu me dire
lequel, enfin quelque chose de pas bon. »

Mais Jantrou était dans une égale perplexité. Placé à
la source des bruits, les fabriquant lui-même au besoin,
il se comparait plaisamment à un horloger, qui vit au
milieu de centaines de pendules, et qui ne sait jamais
l'heure exacte. Grâce à son agence de publicité, s'il était
dans toutes les confidences, il n'y avait plus pour lui
d'opinion unique et solide, car ses renseignements se
contrecarraient et se détruisaient.

« Je ne sais rien, rien du tout.

– Oh ! vous ne voulez pas me dire.

– Non, je ne sais rien, parole d'honneur ! Et moi qui
projetais d'aller vous voir pour vous questionner !
Saccard n'est donc plus gentil ? »

Elle eut un geste, qui le confirma dans ce qu'il avait
deviné : une fin de liaison par lassitude mutuelle, la
femme maussade, l'amant refroidi, ne causant plus. Il
regretta un instant de n'avoir pas joué le rôle de l'homme
bien informé, pour se la payer enfin, comme il disait,
cette petite Ladricourt, dont le père le recevait à coups

de botte. Mais il sentait que son heure n'était pas venue ;
et il continuait de la regarder, réfléchissant tout haut.

« Oui, c'est embêtant, moi qui comptais sur vous...
Parce que, n'est-ce pas ? s'il doit y avoir quelque catastrophe, il faudrait être prévenu, afin de pouvoir se
retourner... Oh ! je ne crois pas que ça presse, c'est très
solide encore. Seulement, on voit des choses si drôles... »

À mesure qu'il la regardait ainsi, un plan germait dans
sa tête.

« Dites donc, reprit-il brusquement, puisque Saccard
vous lâche, vous devriez vous mettre bien avec Gundermann. »

Elle resta un moment surprise.

« Gundermann, pourquoi ?... Je le connais un peu, je
l'ai rencontré chez les de Roiville et chez les Keller.

– Tant mieux, si vous le connaissez... Allez le voir sous
un prétexte, causez avec lui, tâchez d'être son amie...
Vous imaginez-vous cela : être la bonne amie de Gundermann, gouverner le monde ! »

Et il ricanait, aux images licencieuses qu'il évoquait du
geste, car la froideur du juif était connue, rien ne devait
être plus compliqué ni plus difficile que de le séduire.
La baronne, ayant compris, eut un sourire muet, sans se
fâcher.

« Mais répéta-t-elle, pourquoi Gundermann ? »

Il expliqua alors que, certainement, ce dernier était à
la tête du groupe de baissiers qui commençaient à
manœuvrer contre l'Universelle. Ça, il le savait, il en avait
la preuve. Puisque Saccard n'était pas gentil, la simple
prudence n'était-elle pas de se mettre bien avec son
adversaire, sans rompre avec lui d'ailleurs ? On aurait un
pied dans chaque camp, on serait assuré d'être, le jour
de la bataille, en compagnie du vainqueur. Et, cette trahison, il la proposait d'un air aimable, simplement en
homme de bon conseil. Si une femme travaillait pour lui,
il dormirait bien tranquille.

« Hein ? voulez-vous ? soyons ensemble... Nous nous préviendrons, nous nous dirons tout ce que nous aurons appris. »

Comme il s'emparait de sa main, elle la retira d'un mouvement instinctif, croyant à autre chose.

« Mais non, je n'y songe plus, puisque nous sommes camarades... Plus tard, c'est vous qui me récompenserez. »

En riant, elle lui abandonna sa main, qu'il baisa. Et elle était déjà sans mépris, oubliant le laquais qu'il avait été, ne le voyant plus dans la crapuleuse fête où il tombait, le visage ruiné, avec sa belle barbe qui empoisonnait l'absinthe, sa redingote neuve souillée de taches, son chapeau luisant tout éraflé du plâtre de quelque escalier immonde.

Dès le lendemain, la baronne Sandorff se rendit chez Gundermann. Celui-ci, depuis que les titres de l'Universelle avaient atteint le cours de deux mille francs, menait en effet toute une campagne à la baisse, dans la discrétion la plus grande, n'allant jamais à la Bourse, n'y ayant pas même de représentant officiel. Son raisonnement était qu'une action vaut d'abord son prix d'émission, ensuite l'intérêt qu'elle peut rapporter, et qui dépend de la prospérité de la maison, du succès des entreprises. Il y a donc une valeur maximum qu'elle ne doit raisonnablement pas dépasser [1] ; et, dès qu'elle la dépasse, par suite de l'engouement public, la hausse est factice, la sagesse est de se mettre à la baisse, avec la certitude qu'elle se produira. Dans sa conviction, dans son absolue croyance à la logique, il restait pourtant surpris des rapides conquêtes de Saccard, de cette puissance tout d'un coup grandie, dont la haute banque* juive commençait à s'épouvanter. Il fallait au plus tôt abattre ce rival dangereux, non seulement pour rattraper les huit millions perdus au lendemain de Sadowa, mais surtout pour ne pas

---

1. C'est l'idée que Zola retient globalement de son entretien avec le banquier Georges Lévy (voir *supra*, p. 254, note 1).

avoir à partager la royauté du marché avec ce terrible aventurier, dont les casse-cou semblaient réussir, contre tout bon sens, comme par miracle. Et Gundermann, plein du mépris de la passion, exagérait encore son flegme de joueur mathématique, d'une obstination froide d'homme chiffre, vendant toujours malgré la hausse continue, perdant à chaque liquidation* des sommes de plus en plus considérables, avec la belle sécurité d'un sage qui met simplement son argent à la Caisse d'épargne.

Lorsque la baronne put enfin entrer, au milieu de la bousculade des employés et des remisiers*, de la grêle des pièces à signer et des dépêches à lire, elle trouva le banquier souffrant d'un horrible rhume qui lui arrachait la gorge. Cependant, il était là depuis six heures du matin, toussant et crachant, exténué de fatigue, solide quand même. Ce jour-là, à la veille d'un emprunt étranger, la vaste salle était envahie par un flot de visiteurs plus pressé encore, que recevaient en coup de vent deux de ses fils et un de ses gendres ; tandis que, par terre, près de l'étroite table qu'il s'était réservée au fond, dans l'embrasure d'une fenêtre, trois de ses petits-enfants, deux fillettes et un garçon, se disputaient avec des cris aigus une poupée dont un bras et une jambe gisaient déjà, arrachés.

Tout de suite, la baronne donna son prétexte.

« Cher monsieur, j'ai voulu avoir en personne la bravoure de mon importunité... C'est pour une loterie de bienfaisance... »

Il ne la laissa pas achever, il était fort charitable, et prenait toujours deux billets, surtout lorsque des dames, rencontrées par lui dans le monde, se donnaient ainsi la peine de les lui apporter.

Mais il dut s'excuser, un employé venait lui soumettre le dossier d'une affaire. Des chiffres énormes furent rapidement échangés.

« Cinquante-deux millions, dites-vous ? Et le crédit était ?

– De soixante millions, monsieur.

– Eh bien, portez-le à soixante-quinze millions. »

Il revenait à la baronne, lorsqu'un mot surpris dans une conversation que son gendre avait avec un remisier, le fit se précipiter.

« Mais pas du tout ! Au cours de cinq cent quatre-vingt-sept cinquante, cela fait dix sous de moins par action.

– Oh ! monsieur, dit le remisier humblement, pour quarante-trois francs que ça ferait en moins !

– Comment, quarante-trois francs ! mais c'est énorme ! Est-ce que vous croyez que je vole l'argent ? Chacun son compte, je ne connais que ça ! »

Enfin, pour causer à l'aise, il se décida à emmener la baronne dans la salle à manger, où le couvert était déjà mis. Il n'était pas dupe du prétexte de la loterie de bien-faisance, car il savait sa liaison, grâce à toute une police obséquieuse qui le renseignait, et il se doutait bien qu'elle venait, poussée par quelque intérêt grave. Aussi ne se gêna-t-il pas.

« Voyons, maintenant, dites-moi ce que vous avez à me dire. »

Mais elle affecta la surprise. Elle n'avait rien à lui dire, elle avait à le remercier simplement de sa bonté.

« Alors, on ne vous a pas chargée d'une commission pour moi ? »

Et il parut désappointé, comme s'il avait cru un instant qu'elle venait avec une mission secrète de Saccard, quelque invention de ce fou.

À présent qu'ils étaient seuls, elle le regardait en sou-riant, de son air ardent et menteur, qui excitait si inutile-ment les hommes.

« Non, non, je n'ai rien à vous dire ; et, puisque vous êtes si bon, j'aurais plutôt quelque chose à vous demander. »

Elle s'était penchée vers lui, elle effleurait ses genoux de ses fines mains gantées. Et elle se confessait, disait son mariage déplorable avec un étranger qui n'avait rien compris à sa nature, ni à ses besoins, expliquait comment elle avait dû s'adresser au jeu pour ne pas déchoir de sa situation. Enfin, elle parla de sa solitude, de la nécessité d'être conseillée, dirigée, sur cet effrayant terrain de la Bourse, où chaque faux pas coûte si cher.

« Mais, interrompit-il, je croyais que vous aviez quelqu'un.

– Oh ! quelqu'un, murmura-t-elle avec un geste de profond dédain. Non, non, ce n'est personne, je n'ai personne… C'est vous que je voudrais avoir, le maître, le dieu. Et cela, vraiment, ne vous coûterait guère d'être mon ami, de me dire un mot, rien qu'un mot, de loin en loin. Si vous saviez comme vous me rendriez heureuse, comme je vous serais reconnaissante, oh ! de tout mon être ! »

Elle s'approchait encore, l'enveloppait de sa tiède haleine, de l'odeur fine et puissante qui s'exhalait d'elle tout entière. Mais il restait bien calme, et il ne se recula même pas, la chair morte, sans un aiguillon à réprimer. Tandis qu'elle parlait, lui dont l'estomac était également détruit, et qui vivait de laitage, il prenait un à un, dans un compotier, sur la table, des grains de raisin qu'il mangeait d'un geste machinal, l'unique débauche qu'il se permettait parfois, aux grandes heures de sensualité, quitte à la payer par des journées de souffrance.

Il eut un rire narquois, en homme qui se sait invincible, lorsque la baronne, d'un air d'oubli, dans le feu de sa prière, lui posa enfin sur le genou sa petite main tentatrice, aux doigts dévorants, souples comme un nœud de couleuvres. Plaisamment, il prit cette main, l'écarta en disant merci d'un signe de tête, ainsi que pour un cadeau inutile qu'on refuse. Et, sans perdre son temps davantage, allant droit au but :

« Voyons, vous êtes bien gentille, je voudrais vous être agréable… Ma belle amie, le jour où vous m'apporterez un bon conseil, je m'engage à vous en donner un aussi. Venez me dire ce qu'on fait, et je vous dirai ce que je ferai… Affaire conclue, hein ? »

Il s'était levé, et elle dut rentrer avec lui dans la grande salle voisine. Elle avait parfaitement compris le marché qu'il proposait, l'espionnage, la trahison. Mais elle ne voulut pas répondre, elle affecta de reparler de sa loterie de bienfaisance ; tandis que lui, de son hochement de tête goguenard, semblait ajouter qu'il ne tenait pas à être aidé, que le dénouement logique, fatal, arriverait quand même, un peu plus tard peut-être. Et, lorsqu'elle partit enfin, il était déjà repris par d'autres affaires, dans l'extraordinaire tumulte de cette halle aux capitaux, au milieu du défilé des gens de Bourse, de la galopade de ses employés, des jeux de ses petits-enfants, qui venaient d'arracher la tête de la poupée, avec des cris de triomphe. Il s'était assis à son étroite table, il s'absorba dans l'étude d'une idée soudaine, n'entendit plus rien.

Deux fois, la baronne Sandorff retourna aux bureaux de *L'Espérance*, pour rendre compte de sa démarche à Jantrou, sans le rencontrer. Dejoie enfin l'introduisit, un jour que sa fille Nathalie causait avec Mme Jordan, sur une banquette du couloir. Il tombait, depuis la veille, une pluie diluvienne ; et, par ce temps humide et gris, l'entresol du vieil hôtel, au fond du puisard assombri de la cour, était d'une mélancolie affreuse. Le gaz brûlait dans un demi-jour boueux. Marcelle, qui attendait Jordan, en chasse pour donner un nouvel acompte à Busch, écoutait d'un air triste Nathalie caquetant comme une pie vaniteuse, avec sa voix sèche, ses gestes aigus de fille de Paris poussée trop vite.

« Vous comprenez, madame, papa ne veut pas vendre… Il y a une personne qui le pousse à vendre, en tâchant de lui faire peur. Je ne la nomme pas, cette personne, parce que son rôle, bien sûr, n'est guère d'effrayer le monde… C'est moi, maintenant, qui empêche papa de vendre. Plus souvent que je vende, quand ça monte ! Faudrait être joliment godiche, n'est-ce pas ?

– Certes ! répondit simplement Marcelle.

– Vous savez que nous sommes à deux mille cinq cents, continua Nathalie. Je tiens les comptes, moi, car papa ne sait guère écrire... Alors, avec nos huit actions, ça nous donne déjà vingt mille francs. Hein ? c'est joli !... Papa voulait d'abord s'arrêter à dix-huit mille, ça faisait son chiffre : six mille francs pour ma dot, et douze mille pour lui, une petite rente de six cents francs, qu'il aurait bien gagnée, avec toutes ces émotions... Mais est-ce heureux, dites ? qu'il n'ait pas vendu, puisque voilà encore deux mille francs de plus !... Alors, maintenant, nous voulons davantage, nous voulons une rente de mille francs au moins. Et nous l'aurons, M. Saccard nous l'a bien dit... Il est si gentil, M. Saccard ! »

Marcelle ne put s'empêcher de sourire.

« Vous ne vous mariez donc plus ?

– Si, si, lorsque ça aura fini de monter... Nous étions pressés, le père de Théodore surtout, à cause de son commerce. Seulement, que voulez-vous ? on ne peut pas boucher la source, quand l'argent arrive. Oh ! Théodore comprend très bien, attendu que si papa a davantage de rente, c'est davantage de capital qui nous reviendra un jour. Dame ! c'est à considérer... Et voilà, tout le monde attend. On a les six mille francs depuis des mois, on pourrait se marier ; mais on aime mieux leur laisser faire des petits... Est-ce que vous lisez les articles sur les actions, vous ? »

Et, sans attendre la réponse :

« Moi, je les lis, le soir. Papa m'apporte les journaux... Il les a déjà lus, et il faut que je les lui relise... Jamais on ne s'en lasserait, tant c'est beau, tout ce qu'ils promettent. Quand je me couche, j'en ai la tête pleine, j'en rêve la nuit. Et papa me dit aussi qu'il voit des choses qui sont un très bon signe. Avant-hier, nous avons fait le même songe, des pièces de cent sous que nous ramassions à la pelle, dans la rue. C'est très amusant. »

De nouveau, elle s'interrompit pour demander :

« Combien avez-vous d'actions, vous ?

– Nous, pas une ! » répondit Marcelle.

La petite figure blonde de Nathalie, avec ses mèches pâles envolées, prit un air de commisération immense.

Ah ! les pauvres gens qui n'avaient pas d'actions ! Et, son père l'ayant appelée, pour la charger de remettre un paquet d'épreuves à un rédacteur, en remontant aux Batignolles, elle s'en alla, avec une importance amusante de capitaliste, qui, presque tous les jours, maintenant, descendait au journal, afin de connaître plus tôt le cours de la Bourse.

Restée seule sur la banquette, Marcelle retomba dans une songerie mélancolique, elle si gaie et si brave d'habitude. Mon Dieu ! qu'il faisait noir, qu'il faisait triste ! et son pauvre mari qui courait les rues par cette pluie diluvienne ! Il avait un tel mépris de l'argent, un tel malaise à la seule idée de s'en occuper, cela lui coûtait un si gros effort d'en demander, même à ceux qui lui en devaient ! Et, absorbée, n'entendant rien, elle revivait sa journée depuis son réveil, cette journée mauvaise ; tandis que, autour d'elle, se faisait le travail fiévreux du journal, le galop des rédacteurs, le va-et-vient de la copie, au milieu des battements de porte et des coups de sonnette.

D'abord, dès neuf heures, comme Jordan venait de partir pour toute une enquête sur un accident dont il devait rendre compte, Marcelle, à peine débarbouillée, encore en camisole [1], avait eu la stupeur de voir tomber chez eux Busch, en compagnie de deux messieurs très sales, peut-être des huissiers, peut-être des bandits, ce qu'elle n'avait jamais pu décider au juste. Cet abominable Busch, sans doute abusant de ce qu'il ne trouvait là qu'une femme, déclarait qu'ils allaient tout saisir, si elle ne le payait pas sur-le-champ. Et elle avait eu beau se débattre, n'ayant eu connaissance d'aucune des formalités légales : il affirmait la signification du jugement, l'apposition de l'affiche, avec une telle carrure, qu'elle en était restée éperdue, finissant par croire à la possibilité de ces choses, sans qu'on les sache. Mais elle ne se rendait point, expliquait que son mari ne rentrerait même pas déjeuner, qu'elle ne laisserait toucher à rien, avant qu'il

_____
1. En chemise.

fût là. Alors, entre les trois louches personnages et cette
jeune femme, à moitié dévêtue, les cheveux sur les épaules, avait commencé la plus pénible des scènes, eux inven-
toriant déjà les objets, elle fermant les armoires, se jetant
devant la porte, comme pour les empêcher de rien sortir.
Son pauvre petit logement dont elle était si fière, ses quatre meubles qu'elle faisait reluire, la tenture d'andrinople
de la chambre qu'elle avait clouée elle-même ! Ainsi
qu'elle le criait avec une bravoure guerrière, il faudrait
lui marcher sur le corps ; et elle traitait Busch de canaille
et de voleur, à la volée : oui ! un voleur, qui n'avait pas
honte de réclamer sept cent trente francs quinze centimes, sans compter les nouveaux frais, pour une créance
de trois cents francs, une créance achetée par lui cent
sous, au tas, avec des chiffons et de la vieille ferraille !
Dire qu'ils avaient déjà, par acomptes, donné quatre
cents francs, et que ce voleur-là parlait d'emporter leurs
meubles, en paiement des trois cent et tant de francs qu'il
voulait leur voler encore ! Et il savait parfaitement qu'ils
étaient de bonne foi, qu'ils l'auraient payé tout de suite,
s'ils avaient eu la somme. Et il profitait de ce qu'elle était
seule, incapable de répondre, ignorante de la procédure,
pour l'effrayer et la faire pleurer. Canaille ! voleur !
voleur ! Furieux, Busch criait plus haut qu'elle, se tapait
violemment la poitrine : est-ce qu'il n'était pas un honnête homme ? est-ce qu'il n'avait pas payé la créance de
bel et bon argent ? Il était en règle avec la loi, il entendait
en finir. Cependant, comme un des deux messieurs très
sales ouvrait les tiroirs de la commode, à la recherche
du linge, elle avait eu une attitude si terrible, menaçant
d'ameuter la maison et la rue, que le juif s'était un peu
radouci. Enfin, après une demi-heure encore de basse
discussion, il avait consenti à attendre jusqu'au lendemain, avec l'enragé serment qu'il prendrait tout, le lendemain, si elle lui manquait de parole. Oh ! quelle honte
brûlante dont elle souffrait encore, ces vilains hommes
chez eux, blessant toutes ses tendresses, toutes ses
pudeurs, fouillant jusqu'au lit, empestant la chambre si

heureuse, dont elle avait dû laisser la fenêtre grande
ouverte, après leur départ !

Mais un autre chagrin, plus profond, attendait Marcelle, ce jour-là. L'idée lui était venue de courir tout de
suite chez ses parents, pour leur emprunter la somme :
de cette manière, lorsque son mari rentrerait, le soir, elle
ne le désespérerait pas, elle pourrait le faire rire avec la
scène du matin. Déjà, elle se voyait lui racontant la
grande bataille, l'assaut féroce donné à leur ménage, la
façon héroïque dont elle avait repoussé l'attaque. Le
cœur lui battait très fort, en entrant dans le petit hôtel
de la rue Legendre, cette maison cossue où elle avait
grandi et où elle croyait ne plus trouver que des étrangers, tellement l'air lui semblait autre, glacial. Comme ses
parents se mettaient à table, elle avait accepté à déjeuner,
pour les disposer mieux. Tout le temps du repas, la
conversation était restée sur la hausse des actions de
l'Universelle, dont, la veille encore, le cours avait monté
de vingt francs ; et elle s'étonnait de trouver sa mère plus
enfiévrée, plus âpre que son père, elle qui, au commencement, tremblait à la seule idée de spéculation : maintenant, avec une violence de femme conquise, c'était elle
qui le gourmandait de sa timidité, acharnée aux grands
coups de hasard. Dès les hors-d'œuvre, elle s'était emportée, saisie de ce qu'il parlait de vendre leurs soixante-
quinze actions à ce cours inespéré de deux mille cinq cent
vingt francs, ce qui leur aurait fait cent quatre-vingt-neuf
mille francs, un joli gain, plus de cent mille francs sur le
prix d'achat. Vendre ! quand *La Cote financière* promettait le cours de trois mille francs ! est-ce qu'il devenait
fou ? Car, enfin, *La Cote financière* était connue pour sa
vieille honnêteté, lui-même répétait souvent qu'avec ce
journal-là on pouvait dormir sur ses deux oreilles ! Ah !
non, par exemple, elle ne le laisserait pas vendre ! elle
vendrait plutôt l'hôtel, pour acheter encore ! Et Marcelle,
silencieuse, le cœur serré, à entendre voler passionnément
ces gros chiffres, cherchait comment elle allait oser
demander un prêt de cinq cents francs, dans cette maison

envahie par le jeu, où elle avait vu monter peu à peu le flot des journaux financiers, qui la submergeaient aujourd'hui du rêve grisant de leur publicité. Enfin, au dessert, elle s'était risquée : il leur fallait cinq cents francs, on allait les vendre, ses parents ne pouvaient les abandonner dans ce désastre. Le père, tout de suite, avait baissé la tête, avec un coup d'œil embarrassé vers sa femme. Mais déjà la mère refusait d'une voix nette. Cinq cents francs ! où voulait-on qu'elle les trouvât ? Tous leurs capitaux étaient engagés dans des opérations ; et, d'ailleurs, ses anciennes diatribes revenaient : quand on avait épousé un meurt-de-faim, un homme qui écrivait des livres, on acceptait les conséquences de sa sottise, on n'essayait pas de retomber à la charge des siens. Non ! elle n'avait pas un sou pour les paresseux qui, avec leur beau mépris affecté de l'argent, ne rêvent que de manger celui des autres. Et elle avait laissé partir sa fille, et celle-ci s'en était allée désespérée, le cœur saignant de ne plus reconnaître sa mère, elle si raisonnable et si bonne autrefois.

Dans la rue, Marcelle avait marché, inconsciente, regardant si elle ne trouverait pas de l'argent par terre. Puis l'idée brusque lui était venue de s'adresser à l'oncle Chave ; et, immédiatement, elle s'était présentée au discret rez-de-chaussée de la rue Nollet, pour ne pas le manquer, avant la Bourse. Il y avait eu des chuchotements, des rires de fillettes. Pourtant, la porte ouverte, elle avait aperçu le capitaine seul, fumant sa pipe, et il s'était désolé, l'air furieux contre lui-même, en criant qu'il n'avait jamais cent francs d'avance, qu'il mangeait au jour le jour ses petits gains de Bourse, comme un sale cochon qu'il était. Ensuite, en apprenant le refus des Maugendre, il avait tonné contre eux, de vilains bougres encore ceux-là, qu'il ne voyait plus d'ailleurs, depuis que la hausse de leurs quatre actions les rendait fous. Est-ce que, l'autre semaine, sa sœur ne l'avait pas traité de liardeur [1], comme pour tourner en ridicule son jeu prudent, parce qu'il lui conseillait amicalement de vendre ? En voilà une qu'il ne plaindrait pas, lorsqu'elle se casserait le cou !

Et Marcelle, de nouveau dans la rue, les mains vides, avait dû se résigner à se rendre au journal, pour avertir son mari de ce qui s'était passé, le matin. Il fallait absolument payer Busch. Jordan, dont le livre n'était encore accepté par aucun éditeur, venait de se lancer à la chasse de l'argent, au travers du Paris boueux de cette journée de pluie, sans savoir où frapper, chez des amis, dans les journaux où il écrivait, au hasard de la rencontre. Bien qu'il l'eût suppliée de rentrer chez eux, elle était tellement anxieuse, qu'elle avait préféré rester là, sur cette banquette, à l'attendre.

Après le départ de sa fille, lorsqu'il la vit seule, Dejoie lui apporta un journal.

« Si Madame veut lire, pour prendre patience. »

Mais elle refusa du geste, et comme Saccard arrivait, elle fit la vaillante, elle expliqua gaiement qu'elle avait envoyé son mari dans le quartier, une course ennuyeuse dont elle s'était débarrassée. Saccard, qui avait de l'amitié pour le petit ménage, comme il les nommait, voulait absolument qu'elle entrât chez lui attendre à l'aise. Elle s'en défendit, elle était bien là. Et il cessa d'insister, dans la surprise qu'il éprouva à se trouver nez à nez, brusquement, avec la baronne Sandorff, qui sortait de chez Jantrou. D'ailleurs, ils se sourirent, d'un air d'aimable intelligence, en gens qui échangent un simple salut, pour ne pas s'afficher.

Jantrou, dans leur conversation, venait de dire à la baronne qu'il n'osait plus lui donner de conseil. Sa perplexité augmentait, devant la solidité de l'Universelle, sous les efforts croissants des baissiers : sans doute Gundermann l'emporterait, mais Saccard pouvait durer longtemps, et il y avait peut-être gros à gagner encore

---

1. Homme qui lésine, qui ne donnerait pas un liard (cette pièce de cuivre, qui n'avait plus cours, était synonyme d'une somme dérisoire).

avec lui. Il l'avait décidée à temporiser, à les ménager tous deux. Le mieux était de tâcher d'avoir toujours les secrets de l'un, en se montrant aimable, de manière à les garder pour elle et à en profiter, ou bien à les vendre à l'autre, selon l'intérêt. Et cela sans complot noir, arrangé par lui d'un air de plaisanterie, tandis qu'elle-même lui promettait en riant de le mettre dans l'affaire.

« Alors, elle est sans cesse fourrée chez vous, c'est votre tour ? » dit Saccard avec sa brutalité, en entrant dans le cabinet de Jantrou.

Celui-ci joua l'étonnement.

« Qui donc ?... Ah ! la baronne !... Mais, mon cher maître, elle vous adore. Elle me le disait encore tout à l'heure. »

D'un geste d'homme qu'on ne trompe pas, le vieux corsaire l'avait arrêté. Et il le regardait, dans sa déchéance de basse débauche, en pensant que, si elle avait cédé à la curiosité de savoir comment Sabatani était fait, elle pouvait bien vouloir goûter au vice de cette ruine.

« Ne vous défendez pas, mon cher. Quand une femme joue, elle tomberait au commissionnaire [1] du coin, qui lui porterait un ordre*. »

Jantrou fut très blessé, et il se contenta de rire, en s'obstinant à expliquer la présence chez lui de la baronne, qui était venue, disait-il, pour une question de publicité.

D'ailleurs, Saccard, d'un haussement d'épaules, avait déjà jeté de côté cette question de femme, sans intérêt, selon lui. Debout, allant et venant, se plantant devant la fenêtre pour regarder tomber l'éternelle pluie grise, il exhalait sa joie énervée. Oui, l'Universelle avait encore monté de vingt francs, la veille ! Mais comment diable se faisait-il que des vendeurs s'acharnaient ? car la hausse serait allée jusqu'à trente francs, sans un paquet de titres qui était tombé sur le marché, dès la première heure. Ce qu'il ignorait, c'était que Mme Caroline avait de nouveau vendu mille de ses actions, luttant elle-même contre la hausse déraisonnable, ainsi que son frère lui en avait

---

1. On parlerait aujourd'hui de coursier.

laissé l'ordre. Certes, Saccard ne pouvait se plaindre devant le succès grandissant, et cependant il était agité, ce jour-là, d'un tremblement intérieur, fait de sourde crainte et de colère. Il criait que les sales juifs avaient juré sa perte et que cette canaille de Gundermann venait de se mettre à la tête d'un syndicat* de baissiers pour l'écraser. On le lui avait affirmé à la Bourse, on y parlait d'une somme de trois cents millions, destinée par le syndicat à nourrir la baisse. Ah ! les brigands ! Et ce qu'il ne répétait pas ainsi tout haut, c'étaient les autres bruits qui couraient, plus nets de jour en jour, des rumeurs contestant la solidité de l'Universelle, alléguant déjà des faits, des symptômes de difficultés prochaines, sans avoir encore, il est vrai, ébranlé en rien l'aveugle confiance du public.

Mais la porte fut poussée, et Huret entra, de son air d'homme simple.

« Ah ! vous voilà donc, Judas ! » dit Saccard.

Huret, en apprenant que Rougon allait décidément abandonner son frère, s'était remis avec le ministre ; car il avait la conviction que, le jour où Saccard aurait Rougon contre lui, ce serait la catastrophe inévitable. Pour obtenir son pardon, il était rentré dans la domesticité du grand homme, faisant de nouveau ses courses, risquant à son service les gros mots et les coups de pied au derrière.

« Judas, répéta-t-il avec le fin sourire qui éclairait parfois sa face épaisse de paysan, en tout cas un Judas brave homme qui vient donner un avis désintéressé au maître qu'il a trahi. »

Mais Saccard, comme s'il ne voulait pas l'entendre, cria, simplement pour affirmer son triomphe :

« Hein ? deux mille cinq cent vingt hier, deux mille cinq cent vingt-cinq aujourd'hui.

– Je sais, j'ai vendu tout à l'heure. »

Du coup, la colère qu'il dissimulait sous son air de plaisanterie, éclata.

« Comment, vous avez vendu ?… Ah ! bien, c'est complet, alors ! Vous me lâchez pour Rougon et vous vous mettez avec Gundermann ! »

Le député le regardait, ébahi.

« Avec Gundermann, pourquoi ?... Je me mets avec
mes intérêts, oh ! simplement ! Moi, vous savez, je ne suis
pas un casse-cou. Non, je n'ai pas tant d'estomac, j'aime
mieux réaliser* tout de suite, dès qu'il y a un joli bénéfice. Et c'est peut-être bien pour cela que je n'ai jamais
perdu. »

Il souriait de nouveau, en Normand prudent et avisé,
qui, sans fièvre, engrangeait sa moisson.

« Un administrateur de la société ! continuait Saccard
violemment. Mais qui voulez-vous donc qui ait
confiance ? que doit-on penser, à vous voir vendre ainsi,
en plein mouvement de hausse ? Parbleu ! je ne m'étonne
plus, si l'on prétend que notre prospérité est factice et
que le jour de la dégringolade approche... Ces messieurs
vendent, vendons tous. C'est la panique ! »

Huret, silencieux, eut un geste vague. Au fond, il s'en
moquait, son affaire était faite. Il n'avait à présent que le
souci de remplir la mission dont Rougon l'avait chargé,
le plus proprement possible, sans avoir trop à en souffrir
lui-même.

« Je vous disais donc, mon cher, que j'étais venu pour
vous donner un avis désintéressé... Le voici. Soyez sage,
votre frère est furieux, il vous abandonnera carrément, si
vous vous laissez vaincre. »

Saccard, refrénant sa colère, ne broncha pas.

« C'est lui qui vous envoie me dire ça ? »

Après une hésitation, le député jugea préférable
d'avouer.

« Eh bien, oui, c'est lui... Oh ! vous ne supposez pas
que les attaques de *L'Espérance* soient pour quelque
chose dans son irritation. Il est au-dessus de ces blessures
d'amour-propre... Non ! mais en vérité, songez combien
la campagne catholique de votre journal doit gêner sa
politique actuelle. Depuis ces malheureuses complications de Rome, il a tout le clergé à dos, il vient encore
d'être forcé de faire condamner un évêque comme

d'abus... [1]. Et, pour l'attaquer, vous allez justement choisir le moment où il a grand-peine à ne pas se laisser déborder par l'évolution libérale, née des réformes du 19 janvier [2], qu'il a consenti à appliquer, comme on dit, dans l'unique désir de les endiguer sagement... Voyons, vous êtes son frère, croyez-vous qu'il soit content ?

– En effet, répondit Saccard railleur, c'est bien vilain de ma part... Voilà ce pauvre frère, qui, dans sa rage de rester ministre, gouverne au nom des principes qu'il combattait hier, et qui s'en prend à moi, parce qu'il ne sait plus comment se tenir en équilibre, entre la droite, fâchée d'avoir été trahie, et le tiers état, affamé du pouvoir. Hier encore, pour calmer les catholiques, il lançait son fameux : Jamais ! il jurait que jamais la France ne laisserait l'Italie prendre Rome au pape. Aujourd'hui, dans sa terreur des libéraux, il voudrait bien leur donner aussi un gage, il daigne songer à m'égorger pour leur plaire... L'autre semaine, Émile Ollivier [3] l'a secoué vertement à la Chambre...

– Oh ! interrompit Huret, il a toujours la confiance des Tuileries, l'empereur lui a envoyé une plaque de diamants. »

Mais, d'un geste énergique, Saccard disait qu'il n'était pas dupe.

« L'Universelle est désormais trop puissante, n'est-ce pas ? Une banque catholique, qui menace d'envahir le monde, de le conquérir par l'argent comme on le conquérait jadis par la foi, est-ce que cela peut se tolérer ? Tous les libres penseurs, tous les francs-maçons, en passe de devenir ministres, en ont froid dans les os... Peut-être

---

1. L'« appel comme d'abus » est prononcé contre les ecclésiastiques qui commettent un abus de pouvoir ou contreviennent aux lois civiles. **2.** Voir *supra*, p. 292, note 2. **3.** Émile Ollivier (1825-1913) était un membre du parti républicain. Il finit par se rallier à l'empire libéral et dirigea le gouvernement de Napoléon III à partir de janvier 1870, Eugène Rouher – le modèle d'Eugène Rougon – ayant démissionné après les élections de mai-juin 1869.

aussi a-t-on quelque emprunt à tripoter avec Gundermann. Qu'est-ce qu'un gouvernement deviendrait, s'il ne se laissait pas manger par ces sales juifs ?... Et voilà mon imbécile de frère qui, pour garder le pouvoir six mois de plus, va me jeter en pâture aux sales juifs, aux libéraux, à toute la racaille, dans l'espérance qu'on le laissera un peu tranquille, pendant qu'on me dévorera... Eh bien, retournez lui dire que je me fous de lui... »

Il redressait sa petite taille, sa rage crevait enfin son ironie, en une fanfare batailleuse de clairon.

« Entendez-vous bien, je me fous de lui ! C'est ma réponse, je veux qu'il le sache. »

Huret avait plié les épaules. Dès qu'on se fâchait, dans les affaires, ce n'était plus son genre. Après tout, il n'était là-dedans qu'un commissionnaire.

« Bon, bon ! on le lui dira... Vous allez vous faire casser les reins. Mais ça vous regarde. »

Il y eut un silence. Jantrou, qui était resté absolument muet, en affectant d'être tout entier à la correction d'un paquet d'épreuves, avait levé les yeux, pour admirer Saccard. Était-il beau, le bandit, dans sa passion ! Ces canailles de génie parfois triomphent, à ce degré d'inconscience, lorsque l'ivresse du succès les emporte. Et Jantrou, à ce moment, était pour lui, convaincu de sa fortune.

« Ah ! j'oubliais, reprit Huret. Il paraît que Delcambre, le procureur général, vous exècre... Et, ce que vous ignorez encore, l'empereur l'a nommé ce matin ministre de la Justice. »

Brusquement, Saccard s'était arrêté. Le visage assombri, il dit enfin :

« Encore de la propre marchandise ! Ah ! on a fait un ministre de ça. Qu'est-ce que vous voulez que ça me fiche ?

— Dame ! reprit Huret en exagérant son air simple, si un malheur vous arrivait, comme ça arrive à tout le monde, dans les affaires, votre frère veut que vous ne comptiez pas sur lui, pour vous défendre contre Delcambre.

– Mais, tonnerre de Dieu ! hurla Saccard, quand je vous dis que je me fous de toute la clique, de Rougon, de Delcambre, et de vous par-dessus le marché ! »

Heureusement, à cette minute, Daigremont entra. Il ne montait jamais au journal, ce fut une surprise pour tous, qui coupa court aux violences. Très correct, il distribua des poignées de main en souriant, d'une amabilité flatteuse d'homme du monde. Sa femme allait donner une soirée, où elle chanterait ; et il venait simplement inviter en personne Jantrou, pour avoir un bon article. Mais la présence de Saccard parut le ravir.

« Comment va, grand homme ?

– Dites donc, vous n'avez pas vendu, vous ? » demanda celui-ci, sans répondre.

Vendre, ah ! non, pas encore ! Et son éclat de rire fut très sincère, il était réellement de solidité plus grande.

« Mais il ne faut jamais vendre, dans notre situation ! s'écria Saccard.

– Jamais ! c'est ce que je voulais dire. Nous sommes tous solidaires, vous savez que vous pouvez compter sur moi. »

Ses paupières avaient battu, il venait d'avoir un regard oblique tandis qu'il répondait des autres administrateurs, de Sédille, de Kolb, du marquis de Bohain, comme de lui-même. L'affaire marchait si bien, c'était vraiment un plaisir d'être tous d'accord, dans le plus extraordinaire succès que la Bourse eût vu depuis cinquante ans. Et il eut un mot charmant pour chacun, il s'en alla en répétant qu'il comptait sur eux trois, pour sa soirée. Mounier, le ténor de l'Opéra, y donnerait la réplique à sa femme. Oh ! un effet considérable !

« Alors, demanda Huret partant à son tour, c'est tout ce que vous avez à me répondre ?

– Parfaitement ! » déclara Saccard, de sa voix sèche.

Et il affecta de ne pas descendre avec lui, comme à son habitude. Puis, lorsqu'il se retrouva seul avec le directeur du journal :

« C'est la guerre, mon brave ! Il n'y a plus rien à ménager, tapez-moi sur toutes ces fripouilles !... Ah ! je vais donc pouvoir enfin mener la bataille comme je l'entends !

– Tout de même, c'est raide ! » conclut Jantrou, dont les perplexités recommençaient.

Dans le couloir, sur la banquette, Marcelle attendait toujours. Il était à peine quatre heures, et Dejoie venait déjà d'allumer les lampes, tellement la nuit tombait vite, sous le ruissellement blafard et entêté de la pluie. Chaque fois qu'il passait près d'elle, il trouvait un petit mot pour la distraire. Du reste, les allées et venues des rédacteurs s'activaient, des éclats de voix sortaient de la salle voisine, toute cette fièvre qui montait, à mesure que se faisait le journal.

Marcelle, brusquement, en levant les yeux, aperçut Jordan devant elle. Il était trempé, l'air anéanti, avec ce tressaillement de la bouche, ce regard un peu fou des gens qui ont couru longtemps derrière quelque espoir, sans l'atteindre. Elle avait compris.

« Rien, n'est-ce pas ? demanda-t-elle, pâlissante.

– Rien, ma chérie, rien du tout... Nulle part, pas possible... »

Et elle n'eut alors qu'une plainte basse, où tout son cœur saignait.

« Oh ! mon Dieu ! »

À ce moment, Saccard sortait du bureau de Jantrou, et il s'étonna de la trouver là encore.

« Comment, madame, votre coureur de mari ne fait que de revenir ? Je vous disais bien d'entrer l'attendre dans mon cabinet. »

Elle le regardait fixement, une pensée soudaine s'était éveillée dans ses grands yeux désolés. Elle ne réfléchit même pas, elle céda à cette bravoure qui jette les femmes en avant, aux minutes de passion.

« Monsieur Saccard, j'ai quelque chose à vous demander… Si vous vouliez bien, maintenant, que nous passions chez vous…

– Mais certainement, madame. »

Jordan, qui craignait d'avoir deviné, voulait la retenir. Il lui balbutiait à l'oreille des : non ! non ! entrecoupés, dans l'angoisse maladive où le jetaient toujours ces questions d'argent. Elle s'était dégagée, il dut la suivre.

« Monsieur Saccard, reprit-elle, dès que la porte fut refermée, mon mari court inutilement depuis deux heures pour trouver cinq cents francs, et il n'ose pas vous les demander… Alors, moi, je vous les demande… »

Et, de verve, avec ses airs drôles de petite femme gaie et résolue, elle conta son affaire du matin, l'entrée brutale de Busch, l'envahissement de sa chambre par les trois hommes, comment elle était parvenue à repousser l'assaut, l'engagement qu'elle avait pris de payer le jour même. Ah ! ces plaies d'argent pour le petit monde, ces grandes douleurs faites de honte et d'impuissance, la vie remise sans cesse en question, à propos de quelques misérables pièces de cent sous !

« Busch, répéta Saccard, c'est ce vieux filou de Busch qui vous tient dans ses griffes… »

Puis, avec une bonhomie charmante, se tournant vers Jordan, qui restait silencieux, blême d'un insupportable malaise :

« Eh bien, je vais vous les avancer, moi, vos cinq cents francs. Vous auriez dû me les demander tout de suite. »

Il s'était assis à sa table, pour signer un chèque, lorsqu'il s'arrêta, réfléchissant. Il se rappelait la lettre qu'il avait reçue, la visite qu'il devait faire et qu'il reculait de jour en jour, dans l'ennui de l'histoire louche qu'il flairait. Pourquoi n'irait-il pas tout de suite rue Feydeau, profitant de l'occasion, ayant un prétexte ?

« Écoutez, je le connais à fond, votre gredin… Il vaut mieux que j'aille en personne le payer, pour voir si je ne pourrai pas ravoir vos billets à moitié prix. »

Les yeux de Marcelle, à présent, luisaient de gratitude.

« Oh ! monsieur Saccard, que vous êtes bon ! »

Et, s'adressant à son mari :

« Tu vois, grosse bête, que M. Saccard ne nous a pas mangés ! »

Il lui sauta au cou, d'un mouvement irrésistible, il l'embrassa, car c'était elle qu'il remerciait d'être plus énergique et plus adroite que lui, dans ces difficultés de la vie qui le paralysaient.

« Non ! non ! dit Saccard, lorsque le jeune homme lui serra enfin la main, le plaisir est pour moi, vous êtes très gentils tous les deux de vous aimer si fort... Allez-vous-en tranquilles ! »

Sa voiture, qui l'attendait, le mena en deux minutes rue Feydeau, au milieu de ce Paris boueux, dans la bousculade des parapluies et l'éclaboussement des flaques. Mais, en haut, il eut beau sonner à la vieille porte dépeinte, où une plaque de cuivre étalait le mot *Contentieux*, en grosses lettres noires : elle ne s'ouvrit pas, rien ne bougeait à l'intérieur. Et il se retirait, lorsque, dans sa contrariété vive, il l'ébranla violemment du poing. Alors, un pas traînard se fit entendre, et Sigismond parut.

« Tiens ! c'est vous !... Je croyais que c'était mon frère qui remontait et qui avait oublié sa clef. Moi, jamais je ne réponds aux coups de sonnette... Oh ! il ne tardera pas, vous pouvez l'attendre, si vous tenez à le voir. »

Du même pas pénible et chancelant, il retourna, suivi du visiteur, dans la chambre qu'il occupait, sur la place de la Bourse. Il y faisait encore plein jour, à ces hauteurs, au-dessus de la brume dont la pluie emplissait le fond des rues. La pièce était d'une nudité froide, avec son étroit lit de fer, sa table et ses deux chaises, ses quelques planches encombrées de livres, sans un meuble. Devant la cheminée, un petit poêle, mal entretenu, oublié, venait de s'éteindre.

« Asseyez-vous, monsieur. Mon frère m'a dit qu'il ne faisait que descendre et remonter. »

Mais Saccard refusait la chaise en le regardant, frappé des progrès que la phtisie avait faits chez ce grand garçon pâle, aux yeux d'enfant, des yeux noyés de rêve, singuliers sous l'énergique obstination du front. Entre les longues boucles de ses cheveux, son visage s'était extraordinairement creusé, comme allongé et tiré vers la tombe.

« Vous avez été souffrant ? » demanda-t-il, ne sachant que dire.

Sigismond eut un geste de complète indifférence.

« Oh ! comme toujours. La dernière semaine n'a pas été bonne, à cause de ce vilain temps... Mais ça va bien tout de même... Je ne dors plus, je puis travailler, et j'ai un peu de fièvre, ça me tient chaud... Ah ! on aurait tant à faire ! »

Il s'était remis devant sa table, sur laquelle un livre, en langue allemande, se trouvait grand ouvert. Et il reprit :

« Je vous demande pardon de m'asseoir, j'ai veillé toute la nuit, pour lire cette œuvre que j'ai reçue hier... Une œuvre, oui ! dix années de la vie de mon maître, Karl Marx, l'étude qu'il nous promettait depuis longtemps sur le capital !... Voici notre Bible, maintenant, la voici ! »

Curieusement, Saccard vint jeter un regard sur le livre ; mais la vue des caractères gothiques le rebuta tout de suite.

« J'attendrai qu'il soit traduit [1] », dit-il en riant.

Le jeune homme, d'un hochement de tête, sembla dire que, même traduit, il ne serait guère pénétré que par les seuls initiés. Ce n'était pas un livre de propagande. Mais quelle force de logique, quelle abondance victorieuse de preuves, dans la fatale destruction de notre société actuelle, basée sur le système capitaliste ! La plaine était rase, on pouvait reconstruire.

---

1. Karl Marx fit paraître le premier tome du *Capital* en 1867 ; les tomes II et III furent publiés en 1885 et 1894, après reprise des notes de Marx par Friedrich Engels. La première traduction française du *Capital*, révisée par Marx, est celle de Joseph Roy : elle parut en 1875. Zola s'est contenté, pour préparer *L'Argent*, de lire un ouvrage d'Albert Schaeffle intitulé *La Quintessence du socialisme* (1886).

« Alors, c'est le coup de balai ? demanda Saccard, toujours plaisantant.

– En théorie, parfaitement ! répondit Sigismond. Tout ce que je vous ai expliqué un jour, toute la marche de l'évolution est là. Reste à l'exécuter en fait… Mais vous êtes aveugles, si vous ne voyez point les pas considérables que l'idée fait à chaque heure. Ainsi, vous qui, avec votre Universelle, avez remué et centralisé en trois ans des centaines de millions, vous ne semblez absolument pas vous douter que vous nous conduisez tout droit au collectivisme… [1]. J'ai suivi votre affaire avec passion, oui ! de cette chambre perdue, si tranquille, j'en ai étudié le développement jour par jour, et je la connais aussi bien que vous, et je dis que c'est une fameuse leçon que vous nous donnez là, car l'État collectiviste n'aura à faire que ce que vous faites, vous exproprier en bloc, lorsque vous aurez exproprié en détail les petits, réaliser l'ambition de votre rêve démesuré, qui est, n'est-ce pas ? d'absorber tous les capitaux du monde, d'être l'unique banque, l'entrepôt général de la fortune publique… Oh ! je vous admire beaucoup, moi ! je vous laisserais aller, si j'étais le maître, parce que vous commencez notre besogne, en précurseur de génie. »

Et il souriait de son pâle sourire de malade, en remarquant l'attention de son interlocuteur, très surpris de le trouver si au courant des affaires du jour, très flatté aussi des éloges intelligents.

« Seulement, continua-t-il, le beau matin où nous vous exproprierons au nom de la nation, remplaçant vos intérêts privés par l'intérêt de tous, faisant de votre grande machine à sucer l'or des autres, la régulatrice même de la richesse sociale, nous commencerons par supprimer ça. »

Il avait trouvé un sou parmi les papiers de sa table, il le tenait en l'air, entre deux doigts, comme la victime désignée.

---

1. C'est-à-dire à la propriété collective des moyens de production.

« L'argent ! s'écria Saccard, supprimer l'argent ! la bonne folie [1] !

– Nous supprimerons l'argent monnayé... Songez donc que la monnaie métallique n'a aucune place, aucune raison d'être, dans l'État collectiviste. À titre de rémunération, nous le remplaçons par nos bons de travail ; et, si vous le considérez comme mesure de la valeur, nous en avons une autre qui nous en tient parfaitement lieu, celle que nous obtenons en établissant la moyenne des journées de besogne, dans nos chantiers... Il faut le détruire, cet argent qui masque et favorise l'exploitation du travailleur, qui permet de le voler, en réduisant son salaire à la plus petite somme dont il a besoin, pour ne pas mourir de faim. N'est-ce pas épouvantable, cette possession de l'argent qui accumule les fortunes privées, barre le chemin à la féconde circulation, fait des royautés scandaleuses, maîtresses souveraines du marché financier et de la production sociale ? Toutes nos crises, toute notre anarchie vient de là... Il faut tuer, tuer l'argent ! »

Mais Saccard se fâchait. Plus d'argent, plus d'or, plus de ces astres luisants, qui avaient éclairé sa vie ! Toujours la richesse s'était matérialisée pour lui dans cet éblouissement de la monnaie neuve, pleuvant comme une averse de printemps, au travers du soleil, tombant en grêle sur la terre qu'elle couvrait, des tas d'argent, des tas d'or, qu'on remuait à la pelle, pour le plaisir de leur éclat et de leur musique. Et l'on supprimait cette gaieté, cette raison de se battre et de vivre !

« C'est imbécile, oh ! ça, c'est imbécile !... Jamais, entendez-vous !

– Pourquoi jamais ? pourquoi imbécile ?... Est-ce que, dans l'économie de la famille, nous faisons usage de l'argent ? Vous n'y voyez que l'effort en commun et que l'échange... Alors, à quoi bon l'argent, lorsque la société

---

1. Cette conversation est l'une des justifications du caractère général du titre choisi par Zola pour son roman, qui ne saurait concerner seulement la Bourse.

ne sera plus qu'une grande famille, se gouvernant elle-même ?

– Je vous dis que c'est fou !... Détruire l'argent, mais c'est la vie même, l'argent ! Il n'y aurait plus rien, plus rien ! »

Il allait et venait, hors de lui. Et, dans cet emportement, comme il passait devant la fenêtre, il s'assura d'un regard que la Bourse était toujours là, car peut-être ce terrible garçon l'avait-il, elle aussi, effondrée d'un souffle. Elle y était toujours, mais très vague au fond de la nuit tombante, comme fondue sous le linceul de pluie, un pâle fantôme de Bourse près de s'évanouir en une fumée grise.

« D'ailleurs, je suis bien bête de discuter. C'est impossible... Supprimez donc l'argent, je demande à voir ça.

– Bah ! murmura Sigismond, tout se supprime, tout se transforme et disparaît... Ainsi, nous avons bien vu la forme de la richesse changer déjà une fois, lorsque la valeur de la terre a baissé, que la fortune foncière, domaniale, les champs et les bois, a décliné devant la fortune mobilière, industrielle, les titres de rente* et les actions, et nous assistons aujourd'hui à une précoce caducité de cette dernière, à une sorte de dépréciation rapide, car il est certain que le taux s'avilit, que le cinq pour cent normal n'est plus atteint... La valeur de l'argent baisse donc, pourquoi l'argent ne disparaîtrait-il pas, pourquoi une nouvelle forme de la fortune ne régirait-elle pas les rapports sociaux ? C'est cette fortune de demain que nos bons de travail apporteront. »

Il s'était absorbé dans la contemplation du sou, comme s'il eût rêvé qu'il tenait le dernier sou des vieux âges, un sou égaré, ayant survécu à l'antique société morte. Que de joies et que de larmes avaient usé l'humble métal ! Et il était tombé à la tristesse de l'éternel désir humain.

« Oui, reprit-il doucement, vous avez raison, nous ne verrons pas ces choses. Il faut des années, des années. Sait-on même si jamais l'amour des autres aura en soi assez de vigueur pour remplacer l'égoïsme, dans l'organi-sation sociale... Pourtant, j'ai espéré le triomphe plus prochain, j'aurais tant voulu assister à cette aube de la justice ! »

Un instant, l'amertume du mal dont il souffrait brisa sa voix. Lui qui, dans sa négation de la mort, la traitait comme si elle n'était pas, eut un geste, pour l'écarter. Mais, déjà, il se résignait.

« J'ai fait ma tâche, je laisserai mes notes, dans le cas où je n'aurais pas le temps d'en tirer l'ouvrage complet de reconstruction que j'ai rêvé. Il faut que la société de demain soit le fruit mûr de la civilisation, car, si l'on ne garde le bon côté de l'émulation et du contrôle, tout croule... Ah ! cette société, comme je la vois nettement à cette heure, créée enfin, complète, telle que je suis par-venu, après tant de veilles, à la mettre debout ! Tout est prévu, tout est résolu, c'est enfin la souveraine justice, l'absolu bonheur. Elle est là, sur le papier, mathématique, définitive. »

Et il promenait ses longues mains émaciées parmi les notes éparses, et il s'exaltait, dans ce rêve des milliards reconquis, partagés équitablement entre tous, dans cette joie et cette santé qu'il rendait d'un trait de plume à l'humanité souffrante, lui qui ne mangeait plus, qui ne dormait plus, qui achevait de mourir sans besoins, au milieu de la nudité de sa chambre.

Mais une voix rude fit tressaillir Saccard.

« Qu'est-ce que vous faites là ? »

C'était Busch qui rentrait et qui jetait sur le visiteur un regard oblique d'amant jaloux, dans sa continuelle crainte qu'on ne donnât une crise de toux à son frère, en le faisant trop parler. D'ailleurs, il n'attendit pas la réponse, il grondait maternellement, désespéré.

« Comment ! tu as encore laissé mourir ton poêle ! Je te demande un peu si c'est raisonnable, par une humidité pareille ! »

Déjà, pliant les genoux, malgré la lourdeur de son grand corps, il cassait du menu bois, il rallumait le feu.

Puis, il alla chercher un balai, fit le ménage, s'inquiéta de la potion que le malade devait prendre toutes les deux heures. Et il ne se montra tranquille que lorsqu'il eut décidé celui-ci à s'allonger sur le lit, pour se reposer.

« Monsieur Saccard, si vous voulez passer dans mon cabinet... »

Mme Méchain s'y trouvait, assise sur l'unique chaise. Elle et Busch venaient de faire, dans le voisinage, une visite importante, dont la pleine réussite les enchantait. C'était enfin, après une attente désespérée, l'heureuse mise en marche d'une des affaires qui les tenaient le plus au cœur. Pendant trois ans, la Méchain avait battu le pavé, en quête de Léonie Cron, cette fille séduite, à laquelle le comte de Beauvilliers avait signé une reconnaissance de dix mille francs, payable le jour de sa majorité. Vainement, elle s'était adressée à son cousin Fayeux, le receveur de rentes* de Vendôme, qui avait acheté pour Busch la reconnaissance, dans un lot de vieilles créances, provenant de la succession du sieur Charpier, marchand de grains, usurier à ses heures : Fayeux ne savait rien, écrivait seulement que la fille Léonie Cron devait être en service chez un huissier, à Paris, qu'elle avait quitté depuis plus de dix ans Vendôme, où elle n'était jamais revenue et où il ne pouvait même questionner un seul de ses parents, tous étant morts. La Méchain avait bien découvert l'huissier, et elle était arrivée à suivre de là Léonie chez un boucher, chez une dame galante, chez un dentiste ; mais, à partir du dentiste, le fil se cassait brusquement, la piste s'interrompait, une aiguille dans une botte de foin, une fille tombée, perdue dans la boue du grand Paris. Sans résultat, elle avait couru les bureaux de placement, visité les garnis borgnes, fouillé la basse débauche, toujours aux aguets, tournant la tête, interrogeant, dès que ce nom de Léonie frappait ses oreilles. Et cette fille, qu'elle était allée chercher bien loin, voilà qu'elle venait, ce jour-là, par un hasard, de mettre la main sur elle, rue Feydeau, dans la maison publique voisine, où elle relançait une ancienne locataire de la cité de

Naples, qui lui devait trois francs. Un coup de génie la
lui avait fait flairer et reconnaître, sous le nom distingué
de Léonide, au moment où madame l'appelait au salon
d'une voix perçante. Tout de suite, Busch, averti, était
revenu avec elle à la maison, pour traiter ; et cette grosse
fille, aux durs cheveux noirs tombant sur les sourcils, à
la face plate et molle, d'une bassesse immonde, l'avait
d'abord surpris ; puis, il s'était rendu compte de son
charme spécial, surtout avant ses dix années de prostitution, ravi d'ailleurs qu'elle fût tombée si bas, abominable.
Il lui avait offert mille francs, si elle lui abandonnait ses
droits sur la reconnaissance. Elle était stupide, elle avait
accepté le marché avec une joie d'enfant. Enfin, on allait
donc pouvoir traquer la comtesse de Beauvilliers, on
avait l'arme cherchée, inespérée même, à ce point de lai-
deur et de honte !

« Je vous attendais, monsieur Saccard. Nous avons à
causer… Vous avez reçu ma lettre, n'est-ce pas ? »

Dans l'étroite pièce, bondée de dossiers, déjà noire,
qu'une maigre lampe éclairait d'une lumière fumeuse, la
Méchain, immobile et muette, ne bougeait pas de
l'unique chaise. Et, resté debout, ne voulant point avoir
l'air d'être venu sur une menace, Saccard entama tout de
suite l'affaire Jordan, d'une voix dure et méprisante.

« Pardon, je suis monté pour régler une dette d'un de
mes rédacteurs… Le petit Jordan, un très charmant garçon, que vous poursuivez à boulets rouges, avec une férocité vraiment révoltante. Ce matin encore, paraît-il, vous
vous êtes conduit envers sa femme comme un galant
homme rougirait de le faire… »

Saisi d'être attaqué de la sorte, lorsqu'il s'apprêtait à
prendre l'offensive, Busch perdit pied, oublia l'autre histoire, s'irrita sur celle-ci.

« Les Jordan, vous venez pour les Jordan… Il n'y a
pas de femme, il n'y a pas de galant homme, dans les
affaires. Quand on doit, on paie, je ne connais que ça…
Des bougres qui se fichent de moi depuis des années,
dont j'ai eu une peine du diable à tirer quatre cents

francs, sou à sou !... Ah ! tonnerre de Dieu, oui ! je les ferai vendre, je les jetterai à la rue demain matin, si je n'ai pas ce soir, là, sur mon bureau, les trois cent trente francs quinze centimes qu'ils me doivent encore. »

Et Saccard, par tactique, pour le mettre hors de lui, ayant dit qu'il était déjà payé quarante fois de cette créance, qui ne lui avait sûrement pas coûté dix francs, il s'étrangla en effet de colère.

« Nous y voilà ! vous n'avez tous que ça à dire... Et il y a aussi les frais, n'est-ce pas ? cette dette de trois cents francs qui est montée à plus de sept cents... Mais est-ce que ça me regarde, moi ? On ne me paie pas, je poursuis. Tant pis si la justice est chère, c'est sa faute !... Alors, quand j'ai acheté une créance de dix francs, je devrais me faire rembourser dix francs, et ce serait fini. Eh bien, et mes risques, et mes courses, et mon travail de tête, oui ! mon intelligence ? Justement, tenez ! pour cette affaire Jordan, vous pouvez consulter madame, qui est là. C'est elle qui s'en est occupée. Ah ! elle en a fait des pas et des démarches, elle en a usé de la chaussure, à monter les escaliers de tous les journaux, d'où on la flanquait à la porte comme une mendiante, sans jamais lui donner l'adresse. Cette affaire, mais nous l'avons nourrie pendant des mois, nous y avons rêvé, nous y avons travaillé comme à un de nos chefs-d'œuvre, elle me coûte une somme folle, à dix sous l'heure seulement ! »

Il s'exaltait, il montra d'un grand geste les dossiers qui emplissaient la pièce.

« J'ai ici pour plus de vingt millions de créances, et de tous les âges, de tous les mondes, d'infimes et de colossales... Les voulez-vous pour un million ? je vous les donne... Quand on pense qu'il y a des débiteurs que je file depuis un quart de siècle ! Pour obtenir d'eux quelques misérables centaines de francs, même moins parfois, je patiente des années, j'attends qu'ils réussissent ou qu'ils héritent... Les autres, les inconnus, les plus nombreux, dorment là, regardez ! dans ce coin, tout ce tas énorme. C'est le néant, ça, ou plutôt c'est la matière brute, d'où il faut que je tire la vie, je veux dire ma vie, Dieu sait après quelle complication de recherches et d'ennuis !... Et vous voulez que, lorsque j'en tiens un enfin, solvable, je ne le saigne pas ? Ah ! non, vous me croiriez trop bête, vous ne seriez pas si bête, vous ! »

Sans s'attarder à discuter davantage, Saccard tira son portefeuille.

« Je vais vous donner deux cents francs, et vous allez me rendre le dossier Jordan, avec un acquit de tout compte [1]. »

Busch sursauta d'exaspération.

« Deux cents francs, jamais de la vie !... C'est trois cent trente francs quinze centimes. Je veux les centimes. »

Mais, de sa voix égale, avec la tranquille assurance de l'homme qui connaît la puissance de l'argent, montré, étalé, Saccard répéta à deux, à trois reprises :

« Je vais vous donner deux cents francs... »

Et le juif, convaincu au fond qu'il était raisonnable de transiger, finit par consentir, dans un cri de rage, les larmes aux yeux.

« Je suis trop faible. Quel sale métier !... Parole d'honneur ! on me dépouille, on me vole... Allez ! pendant que vous y êtes, ne vous gênez pas, prenez-en d'autres, oui ! fouillez dans le tas, pour vos deux cents francs ! »

Puis, lorsque Busch eut signé un reçu et écrit un mot pour l'huissier, car le dossier n'était plus chez lui, il souffla un moment devant son bureau, tellement secoué, qu'il aurait laissé partir Saccard, sans la Méchain, qui n'avait pas eu un geste ni une parole.

« Et l'affaire ? » dit-elle.

Il se souvint brusquement, il allait prendre sa revanche. Mais tout ce qu'il avait préparé, son récit, ses questions, la marche savante de l'entretien, se trouva emporté d'un coup, dans sa hâte d'arriver au fait.

---

1. Avec un reçu, une quittance.

« L'affaire, c'est vrai !... Je vous ai écrit, monsieur Saccard. Nous avons maintenant un vieux compte à régler ensemble... »

Il avait allongé la main pour prendre le dossier Sicardot, qu'il ouvrit devant lui.

« En 1852, vous êtes descendu dans un hôtel meublé de la rue de la Harpe, vous y avez souscrit douze billets de cinquante francs à une demoiselle Rosalie Chavaille, âgée de seize ans, que vous avez violentée, un soir, dans l'escalier... Ces billets, les voici. Vous n'en avez pas payé un seul, car vous êtes parti sans laisser d'adresse, avant l'échéance du premier. Et le pis est qu'ils sont signés d'un faux nom, Sicardot, le nom de votre première femme... »

Très pâle, Saccard écoutait, regardait. C'était, au milieu d'un saisissement inexprimable, tout le passé qui s'évoquait, une sensation d'écroulement, une masse énorme et confuse qui retombait sur lui. Dans cette peur de la première minute, il perdit la tête, il bégaya.

« Comment savez-vous ?... Comment avez-vous ça ? »

Puis, de ses mains tremblantes, il se hâta de tirer de nouveau son portefeuille, n'ayant que l'idée de payer, de rentrer en possession de ce dossier fâcheux.

« Il n'y a pas eu de frais, n'est-ce pas ?... C'est six cents francs... Oh ! il y aurait beaucoup à dire, mais j'aime mieux payer, sans discussion. »

Et il tendait six billets de banque.

« Tout à l'heure ! cria Busch, qui repoussa l'argent. Je n'ai pas terminé... Madame, que vous voyez là, est la petite-cousine de Rosalie, et ces papiers sont à elle, c'est en son nom que je poursuis le remboursement... Cette pauvre Rosalie est restée infirme, à la suite de votre violence. Elle a eu beaucoup de malheurs, elle est morte dans une misère affreuse, chez madame, qui l'avait recueillie... Madame, si elle voulait, pourrait vous raconter des choses...

– Des choses terribles ! » accentua de sa petite voix la Méchain, rompant son silence.

Effaré, Saccard se tourna vers elle, l'ayant oubliée, tassée là comme une outre dégonflée à demi. Elle l'avait toujours inquiété, avec son louche commerce d'oiseau de carnage sur les valeurs déclassées* ; et il la retrouvait, mêlée à cette histoire désagréable.

« Sans doute, la malheureuse, c'est bien fâcheux, murmura-t-il. Mais, si elle est morte, je ne vois vraiment pas… Voici toujours les six cents francs. »

Une seconde fois, Busch refusa de prendre la somme.

« Pardon, c'est que vous ne savez pas encore tout, c'est qu'elle a eu un enfant… Oui, un enfant qui est dans sa quatorzième année, un enfant qui vous ressemble à un tel point, que vous ne pouvez le renier. »

Abasourdi, Saccard répéta à plusieurs reprises :

« Un enfant, un enfant… »

Puis, replaçant d'un geste brusque les six billets de banque dans son portefeuille, tout d'un coup remis d'aplomb et très gaillard :

« Ah ! çà, dites donc, est-ce que vous vous moquez de moi ? S'il y a un enfant, je ne vous fiche pas un sou… Le petit a hérité de sa mère, c'est le petit qui aura ça et tout ce qu'il voudra par-dessus le marché… Un enfant, mais c'est très gentil, mais c'est tout naturel, il n'y a pas de mal à avoir un enfant. Au contraire, ça me fait beaucoup de plaisir, ça me rajeunit, parole d'honneur !… Où est-il, que j'aille le voir ? Pourquoi ne me l'avez-vous pas amené tout de suite ? »

Stupéfié à son tour, Busch songeait à sa longue hésitation, aux ménagements infinis que Mme Caroline prenait pour révéler l'existence de Victor à son père. Et, démonté, il se jeta dans les explications les plus violentes, les plus compliquées, lâchant tout à la fois, les six mille francs d'argent prêté et de frais d'entretien que la Méchain réclamait, les deux mille francs d'acompte donnés par Mme Caroline, les instincts épouvantables de Victor, son entrée à l'Œuvre du Travail. Et, de son côté, Saccard sursautait, à chaque nouveau détail. Comment, six mille francs ! qui lui disait qu'au contraire on n'avait pas dépouillé le gamin ? Un acompte de deux mille francs ! on avait eu l'audace d'extorquer à une dame de ses amies deux mille francs ! mais c'était un vol, un abus de confiance ! Ce petit, parbleu ! on l'avait mal élevé, et l'on voulait qu'il payât ceux qui étaient responsables de cette mauvaise éducation ! On le prenait donc pour un imbécile !

« Pas un sou ! cria-t-il, entendez-vous, ne comptez pas tirer un sou de ma poche ! »

Busch, blême, s'était mis debout devant sa table.

« C'est ce que nous verrons. Je vous traînerai en justice.

— Ne dites donc pas de bêtises. Vous savez bien que la justice ne s'occupe pas de ces choses-là… Et, si vous espérez me faire chanter, c'est encore plus bête, parce que, moi, je me fiche de tout. Un enfant ! mais je vous dis que ça me flatte ! »

Et, comme la Méchain bouchait la porte, il dut la bousculer, l'enjamber, pour sortir. Elle suffoquait, elle lui jeta dans l'escalier, de sa voix de flûte :

« Canaille ! sans cœur !

— Vous aurez de nos nouvelles ! » hurla Busch, qui referma la porte à la volée.

Saccard était dans un tel état d'excitation, qu'il donna l'ordre à son cocher de rentrer directement, rue Saint-Lazare. Il avait hâte de voir Mme Caroline, il l'aborda sans une gêne, la gronda tout de suite d'avoir donné les deux mille francs.

« Mais, ma chère amie, jamais on ne lâche de l'argent comme ça… Pourquoi diable avez-vous agi sans me consulter ? »

Elle, saisie qu'il sût enfin l'histoire, demeurait muette. C'était bien l'écriture de Busch qu'elle avait reconnue, et maintenant elle n'avait plus rien à cacher, puisqu'un autre venait de lui éviter le souci de la confidence. Cependant, elle hésitait toujours, confuse pour cet homme qui l'interrogeait si à l'aise.

« J'ai voulu vous éviter un chagrin... Ce malheureux enfant était dans une telle dégradation !... Depuis long-temps, je vous aurais tout raconté, sans un sentiment...

– Quel sentiment ?... Je vous avoue que je ne comprends pas. »

Elle n'essaya pas de s'expliquer, de s'excuser davantage, envahie d'une tristesse, d'une lassitude de tout, elle si courageuse à vivre ; tandis que lui continuait à s'exclamer, enchanté, vraiment rajeuni.

« Ce pauvre gamin ! je l'aimerai beaucoup, je vous assure... Vous avez très bien fait de le mettre à l'Œuvre du Travail, pour le décrasser un peu. Mais nous allons le retirer de là, nous lui donnerons des professeurs... Demain, j'irai le voir, oui ! demain, si je ne suis pas trop pris. »

Le lendemain, il y eut conseil, et deux jours se passèrent, puis la semaine, sans que Saccard trouvât une minute. Il parla de l'enfant souvent encore, remettant sa visite, cédant au fleuve débordé qui l'emportait. Dans les premiers jours de décembre, le cours de deux mille sept cents francs venait d'être atteint, au milieu de l'extraordinaire fièvre dont l'accès maladif continuait à bouleverser la Bourse. Le pis était que les nouvelles alarmantes avaient grandi, que la hausse s'enrageait, dans un malaise croissant, intolérable : désormais, on annonçait tout haut la catastrophe fatale, et on montait quand même, on montait sans cesse, par la force obstinée d'un de ces prodigieux engouements qui se refusent à l'évidence. Saccard ne vivait plus que dans la fiction exagérée de son triomphe, entouré comme d'une gloire par cette averse d'or qu'il faisait pleuvoir sur Paris, assez fin cependant pour avoir la sensation du sol miné, crevassé, qui menaçait de s'effondrer sous lui. Aussi, bien qu'à chaque liquidation il restât victorieux, ne décolérait-il pas contre les baissiers, dont les pertes déjà devaient être effroyables. Qu'avaient donc ces sales juifs à s'acharner ? N'allait-il pas enfin les détruire ? Et il s'exaspérait surtout de ce qu'il disait flairer, à côté de Gundermann, faisant son jeu, d'autres vendeurs, des soldats de l'Universelle, peut-être, des traîtres qui passaient à l'ennemi, ébranlés dans leur foi, ayant la hâte de réaliser.

Un jour que Saccard exhalait ainsi son mécontentement devant Mme Caroline, celle-ci crut devoir lui tout dire.

« Vous savez, mon ami, que j'ai vendu, moi... Je viens de vendre mes dernières mille actions au cours de deux mille sept cents. »

Il resta anéanti, comme devant la plus noire des trahisons.

« Vous avez vendu, vous ! vous, mon Dieu ! »

Elle lui avait pris les mains, elle les lui serrait, vraiment peinée, lui rappelant qu'elle et son frère l'avaient averti. Ce dernier, qui était toujours à Rome, écrivait des lettres pleines d'une mortelle inquiétude sur cette hausse exagérée, qu'il ne s'expliquait pas, qu'il fallait enrayer à tout prix, sous peine d'une culbute en plein gouffre. La veille encore, elle en avait reçu une, lui donnant l'ordre formel de vendre. Et elle avait vendu.

« Vous, vous ! répétait Saccard. C'était vous qui me combattiez, que je sentais dans l'ombre ! Ce sont vos actions que j'ai dû racheter ! »

Il ne s'emportait pas, selon son habitude, et elle souffrait davantage de son accablement, elle aurait voulu le raisonner, lui faire abandonner cette lutte sans merci qu'un massacre seul pouvait terminer.

« Mon ami, écoutez-moi... Songez que nos trois mille titres ont produit plus de sept millions et demi. N'est-ce point un gain inespéré, extravagant ? Moi, tout cet argent m'épouvante, je ne puis pas croire qu'il m'appartienne... Mais ce n'est d'ailleurs pas de notre intérêt personnel qu'il s'agit. Songez aux intérêts de tous ceux qui ont remis leur fortune entre vos mains, un effrayant total de millions que vous risquez dans la partie. Pourquoi soutenir cette hausse insensée, pourquoi l'exciter encore ? On me dit de tous les côtés que la catastrophe est au bout, fatalement... Vous ne pourrez monter toujours, il n'y a aucune honte à ce que les titres reprennent leur valeur réelle, et c'est la maison solide, c'est le salut. »

Mais, violemment, il s'était remis debout.

« Je veux le cours de trois mille… J'ai acheté et j'achèterai encore, quitte à en crever… Oui ! que je crève, que tout crève avec moi, si je ne fais pas et si je ne maintiens pas le cours de trois mille ! »

Après la liquidation du 15 décembre, les cours montèrent à deux mille huit cents, à deux mille neuf cents. Et ce fut le 21 que le cours de trois mille vingt francs fut proclamé à la Bourse, au milieu d'une agitation de foule démente. Il n'y avait plus ni vérité, ni logique, l'idée de la valeur était pervertie, au point de perdre tout sens réel. Le bruit courait que Gundermann, contrairement à ses habitudes de prudence, se trouvait engagé dans d'effroyables risques ; depuis des mois qu'il nourrissait la baisse, ses pertes avaient grandi à chaque quinzaine, au fur et à mesure de la hausse, par sauts énormes ; et l'on commençait à dire qu'il pourrait bien avoir les reins cassés. Toutes les cervelles étaient à l'envers, on s'attendait à des prodiges.

Et, à cette minute suprême, où Saccard, au sommet, sentait trembler la terre, dans l'angoisse inavouée de la chute, il fut roi. Lorsque sa voiture arrivait rue de Londres, devant le palais triomphal de l'Universelle, un valet descendait vivement, étalait un tapis, qui des marches du vestibule se déroulait sur le trottoir, jusqu'au ruisseau ; et Saccard alors daignait quitter la voiture, et il faisait son entrée, en souverain à qui l'on épargne le commun pavé des rues.

X

À cette fin d'année, le jour de la liquidation* de décembre, la grande salle de la Bourse se trouva pleine dès midi et demi, dans une extraordinaire agitation de voix et de gestes. Depuis quelques semaines, d'ailleurs, l'effervescence montait, et elle aboutissait à cette dernière journée de lutte, une cohue fiévreuse où grondait déjà la décisive bataille qui allait s'engager. Dehors, il gelait terriblement ; mais un clair soleil d'hiver pénétrait, d'un rayon oblique, par le haut vitrage, égayant tout un côté de la salle nue, aux sévères piliers, à la voûte triste, que glaçaient encore des grisailles allégoriques [1] ; tandis que des bouches de calorifères, tout le long des arcades, soufflaient une haleine tiède, au milieu du courant froid des portes grillagées, continuellement battantes.

Le baissier* Moser, plus inquiet et plus jaune que de coutume, se heurta contre le haussier* Pillerault, arrogamment planté sur ses hautes jambes de héron.

« Vous savez ce qu'on dit ?... »

Mais il dut élever la voix, pour se faire entendre, dans le bruit croissant des conversations, un roulement régulier, monotone, pareil à une clameur d'eaux débordées, coulant sans fin.

« On dit que nous aurons la guerre en avril... Ça ne peut pas finir autrement, avec ces armements formidables. L'Allemagne ne veut pas nous laisser le temps

---

1. Le palais Brongniart est orné de grisailles – peintures en nuances de gris, donnant un effet de relief dans la pierre – peintes par Abel de Pujol et Meynier, et représentant des scènes allégoriques liées au commerce.

d'appliquer la nouvelle loi militaire que va voter la Chambre... [1]. Et, d'ailleurs, Bismarck... »

Pillerault éclata de rire.

« Fichez-moi donc la paix, vous et votre Bismarck !... Moi qui vous parle, j'ai causé cinq minutes avec lui, cet été, quand il est venu. Il a l'air très bon garçon... Si vous n'êtes pas content, après l'écrasant succès de l'Exposition, que vous faut-il ? Eh ! mon cher, l'Europe entière est à nous. »

Moser hocha désespérément la tête. Et, en phrases que coupaient à chaque seconde les bousculades de la foule, il continua à dire ses craintes. L'état du marché était trop prospère, d'une prospérité pléthorique qui ne valait rien, pas plus que la mauvaise graisse des gens trop gras. Grâce à l'Exposition, il avait poussé trop d'affaires, on s'était trop engoué, on en arrivait à la pure démence du jeu. Est-ce que ce n'était pas fou, par exemple, l'Universelle à trois mille trente ?

« Ah ! nous y voilà ! » cria Pillerault.

Et, de tout près, en accentuant chaque syllabe :

« Mon cher, on finira ce soir à trois mille soixante... Vous serez tous culbutés, c'est moi qui vous le dis. »

Le baissier, facilement impressionnable pourtant, eut un petit sifflement de défi. Et il regarda en l'air, pour marquer sa fausse tranquillité d'âme, il resta un moment à examiner les quelques têtes de femme, qui se penchaient, là-haut, à la galerie du télégraphe [2], étonnées du spectacle de cette salle, où elles ne pouvaient entrer [3]. Des écussons portaient des noms de villes, les chapiteaux et les corniches allongeaient une perspective blême, que des infiltrations avaient tachée de jaune.

---

1. Un projet de réforme militaire, dont l'objectif était de former un important ensemble de réservistes à côté de l'armée de métier, fut mis en débat au Corps législatif en 1868. Voir *supra*, p. 210, note 1. **2.** Voir *supra*, p. 20, note 2. **3.** Voir *supra*, p. 36, note 2.

« Tiens ! c'est vous ! » reprit Moser en baissant la tête et en reconnaissant Salmon, qui souriait devant lui, de son éternel et profond sourire.

Puis, troublé, voyant dans ce sourire une approbation donnée aux renseignements de Pillerault :

« Enfin, si vous savez quelque chose, dites-le… Moi, mon raisonnement est simple. Je suis avec Gundermann, parce que Gundermann, n'est-ce pas ? c'est Gundermann… Ça finit toujours bien, avec lui.

– Mais, dit Pillerault ricanant, qui vous dit que Gundermann est à la baisse ? »

Du coup, Moser arrondit des yeux effarés. Depuis longtemps, le gros commérage de la Bourse était que Gundermann guettait Saccard, qu'il nourrissait la baisse contre l'Universelle, en attendant d'étrangler celle-ci, à quelque fin de mois, d'un effort brusque, lorsque l'heure serait venue d'écraser le marché sous ses millions ; et, si cette journée s'annonçait si chaude, c'était que tous croyaient, répétaient que la bataille allait enfin être pour ce jour-là, une de ces batailles sans merci où l'une des deux armées reste par terre, détruite. Mais est-ce qu'on était jamais certain, dans ce monde de mensonge et de ruse ? Les choses les plus sûres, les plus annoncées à l'avance, devenaient, au moindre souffle, des sujets de doute pleins d'angoisse.

« Vous niez l'évidence, murmura Moser. Sans doute, je n'ai pas vu les ordres, et on ne peut rien affirmer… Hein ? Salmon, qu'est-ce que vous en dites ? Gundermann ne peut pas lâcher, que diable ! »

Et il ne savait que croire devant le sourire silencieux de Salmon qui lui semblait s'amincir, d'une finesse extrême.

« Ah ! reprit-il, en désignant du menton un gros homme qui passait, si celui-là voulait parler, je ne serais pas en peine. Il voit clair. »

C'était le célèbre Amadieu, qui vivait toujours sur sa réussite, dans l'affaire des mines de Selsis, les actions* achetées à quinze francs, en un coup d'entêtement imbécile, revendues plus tard avec un bénéfice d'une quinzaine de millions, sans qu'il eût rien prévu ni calculé, au hasard. On le vénérait pour ses grandes capacités financières, une véritable cour le suivait, en tâchant de surprendre ses moindres paroles et en jouant dans le sens qu'elles semblaient indiquer.

« Bah ! s'écria Pillerault, tout à sa théorie favorite du casse-cou, le mieux est encore de suivre son idée, au petit bonheur... Il n'y a que la chance. On a de la chance ou l'on n'a pas de chance. Alors, quoi ? il ne faut pas réfléchir. Moi, chaque fois que j'ai réfléchi, j'ai failli y rester... [1]. Tenez ! tant que je verrai ce monsieur-là solide à son poste, avec son air de gaillard qui veut tout manger, j'achèterai. »

D'un geste, il avait montré Saccard, qui venait d'arriver et qui s'installait à sa place habituelle, contre le pilier de la première arcade de gauche. Comme tous les chefs de maison importante, il avait ainsi une place connue, où les employés et les clients étaient certains de le trouver, les jours de Bourse. Gundermann seul affectait de ne jamais mettre les pieds dans la grande salle ; il n'y envoyait même pas un représentant officiel ; mais on y sentait une armée à lui, il y régnait en maître absent et souverain, par la légion innombrable des remisiers*, des agents qui apportaient ses ordres, sans compter ses créatures, si nombreuses, que tout homme présent était peut-être le mystérieux soldat de Gundermann. Et c'était contre cette armée insaisissable et partout agissante que luttait Saccard, en personne, à front découvert. Derrière lui, dans l'angle du pilier, il y avait un banc, mais il ne s'y asseyait jamais, debout pendant les deux heures du

---

1. Paradoxe sur lequel joue notamment un roman contemporain de l'essor des affaires boursières, au début du second Empire : le récit satirique de F. de Groiseilliez intitulé *Les Cosaques de la Bourse ou le Jeu du diable* (1854), dont le héros, d'abord merveilleusement chanceux, perd progressivement sa bonne étoile et finit à la fois ruiné et analyste boursier. La réflexion économique ou sociologique sur l'irrationalité du comportement des acteurs financiers n'en est pas moins parfaitement actuelle.

marché, comme dédaigneux de la fatigue. Parfois, aux minutes d'abandon, il s'appuyait simplement du coude à la pierre, que la salissure de tous les contacts, à hauteur d'homme, avait noircie et polie ; et, dans la nudité blafarde du monument il y avait même là un détail caractéristique, cette bande de crasse luisante, contre les portes, contre les murs, dans les escaliers, dans la salle, un soubassement immonde, la sueur accumulée des générations de joueurs et de voleurs [1]. Très élégant, très correct, ainsi que tous les boursiers, avec son drap fin et son linge éblouissant, Saccard avait la mine aimable et reposée d'un homme sans préoccupations, au milieu de ces murs bordés de noir.

« Vous savez, dit Moser en étouffant sa voix, qu'on l'accuse de soutenir la hausse par des achats considérables. Si l'Universelle joue sur ses propres actions, elle est fichue. »

Mais Pillerault protestait.

« Encore un cancan !... Est-ce qu'on peut dire au juste qui vend et qui achète ?... Il est là pour les clients de sa maison, ce qui est bien naturel. Et il y est aussi pour son propre compte, car il doit jouer. »

Moser, d'ailleurs, n'insista pas. Personne encore, à la Bourse, n'aurait osé affirmer la terrible campagne menée par Saccard, ces achats qu'il faisait pour le compte de la société, sous le couvert d'hommes de paille, Sabatani, Jantrou, d'autres encore, surtout des employés de sa direction. Une rumeur seulement courait, chuchotée à l'oreille, démentie, toujours renaissante, quoique sans preuve possible. D'abord, il n'avait fait que soutenir les cours avec prudence, revendant dès qu'il pouvait, afin de ne pas trop immobiliser les capitaux et encombrer les caisses de titres. Mais il était maintenant entraîné par la

---

1. La saleté de la Bourse est l'une des premières choses que note Zola lorsqu'il visite le palais Brongniart, le 17 avril 1890 : « Ce qui frappe partout, c'est la crasse noire, polie, luisante, dont les murs sont partout enduits, à hauteur d'homme ; les colonnes et les murs de la salle, les murs de l'escalier et des couloirs, partout. »

lutte, et il avait prévu, ce jour-là, la nécessité d'achats exagérés, s'il voulait rester maître du champ de bataille. Ses ordres étaient donnés, il affectait son calme souriant des jours ordinaires, malgré son incertitude sur le résultat final et le trouble qu'il éprouvait à s'engager ainsi de plus en plus dans une voie qu'il savait effroyablement dangereuse.

Brusquement, Moser, qui était allé rôder derrière le dos du célèbre Amadieu, en grande conférence avec un petit homme chafouin, revint très exalté, bégayant :

« Je l'ai entendu, entendu de mes oreilles... Il a dit que les ordres de vente de Gundermann dépassaient dix millions... Oh ! je vends, je vends, je vendrais jusqu'à ma chemise !

— Dix millions, fichtre ! murmura Pillerault, la voix un peu altérée. C'est une vraie guerre au couteau. »

Et, dans la clameur roulante qui croissait, grossie de toutes les conversations particulières, il n'y avait plus que ce duel féroce entre Gundermann et Saccard. On ne distinguait pas les paroles, mais le bruit en était fait, c'était cela seul qui grondait si haut, l'entêtement calme et logique de l'un à vendre, l'enfièvrement de passion à toujours acheter qu'on soupçonnait chez l'autre. Les nouvelles contradictoires qui circulaient, murmurées d'abord, finissaient par des éclats de trompette. Dès qu'ils ouvraient la bouche, les uns criaient, pour se faire entendre au milieu du vacarme ; tandis que d'autres, pleins de mystère, se penchaient à l'oreille de leurs interlocuteurs, parlaient très bas même quand ils n'avaient rien à dire.

« Eh ! je garde mes positions à la hausse ! reprit Pillerault, déjà raffermi. Il fait un soleil trop beau, tout va monter encore.

— Tout va crouler, répliqua Moser avec son obstination dolente. La pluie n'est pas loin, j'ai eu une crise cette nuit. »

Mais le sourire de Salmon, qui les écoutait à tour de rôle, devint si aigu, que tous deux restèrent mécontents, sans certitude possible. Est-ce que ce diable d'homme, si extraordinairement fort, si profond et si discret, avait trouvé une troisième façon de jouer, en ne se mettant ni à la hausse ni à la baisse ?

Saccard, à son pilier, voyait grossir autour de lui la cohue de ses flatteurs et de ses clients. Continuellement, des mains se tendaient, et il les serrait toutes, avec la même facilité heureuse, mettant dans chaque étreinte de ses doigts une promesse de triomphe. Certains accouraient, échangeaient un mot, repartaient ravis. Beaucoup s'entêtaient, ne le lâchaient plus, glorieux d'être de son groupe. Souvent il se montrait aimable, sans se rappeler le nom des gens qui lui parlaient. Ainsi, il fallut que le capitaine Chave lui nommât Maugendre, pour qu'il reconnût celui-ci. Le capitaine, remis avec son beau-frère, le poussait à vendre ; mais la poignée de main du directeur suffit à enflammer Maugendre d'un espoir sans limite. Ensuite, ce fut Sédille, l'administrateur, le grand marchand de soie, qui voulut avoir une consultation d'une minute. Sa maison de commerce périclitait, toute sa fortune était liée à celle de l'Universelle, à ce point que la baisse possible devait être pour lui un écroulement ; et, anxieux, dévoré de sa passion, ayant d'autres ennuis du côté de son fils Gustave qui ne réussissait guère chez Mazaud, il éprouvait le besoin d'être rassuré, encouragé. D'une tape sur l'épaule, Saccard le renvoya plein de foi et d'ardeur. Puis, il y eut tout un défilé : Kolb, le banquier, qui avait réalisé* depuis longtemps, mais qui ménageait le hasard ; le marquis de Bohain, qui, avec sa condescendance hautaine de grand seigneur, affectait de fréquenter la Bourse, par curiosité et désœuvrement ; Huret lui-même, incapable de rester fâché, trop souple pour n'être pas l'ami des gens jusqu'au jour de l'engloutissement final, venant voir s'il n'y avait plus rien à ramasser. Mais Daigremont parut, tous s'écartèrent. Il était très puissant, on remarqua son amabilité, la façon dont il plaisanta, d'un air de camaraderie confiante. Les haussiers en rayonnaient, car il avait la réputation d'un homme adroit, qui savait sortir des maisons aux premiers craquements des planchers ; et il devenait certain que l'Universelle ne craquait pas encore. D'autres enfin circulaient, qui échangeaient simplement un coup d'œil avec Saccard, les hommes à lui, les employés chargés de donner les ordres, achetant aussi pour leur propre compte, dans la rage de jeu dont l'épidémie décimait le personnel de la rue de Londres, toujours aux aguets, l'oreille aux serrures, en chasse des renseignements. Ce fut ainsi que, deux fois, Sabatani passa, avec sa grâce molle d'Italien mâtiné d'Oriental, en affectant de ne pas même voir le patron ; tandis que Jantrou, immobile à quelques pas, tournant le dos, semblait tout à la lecture des dépêches des Bourses étrangères, affichées dans des cadres grillagés [1]. Le remisier Massias, qui, toujours courant, bouscula le groupe, eut un petit signe de la tête, pour rendre sans doute une réponse, quelque commission vivement faite. Et, à mesure que l'heure de l'ouverture approchait, le piétinement sans fin, le double courant de foule, sillonnant la salle, l'emplissait des secousses profondes et du retentissement d'une marée haute.

On attendait le premier cours.

À la corbeille*, Mazaud et Jacoby, sortant du cabinet des agents de change*, venaient d'entrer, côte à côte, d'un air de correcte confraternité. Ils se savaient pourtant adversaires, dans la lutte sans merci qui se livrait depuis des semaines, et qui pouvait finir par la ruine de l'un d'eux. Mazaud, petit, avec sa taille mince de joli homme, était d'une vivacité gaie, où se retrouvait sa chance si heureuse jusque-là, cette chance qui l'avait fait hériter, à trente-deux ans, de la charge d'un de ses oncles ; tandis que Jacoby, ancien fondé de pouvoir, devenu agent à l'ancienneté, grâce à des clients qui le commanditaient, avait le ventre épaissi et le pas lourd de ses soixante ans, grand gaillard grisonnant et chauve, étalant une large

---

1. Voir *supra*, p. 20, note 2.

face de bon diable jouisseur [1]. Et tous deux, leurs carnets à la main, causaient du beau temps, comme s'ils n'avaient pas tenu là, sur ces quelques feuilles, les millions qu'ils allaient échanger, ainsi que des coups de feu, dans la meurtrière mêlée de l'offre et de la demande.

« Hein ? une jolie gelée !

– Oh ! imaginez-vous, je suis venu à pied, tant c'était charmant ! »

Arrivés devant la corbeille, le vaste bassin circulaire, encore net des papiers inutiles, des fiches qu'on y jette [2], ils s'arrêtèrent un instant, appuyés à la rampe de velours rouge qui l'entoure, continuant à se dire des choses banales et interrompues, tout en guettant de l'œil les alentours.

Les quatre travées, en forme de croix, fermées par des grilles, sorte d'étoile à quatre branches ayant pour centre la corbeille, étaient le lieu sacré interdit au public ; et, entre les branches, en avant, il y avait d'un côté un autre compartiment, où se trouvaient les commis du comptant*, que dominaient les trois coteurs*, assis sur de hautes chaises, devant leurs immenses registres ; tandis que, de l'autre côté, un compartiment plus petit, ouvert celui-là, nommé « la guitare », à cause de sa forme sans doute, permettait aux employés et aux spéculateurs de se mettre en contact direct avec les agents. Derrière, dans l'angle formé par deux autres branches, se tenait, en pleine foule, le marché des rentes* françaises, où chaque

---

1. Le duel du jeune et du vieil intermédiaire de Bourse se retrouve dans d'autres romans du XIXᵉ siècle. Zola semble investir, dans les moindres détails, une matière romanesque éprouvée. 2. Un passage des notes d'enquête de Zola sur les boursiers porte sur les fiches des agents : « C'est dans la corbeille qu'on jette les fiches inutiles : les affaires pas faites, les demandes de renseignement, et de là vient l'aspect bariolé de la corbeille. Ces papiers jetés sont parfois plus nombreux les jours de batailles. Il ne faut pas oublier que lorsqu'il a terminé une affaire [c'est-à-dire conclu une transaction à la corbeille], et qu'il l'inscrit sur son carnet, l'agent met la fiche dans le carnet, à la fin, pour aider au dépouillement [que fera ensuite son agent liquidateur]. » Voir l'entrée « Corbeille » dans le Lexique financier.

agent était représenté, ainsi qu'au marché du comptant, par un commis spécial, ayant son carnet distinct ; car les agents de change, autour de la corbeille, ne s'occupent exclusivement que des marchés à terme*, tout entiers à la grande besogne effrénée du jeu [1].

Mais, apercevant, dans la travée de gauche, son fondé de pouvoir Berthier qui lui faisait un signe, Mazaud alla échanger avec lui quelques mots à demi-voix, les fondés de pouvoir n'ayant que le droit d'être dans les travées, à distance respectueuse de la rampe de velours rouge, qu'aucune main profane ne saurait toucher. Chaque jour, Mazaud venait ainsi à la Bourse avec Berthier et ses deux commis, celui du comptant et celui de la rente, auxquels se joignait le plus souvent le liquidateur* de la charge ; sans compter l'employé aux dépêches, qui était toujours le petit Flory, la face de plus en plus enfouie dans son épaisse barbe, d'où ne sortait que l'éclat de ses yeux tendres. Depuis son gain de dix mille francs, au lendemain de Sadowa, Flory, affolé par les exigences de Chuchu, devenue capricieuse et dévorante, jouait éperdument pour son compte, sans calcul aucun d'ailleurs, tout au jeu de Saccard qu'il suivait avec une foi aveugle. Les ordres qu'il connaissait, les télégrammes qui lui passaient par les mains, suffisaient à le guider. Et, justement, comme il descendait en courant du télégraphe, installé au premier étage, les deux mains pleines de dépêches, il dut faire appeler par un garde Mazaud, qui lâcha Berthier, pour venir contre la guitare.

« Monsieur, faut-il aujourd'hui les dépouiller et les classer ?

– Sans doute, si elles arrivent ainsi en masse... Qu'est-ce que c'est que tout ça ?

– Oh ! de l'Universelle, des ordres d'achat, presque toutes. »

L'agent, d'une main exercée, feuilletait les dépêches, visiblement satisfait. Très engagé avec Saccard, qu'il

---

1. Voir le plan intérieur de la Bourse, p. 544-545.

reportait depuis longtemps pour des sommes considérables, ayant encore reçu de lui, le matin même, des
ordres d'achat énormes, il avait fini par être l'agent en
titre de l'Universelle. Et, quoique sans grosse inquiétude
jusque-là, cet engouement persistant du public, ces
achats entêtés, malgré l'exagération des cours, le rassu-
raient. Un nom le frappa, parmi les signataires des dépêches, celui de Fayeux, ce receveur de rentes* de Vendôme,
qui devait s'être fait une clientèle extrêmement nombreuse de petits acheteurs, parmi les fermiers, les dévotes
et les prêtres de sa province, car il ne se passait pas de
semaine, sans qu'il envoyât ainsi télégrammes sur télégrammes.

« Donnez ça au comptant, dit Mazaud à Flory. Et
n'attendez pas qu'on vous descende les dépêches, n'est-ce
pas ? Restez là-haut, prenez-les vous-même. »

Flory alla s'accouder à la balustrade du comptant,
criant à toute voix :

« Mazaud ! Mazaud ! »

Et ce fut Gustave Sédille qui s'approcha ; car, à la
Bourse, les employés perdent leur nom, n'ont plus que le
nom de l'agent qu'ils représentent. Flory, lui aussi,
s'appelait Mazaud. Après avoir quitté la charge pendant
près de deux ans, Gustave venait d'y rentrer, afin de décider son père à payer ses dettes ; et, ce jour-là, en l'absence
du commis principal, il se trouvait chargé du comptant,
ce qui l'amusait. Flory s'étant penché à son oreille, tous
deux convinrent de n'acheter pour Fayeux qu'au dernier
cours, après avoir joué pour eux sur ses ordres, en achetant et en revendant d'abord au nom de leur homme de
paille habituel, de façon à toucher la différence*, puisque
la hausse leur semblait certaine.

Cependant, Mazaud revint vers la corbeille. Mais, à
chaque pas, un garde lui remettait, de la part de quelque
client qui n'avait pu s'approcher, une fiche, où un ordre
était griffonné au crayon. Chaque agent avait sa fiche
particulière, d'une couleur spéciale, rouge, jaune, bleue,
verte, afin qu'on pût la reconnaître aisément. Celle de

Mazaud était verte, couleur de l'espérance ; et les petits papiers verts continuaient à s'amasser entre ses doigts, dans le continuel va-et-vient des gardes, qui les prenaient au bout des travées, de la main des employés et des spéculateurs, tous pourvus d'une provision de ces fiches, de façon à gagner du temps. Comme il s'arrêtait de nouveau devant la rampe de velours, il y retrouva Jacoby, qui, lui également, tenait une poignée de fiches, sans cesse grossie, des fiches rouges, d'un rouge frais de sang répandu : sans doute des ordres de Gundermann et de ses fidèles, car personne n'ignorait que Jacoby, dans le massacre qui se préparait, était l'agent des baissiers, le principal exécuteur des hautes œuvres de la banque juive. Et il causait maintenant avec un autre agent, Delarocque, son beau-frère, un chrétien qui avait épousé une juive, un gros homme roux et trapu, très chauve, lancé dans le monde des cercles [1], connu pour recevoir les ordres de Daigremont, lequel s'était fâché depuis peu avec Jacoby, comme autrefois avec Mazaud. L'histoire que Delarocque racontait, une histoire grasse de femme rentrée chez son mari sans chemise, allumait ses petits yeux clignotants, tandis qu'il agitait, dans une mimique passionnée, son carnet, d'où débordait le paquet de ses fiches, bleues celles-ci, d'un bleu tendre de ciel d'avril.

« M. Massias vous demande », vint dire un garde à Mazaud.

Vivement, ce dernier retourna au bout de la travée. Le remisier, complètement à la solde de l'Universelle, lui apportait des nouvelles de la coulisse*, qui fonctionnait déjà sous le péristyle, malgré la terrible gelée. Quelques spéculateurs se risquaient quand même, rentraient par moments se chauffer dans la salle ; pendant que les coulissiers*, au fond d'épais paletots, les collets de fourrure relevés, tenaient bon, en cercle comme d'habitude, au-dessous

---

1. Association privée, sélectionnant ses membres. Appartenir à un cercle est l'un des traits distinctifs de la haute société au XIXe siècle.

de l'horloge [1], s'animant, criant, gesticulant si fort, qu'ils ne sentaient pas le froid. Et le petit Nathansohn se montrait parmi les plus actifs, en train de devenir un gros monsieur, favorisé par la chance, depuis le jour, où, simple petit employé démissionnaire du Crédit mobilier, il avait eu l'idée de louer une chambre et d'ouvrir un guichet.

D'une voix rapide, Massias expliqua que, les cours ayant l'air de fléchir, sous le paquet de valeurs dont les baissiers accablaient le marché, Saccard venait d'avoir l'idée d'opérer à la coulisse, pour influer sur le premier cours officiel de la corbeille. L'Universelle avait clôturé la veille, à 3 030 francs ; et il avait fait donner l'ordre à Nathansohn d'acheter cent titres, qu'un autre coulissier devait offrir à 3 035 francs. C'était cinq francs de majoration.

« Bon ! le cours nous arrivera », dit Mazaud.

Et il revint, parmi le groupe des agents, qui se trouvaient au complet. Les soixante étaient là, faisant déjà entre eux, malgré le règlement, les affaires au cours moyen, en attendant le coup de cloche réglementaire. Les ordres donnés à un cours fixé d'avance [2] n'influaient pas sur le marché, puisqu'il fallait attendre ce cours ; tandis que les ordres au mieux, ceux dont on laissait la libre exécution au flair de l'agent, déterminaient la continuelle oscillation des cotes différentes. Un bon agent était fait de finesse et de prescience, de cervelle prompte et de muscles agiles, car la rapidité assurait souvent le succès ; sans compter la nécessité des belles relations dans la haute banque*, des renseignements ramassés un peu partout, des dépêches reçues des Bourses françaises et étrangères, avant tout autre. Et il fallait encore une voix solide, pour crier fort.

Mais une heure sonna, la volée de la cloche passa en coup de vent sur la houle violente des têtes ; et la dernière

---

1. Voir *supra*, p. 27, note 3. **2.** Il existe des ordres d'achat ou de vente qui ne se déclenchent qu'à un certain cours. Il suffit pour l'agent de trouver un spéculateur intéressé par l'opération réciproque, au même cours.

vibration n'était pas éteinte, que Jacoby, les deux mains
appuyées sur le velours, jetait d'une voix mugissante, la
plus forte de la compagnie :

« J'ai de l'Universelle… J'ai de l'Universelle… »

Il ne fixait pas de prix, attendant la demande. Les soixante s'étaient rapprochés et formaient le cercle autour
de la corbeille, où déjà quelques fiches jetées faisaient des
taches de couleurs vives. Face à face, ils se dévisageaient
tous, se tâtaient comme les duellistes au début d'une
affaire, très pressés de voir s'établir le premier cours.

« J'ai de l'Universelle, répétait la basse grondante de
Jacoby. J'ai de l'Universelle.

– À quel cours, l'Universelle ? » demanda Mazaud
d'une voix mince, mais si aiguë, qu'elle dominait celle de
son collègue, comme un chant de flûte s'entend au-dessus
d'un accompagnement de violoncelle.

Et Delarocque proposa le cours de la veille.

« À 3 030, je prends l'Universelle. »

Mais, tout de suite, un autre agent renchérit.

« À 3 035, envoyez l'Universelle. »

C'était le cours de la coulisse qui arrivait, empêchant
l'arbitrage* que Delarocque devait préparer : un achat à
la corbeille et une vente prompte à la coulisse, pour
empocher les cinq francs de hausse. Aussi Mazaud se
décida-t-il, certain d'être approuvé par Saccard.

« À 3 040, je prends. Envoyez l'Universelle à 3 040.

– Combien ? dut demander Jacoby.

– Trois cents. »

Tous deux écrivirent un bout de ligne sur leur carnet,
et le marché était conclu, le premier cours se trouvait
fixé, avec une hausse de dix francs sur le cours de la
veille. Mazaud se détacha, alla donner le chiffre à celui
des coteurs qui avait l'Universelle sur son registre. Alors,
pendant vingt minutes, ce fut une véritable écluse lâchée :
les cours des autres valeurs s'étaient également établis,
tout le paquet des affaires apportées par les agents, se
concluait, sans grandes variations. Et, cependant, les
coteurs, haut perchés, pris entre le vacarme de la corbeille

et celui du comptant, qui fonctionnait fiévreusement lui aussi, avaient grand-peine à inscrire toutes les cotes nouvelles que venaient leur jeter les agents et les commis. En arrière, la rente également faisait rage. Depuis que le marché était ouvert, la foule ne ronflait plus seule, avec le bruit continu des grandes eaux ; et, sur ce grondement formidable, s'élevaient maintenant les cris discordants de l'offre et de la demande, un glapissement caractéristique, qui montait, descendait, s'arrêtait pour reprendre en notes inégales et déchirées, ainsi que des appels d'oiseaux pillards dans la tempête [1].

Saccard souriait, debout près de son pilier. Sa cour avait augmenté encore, la hausse de dix francs sur l'Universelle venait d'émotionner la Bourse, car on y pronostiquait depuis longtemps une débâcle pour le jour de la liquidation. Huret s'était rapproché avec Sédille et Kolb, en affectant de regretter tout haut sa prudence, qui lui avait fait vendre ses actions, dès le cours de 2 500 ; tandis que Daigremont, l'air désintéressé, promenant à son bras le marquis de Bohain, lui expliquait gaiement la défaite de son écurie, aux courses d'automne. Mais, surtout, Maugendre triomphait, accablait le capitaine Chave, obstiné quand même dans son pessimisme, disant qu'il fallait attendre la fin. Et la même scène se reproduisait entre Pillerault vantard et Moser mélancolique, l'un radieux de cette folie de la hausse, l'autre serrant les poings, parlant de cette hausse têtue, imbécile, comme d'une bête enragée qu'on finirait pourtant bien par abattre.

Une heure se passa, les cours restaient à peu près les mêmes, les affaires continuaient à la corbeille moins drues, au fur et à mesure que les ordres nouveaux et les dépêches les apportaient. Il y avait ainsi, vers le milieu de chaque Bourse, une sorte de ralentissement, l'accalmie des transactions courantes, en attendant la lutte décisive

---

1. Dans un paragraphe entier, au début des notes d'enquête prises suite à sa visite de la Bourse du 17 avril 1890, Zola décompose le bruit de la Bourse dans les mêmes termes.

du dernier cours[1]. Pourtant, on entendait toujours le mugissement de Jacoby, que coupaient les notes aiguës de Mazaud, engagés l'un et l'autre dans des opérations à prime*. « J'ai de l'Universelle à 3 040, dont 15... Je prends de l'Universelle à 3 040, dont 10... [2]. Combien ?... Vingt-cinq... Envoyez ! » Ce devaient être des ordres de Fayeux que Mazaud exécutait, car beaucoup de joueurs de province, pour limiter leur perte, avant d'oser se lancer dans le ferme, achetaient et vendaient à prime. Puis, brusquement, une rumeur courut, des voix saccadées s'élevèrent : l'Universelle venait de baisser de cinq francs ; et, coup sur coup, elle baissa de dix francs, de quinze francs, elle tomba à 3 025.

Justement, à ce moment-là, Jantrou, qui avait reparu, après une courte absence, disait à l'oreille de Saccard que la baronne Sandorff était là, rue Brongniart, dans son coupé, et qu'elle lui faisait demander s'il fallait vendre. Cette question, tombant au moment où les cours fléchissaient, l'exaspéra. Il revoyait le cocher immobile, haut perché sur le siège, la baronne consultant son carnet, comme chez elle, glaces closes. Et il répondit :

« Qu'elle me fiche la paix ! et si elle vend, je l'étrangle ! »

Massias accourait, à l'annonce des quinze francs de baisse, ainsi qu'à un appel d'alarme, sentant bien qu'il allait être nécessaire. En effet, Saccard, qui avait préparé un coup pour enlever le dernier cours, une dépêche qu'on devait envoyer de la Bourse de Lyon, où la hausse était certaine, commençait à s'inquiéter, en ne voyant pas arriver la dépêche ; et cette dégringolade de quinze francs, imprévue, pouvait amener un désastre.

Habilement, Massias ne s'arrêta pas devant lui, le heurta du coude, puis reçut son ordre, l'oreille tendue.

---

1. Voir *supra*, p. 59, note 1. **2.** Ces annonces (« dont 15 », « dont 10 ») désignent des marchés à terme faits à prime (voir Lexique financier, entrée « Marché à terme »).

« Vite, à Nathansohn, quatre cents, cinq cents, ce qu'il faudra. »

Cela s'était fait si rapidement, que Pillerault et Moser seuls s'en aperçurent. Ils se lancèrent sur les pas de Massias, pour savoir. Massias, depuis qu'il était à la solde de l'Universelle, avait pris une importance énorme. On tâchait de le confesser, de lire par-dessus son épaule les ordres qu'il recevait. Et lui-même, maintenant, réalisait des gains superbes. Avec sa bonhomie souriante de malchanceux, que la fortune avait rudement traité jusque-là, il s'étonnait, il déclarait supportable cette vie de chien de la Bourse, où il ne disait plus qu'il fallait être juif pour réussir [1].

À la coulisse, dans le courant d'air glacé du péristyle, que le pâle soleil de trois heures ne chauffait guère, l'Universelle avait baissé moins rapidement qu'à la corbeille. Et Nathansohn, averti par ses courtiers*, venait de réaliser l'arbitrage que n'avait pu réussir Delarocque, au début : acheteur dans la salle à 3 025, il avait revendu sous la colonnade 3 035. Cela n'avait pas demandé trois minutes, et il gagnait soixante mille francs. Déjà l'achat faisait, à la corbeille, remonter la valeur à 3 030, par cet effet d'équilibre que les deux marchés, le légal et le toléré, exercent l'un sur l'autre. Un galop de commis ne cessait pas, de la salle au péristyle, jouant des coudes à travers la cohue. Pourtant, le cours de la coulisse allait fléchir, lorsque l'ordre que Massias apportait à Nathansohn le soutint à 3 035, le haussa à 3 040 ; tandis que, par contrecoup, la valeur retrouvait aussi, au parquet, son premier cours. Mais il était difficile de l'y maintenir, car la tactique de Jacoby et des autres agents opérant au nom des baissiers, était, évidemment, de réserver les grosses ventes pour la fin de la Bourse, afin d'en écraser le marché et

---

1. Ce détail dénonce la mauvaise foi de Massias, personnage inspiré d'un remisier rencontré par Zola durant son enquête de terrain, qui exprimait les préjugés caractéristiques de l'antisémitisme financier de l'époque.

d'amener un effondrement, dans le désarroi de la dernière demi-heure. Saccard comprit si bien le péril, que, d'un signe convenu, il avertit Sabatani, en train de fumer une cigarette, à quelques pas, de son air détaché et alangui d'homme à femmes ; et, tout de suite, se faufilant avec une souplesse de couleuvre, ce dernier se rendit dans la guitare, où, l'oreille aux aguets, suivant les cours, il ne s'arrêta plus d'envoyer à Mazaud des ordres, sur des fiches vertes, dont il avait une provision. Malgré tout, l'attaque était si rude, que l'Universelle, de nouveau, baissa de cinq francs.

Les trois quarts sonnèrent, il n'y avait plus qu'un quart d'heure, avant le coup de cloche de la fermeture. À ce moment, la foule tournoyait et criait, comme flagellée par quelque tourment d'enfer ; la corbeille aboyait, hurlait, avec des retentissements fêlés de chaudronnerie qu'on brise ; et ce fut alors que se produisit l'incident si anxieusement attendu par Saccard.

Le petit Flory, qui, depuis le commencement, n'avait cessé de descendre du télégraphe, toutes les dix minutes, les mains pleines de dépêches, reparut encore, fendant la foule, lisant cette fois un télégramme, dont il semblait enchanté.

« Mazaud ! Mazaud ! » appela une voix.

Et Flory, naturellement, tourna la tête, comme s'il eût répondu à l'appel de son propre nom. C'était Jantrou qui voulait savoir. Mais le commis le bouscula, trop pressé, tout à la joie de se dire que l'Universelle finirait en hausse ; car la dépêche annonçait que la valeur montait à la Bourse de Lyon, où des achats s'étaient produits, si importants que le contrecoup allait se ressentir à la Bourse de Paris. En effet, d'autres télégrammes arrivaient déjà, un grand nombre d'agents recevaient des ordres. Le résultat fut immédiat et considérable.

« À 3 040, je prends de l'Universelle », répétait Mazaud, de sa voix exaspérée de chanterelle.

Et Delarocque, débordé par la demande, renchérissait de cinq francs.

« À 3 045, je prends...

– J'ai, à 3 045, mugissait Jacoby. Deux cents, à 3 045.

– Envoyez ! »

Alors, Mazaud monta lui-même.

« Je prends à 3 050.

– Combien ?

– Cinq cents... Envoyez ! »

Mais l'effroyable vacarme devenait tel, au milieu d'une gesticulation épileptique, que les agents eux-mêmes ne s'entendaient plus. Et, tout à la fureur professionnelle qui les agitait, ils continuèrent par gestes, puisque les basses caverneuses des uns avortaient, tandis que les flûtes des autres s'amincissaient jusqu'au néant. On voyait s'ouvrir les bouches énormes, sans qu'un bruit distinct parût en sortir, et les mains seules parlaient : un geste du dedans en dehors, qui offrait, un autre geste du dehors en dedans, qui acceptait ; les doigts levés indiquaient les quantités, les têtes disaient oui ou non, d'un signe. C'était intelligible aux seuls initiés, comme un de ces coups de démence qui frappent les foules. En haut, à la galerie du télégraphe, des têtes de femme se penchaient, stupéfiées, épouvantées, devant l'extraordinaire spectacle [1]. À la rente, on aurait dit une rixe, un paquet central, acharné et faisant le coup de poing, tandis que le double courant de public dont ce côté de la salle était traversé, déplaçait les groupes, déformés et reformés sans cesse, en de continuels remous. Entre le comptant et la corbeille, au-dessus de la tempête déchaînée des têtes, il n'y avait plus que les

---

1. *Topos* important de la littérature et de la caricature boursières du siècle, qui donne à voir des boursiers grimaçants (voir l'entrée « Corbeille » dans le Lexique financier). Et depuis la monarchie de Juillet, le vaudeville, les physiologies, le pamphlet ou le roman évoquent ce « spectacle inouï, fabuleux, indescriptible » (Eugène de Mirecourt, *La Bourse, ses abus et ses mystères*, 1868). Jules Vallès, dans *L'Argent*, décrit la séance en ces termes : « Tout ce bruit vous effraie, vos oreilles saignent : c'est un brouhaha sans nom, un tohu-bohu infernal, des cris de sauvage, des gestes d'épileptique, vous avez la migraine, et vous n'y comprenez rien. » Souvent, ce *topos* recouvre une double critique : celle de l'intempérance et celle de l'hermétisme des affaires boursières.

trois coteurs, assis sur leurs hautes chaises, qui surna-
geaient ainsi que des épaves, avec la grande tache blanche
de leur registre, tiraillés à gauche, tiraillés à droite, par la
fluctuation rapide des cours qu'on leur jetait. Dans le
compartiment du comptant surtout, la bousculade était
à son comble, une masse compacte de chevelures, pas
même de visages, un grouillement sombre qu'éclairaient
seulement les petites notes claires des carnets, agités en
l'air. Et, à la corbeille, autour du bassin que les fiches
froissées emplissaient maintenant d'une floraison de
toutes les couleurs, des cheveux grisonnaient, des crânes
luisaient, on distinguait la pâleur des faces secouées, des
mains tendues fébrilement, toute la mimique dansante
des corps, plus au large, comme près de se dévorer, si la
rampe ne les eût retenus. Cet enragement des dernières
minutes avait d'ailleurs gagné le public, on s'écrasait
dans la salle, un piétinement énorme, une débandade de
grand troupeau lâché dans un couloir trop étroit ; et
seuls, au milieu de l'effacement des redingotes, les chapeaux de soie miroitaient, sous la lumière diffuse, qui
tombait du vitrage.

Mais, brusquement, une volée de cloche perça le
tumulte. Tout se calma, les gestes s'arrêtèrent, les voix se
turent, au comptant, à la rente, à la corbeille. Il ne restait
que le grondement sourd du public, pareil à la voix continue d'un torrent rentré dans son lit, qui achève de s'écouler. Et, dans l'agitation persistante, les derniers cours
circulaient, l'Universelle était montée à 3 060, en hausse
encore de trente francs sur le cours de la veille. La
déroute des baissiers était complète, la liquidation allait
une fois de plus être désastreuse pour eux, car les différences de la quinzaine se solderaient par des sommes
considérables.

Un instant, Saccard, avant de quitter la salle, se
haussa, comme pour mieux embrasser la foule autour de
lui, d'un coup d'œil. Il était réellement grandi, soulevé
d'un tel triomphe, que toute sa petite personne se gonflait, s'allongeait, devenait énorme. Celui qu'il semblait

ainsi chercher, par-dessus les têtes, c'était Gundermann
absent, Gundermann qu'il aurait voulu voir abattu, grimaçant, demandant grâce ; et il tenait au moins à ce que
toutes les créatures inconnues du juif, toute la sale juiverie qui se trouvait là, hargneuse, le vît lui-même, transfi-
guré, dans la gloire de son succès. Ce fut sa grande
journée, celle dont on parle encore, comme on parle
d'Austerlitz et de Marengo [1]. Ses clients, ses amis
s'étaient précipités. Le marquis de Bohain, Sédille, Kolb,
Huret, lui serraient les deux mains, tandis que Daigremont, avec le sourire faux de son amabilité mondaine, le
complimentait, sachant bien qu'on meurt, à la Bourse,
de pareilles victoires. Maugendre l'aurait embrassé sur
les deux joues, exalté, exaspéré, en voyant le capitaine
Chave hausser quand même les épaules. Mais l'adoration
complète, religieuse, était celle de Dejoie, qui, venu du
journal en courant, pour connaître tout de suite le dernier cours, restait à quelques pas, immobile, cloué par
la tendresse et l'admiration, les yeux luisants de larmes.
Jantrou avait disparu, portant sans doute la nouvelle à
la baronne Sandorff. Massias et Sabatani soufflaient,
rayonnants, comme au soir triomphal d'une grande
bataille.

« Eh bien, qu'est-ce que je disais ? » criait Pillerault
ravi.

Moser, le nez allongé, grognait de sourdes menaces.

« Oui, oui, au bout du fossé la culbute... La carte du
Mexique à payer, les affaires de Rome qui s'embrouillent
encore depuis Mentana [2], l'Allemagne qui va tomber sur
nous un de ces quatre matins... Oui, oui, et ces imbéciles

---

1. Austerlitz (2 décembre 1805) et Marengo (14 juin 1800) sont deux
grandes victoires de Napoléon Bonaparte, duquel Saccard est rapproché depuis le début du roman. 2. La bataille de Mentana fut la conséquence de la politique italienne contradictoire de Napoléon III : s'étant
engagée à protéger la papauté au fil du processus d'unité italienne, la
France dut intervenir le 3 novembre à Mentana contre des volontaires
partisans de Garibaldi qui marchaient sur Rome. Ce fut une victoire...
mais contre l'allié italien.

qui montent encore, pour culbuter de plus haut. Ah !
tout est bien fichu, vous verrez ! »

Puis, comme Salmon, cette fois, demeurait grave, en le
regardant :

« C'est votre avis, n'est-ce pas ? Quand tout marche
trop bien, c'est que tout va craquer. »

Cependant, la salle se vidait, il n'allait y rester, en l'air,
que la fumée des cigares, une nuée bleuâtre, épaissie et
jaunie de toutes les poussières envolées. Mazaud et
Jacoby, redevenus corrects, étaient rentrés ensemble dans
le cabinet des agents de change, le second plus ému par
de secrètes pertes personnelles que par la défaite de ses
clients ; tandis que le premier, qui ne jouait pas, était
tout à la joie du dernier cours, si vaillamment enlevé. Ils
causèrent quelques minutes avec Delarocque, pour des
échanges d'engagements, tenant à la main leurs carnets
pleins de notes, que leurs liquidateurs devaient dépouiller
dès le soir, afin d'appliquer les affaires faites. Pendant ce
temps, dans la salle des commis, une salle basse, coupée
de gros piliers, pareille à une classe mal tenue, avec des
rangées de pupitres et un vestiaire tout au fond, Flory et
Gustave Sédille, qui étaient allés chercher leurs chapeaux,
s'égayaient bruyamment, en attendant de connaître le
cours moyen, que les employés du syndicat*, à un des
pupitres, établissaient d'après le cours le plus haut et le
cours le plus bas. Vers trois heures et demie, lorsque
l'affiche eut été collée sur un pilier, tous deux hennirent,
gloussèrent, imitèrent le chant du coq, dans le contentement de la belle opération qu'ils avaient réalisée, en trafiquant sur les ordres d'achat de Fayeux. C'était une paire
de solitaires pour Chuchu qui tyrannisait maintenant
Flory de ses exigences, et un semestre d'avance pour Germaine Cœur que Gustave avait fait la bêtise d'enlever
définitivement à Jacoby, lequel venait de prendre au mois
une écuyère de l'Hippodrome [1]. D'ailleurs, le vacarme
continuait dans la salle des commis, des farces ineptes,

---

1. Il s'agit du cirque équestre de l'Hippodrome.

un massacre des chapeaux, au milieu d'une bousculade d'écoliers en récréation. Et, d'autre part, sous le péristyle, la coulisse finissait de bâcler des affaires, Nathansohn se décidait à descendre les marches, enchanté de son arbitrage, parmi le flot des derniers spéculateurs, qui s'attardaient, malgré le froid devenu terrible. Dès six heures, tout ce monde de joueurs, d'agents de change, de coulissiers et de remisiers, après avoir, les uns établi leur gain ou leur perte, les autres arrêté leurs notes de courtage*, allaient se mettre en habit, pour finir d'étourdir leur journée, avec leur notion pervertie de l'argent, dans les restaurants et les théâtres, les soirées mondaines et les alcôves galantes.

Ce soir-là, Paris qui veille et qui s'amuse, ne parla que du duel formidable engagé entre Gundermann et Saccard. Les femmes, tout entières au jeu par passion et par mode, affectaient de se servir des mots techniques de liquidation, prime, report*, déport, sans toujours les comprendre. On causait surtout de la position critique des baissiers qui, depuis tant de mois, payaient, à chaque liquidation nouvelle, des différences de plus en plus fortes, à mesure que l'Universelle montait, dépassant toute limite raisonnable. Certainement, beaucoup jouaient à découvert et se faisaient reporter*, ne pouvant livrer les titres ; ils s'acharnaient, continuaient leurs opérations à la baisse, avec l'espoir d'une débâcle prochaine des actions ; mais, malgré les reports qui tendaient à s'élever d'autant plus que l'argent se faisait plus rare, les baissiers, épuisés, écrasés, allaient être anéantis, si la hausse continuait. À la vérité, la situation de Gundermann, du chef tout-puissant qu'on leur donnait, était différente, car lui avait dans ses caves son milliard, d'inépuisables troupes qu'il envoyait au massacre, si longue et meurtrière que fût la campagne. C'était l'invincible force, pouvoir rester vendeur à découvert, avec la certitude de toujours payer ses différences, jusqu'au jour où la baisse fatale lui donnerait la victoire.

Et l'on causait, on calculait les sommes considérables qu'il devait déjà avoir englouties, à faire avancer ainsi, le 15 et le 30 de chaque mois, pareils à des rangées de soldats que les boulets emportent, des sacs d'écus qui fondaient au feu de la spéculation. Jamais encore, il n'avait subi, en Bourse, une si rude attaque à sa puissance, qu'il y voulait souveraine, indiscutable ; car, s'il était, comme il aimait à le répéter, un simple marchand d'argent, et non un joueur, il avait la nette conscience que, pour rester ce marchand, le premier du monde, disposant de la fortune publique, il lui fallait être le maître absolu du marché ; et il se battait, non pour le gain immédiat, mais pour sa royauté elle-même, pour sa vie. De là, l'obstination froide, la farouche grandeur de la lutte. On le rencontrait sur les boulevards, le long de la rue Vivienne, avec sa face blême et impassible, son pas de vieillard épuisé, sans que rien en lui décelât la moindre inquiétude. Il ne croyait qu'à la logique. Au-dessus du cours de deux mille francs, la folie commençait pour les actions de l'Universelle ; à trois mille, c'était la démence pure, elles devaient retomber, comme la pierre lancée en l'air retombe forcément ; et il attendait. Irait-il jusqu'au bout de son milliard ? On frémissait d'admiration autour de Gundermann, du désir aussi de le voir enfin dévorer ; tandis que Saccard, qui soulevait un enthousiasme plus tumultueux, avait pour lui les femmes, les salons, tout le beau monde des joueurs, lesquels empochaient de si belles différences, depuis qu'ils battaient monnaie avec leur foi, en trafiquant sur le mont Carmel et sur Jérusalem. La ruine prochaine de la haute banque juive était décrétée, le catholicisme allait avoir l'empire de l'argent, comme il avait eu celui des âmes. Seulement, si ses troupes gagnaient gros, Saccard se trouvait à bout d'argent, vidant ses caisses pour ses continuels achats. De deux cents millions disponibles, près des deux tiers venaient d'être ainsi immobilisés : c'était la prospérité trop grande, le triomphe asphyxiant, dont on étouffe. Toute société qui veut être maîtresse à la Bourse, pour maintenir le cours de ses actions, est une société condamnée. Aussi, dans les commencements, n'était-il intervenu qu'avec prudence. Mais il avait toujours été l'homme d'imagination, voyant trop grand, transformant en poèmes ses trafics louches d'aventurier ; et, cette fois, avec cette affaire réellement colossale et prospère, il en arrivait à des rêves extravagants de conquête, à une idée si folle, si énorme, qu'il ne se la formulait même pas nettement à lui-même. Ah ! s'il avait eu des millions, des millions toujours, comme ces sales juifs ! Le pis était qu'il voyait la fin de ses troupes, encore quelques millions bons pour le massacre. Puis, si la baisse venait, ce serait son tour de payer des différences ; et lui, ne pouvant lever les titres [1], serait bien forcé de se faire reporter. Dans sa victoire, le moindre gravier devait culbuter sa vaste machine. On en avait la sourde conscience, même parmi les fidèles, ceux qui croyaient à la hausse comme au bon Dieu. C'était ce qui achevait de passionner Paris, la confusion et le doute où l'on s'agitait, ce duel de Saccard et de Gundermann dans lequel le vainqueur perdait tout son sang, dans ce corps à corps des deux monstres légendaires, écrasant entre eux les pauvres diables qui se risquaient à jouer leur jeu, menaçant de s'étrangler l'un l'autre, sur le monceau des ruines qu'ils entassaient.

Brusquement, le 3 janvier, le lendemain même du jour où venaient d'être réglés les comptes de la dernière liquidation, l'Universelle baissa de cinquante francs. Ce fut une forte émotion. À la vérité, tout avait baissé ; le marché, surmené depuis longtemps, gonflé outre mesure, craquait de toutes parts ; deux ou trois affaires véreuses s'effondraient avec bruit ; et, d'ailleurs, on aurait dû être habitué à ces sautes violentes des cours, qui parfois variaient de plusieurs centaines de francs dans une même Bourse, affolés, pareils à l'aiguille de la boussole au milieu d'un orage. Mais, au grand frisson qui passa, tous

---

1. C'est-à-dire prendre livraison des titres pour lesquels a été faite la transaction à terme ; les payer.

sentirent le commencement de la débâcle. L'Universelle baissait, le cri en courut, se propagea, dans une clameur de foule, faite d'étonnement, d'espoir et de crainte.

Dès le lendemain, Saccard, solide et souriant à son poste, relevait le cours d'une hausse de trente francs, grâce à des achats considérables. Seulement, le 5, malgré ses efforts, la baisse fut de quarante francs. L'Universelle n'était plus qu'à trois mille. Et, dès lors, chaque jour amena sa bataille. Le 6, l'Universelle remontait. Le 7, le 8, elle baissait de nouveau. C'était un mouvement irrésistible, qui l'entraînait peu à peu, dans une chute lente. On allait la prendre pour le bouc émissaire, lui faire expier la folie de tous, les crimes des autres affaires moins en vue, de ce pullulement d'entreprises louches, surchauffées de réclames, grandies comme des champignons monstrueux dans le terreau décomposé du règne. Mais Saccard, qui ne dormait plus, qui chaque après-midi reprenait sa place de combat, près de son pilier, vivait dans l'hallucination de la victoire toujours possible. En chef d'armée convaincu de l'excellence de son plan, il ne cédait le terrain que pas à pas, sacrifiant ses derniers soldats, vidant les caisses de la société de leurs derniers sacs d'écus, pour barrer la route aux assaillants. Le 9, il remporta encore un avantage signalé : les baissiers tremblèrent, reculèrent, est-ce que la liquidation du 15 s'engraisserait une fois de plus de leurs dépouilles ? Et lui, déjà sans ressources, réduit à lancer du papier de circulation [1], osait maintenant, comme ces affamés qui voient des festins immenses dans le délire de leur faim, s'avouer à lui-même le but prodigieux et impossible où il tendait, l'idée géante de racheter toutes les actions, pour tenir les vendeurs à

---

1. Le papier de circulation est une lettre de change que le tireur émet sans pouvoir l'honorer autrement que par une nouvelle lettre de change, à une nouvelle échéance. Cela est comparable à un chèque sans provision qu'on espère pouvoir honorer avec des gains futurs. Dans le roman de Zola, cet expédient désigne donc toujours le même déséquilibre entre engagements présents et espoirs de gains de Saccard.

découvert, pieds et poings liés, à sa merci[1]. Cela venait d'être fait pour une petite compagnie de chemins de fer, la maison d'émission avait tout ramassé sur le marché ; et les vendeurs, ne pouvant livrer, s'étaient rendus en esclaves, forcés d'offrir leur fortune et leur personne. Ah ! s'il avait traqué, effaré Gundermann jusqu'à le tenir, impuissant, à découvert ! S'il l'avait ainsi vu, un matin, apportant son milliard, en le suppliant de ne pas le prendre tout entier, de lui laisser les dix sous de lait dont il vivait par jour ! Seulement, pour ce coup-là, il fallait sept à huit cents millions. Il en avait déjà jeté deux cents au gouffre, c'était cinq ou six cents encore qu'il s'agissait de mettre en ligne. Avec six cents millions, il balayait les juifs, il devenait le roi de l'or, le maître du monde. Quel rêve ! et c'était très simple, l'idée de la valeur de l'argent se trouvait abolie à ce degré de fièvre, il n'y avait plus que des pions que l'on poussait sur l'échiquier. Dans ses nuits d'insomnie, il levait l'armée des six cents millions et les faisait tuer pour sa gloire, victorieux enfin au milieu des désastres, sur les ruines de tout.

Saccard, le 10, eut malheureusement une terrible journée. À la Bourse, il était toujours superbe de gaieté et de calme. Et jamais guerre pourtant n'avait eu cette férocité muette, un égorgement de chaque heure, le guet-apens embusqué partout. Dans ces batailles de l'argent, sourdes et lâches, où l'on éventre les faibles, sans bruit, il n'y a plus de liens, plus de parenté, plus d'amitié : c'est l'atroce loi des forts, ceux qui mangent pour ne pas être mangés.

---

1. Il s'agit d'un rêve d'accaparement (voir *supra*, p. 133, note 1). Lors de sa conversation du 18 avril 1890 avec Georges Lévy, Zola, qui caressait cette idée de scénario, demanda au banquier si une telle manœuvre était possible. Lévy lui répondit qu'il aurait fallu plus de sept cents millions et que ce genre d'opération ne s'était rencontré que lorsqu'il s'agissait de racheter les titres de sociétés au capital assez restreint. Zola médite dans ses notes sur ce cas : « les vendeurs à découvert mis en demeure de livrer vinrent trouver les possesseurs, suppliants, se mettant à leur merci. Les possesseurs pouvaient demander dix mille francs de chaque titre ».

Aussi se sentait-il absolument seul, n'ayant d'autre soutien que son insatiable appétit, qui le tenait debout, sans cesse dévorant. Il redoutait surtout la journée du 14, où devait avoir lieu la réponse des primes. Mais il trouva encore de l'argent pour les trois jours qui précédèrent, et le 14, au lieu d'amener une débâcle, raffermit l'Universelle, qui, le 15, finit en liquidation à 2 860, en baisse seulement de cent francs sur le dernier cours de décembre. Il avait craint un désastre, il affecta de croire à une victoire. En réalité, pour la première fois, les baissiers l'emportaient, touchaient enfin des différences, eux qui en payaient depuis des mois ; et, la situation se retournant, lui dut se faire reporter chez Mazaud, lequel se trouva dès lors fortement engagé. La seconde quinzaine de janvier allait être décisive.

Depuis qu'il luttait de la sorte, dans ces secousses quotidiennes qui le jetaient et le reprenaient à l'abîme, Saccard avait, chaque soir, un besoin effréné d'étourdissement. Il ne pouvait rester seul, dînait en ville, achevait ses nuits au cou d'une femme. Jamais il n'avait ainsi brûlé sa vie, se montrant partout, courant les théâtres et les cabarets où l'on soupe, affectant une dépense exagérée d'homme trop riche. Il évitait Mme Caroline, dont les remontrances le gênaient, toujours à lui parler des lettres inquiètes qu'elle recevait de son frère, désespérée elle-même de sa campagne à la hausse, d'un effrayant danger. Et il revoyait davantage la baronne Sandorff, comme si cette froide perversion, dans le petit rez-de-chaussée inconnu de la rue Caumartin, l'eût dépaysé, en lui donnant l'heure d'oubli, nécessaire à la détente de son cerveau surmené de fatigue. Parfois, il s'y réfugiait pour examiner certains dossiers, réfléchir à certaines affaires, heureux de se dire que personne au monde ne l'y dérangerait. Le sommeil l'y terrassait, il y dormait une heure ou deux, les seules heures délicieuses d'anéantissement ; et la baronne, alors, ne se faisait aucun scrupule de fouiller ses poches, de lire les lettres de son portefeuille ; car il était devenu complètement muet, elle n'en tirait plus un seul renseignement utile, convaincue même qu'il mentait, quand elle lui arrachait un mot, au point qu'elle n'osait plus jouer sur ses indications. C'était en lui volant ainsi ses secrets, qu'elle avait acquis la certitude des embarras d'argent où commençait à se débattre l'Universelle, tout un vaste système de papier de circulation, des billets de complaisance que la maison escomptait* à l'étranger, prudemment[1]. Saccard, un soir, s'étant réveillé trop tôt et l'ayant trouvée en train de visiter son portefeuille, l'avait giflée comme une fille qui pêche des sous dans le gilet des messieurs ; et, depuis lors, il la battait, ce qui les enrageait, puis les brisait et les calmait tous les deux.

Cependant, après la liquidation du 15, qui lui avait emporté une dizaine de mille francs, la baronne se mit à nourrir un projet. Elle en était obsédée, elle finit par consulter Jantrou.

« Ma foi, lui répondit celui-ci, je crois que vous avez raison, il est temps de passer à Gundermann... Allez donc le voir, et contez-lui l'affaire, puisqu'il vous a promis, le jour où vous lui apporteriez un bon conseil, de vous en donner un autre en échange. »

Gundermann, le matin où la baronne se présenta, était d'une humeur de dogue. La veille encore, l'Universelle avait remonté. On n'en finirait donc pas, avec cette bête vorace, qui lui avait mangé tant d'or et qui s'entêtait à ne pas mourir ! Elle était bien capable de se relever, de finir de nouveau en hausse, le 31 du mois ; et il grondait de s'être engagé dans cette rivalité désastreuse, lorsque peut-être il aurait mieux valu faire sa part à la maison nouvelle. Ébranlé dans sa tactique ordinaire, perdant sa foi dans la logique fatalement triomphante, il se serait, à cette minute, résigné à battre en retraite, s'il avait pu reculer sans tout perdre. Ils étaient rares chez lui, ces

---

1. Ces avances se font *via* l'étranger, pour être discrètes. La banque d'Eugène Bontoux était de son côté en relation avec des établissements autrichiens.

moments de découragement que les plus grands capitaines ont connus, à la veille même de la victoire, lorsque les hommes et les choses veulent leur succès. Et ce trouble d'une vue puissante, si nette d'habitude, venait du brouillard qui se produit à la longue, de ce mystère des opérations de Bourse, sous lesquelles il n'est jamais possible de mettre un nom à coup sûr. Certes, Saccard achetait, jouait. Mais était-ce pour des clients sérieux, était-ce pour la société elle-même ? Il finissait par ne plus le savoir, au milieu des commérages qu'on lui rapportait de toutes parts. Les portes de son cabinet immense claquaient, tout son personnel tremblait de sa colère, il accueillait les remisiers si brutalement, que leur défilé accoutumé se tournait en un galop de déroute.

« Ah ! c'est vous, dit Gundermann à la baronne, sans politesse aucune. Je n'ai pas de temps à perdre avec les femmes, aujourd'hui. »

Elle en fut déconcertée, au point qu'elle supprima toutes les préparations et lâcha d'un coup la nouvelle qu'elle apportait.

« Si l'on vous prouvait que l'Universelle est à bout d'argent, après les achats considérables qu'elle a faits, et qu'elle en est réduite à escompter, à l'étranger, du papier de complaisance, pour continuer la campagne ? »

Le juif avait réprimé un tressaillement de joie. Son œil restait mort, il répondit de la même voix grondeuse :

« Ce n'est pas vrai.

— Comment ! pas vrai ? Mais j'ai entendu de mes oreilles, j'ai vu de mes yeux. »

Et elle voulut le convaincre, en lui expliquant qu'elle avait eu entre les mains les billets signés par des hommes de paille. Elle nommait ces derniers, elle disait aussi les noms des banquiers, qui, à Vienne, à Francfort, à Berlin, avaient escompté les billets. Ses correspondants pourraient le renseigner, il verrait bien qu'elle ne lui apportait pas un cancan en l'air. De même, elle affirmait que la société avait acheté pour elle, dans l'unique but de maintenir la hausse, et que deux cents millions déjà étaient engloutis.

Gundermann, qui l'écoutait de son air morne, réglait déjà sa campagne du lendemain, d'un travail d'intelligence si prompt, qu'il avait en quelques secondes réparti ses ordres, arrêté les chiffres. Maintenant, il était certain de la victoire, sachant bien de quelle ordure lui venaient les renseignements, plein de mépris pour ce Saccard jouisseur, stupide au point de s'abandonner à une femme et de se laisser vendre.

Quand elle eut fini, il leva la tête, et, la regardant de ses gros yeux éteints :

« Eh bien, qu'est-ce que vous voulez que ça me fasse, tout ce que vous me racontez là ? »

Elle en resta saisie, tellement il paraissait désintéressé et calme.

« Mais il me semble que votre situation à la baisse…

– Moi ! qui vous a dit que j'étais à la baisse ? Je ne vais jamais à la Bourse, je ne spécule pas… Tout ça m'est bien égal ! »

Et sa voix était si innocente, que la baronne, ébranlée, effarée, aurait fini par le croire, sans certaines inflexions d'une naïveté trop goguenarde. Évidemment, il se moquait d'elle, dans son absolu dédain, en homme fini, sans désir aucun.

« Alors, ma bonne amie, comme je suis très pressé, si vous n'avez rien de plus intéressant à me dire… »

Il la mettait à la porte. Alors, furieuse, elle se révolta.

« J'ai eu confiance en vous, j'ai parlé la première… C'est un guet-apens véritable… Vous m'aviez promis, si je vous étais utile, de m'être utile à votre tour, de me donner un conseil… »

Se levant, il l'interrompit. Lui qui ne riait jamais, il eut un petit ricanement, tellement cette duperie brutale à l'égard d'une femme jeune et jolie, l'amusait.

« Un conseil, mais je ne vous le refuse pas, ma bonne amie… Écoutez-moi bien. Ne jouez pas, ne jouez jamais.

Ça vous rendra laide, c'est très vilain, une femme qui joue. »

Et, quand elle s'en fut allée, hors d'elle, il s'enferma avec ses deux fils et son gendre, distribua les rôles, envoya tout de suite chez Jacoby et chez d'autres agents de change, pour préparer le grand coup du lendemain. Son plan était simple : faire ce que la prudence l'avait empêché de risquer jusque-là, dans son ignorance de la véritable situation de l'Universelle ; écraser le marché sous des ventes énormes, maintenant qu'il savait cette dernière à bout de ressources, incapable de soutenir les cours. Il allait faire avancer la réserve formidable de son milliard, en général qui veut en finir et que ses espions ont renseigné sur le point faible de l'ennemi. La logique triompherait, toute action est condamnée, qui monte au-delà de la valeur vraie qu'elle représente [1].

Justement, ce jour-là, vers cinq heures, Saccard, averti du danger par son flair, se rendit chez Daigremont. Il était fiévreux, il sentait que l'heure devenait pressante de porter un coup aux baissiers, si l'on ne voulait se laisser battre définitivement par eux. Et son idée géante le travaillait, la colossale armée de six cents millions à lever encore, pour la conquête du monde. Daigremont le reçut avec son amabilité ordinaire, dans son hôtel princier, au milieu de ses tableaux de prix, de tout ce luxe éclatant, que payaient, chaque quinzaine, les différences de Bourse, sans qu'on sût au juste ce qu'il y avait de solide derrière ce décor, toujours sous la menace d'être emporté par un caprice de la chance. Jusque-là, il n'avait pas trahi l'Universelle, refusant de vendre, affectant de montrer une confiance absolue ; heureux de cette attitude de beau joueur à la hausse, dont il tirait du reste de gros profits ; et même il s'était plu à ne pas broncher, après la liquidation mauvaise du 15, convaincu, disait-il partout, que la hausse allait reprendre, l'œil aux aguets pourtant, prêt à

---

1. Réaffirmation des principes formulés à Zola par le banquier Georges Lévy (voir p. 254, note 1).

passer à l'ennemi, dès le premier symptôme grave. La visite de Saccard, l'extraordinaire énergie dont il faisait preuve, l'idée énorme qu'il lui développa de tout ramasser sur le marché, le frappèrent d'une véritable admiration. C'était fou, mais les grands hommes de guerre et de finance ne sont-ils pas souvent que des fous qui réussissent ? Et il promit formellement de se porter à son secours, dès la Bourse du lendemain : il avait déjà de fortes positions, il passerait chez Delarocque, son agent, pour en prendre de nouvelles ; sans compter ses amis qu'il irait voir, toute une sorte de syndicat dont il amènerait le renfort. On pouvait, selon lui, chiffrer à une centaine de millions ce nouveau corps d'armée, d'un emploi immédiat. Cela suffirait. Saccard, radieux, certain de vaincre, arrêta sur-le-champ le plan de la bataille, tout un mouvement tournant d'une rare hardiesse, emprunté aux plus illustres capitaines : d'abord, au début de la Bourse, une simple escarmouche pour attirer les baissiers et leur donner confiance ; puis, quand ils auraient obtenu un premier succès, quand les cours baisseraient, l'arrivée de Daigremont et de ses amis avec leur grosse artillerie, tous ces millions inattendus, débouchant d'un pli de terrain, prenant les baissiers en queue et les culbutant [1]. Ce serait un écrasement, un massacre. Les deux hommes se séparèrent avec des poignées de main et des rires de triomphe.

Une heure plus tard, comme Daigremont, qui dînait en ville, allait s'habiller, il reçut une autre visite, celle de la baronne Sandorff. Dans son désarroi, elle venait d'avoir l'inspiration de le consulter. On l'avait un instant dite sa maîtresse ; mais, réellement, il n'y avait eu entre eux qu'une camaraderie très libre d'homme à femme. Tous deux étaient trop félins, se devinaient trop, pour en arriver à la duperie d'une liaison. Elle conta ses craintes, la démarche chez Gundermann, la réponse de celui-ci,

---

1. Cette comparaison transparente à Waterloo ne sera actualisée que quelques pages plus loin (p. 409-410), pour préserver le suspens.

en mentant d'ailleurs sur la fièvre de trahison qui l'avait poussée. Et Daigremont s'égaya, s'amusa à l'effarer davantage, l'air ébranlé, près de croire que Gundermann disait vrai, quand il jurait qu'il n'était pas à la baisse ; car est-ce qu'on sait jamais ? c'est un vrai bois que la Bourse, un bois par une nuit obscure, où chacun marche à tâtons. Dans ces ténèbres, si l'on a le malheur d'écouter tout ce qu'on invente d'inepte et de contradictoire, on est certain de se casser la figure.

« Alors, demanda-t-elle anxieusement, je ne dois pas vendre ?

– Vendre, pourquoi ? En voilà une folie ! Demain, nous serons les maîtres, l'Universelle remontera à trois mille cent. Et tenez bon, quoi qu'il arrive : vous serez contente du dernier cours... Je ne puis pas vous en dire davantage. »

La baronne était partie, Daigremont s'habillait enfin, lorsqu'un coup de timbre annonça une troisième visite. Ah ! celui-là, non ! il ne le recevrait pas. Mais, lorsqu'on lui eut remis la carte de Delarocque, il cria tout de suite de faire entrer ; et, comme l'agent, l'air très ému, attendait pour parler, il renvoya son valet de chambre, achevant lui-même de mettre sa cravate blanche, devant une haute glace.

« Mon cher, voilà ! dit Delarocque, avec sa familiarité d'homme du même cercle. Je m'en remets à votre amitié, n'est-ce pas ? parce que c'est assez délicat... Imaginez-vous que Jacoby, mon beau-frère, vient d'avoir la gentillesse de me prévenir d'un coup qui se prépare. À la Bourse de demain, Gundermann et les autres sont décidés à faire sauter l'Universelle. Ils vont jeter tout le paquet sur le marché... Jacoby a déjà les ordres, il est accouru...

– Fichtre ! lâcha simplement Daigremont, devenu pâle.

– Vous comprenez, j'ai de très fortes positions à la hausse engagées chez moi, oui ! pour une quinzaine de millions, de quoi y laisser bras et jambes... Alors, n'est-ce pas ? j'ai pris une voiture et je fais le tour de mes clients sérieux. Ce n'est pas correct, mais l'intention est bonne...

– Fichtre ! répéta l'autre.

– Enfin, mon bon ami, comme vous jouez à découvert, je viens vous prier de me couvrir ou de défaire votre position[1]. »

Daigremont eut un cri :

« Défaites, défaites, mon cher... Ah ! non, par exemple ! je ne reste pas dans les maisons qui croulent, c'est de l'héroïsme inutile... N'achetez pas, vendez ! J'en ai pour près de trois millions chez vous, vendez, vendez tout. »

Et, comme Delarocque se sauvait, en disant qu'il avait d'autres clients à voir, il lui prit les mains, les serra énergiquement.

« Merci, je n'oublierai jamais. Vendez, vendez tout ! »

Resté seul, il rappela son valet de chambre, pour se faire arranger la chevelure et la barbe. Ah ! quelle école ! il avait failli, cette fois, se laisser jouer comme un enfant. Voilà ce que c'était que de se mettre avec un fou !

Le soir, à la petite Bourse de huit heures, la panique commença. Cette Bourse se tenait alors sur le trottoir du boulevard des Italiens, à l'entrée du passage de l'Opéra ; et il n'y avait là que la coulisse, opérant au milieu d'une cohue louche de courtiers, de remisiers, de spéculateurs véreux. Des camelots circulaient, des ramasseurs de bouts de cigare se jetaient à quatre pattes, au milieu du piétinement des groupes. C'était, barrant le boulevard, un entassement obstiné de troupeau, que le flot des promeneurs emportait, séparait, et qui se reformait toujours. Ce soir-là, près de deux mille personnes stationnaient ainsi, grâce à la douceur du ciel couvert et fumeux, qui

---

1. L'agent, pour assurer sa propre survie, demande que le spéculateur lui verse une « couverture » proportionnelle à son ordre d'achat, ou qu'il annule, voire inverse, cet ordre. C'est la précaution que Mazaud aurait dû prendre avec Sabatani ou Saccard. Zola est attentif à ce qui, dans les pratiques, s'écarte justement de la rationalité (le « flair » de l'agent ou l'oubli des obligations légales de couverture).

annonçait de la pluie, après des froids terribles. Le marché était très actif, on offrait l'Universelle, de tous côtés, les cours tombaient rapidement. Aussi, bientôt, des rumeurs coururent, toute une anxiété naissante. Que se passait-il donc ? À demi-voix, on se nommait les vendeurs probables, selon le remisier qui donnait l'ordre, ou le coulissier qui l'exécutait. Puisque les gros vendaient de la sorte, il se préparait quelque chose de grave, sûrement. Et, de huit heures à dix heures, ce fut une bousculade, tous les joueurs de flair défirent leurs positions, il y en eut même qui, d'acheteurs, eurent le temps de se mettre vendeurs. On alla se coucher dans un malaise de fièvre, comme à la veille des grands désastres.

Le lendemain, le temps fut exécrable. Il avait plu toute la nuit, une petite pluie glaciale noyait la ville, changée par le dégel en un cloaque de boue, jaune et liquide. La Bourse, dès midi et demi, clamait dans ce ruissellement. Réfugiée sous le péristyle et dans la salle, la foule était énorme ; et la salle, bientôt, avec les parapluies mouillés qui s'égouttaient, se trouva changée en une immense flaque d'eau bourbeuse. La crasse noire des murs suintait, il ne tombait du toit vitré qu'un jour bas et roussâtre, d'une désespérée mélancolie.

Au milieu des mauvais bruits qui couraient, des histoires extraordinaires détraquant les têtes, tous les regards, dès l'entrée, cherchaient Saccard, le dévisageaient. Il était à son poste, debout, près du pilier accoutumé ; et il avait l'air des autres jours, des jours triomphants, son air de gaieté brave et d'absolue confiance. Il n'ignorait pas que l'Universelle avait baissé de trois cents francs la veille, à la petite Bourse du soir ; il flairait un danger immense, il s'attendait à un furieux assaut des baissiers ; mais son plan de bataille lui semblait inattaquable, le mouvement tournant de Daigremont, l'arrivée imprévue d'une armée fraîche de millions devait tout emporter et lui assurer une fois de plus la victoire. Lui, désormais, se trouvait sans ressources ; les caisses de l'Universelle étaient vides, il en avait gratté jusqu'aux centimes ; et il ne désespérait pourtant pas, il s'était fait reporter par Mazaud, il l'avait conquis à un tel point, en lui confiant l'appui du syndicat de Daigremont, que l'agent, sans couverture*, venait encore d'accepter des ordres d'achat pour plusieurs millions. La tactique arrêtée entre eux était de ne pas trop laisser tomber les cours, au début de la Bourse, de les soutenir, de guerroyer, en attendant l'armée de renfort. L'émotion était si vive, que Massias et Sabatani, renonçant à des ruses inutiles, maintenant que la vraie situation faisait l'objet de tous les commérages, vinrent causer ouvertement avec Saccard, puis coururent porter ses recommandations dernières, l'un à Nathansohn, sous le péristyle, l'autre à Mazaud, encore dans le cabinet des agents de change.

Il était une heure moins dix, et Moser qui arrivait, blême d'une crise de foie, dont la morsure l'avait empêché de fermer l'œil, la nuit précédente, fit remarquer à Pillerault que tout le monde, ce jour-là, était jaune et avait l'air malade. Pillerault, que l'approche des désastres redressait dans des fanfaronnades de chevalier errant, partit d'un éclat de rire.

« Mais c'est vous, mon cher, qui avez la colique. Tout le monde est très gai. Nous allons vous flanquer une de ces tripotées dont on se souvient longtemps. »

La vérité était que, dans l'anxiété générale, la salle restait morne, sous le jour roussâtre, et cela se sentait surtout au grondement affaibli des voix. Ce n'était plus l'éclat tumultueux des grands jours de hausse, l'agitation, le vacarme d'une marée, débordant de toutes parts en conquérante. On ne courait plus, on ne criait plus, on se glissait, on parlait bas, comme dans la maison d'un malade. Bien que la foule fût considérable, et que l'on s'étouffât pour circuler, un murmure seulement s'élevait, navré, le chuchotement des craintes qui couraient, des nouvelles déplorables qu'on échangeait à l'oreille. Beaucoup se taisaient, livides, la face contractée, avec des yeux élargis, qui interrogeaient désespérément les autres visages.

« Salmon, vous ne dites rien ? demanda Pillerault, plein d'une ironie agressive.

– Parbleu ! murmura Moser, il est comme les autres, il n'a rien à dire, il a peur. »

En effet, ce jour-là, les silences de Salmon n'inquiétaient plus personne, dans l'attente profonde et muette de tous.

Mais c'était autour de Saccard que se pressait surtout un flot de clients, frémissants d'incertitude, avides d'une bonne parole. On remarqua plus tard que Daigremont ne s'était pas montré, pas plus que le député Huret, averti sans doute, redevenu le chien fidèle de Rougon. Kolb, au milieu d'un groupe de banquiers, affectait d'être pris par une grosse affaire d'arbitrage. Le marquis de Bohain, au-dessus des vicissitudes du sort, promenait tranquillement sa petite tête pâle et aristocratique, certain de gagner quand même, ayant donné à Jacoby l'ordre d'acheter autant d'Universelle qu'il avait chargé Mazaud d'en vendre. Et Saccard, assiégé par la foule des autres, les croyants, les naïfs, se montra particulièrement aimable et rassurant pour Sédille et pour Maugendre, qui, les lèvres tremblantes, les yeux humides de supplications, quêtaient l'espoir du triomphe. Il leur serra vigoureusement la main, en mettant dans son étreinte l'absolue promesse de vaincre. Puis, en homme constamment heureux, à l'abri de tout péril, il se lamenta d'une misère.

« Vous me voyez consterné. Par ces grands froids, on a oublié un camélia dans ma cour, et il est perdu. »

Le mot courut, on s'attendrit sur le camélia. Quel homme, ce Saccard ! d'une assurance impassible, le visage toujours souriant, sans qu'on pût savoir si ce n'était là qu'un masque, posé sur les effroyables préoccupations qui auraient torturé tout autre !

« L'animal ! est-il beau ! » murmura Jantrou à l'oreille de Massias, qui revenait.

Justement, Saccard appelait Jantrou, envahi d'un souvenir à cette minute suprême, se rappelant l'après-midi, où, avec ce dernier, il avait vu le coupé de la baronne Sandorff, arrêté rue Brongniart. Est-ce qu'il était là, encore, dans cette journée de crise ? est-ce que le cocher, haut perché, gardait sous la pluie battante son immobilité de pierre, pendant que la baronne, derrière les glaces closes, attendait les cours ?

« Certainement, elle est là, répondit Jantrou, à demi-voix, et de tout cœur avec vous, bien décidée à ne pas reculer d'une semelle... Nous sommes tous là, solides à notre poste. »

Saccard fut heureux de cette fidélité, bien qu'il doutât du désintéressement de la dame et des autres. D'ailleurs, dans l'aveuglement de sa fièvre, il croyait encore marcher à la conquête, avec tout son peuple d'actionnaires* derrière lui, ce peuple des humbles et du beau monde, engoué, fanatisé, les jolies femmes mêlées aux servantes, en un même élan de foi.

Enfin, le coup de cloche retentit, passa avec une lamentation de tocsin, sur la houle effarée des têtes. Et Mazaud, qui donnait des ordres à Flory, revint vivement vers la corbeille, pendant que le jeune employé se précipitait au télégraphe, très ému pour lui-même ; car, en perte depuis quelque temps, s'entêtant à suivre la fortune de l'Universelle, il risquait ce jour-là un coup décisif, sur l'histoire de l'intervention de Daigremont, surprise à la charge, derrière une porte. La corbeille était tout aussi anxieuse que la salle, les agents sentaient bien, depuis la dernière liquidation, le sol trembler sous eux, au milieu de symptômes si graves, que leur expérience s'en alarmait. Déjà, des écroulements partiels s'étaient produits, le marché exténué, trop chargé, se lézardait de toutes parts. Allait-ce donc être un de ces grands cataclysmes, comme il en survient un tous les dix à quinze ans, une de ces crises du jeu à l'état de fièvre aiguë, qui décime la Bourse, la balaie d'un vent de mort ? À la rente, au comptant, les cris semblaient s'étrangler, la bousculade

se faisait plus rude, dominée par les hautes silhouettes
noires des coteurs, qui attendaient, la plume aux doigts.
Et, tout de suite, Mazaud, les mains serrant la rampe de
velours rouge, aperçut Jacoby, de l'autre côté du bassin
circulaire, criant de sa voix profonde :

« J'ai de l'Universelle… À 2 800, j'ai de l'Universelle… »

C'était le dernier cours de la petite Bourse de la veille ;
et, pour enrayer immédiatement la baisse, il crut prudent
de prendre à ce prix. Sa voix aiguë s'éleva, domina toutes
les autres.

« À 2 800, je prends… Trois cents Universelle,
envoyez ! »

Le premier cours se trouva ainsi fixé. Mais il lui fut
impossible de le maintenir. De toutes parts, les offres
affluaient. Il lutta désespérément pendant une demi-
heure, sans autre résultat que de ralentir la chute rapide.
Sa surprise était de ne pas être plus soutenu par la coulisse. Que faisait donc Nathansohn, dont il attendait des
ordres d'achat ? et il ne sut que plus tard l'adroite tactique de ce dernier, qui, tout en achetant pour Saccard,
vendait pour son propre compte, averti de la vraie situation par son flair de juif [1]. Massias, très engagé lui-même
comme acheteur, accourut, essoufflé, dire la déroute de
la coulisse à Mazaud, qui perdit la tête et brûla ses dernières cartouches, en lâchant d'un coup les ordres qu'il
se réservait d'échelonner, jusqu'à l'arrivée des renforts.
Cela fit remonter un peu les cours : de 2 500, ils revinrent
à 2 650, affolés, avec les sauts brusques des jours de tempête ; et, un instant encore, l'espoir fut sans bornes chez
Mazaud, chez Saccard, chez tous ceux qui étaient dans
la confidence du plan de bataille. Puisque cela remontait
dès maintenant, la journée était gagnée, la victoire allait
être foudroyante, lorsque la réserve déboucherait sur le
flanc des baissiers et changerait leur défaite en une

1. Il s'agit de l'une des rares occurrences où le préjugé ne peut être
rattaché au point de vue de Saccard ou d'un Massias.

effroyable déroute. Il y eut un mouvement de joie profonde, Sédille et Maugendre auraient baisé les mains de Saccard, Kolb se rapprocha, tandis que Jantrou disparut, courant porter à la baronne Sandorff la bonne nouvelle. Et l'on vit à ce moment le petit Flory, radieux, chercher partout Sabatani, qui lui servait maintenant d'intermédiaire, pour lui donner un nouvel ordre d'achat.

Mais deux heures venaient de sonner, et Mazaud, sur qui portait l'effort de l'attaque, faiblissait de nouveau. Sa surprise augmentait, du retard que les renforts mettaient à entrer en ligne. Il était grand temps, qu'attendaient-ils donc pour le dégager de la position intenable où il s'épuisait ? Bien que, par fierté professionnelle, il montrât un visage impassible, il sentait un grand froid monter à ses joues, il craignait de pâlir. Jacoby, tonitruant, continuait de lui jeter, par paquets méthodiques, ses offres, qu'il cessait de relever. Et ce n'était plus lui qu'il regardait, ses yeux s'étaient tournés vers Delarocque, l'agent de Daigremont, dont il ne comprenait pas le silence. Gros et trapu, avec sa barbe rousse, l'air béat et souriant d'une noce de la veille, celui-ci restait paisible, dans son attente inexplicable. Est-ce qu'il n'allait pas ramasser toutes ces offres, tout sauver, par les ordres d'achat dont devaient déborder les fiches qu'il avait en main ?

Tout d'un coup, de sa voix gutturale, légèrement enrouée, Delarocque se jeta dans la lutte.

« J'ai de l'Universelle… J'ai de l'Universelle… »

Et, en quelques minutes, il en offrit pour plusieurs millions. Des voix lui répondaient. Les cours s'effondraient.

« J'ai à 2 400… J'ai à 2 300… Combien ?… Cinq cents, six cents… Envoyez ! »

Que disait-il donc ? que se passait-il ? Au lieu des secours attendus, était-ce une nouvelle armée ennemie qui débouchait des bois voisins ? Comme à Waterloo, Grouchy n'arrivait pas, et c'était la trahison qui achevait la déroute [1]. Sous ces masses profondes et fraîches de vendeurs, accourant au pas de charge, une effroyable panique se déclarait.

À cette seconde, Mazaud sentit passer la mort sur sa face. Il avait reporté* Saccard pour des sommes trop considérables, il eut la sensation nette que l'Universelle lui cassait les reins en s'écroulant. Mais sa jolie figure brune, aux minces moustaches, resta impénétrable et brave. Il acheta encore, épuisa les ordres qu'il avait reçus, de sa voix chantante de jeune coq, aiguë comme dans le succès. Et, en face de lui, ses contreparties, Jacoby mugissant, Delarocque apoplectique, malgré leur effort d'indifférence, laissaient percer plus d'inquiétude ; car ils le voyaient désormais en grand danger, et les paierait-il, s'il sautait ? Leurs mains étreignaient le velours de la rampe, leurs voix continuaient à glapir, comme mécaniquement, par habitude de métier, pendant que, dans leurs regards fixes, s'échangeait toute l'affreuse angoisse du drame de l'argent.

Alors, pendant la dernière demi-heure, ce fut la débâcle, la déroute s'aggravant et emportant la foule en un galop désordonné. Après l'extrême confiance, l'engouement aveugle, arrivait la réaction de la peur, tous se ruant pour vendre, s'il en était temps encore. Une grêle d'ordres de vente s'abattit sur la corbeille, on ne voyait plus que des fiches pleuvoir ; et ces paquets énormes de titres, jetés ainsi sans prudence, accéléraient la baisse, un véritable effondrement. Les cours, de chute en chute, tombèrent à 1 500, à 1 200, à 900. Il n'y avait plus d'acheteurs, la plaine restait rase, jonchée de cadavres. Audessus du sombre grouillement des redingotes, les trois coteurs semblaient être des greffiers mortuaires, enregistrant des décès. Par un singulier effet du vent de désastre

---

1. Dans cette bataille qui opposa l'armée de Napoléon Ier aux armées des alliés (16-17 juin 1815), l'arrivée des troupes prussiennes, en l'absence du renfort attendu des troupes de Grouchy – qui fut par la suite soupçonné de trahison –, marqua la défaite de l'armée française.

qui traversait la salle, l'agitation s'y était figée, le vacarme s'y mourait, comme dans la stupeur d'une grande catastrophe. Un silence effrayant régna, lorsque, après le coup de cloche de la clôture, le dernier cours de 830 francs fut connu. Et la pluie entêtée ruisselait toujours sur le vitrage, qui ne laissait plus filtrer qu'un crépuscule louche ; la salle était devenue un cloaque, sous l'égouttement des parapluies et le piétinement de la foule, un sol fangeux d'écurie mal tenue, où traînaient toutes sortes de papiers déchirés ; tandis que, dans la corbeille, éclatait le bariolage des fiches, les vertes, les rouges, les bleues, jetées à pleines mains, si abondantes ce jour-là, que le vaste bassin débordait.

Mazaud était rentré dans le cabinet des agents de change, en même temps que Jacoby et Delarocque. Il s'approcha du buffet, but un verre de bière, dévoré d'une soif ardente, et il regardait l'immense pièce, avec son vestiaire, sa longue table centrale autour de laquelle étaient rangés les fauteuils des soixante agents, ses tentures de velours rouge, tout son luxe banal et défraîchi qui la faisait ressembler à une salle d'attente de première classe, dans une grande gare ; il la regardait de l'air étonné d'un homme qui ne l'aurait jamais bien vue. Puis, comme il partait, sans une parole, il serra les mains de Jacoby et de Delarocque, de l'étreinte accoutumée, tous les trois pâlissant, sous leur attitude correcte de chaque jour. Il avait dit à Flory de l'attendre à la porte ; et il l'y trouva, en compagnie de Gustave, qui avait définitivement quitté la charge depuis une semaine, et qui était venu en simple curieux, toujours souriant, menant la vie de fête, sans se demander si son père, le lendemain, pourrait encore payer ses dettes ; tandis que Flory, blême, avec de petits ricanements imbéciles, s'efforçait de causer, sous l'effroyable perte d'une centaine de mille francs, qu'il venait de faire, en ne sachant pas où en prendre le premier sou. Mazaud et son employé disparurent au milieu de l'averse.

Mais, dans la salle, la panique venait surtout de souffler autour de Saccard, et c'était là que la guerre avait fait ses ravages. Sans comprendre au premier moment, il avait assisté à cette déroute, faisant face au danger. Pourquoi donc cette rumeur ? n'étaient-ce pas les troupes de Daigremont qui arrivaient ? Puis, lorsqu'il avait entendu les cours s'effondrer, tout en ne s'expliquant pas la cause du désastre, il s'était raidi pour mourir debout. Un froid de glace montait du sol à son crâne, il avait la sensation de l'irréparable, c'était sa défaite, à jamais ; et le regret bas de l'argent, la colère des jouissances perdues n'entraient pour rien dans sa douleur : il ne saignait que de son humiliation de vaincu, que de la victoire de Gundermann, éclatante, définitive, qui consolidait une fois de plus la toute-puissance de ce roi de l'or. À cette minute, il fut vraiment superbe, toute sa mince personne bravait la destinée, les yeux sans un battement, le visage têtu, seul contre le flot de désespoir et de rancune qu'il sentait déjà monter contre lui. La salle entière bouillonnait, débordait vers son pilier ; des poings se serraient, des bouches bégayaient des paroles mauvaises ; et il avait gardé aux lèvres un inconscient sourire, qu'on pouvait prendre pour une provocation.

D'abord, au milieu d'une sorte de brouillard, il distingua Maugendre, d'une pâleur mortelle, que le capitaine Chave emmenait à son bras, en lui répétant qu'il l'avait bien prédit, avec une cruauté de joueur infime, ravi de voir les gros spéculateurs se casser les reins. Puis, ce fut Sédille, la face contractée, avec l'air fou du commerçant dont la maison croule, qui vint lui donner une poignée de main vacillante, en bon homme, comme pour lui dire qu'il ne lui en voulait point. Dès le premier craquement, le marquis de Bohain s'était écarté, passant à l'armée triomphante des baissiers, racontant à Kolb, qui se mettait prudemment à part, lui aussi, quels doutes fâcheux ce Saccard lui inspirait, depuis la dernière assemblée générale. Jantrou, éperdu, avait disparu de nouveau, à toutes jambes, pour porter le dernier cours à la baronne

Sandorff, qui allait sûrement avoir une attaque de nerfs dans son coupé, comme la chose lui arrivait les jours de grosse perte.

Et c'était encore, en face de Salmon toujours muet et énigmatique, le baissier Moser et le haussier Pillerault, celui-ci provocant, la mine fière, malgré sa ruine, l'autre, qui gagnait une fortune, se gâtant la victoire par de lointaines inquiétudes.

« Vous verrez qu'au printemps nous aurons la guerre avec l'Allemagne. Tout ça ne sent pas bon, et Bismarck nous guette.

– Eh ! fichez-nous la paix ! J'ai encore eu tort, cette fois, de trop réfléchir… Tant pis ! c'est à refaire, tout ira bien. »

Jusque-là, Saccard n'avait pas faibli. Le nom de Fayeux, prononcé derrière son dos, ce receveur de rentes de Vendôme, avec lequel il se trouvait en rapport, pour toute une clientèle d'infimes actionnaires, venait seulement de lui causer un malaise, en le faisant songer à la masse énorme des petits, des capitalistes misérables qui allaient être broyés sous les décombres de l'Universelle. Mais, brusquement, la vue de Dejoie, livide, décomposé, porta ce malaise à l'aigu, en personnifiant toutes les humbles et lamentables ruines dans ce pauvre homme qu'il connaissait. En même temps, par une sorte d'hallucination, s'évoquèrent les pâles, les désolés visages de la comtesse de Beauvilliers et de sa fille, qui le regardaient éperdument de leurs grands yeux noirs pleins de larmes. Et, à cette minute, Saccard, ce corsaire au cœur tanné par vingt ans de brigandage, Saccard dont l'orgueil était de n'avoir jamais senti trembler ses jambes, de ne s'être jamais assis sur le banc, qui était là, contre le pilier, Saccard eut une défaillance et dut s'y laisser tomber un instant. La cohue refluait toujours, menaçait de l'étouffer. Il leva la tête, dans un besoin d'air, et il fut tout de suite debout, en reconnaissant en haut, à la galerie du télégraphe, penchée au-dessus de la salle, la Méchain qui dominait de son énorme personne grasse le champ de bataille. Son vieux sac de cuir noir était posé près d'elle, sur la rampe de pierre. En attendant d'y entasser les actions dépréciées*, elle guettait les morts, telle que le corbeau vorace qui suit les armées, jusqu'au jour du massacre.

Saccard, alors, d'un pas raffermi, s'en alla. Tout son être lui semblait vide ; mais, par un effort de volonté extraordinaire, il s'avançait, solide et droit. Ses sens seulement s'étaient comme émoussés, il n'avait plus la sensation du sol, il croyait marcher sur un tapis de haute laine. De même, une brume noyait ses yeux, une clameur faisait bourdonner ses oreilles. Tandis qu'il sortait de la Bourse et qu'il descendait le perron, il ne reconnaissait plus les gens, c'étaient des fantômes flottants qui l'entouraient, des formes vagues, des sons perdus. N'avait-il pas vu passer la large face grimaçante de Busch ? Ne s'était-il pas arrêté un instant pour causer avec Nathansohn, très à l'aise, et dont la voix affaiblie lui paraissait venir de loin ? Sabatani et Massias ne l'accompagnaient-ils pas, au milieu de la consternation générale ? Il se revoyait, entouré d'un groupe nombreux, peut-être Sédille et Maugendre encore, toutes sortes de figures qui s'effaçaient, se transformaient. Et, comme il allait s'éloigner, se perdre dans la pluie, dans la boue liquide dont Paris était submergé, il répéta d'une voix aiguë à tout ce monde fantoymatique, mettant sa gloire dernière à montrer sa liberté d'esprit :

« Ah ! que je suis donc contrarié de ce camélia qu'on a oublié dans ma cour, et qui est mort de froid ! »

XI

Mme Caroline, épouvantée, envoya le soir même une dépêche à son frère, qui était à Rome pour une semaine encore ; et, trois jours après, Hamelin débarquait à Paris, accourant au danger.

L'explication fut rude, entre Saccard et l'ingénieur, rue Saint-Lazare, dans cette salle des épures, où l'affaire, autrefois, avait été discutée et résolue avec tant d'enthousiasme. Pendant les trois jours, la débâcle à la Bourse venait de s'aggraver terriblement, les actions* de l'Universelle étaient tombées, coup sur coup, au-dessous du pair [1], à 430 francs ; et la baisse continuait, l'édifice craquait et s'écroulait, d'heure en heure.

Silencieuse, Mme Caroline écouta, évitant d'intervenir. Elle était pleine de remords, car elle s'accusait de complicité, puisque c'était elle qui, après s'être promis de veiller, avait laissé tout faire. Au lieu de se contenter de vendre ses titres, simplement, afin d'entraver la hausse, n'aurait-elle pas dû trouver autre chose, prévenir les gens, agir enfin ? Dans son adoration pour son frère, son cœur saignait, à le voir ainsi compromis, au milieu de ses grands travaux ébranlés, de toute l'œuvre de sa vie remise en question ; et elle souffrait d'autant plus, qu'elle ne se sentait pas libre de juger Saccard : ne l'avait-elle pas aimé, n'était-elle pas à lui, de ce lien secret, dont elle sentait davantage la honte ? C'était, placée ainsi entre ces deux hommes, tout un combat qui la déchirait. Le soir de la catastrophe, elle avait accablé Saccard, dans un bel

---

1. C'est-à-dire au-dessous de sa valeur d'émission, qui était de 500 francs.

emportement de franchise, vidant son cœur de ce qu'elle y amassait depuis longtemps de reproches et de craintes. Puis, en le voyant sourire, tenace, invaincu quand même, en songeant à la force dont il avait besoin pour rester debout, elle s'était dit qu'elle n'avait pas le droit, après s'être montrée faible avec lui, de l'achever, de le frapper ainsi à terre. Et, réfugiée dans le silence, apportant seulement le blâme de son attitude, elle ne voulait être qu'un témoin.

Mais Hamelin, cette fois, s'emportait, lui si conciliant d'ordinaire, désintéressé de tout ce qui n'était pas ses travaux. Il attaqua le jeu avec une violence extrême, l'Universelle succombait à la folie du jeu, une crise d'absolue démence. Sans doute, il n'était pas de ceux qui prétendaient qu'une banque peut laisser fléchir ses titres, comme une compagnie de chemins de fer par exemple : la compagnie de chemins de fer a son immense matériel, qui fait ses recettes ; tandis que le vrai matériel d'une banque est son crédit, elle agonise dès que son crédit chancelle. Seulement, il y avait là une question de mesure. S'il était nécessaire et même sage de maintenir le cours de 2 000 francs, il devenait insensé et complètement criminel de le pousser, de vouloir l'imposer à 3 000 et davantage. Dès son arrivée, il avait exigé la vérité, toute la vérité. On ne pouvait plus lui mentir maintenant, lui dire, comme il avait toléré qu'on le déclarât en sa présence, devant la dernière assemblée, que la société ne possédait pas une de ses actions. Les livres étaient là, il en pénétrait aisément les mensonges. Ainsi, le compte Sabatani, il savait que ce prête-nom cachait les opérations faites par la société ; et il pouvait y suivre, mois par mois, depuis deux ans, la fièvre croissante de Saccard, d'abord timide, n'achetant qu'avec prudence, poussé ensuite à des achats de plus en plus considérables, pour arriver à l'énorme chiffre de vingt-sept mille actions ayant coûté près de quarante-huit millions. N'était-ce pas fou, d'une impudente folie qui avait l'air de se moquer des gens, un pareil chiffre d'affaires mis sous le nom d'un Sabatani !

Et ce Sabatani n'était pas le seul, il y avait d'autres hommes de paille, des employés de la banque, des administrateurs même, dont les achats, portés au compte des reports*, dépassaient vingt mille actions, représentant elles aussi près de quarante-huit millions de francs. Enfin, tout cela n'était encore que les achats fermes, auxquels il fallait ajouter les achats à terme*, opérés dans le courant de la dernière liquidation* de janvier ; plus de vingt mille actions pour une somme de soixante-sept millions et demi, dont l'Universelle avait à prendre livraison ; sans compter, à la Bourse de Lyon [1], dix mille autres titres, vingt-quatre millions encore. Ce qui, en additionnant tout, démontrait que la société avait en main près du quart des actions émises par elle, et qu'elle avait payé ces actions de l'effroyable somme de deux cents millions. Là était le gouffre, où elle s'engloutissait.

Des larmes de douleur et de colère étaient montées aux yeux d'Hamelin. Lui qui venait de jeter si heureusement, à Rome, les bases de sa grande banque catholique, le Trésor du Saint-Sépulcre, pour permettre, aux jours prochains de la persécution [2], d'installer royalement le pape à Jérusalem, dans la gloire légendaire des lieux saints : une banque destinée à mettre le nouveau royaume de Palestine à l'abri des perturbations politiques, en basant son budget, avec la garantie des ressources du pays, sur toute une série d'émissions dont les chrétiens du monde entier allaient se disputer les titres ! Et tout cela croulait d'un coup, dans cette imbécile démence du jeu ! Il était parti laissant un bilan admirable, des millions à la pelle, une société dans une prospérité si prompte et si haute, qu'elle faisait l'étonnement du monde ; et, moins d'un mois après, lorsqu'il revenait, les millions étaient fondus, la société était par terre, en poudre, il n'y avait plus rien

---

1. Le krach de l'Union générale de 1882 commença sur la place de Lyon (voir *supra*, p. 99, note 2, et p. 130, note 1). 2. Cette hyperbole renvoie à la crainte de voir le pape humilié au fil de la constitution de l'unité italienne.

qu'un trou noir, où le feu semblait avoir passé. Sa stupeur croissait, il exigeait violemment des explications, voulait comprendre quelle puissance mystérieuse venait de pousser Saccard à s'acharner ainsi contre l'édifice colossal qu'il avait élevé, à le détruire pierre par pierre d'un côté, tandis qu'il prétendait l'achever de l'autre.

Saccard, très nettement, sans se fâcher, répondit. Après les premières heures d'émotion et d'anéantissement, il s'était retrouvé, debout, solide, avec son indomptable espoir. Des trahisons avaient rendu la catastrophe terrible, mais rien n'était perdu, il allait tout relever. Et, d'ailleurs, si l'Universelle avait eu une prospérité si rapide et si grande, ne la devait-elle pas aux moyens qu'on lui reprochait ? la création du syndicat*, les augmentations successives du capital*, le bilan hâtif du dernier exercice, les actions gardées par la société et plus tard les actions achetées en masse, follement. Tout cela faisait corps. Si l'on acceptait le succès, il fallait bien accepter les risques. Quand on chauffe trop une machine, il arrive qu'elle éclate. Du reste, il n'avouait aucune faute, il avait fait, simplement avec plus de carrure intelligente, ce que tout directeur de banque fait ; et il ne lâchait pas son idée géniale, son idée géante, de racheter la totalité des titres, d'abattre Gundermann. L'argent lui avait manqué, voilà tout. Maintenant, c'était à recommencer. Une assemblée générale extraordinaire venait d'être convoquée pour le lundi suivant, il se disait absolument certain de ses actionnaires*, il obtiendrait d'eux les sacrifices indispensables, convaincu que, sur un mot de lui, tous apporteraient leur fortune[1]. En attendant, on vivrait, grâce aux

---

1. Ce paradoxe est un *topos* de la littérature ou de la caricature boursières. En 1836, Daumier met plusieurs fois en scène le spéculateur Robert Macaire (personnage inspiré du théâtre) dans la situation de réclamer à ses actionnaires une rallonge, alors qu'il a déjà dilapidé leurs dépôts. Dans *L'Argent des autres* (1873), Émile Gaboriau, de même, fait le portrait d'un directeur de banque malhonnête mais hâbleur, qui retourne totalement l'auditoire de ses actionnaires furieux, jusqu'à envisager un nouvel appel de fonds. On rejoint là la thématique du *gogo*. Voir l'entrée « Actionnaire » dans le Lexique financier.

petites sommes que les autres maisons de crédit, les grandes banques, avançaient chaque matin pour les besoins pressants de la journée, dans la crainte d'un trop brusque effondrement, qui les aurait ébranlées elles-mêmes. La crise passée, tout allait reprendre et resplendir de nouveau.

« Mais, objecta Hamelin, que calmait déjà cette tranquillité souriante, ne voyez-vous pas, dans ces secours fournis par nos rivaux, une tactique, une idée de se garer d'abord et de rendre ensuite notre chute plus profonde, en la retardant ?... Ce qui m'inquiète, c'est de voir Gundermann là-dedans. »

En effet, Gundermann, un des premiers, s'était offert, pour éviter l'immédiate déclaration de faillite, avec l'extraordinaire sens pratique d'un monsieur, qui, forcé de mettre le feu chez un voisin, se hâterait ensuite d'apporter des seaux d'eau, afin que le quartier entier ne fût pas détruit [1]. Il était au-dessus de la rancune, il n'avait d'autre gloire que d'être le premier marchand d'argent du monde, le plus riche et le plus avisé, ayant réussi à sacrifier toutes ses passions à l'accroissement continu de sa fortune.

Saccard eut un geste d'impatience, exaspéré par cette preuve que le vainqueur donnait de sa sagesse et de son intelligence.

« Oh ! Gundermann, il fait la grande âme, il croit qu'il me poignarde, avec sa générosité. »

Un silence régna, et ce fut Mme Caroline, restée jusque-là muette, qui reprit enfin :

« Mon ami, j'ai laissé mon frère vous parler comme il devait le faire, dans la légitime douleur qu'il a éprouvée, en apprenant toutes ces déplorables choses... Mais notre situation, à nous autres, me semble claire, et, n'est-ce pas ? il me paraît impossible qu'il se trouve compromis,

---

1. La banque Rothschild chercha en effet, en 1882, à consolider le marché qui avait été mis à mal par la faillite de son ennemie déclarée, l'Union générale.

si l'affaire tournait décidément mal. Vous savez à quel cours j'ai vendu, on ne pourra pas dire qu'il a poussé à la hausse, pour tirer un plus gros profit de ses titres. Et, d'ailleurs, si la catastrophe arrive, nous savons ce que nous avons à faire… Je n'ai point, je l'avoue, votre espoir entêté. Seulement, vous avez raison, il faut lutter jusqu'à la dernière minute, et ce n'est pas mon frère qui vous découragera, soyez-en sûr. »

Elle était émue, reprise par sa tolérance pour cet homme si obstinément vivace, ne voulant pas cependant montrer cette faiblesse, car elle ne pouvait plus s'aveugler sur l'exécrable besogne qu'il avait faite, qu'il aurait sûrement faite encore, avec sa passion voleuse de corsaire sans scrupules.

« Certainement, déclara à son tour Hamelin, las et à bout de résistance, je ne vais pas vous paralyser, lorsque vous vous battez pour nous sauver tous. Comptez sur moi, si je puis vous être utile. »

Et, une fois de plus, à cette heure dernière, sous les plus effroyables menaces, Saccard les rassura, les reconquit, en les quittant sur ces paroles, pleines de promesses et de mystère :

« Dormez tranquilles… Je ne puis encore parler, mais j'ai l'absolue certitude de tout remettre à flot avant la fin de l'autre semaine. »

Cette phrase, qu'il n'expliquait pas, il la répéta à tous les amis de la maison, à tous les clients qui vinrent, effarés, terrifiés, lui demander conseil. Depuis trois jours, le galop ne cessait pas, rue de Londres, au travers de son cabinet. Les Beauvilliers, les Maugendre, Sédille, Dejoie, accoururent à la file. Il les recevait, très calme, d'un air militaire, avec des mots vibrants qui leur remettaient du courage au cœur ; et, quand ils parlaient de vendre, de réaliser* à perte, il se fâchait, leur criait de ne pas faire une pareille bêtise, s'engageant sur l'honneur à rattraper les cours de 2 000 et même de 3 000 francs. Malgré les fautes commises, tous gardaient en lui une foi aveugle : qu'on le leur laissât, qu'il fût libre de les voler encore, et il débrouillerait tout, il finirait par tous les enrichir, ainsi qu'il l'avait juré. Si aucun accident ne se produisait avant le lundi, si on lui donnait le temps de réunir l'assemblée générale extraordinaire, personne ne doutait qu'il ne tirât l'Universelle saine et sauve des décombres.

Saccard avait songé à son frère Rougon, et c'était là ce secours tout-puissant dont il parlait, sans vouloir s'expliquer davantage. S'étant trouvé face à face avec Daigremont, le traître, et lui ayant fait d'amers reproches, il n'en avait obtenu que cette réponse : « Mais, mon cher, ce n'est pas moi qui vous ai lâché, c'est votre frère ! » Évidemment, cet homme était dans son droit : il n'avait fait l'affaire qu'à la condition que Rougon en serait, on lui avait promis Rougon formellement, rien d'étonnant à ce qu'il se fût retiré, du moment où le ministre, loin d'en être, vivait en guerre avec l'Universelle et son directeur. C'était au moins une excuse sans réplique. Très frappé, Saccard venait de sentir sa faute immense, cette brouille avec ce frère qui seul pouvait le défendre, le rendre à ce point sacré, que personne n'oserait achever sa ruine, lorsqu'on saurait le grand homme derrière lui. Et ce fut, pour son orgueil, une des heures les plus dures, celle où il se décida à prier le député Huret d'intervenir en sa faveur. Du reste, il gardait une attitude de menace, refusait toujours de disparaître, exigeait comme une chose due l'aide de Rougon, qui avait plus d'intérêt que lui à éviter le scandale. Le lendemain, comme il attendait la visite promise d'Huret, il reçut simplement un billet, dans lequel, en termes vagues, on lui faisait dire de ne pas s'impatienter et de compter sur une bonne issue, si les circonstances ne s'y opposaient pas, plus tard. Il se contenta de ces quelques lignes, qu'il regarda comme une promesse de neutralité.

Mais la vérité était que Rougon venait de prendre l'énergique parti d'en finir, avec ce membre gangrené de sa famille, qui, depuis des années, le gênait, dans d'éternelles terreurs d'accidents malpropres, et qu'il préférait enfin trancher violemment [1]. Si la catastrophe arrivait, il était résolu à laisser aller les choses. Puisqu'il n'obtiendrait jamais de Saccard son exil, le plus simple n'était-il pas de le forcer à s'expatrier lui-même, en lui facilitant la fuite, après quelque bonne condamnation ? Un brusque scandale, un coup de balai, ce serait fini. D'ailleurs, la situation du ministre devenait difficile, depuis qu'il avait déclaré au Corps législatif, dans un mouvement d'éloquence mémorable, que jamais la France ne laisserait l'Italie s'emparer de Rome. Très applaudi par les catholiques, très attaqué par le tiers état [2] de plus en plus puissant, il voyait arriver l'heure où ce dernier, aidé des bonapartistes libéraux, allait le faire sauter du pouvoir, à moins qu'il ne leur donnât aussi un gage. Et le gage, si les circonstances le voulaient, allait être l'abandon de cette Universelle, patronnée par Rome, devenue une force inquiétante. Enfin, ce qui avait achevé de le décider, c'était une communication secrète de son collègue des Finances, qui, sur le point de lancer un emprunt, avait trouvé Gundermann et tous les banquiers juifs très réservés, donnant à entendre qu'ils refuseraient leurs capitaux, tant que le marché resterait incertain pour eux, livré aux aventures. Gundermann triomphait. Plutôt les juifs, avec leur royauté acceptée de l'or, que les catholiques ultramontains maîtres du monde, s'ils devenaient les rois de la Bourse !

On raconta plus tard que le garde des sceaux Delcambre, acharné dans sa rancune contre Saccard, ayant fait pressentir Rougon sur la conduite à suivre vis-à-vis de son frère, au cas où la justice aurait à intervenir, en avait simplement reçu ce cri du cœur : « Ah ! qu'il m'en débarrasse donc, je lui devrai un fameux cierge ! » Dès lors, du moment où Rougon l'abandonnait, Saccard était

---

1. Il est donc inexact de concevoir *L'Argent* comme le roman d'une collusion politico-financière. Cette thématique ne s'est épanouie vraiment dans la littérature qu'à partir du moment où a éclaté le scandale de Panamá, en 1892. **2.** Zola veut dire « le tiers parti ». Voir *supra*, p. 292, note 3.

perdu. Delcambre, qui le guettait depuis son arrivée au pouvoir, le tenait enfin sur la marge du Code, au bord même du vaste filet judiciaire, n'ayant plus qu'à trouver le prétexte pour lancer ses gendarmes et ses juges.

Un matin, Busch, furieux de n'avoir pas agi encore, se rendit au Palais de Justice. S'il ne se hâtait pas, jamais maintenant il ne tirerait de Saccard les quatre mille francs qui restaient dus à la Méchain, sur le fameux compte de frais, pour le petit Victor. Son plan était simplement de soulever un abominable scandale, en l'accusant de séquestration d'enfant, ce qui permettrait d'étaler les détails immondes du viol de la mère et de l'abandon du gamin. Un pareil procès fait au directeur de l'Universelle, dans l'émotion soulevée par la crise que traversait cette banque, cela remuerait tout Paris ; et Busch espérait encore que Saccard, à la première menace, paierait. Mais le substitut qui se trouva chargé de le recevoir, un propre neveu de Delcambre, écouta son histoire d'un air d'impatience et d'ennui : non ! non ! rien à faire de sérieux avec de pareils commérages, ça ne tombait sous le coup d'aucun article du Code. Déconcerté, Busch s'emportait, parlait de sa longue patience, lorsque le magistrat l'interrompit brusquement, en lui entendant dire qu'il avait poussé la bonhomie, vis-à-vis de Saccard, jusqu'à placer des fonds en report, à l'Universelle. Comment ! il avait des fonds compromis dans la déconfiture certaine de cette maison, et il n'agissait pas ! Rien n'était plus simple, il n'avait qu'à déposer une plainte en escroquerie, car la justice, dès maintenant, se trouvait avertie de manœuvres frauduleuses, qui allaient entraîner la banqueroute. C'était là le coup terrible à porter, et non l'autre histoire, le mélodrame d'une fille morte d'ivrognerie et d'un enfant grandi dans le ruisseau. Busch écoutait, la face attentive et grave, lancé sur cette nouvelle voie, entraîné à un acte qu'il n'était pas venu faire, dont il devinait les décisives conséquences : Saccard arrêté, l'Universelle frappée à mort. La seule peur de perdre son argent l'aurait décidé tout de suite. Il ne demandait d'ailleurs que désastres, pour pêcher en eau trouble. Cependant, il hésita, il disait qu'il réfléchirait, qu'il reviendrait, et il fallut que le substitut lui mît la plume aux doigts, lui fît écrire, dans son cabinet même, sur son bureau, la plainte en escroquerie, qu'immédiatement, l'homme congédié, il porta, tout bouillant de zèle, à son onde le garde des sceaux. L'affaire était bâclée.

Le lendemain, rue de Londres, au siège de la société, Saccard eut une longue entrevue avec les commissaires-censeurs* et avec l'administrateur judiciaire [1], pour arrêter le bilan qu'il désirait présenter à l'assemblée générale. Malgré les sommes prêtées par les autres établissements financiers [2], on avait dû fermer les guichets, suspendre les paiements, devant les demandes croissantes. Cette banque, qui, un mois plus tôt, possédait près de deux cents millions dans ses caisses, n'avait pu rembourser, à sa clientèle affolée, que les quelques premières centaines de mille francs. Un jugement du tribunal de commerce avait déclaré d'office la faillite, à la suite d'un rapport sommaire, remis la veille par un expert, chargé d'examiner les livres. Malgré tout, Saccard, inconscient, promettait encore de sauver la situation, avec un aveuglement d'espoir, un entêtement de bravoure extraordinaires. Et précisément, ce jour-là, il attendait la réponse du parquet des agents de change*, pour la fixation d'un cours de compensation [3], lorsque l'huissier entra lui dire que trois messieurs le demandaient, dans un salon voisin. C'était le salut peut-être, il se précipita, très gai, et il trouva un commissaire de police, aidé de deux agents, qui procéda à son arrestation immédiate. Le mandat d'amener venait

---

1. Nommé par la justice pour prendre en main la gestion de la société. 2. Zola suit le schéma du krach de 1882 : les principales banques françaises, pour éviter la débâcle des milieux financiers, avaient en effet ouvert un crédit à l'Union générale. 3. Cours qui sert de base au règlement de l'affaire en question, pour tous les intermédiaires financiers et tous les clients concernés, sans perception de courtages.

d'être lancé, sur la lecture du rapport de l'expert, dénonçant des irrégularités d'écritures, et particulièrement sur la plainte en abus de confiance de Busch, qui prétendait que des fonds, confiés par lui pour être placés en report, avaient reçu une destination autre. À la même heure, on arrêtait également Hamelin, à son domicile, rue Saint-Lazare. Cette fois, c'était bien la fin, comme si toutes les haines, toutes les malchances aussi se fussent acharnées. L'assemblée générale extraordinaire ne pouvait plus se réunir, la Banque universelle avait vécu [1].

Mme Caroline n'était pas chez elle, au moment de l'arrestation de son frère, qui ne put que lui laisser quelques lignes écrites à la hâte. Lorsqu'elle rentra, ce fut une stupeur. Jamais elle n'avait cru qu'on songeât même une minute à le poursuivre, tellement il lui apparaissait pur de tout trafic louche, innocenté par ses longues absences. Dès le lendemain de la faillite, le frère et la sœur s'étaient dépouillés de tout ce qu'ils possédaient, en faveur de l'actif, voulant rester nus, au sortir de cette aventure, comme ils y étaient entrés nus ; et la somme était forte, près de huit millions, dans lesquels se trouvaient engloutis les trois cent mille francs qu'ils avaient hérités d'une tante. Tout de suite, elle se lança en démarches, en sollicitations, elle ne vécut plus que pour améliorer le sort, préparer la défense de son pauvre Georges, reprise de crises de larmes, malgré sa vaillance, chaque fois qu'elle se l'imaginait innocent et sous les verrous, éclaboussé de cet affreux scandale, la vie dévastée, salie à jamais. Lui si doux, si faible, d'une dévotion d'enfant, d'une ignorance de « grosse bête », comme elle disait, en dehors de ses travaux techniques ! Et, d'abord, elle s'était emportée contre Saccard, l'unique cause du

---

1. Zola décalque l'aventure judiciaire de l'Union générale. Il faut souligner, comme l'ont fait les sociologues de l'antisémitisme financier de la fin du XIXe siècle, que la double arrestation de Bontoux et Feder en 1882 a motivé chez les thuriféraires de l'Union générale l'idée que si Bontoux avait été laissé en liberté, l'Union aurait pu se relever, et que sa chute était donc due à l'acharnement du pouvoir républicain.

désastre, l'ouvrier de leur malheur, dont elle reconstruisait et jugeait nettement l'œuvre exécrable, depuis les
jours du début, lorsqu'il la plaisantait si gaiement de lire
le Code, jusqu'à ces jours de la fin, où, dans les sévérités
de l'insuccès, devaient se payer toutes les irrégularités,
qu'elle avait prévues et laissé commettre. Puis, torturée
par ce remords de complicité qui la hantait, elle s'était
tue, elle évitait de s'occuper ouvertement de lui, avec la
volonté d'agir comme s'il n'était pas. Quand elle devait
prononcer son nom, elle semblait parler d'un étranger,
d'une partie adverse dont les intérêts étaient différents
des siens. Elle, qui visitait presque quotidiennement son
frère à la Conciergerie [1], n'avait pas même demandé une
autorisation, pour aller voir Saccard. Et elle était très
brave, elle campait toujours dans leur appartement de la
rue Saint-Lazare, recevant tous ceux qui se présentaient,
même ceux qui venaient l'injure à la bouche, transformée
ainsi en une femme d'affaires résolue à sauver ce qu'elle
pourrait de leur honnêteté et de leur bonheur.

Durant les longues journées qu'elle passait de la sorte,
en haut, dans ce cabinet des épures, où elle avait vécu de
si belles heures de travail et d'espoir, un spectacle surtout
la navrait. Lorsqu'elle s'approchait d'une fenêtre et
qu'elle jetait un regard sur l'hôtel voisin, elle ne pouvait
y voir sans un serrement de cœur, derrière les vitres de
l'étroite pièce où les deux pauvres femmes se tenaient, les
profils pâles de la comtesse de Beauvilliers et de sa fille
Alice. Ces journées de février étaient très douces, elle les
apercevait souvent aussi marchant à pas ralentis, la tête
basse, le long des allées du jardin moussu, ravagé par
l'hiver. L'écroulement venait d'être effroyable dans ces
deux existences. Les malheureuses qui, quinze jours plus
tôt, possédaient dix-huit cent mille francs avec leurs six
cents actions, n'en auraient tiré que dix-huit mille,
aujourd'hui que le titre était tombé de trois mille francs
à trente francs. Et leur fortune entière se trouvait fondue,

---

1. Prison située près du Palais de justice de Paris.

emportée du coup : les vingt mille francs de la dot, mis si péniblement de côté par la comtesse, les soixante-dix mille francs empruntés d'abord sur la ferme des Aublets, les Aublets eux-mêmes vendus ensuite deux cent quarante mille francs, lorsqu'ils en valaient quatre cent mille. Que devenir, quand les hypothèques dont l'hôtel était écrasé, mangeaient déjà huit mille francs par an, et qu'elles n'avaient jamais pu réduire le train de la maison à moins de sept mille, malgré leur ladrerie, les miracles d'économie sordide qu'elles accomplissaient, pour sauver les apparences et garder leur rang ? Même en vendant leurs actions, comment vivre désormais, comment faire face à tous les besoins, avec ces dix-huit mille francs, l'épave dernière du naufrage ? Une nécessité s'imposait, que la comtesse n'avait pas voulu encore envisager résolument : quitter l'hôtel, l'abandonner aux créanciers hypothécaires, puisqu'il devenait impossible de payer les intérêts, ne pas attendre que ceux-ci le fissent mettre en vente, se retirer tout de suite au fond de quelque petit logement, pour y vivre une vie étroite et effacée, jusqu'au dernier morceau de pain. Mais, si la comtesse résistait, c'était qu'il y avait là un arrachement de toute sa personne, la mort même de ce qu'elle avait cru être, l'effondrement de l'édifice de sa race que, depuis des années, elle soutenait de ses mains tremblantes, avec une obstination héroïque. Les Beauvilliers en location, n'ayant plus le toit des ancêtres, vivant chez les autres, dans la misère avouée des vaincus : est-ce que, vraiment, ce ne serait pas à mourir de honte ? Et elle luttait toujours.

Un matin, Mme Caroline vit ces dames, sous le petit hangar du jardin, qui lavaient leur linge. La vieille cuisinière, presque impotente, ne leur était plus d'un grand secours ; pendant les derniers froids, elles avaient dû la soigner ; et il en était de même du mari, à la fois concierge, cocher et valet de chambre, qui avait grand-peine à balayer la maison et à tenir debout l'antique cheval, trébuchant et ravagé comme lui. Aussi ces dames s'étaient-elles mises résolument au ménage, la fille

lâchant parfois ses aquarelles pour faire les maigres
soupes dont vivaient chichement les quatre personnes, la
mère époussetant les meubles, raccommodant les vêtements et les chaussures, avec cette idée d'économie infime
qu'on usait moins les plumeaux, les aiguilles et le fil,
depuis que c'était elle qui s'en servait. Seulement, dès que
survenait une visite, il fallait les voir toutes deux fuir,
jeter le tablier, se débarbouiller violemment, reparaître en
maîtresses de maison, aux mains blanches et paresseuses.
Sur la rue, le train n'avait pas changé, l'honneur était
sauf : le coupé sortait toujours correctement attelé,
menant la comtesse et sa fille à leurs courses, les dîners
de quinzaine réunissaient toujours les convives de chaque
hiver, sans qu'il y eût un plat de moins sur la table, ni
une bougie dans les candélabres. Et il fallait, comme
Mme Caroline, dominer le jardin, pour savoir de quels
terribles lendemains de jeûne était payé tout ce décor,
cette façade mensongère d'une fortune disparue.
Lorsqu'elle les voyait, au fond de ce puits humide, étran-
glé entre les maisons voisines, promenant leur mortelle
mélancolie, sous les squelettes verdâtres des arbres centenaires, elle était prise d'une pitié immense, elle s'écartait
de la fenêtre, le cœur déchiré de remords, comme si elle
s'était sentie la complice de Saccard, dans cette misère.

Puis, un autre matin, Mme Caroline eut une tristesse
plus directe, plus douloureuse encore. On lui annonça la
visite de Dejoie, et elle tint bravement à le recevoir.

« Eh bien, mon pauvre Dejoie... »

Mais elle s'arrêta, effrayée, en remarquant la pâleur de
l'ancien garçon de bureau. Les yeux semblaient morts,
dans sa face décomposée ; et lui, très grand, avait rapetissé, comme plié en deux.

« Voyons, il ne faut pas vous laisser abattre, à l'idée
que tout cet argent est perdu. »

Alors, il parla d'une voix lente.

« Oh ! madame, ce n'est pas ça... Sans doute, dans le
premier moment, j'ai reçu un rude coup, parce que je
m'étais habitué à croire que nous étions riches. Ça vous

monte à la tête, on est comme si l'on avait bu, quand on gagne... Mon Dieu ! j'étais déjà résigné à me remettre au travail, j'aurais tant travaillé, que je serais parvenu à refaire la somme... Seulement, vous ne savez pas... »

De grosses larmes roulèrent sur ses joues.

« Vous ne savez pas... Elle est partie.

– Partie, qui donc ? demanda Mme Caroline, surprise.

– Nathalie, ma fille... Son mariage était manqué, elle a été furieuse, quand le père de Théodore est venu nous dire que son fils avait trop attendu et qu'il allait épouser la demoiselle d'une mercière, qui apportait près de huit mille francs. Ça, je comprends qu'elle se soit mise en colère, à l'idée de ne plus avoir le sou et de rester fille... Mais moi qui l'aimais tant ! L'hiver dernier encore, je me relevais la nuit, pour border ses couvertures. Et je me passais de tabac afin qu'elle eût de plus jolis chapeaux, et j'étais sa vraie mère, je l'avais élevée, je ne vivais que du plaisir de la voir, dans notre petit logement. »

Ses larmes l'étranglèrent, il sanglota.

« Aussi, c'est la faute de mon ambition... Si j'avais vendu, dès que mes huit actions me donnaient les six mille francs de la dot, elle serait mariée à cette heure. Seulement, n'est-ce pas ? ça montait toujours, et j'ai songé à moi, j'ai voulu d'abord six cents, puis huit cents, puis mille francs de rente ; d'autant plus que la petite aurait hérité de cet argent-là, plus tard... Dire qu'un moment, au cours de trois mille, j'ai eu dans la main vingt-quatre mille francs, de quoi lui constituer sa dot de six mille francs et de me retirer moi-même avec neuf cents francs de rente. Non ! j'en voulais mille, est-ce assez bête [1] ! Et, maintenant, ça ne représente seulement pas deux cents francs... Ah ! c'est ma faute, j'aurais mieux fait de me flanquer à l'eau ! »

---

1. Mettre en scène l'intempérance des hommes, y compris des « simples », gagnés par l'appât du gain, est l'un des ressorts du vaudeville des années 1830 comme de la grande comédie de mœurs en vers (*La Bourse*, pièce de Ponsard, en 1856).

Mme Caroline, très émue de sa douleur, le laissait se soulager. Elle aurait pourtant voulu savoir.

« Partie, mon pauvre Dejoie, comment partie ? »

Alors, il eut un embarras, tandis qu'une faible rougeur montait à sa face blême.

« Oui, partie, disparue, depuis trois jours... Elle avait fait la connaissance d'un monsieur, en face de chez nous, oh ! un monsieur très bien, un homme de quarante ans... Enfin, elle s'est sauvée. »

Et, tandis qu'il donnait des détails, cherchant les mots, la langue embarrassée, Mme Caroline revoyait Nathalie, mince et blonde, avec sa grâce frêle de jolie fille du pavé parisien. Elle revoyait surtout les larges yeux, au regard si tranquille et si froid, d'une extraordinaire limpidité d'égoïsme. L'enfant s'était laissé adorer par son père, en idole heureuse, sage aussi longtemps qu'elle avait eu intérêt à l'être, incapable d'une chute sotte, tant qu'elle espérait une dot, un mariage, un comptoir dans une petite boutique où elle aurait trôné. Mais continuer une vie de sans-le-sou, vivre en torchon avec son bonhomme de père, obligé de se remettre au travail, ah ! non, elle en avait assez de cette existence pas drôle, désormais sans espoir ! Et elle avait filé, elle avait mis froidement ses bottines et son chapeau, pour aller ailleurs.

« Mon Dieu ! continuait à bégayer Dejoie, elle ne s'amusait guère chez nous, c'est bien vrai ; et, quand on est gentille, c'est agaçant de perdre sa jeunesse à s'ennuyer... Mais, tout de même, elle a été bien dure. Songez donc ! sans me dire seulement adieu, pas un mot de lettre, pas la plus petite promesse de venir me revoir de temps à autre... Elle a fermé la porte, et ç'a été fini. Vous voyez, mes mains tremblent, j'en suis resté comme une bête. C'est plus fort que moi, je la cherche toujours, chez nous. Après tant d'années, mon Dieu ! est-ce possible que je ne l'aie plus, que je ne l'aurai plus jamais, ma pauvre petite enfant ! »

Il avait cessé de pleurer, et sa douleur ahurie était si navrante, que Mme Caroline lui saisit les deux mains, ne trouvant d'autre consolation que de lui répéter :

« Mon pauvre Dejoie, mon pauvre Dejoie... »

Puis, pour le distraire, elle revint à la déconfiture de l'Universelle. Elle s'excusait de lui avoir laissé prendre des actions, elle jugeait sévèrement Saccard, sans le nommer. Mais, tout de suite, l'ancien garçon de bureau se ranima. Mordu par le jeu, il se passionnait encore.

« M. Saccard, eh ! il a eu bien raison de m'empêcher de vendre. L'affaire était superbe, nous les aurions mangés tous, sans les traîtres qui nous ont lâchés... Ah ! madame, si M. Saccard était là, ça marcherait autrement. Ç'a été notre mort, qu'on le mette en prison. Et il n'y a encore que lui qui pourrait nous sauver... Je l'ai dit au juge : "Monsieur, rendez-le-nous, et je lui confie de nouveau ma fortune, et je lui confie ma vie, parce que cet homme-là, c'est le bon Dieu, voyez-vous ! Il fait tout ce qu'il veut." »

Stupéfaite, Mme Caroline le regardait. Comment ! pas une parole de colère, pas un reproche ? C'était la foi ardente d'un croyant. Quelle puissante action Saccard avait-il donc eue sur le troupeau, pour le discipliner sous un tel joug de crédulité ?

« Enfin, madame, j'étais venu seulement vous dire ça, et il faut m'excuser, si je vous ai parlé de mon chagrin, à moi, parce que je n'ai plus la tête très solide... Quand vous verrez M. Saccard, répétez-lui bien que nous sommes toujours avec lui. »

Il s'en alla de son pas vacillant, et, restée seule, elle eut un instant horreur de l'existence. Ce malheureux lui avait fendu le cœur. Elle avait contre l'autre, contre celui qu'elle ne nommait pas, un redoublement de colère, dont elle renfonçait l'éclat en elle. D'ailleurs, des visites lui arrivaient, elle était débordée, ce matin-là.

Dans le flot, les Jordan surtout l'émurent encore. Ils venaient, Paul et Marcelle, en bon ménage qui risquait toujours à deux les démarches graves, lui demander si

leurs parents, les Maugendre, n'avaient réellement plus
rien à tirer de leurs actions de l'Universelle. De ce côté,
c'était aussi un désastre irréparable. Avant les grandes
batailles des deux dernières liquidations, l'ancien fabricant de bâches possédait déjà soixante-quinze titres, qui
lui avaient coûté environ quatre-vingt mille francs :
affaire superbe, puisque, à un moment, au cours de trois
mille francs, ces titres en représentaient deux cent vingt-
cinq mille. Mais le terrible était que, dans la passion de
la lutte, il avait joué à découvert, croyant au génie de
Saccard, achetant toujours ; de sorte que d'effroyables
différences* à payer, plus de deux cent mille francs,
venaient d'emporter le reste de sa fortune, ces quinze
mille francs de rente gagnés si rudement par trente
années de travail. Il n'avait plus rien, c'était à peine s'il
en sortirait complètement acquitté, lorsqu'il aurait vendu
son petit hôtel de la rue Legendre, dont il se montrait si
fier. Et, dans ce désastre, Mme Maugendre était certainement plus coupable que lui.

« Ah ! madame, expliqua Marcelle avec son aimable
figure, qui, même au milieu des catastrophes, restait
fraîche et riante, vous ne vous imaginez pas ce qu'était
devenue maman ! Elle, si prudente, si économe, la terreur
de ses bonnes, toujours sur leurs talons, à éplucher leurs
comptes, elle ne parlait plus que par centaines de mille
francs, elle poussait papa, oh ! lui, beaucoup moins
brave, au fond, tout prêt à écouter l'oncle Chave, si elle
ne l'avait pas rendu fou, avec son rêve de décrocher le
gros lot, le million… D'abord, ça les avait pris en lisant
les journaux financiers ; et papa s'était passionné le premier, si bien qu'il se cachait dans les commencements ;
puis, lorsque maman s'y est mise, après avoir longtemps
professé contre le jeu une haine de bonne ménagère, tout
a flambé, ça n'a pas été long. Est-il possible que la rage
du gain change à ce point de braves gens ! »

Jordan intervint, égayé lui aussi par la figure de l'oncle
Chave, qu'un mot de sa femme venait d'évoquer.

« Et si vous aviez vu le calme de l'oncle, au milieu de ces catastrophes ! Il l'avait bien prédit, il triomphait, serré dans son col de crin... Pas un jour il n'a manqué la Bourse, pas un jour il n'a cessé de jouer son jeu infime, sur le comptant*, satisfait d'emporter sa pièce de quinze à vingt francs, chaque soir, ainsi qu'un bon employé qui a bravement rempli sa journée. Autour de lui, les millions croulaient de toutes parts, des fortunes géantes se faisaient et se défaisaient en deux heures, l'or pleuvait à pleins seaux parmi les coups de foudre, et il continuait, sans fièvre, à gagner sa petite vie, son petit gain pour ses petits vices... Il est le malin des malins, les jolies filles de la rue Nollet ont eu leurs gâteaux et leurs bonbons. »

Cette allusion, faite de belle humeur, aux farces du capitaine [1], acheva d'amuser les deux femmes. Mais, tout de suite, la tristesse de la situation les reprit.

« Hélas ! non, déclara Mme Caroline, je ne crois pas que vos parents aient rien à tirer de leurs actions. Tout me paraît bien fini. Elles sont à trente francs, elles vont tomber à vingt francs, à cent sous... Mon Dieu ! les pauvres gens, à leur âge, avec leurs habitudes d'aisance, que vont-ils devenir ?

– Dame ! répondit simplement Jordan, il va falloir s'occuper d'eux... Nous ne sommes pas bien riches encore, mais enfin ça commence à marcher, et nous ne les laisserons pas dans la rue. »

Il venait d'avoir une chance. Après tant d'années de travail ingrat, son premier roman, publié d'abord dans un journal, lancé ensuite par un éditeur, avait pris brusquement l'allure d'un gros succès ; et il se trouvait riche de quelques milliers de francs, toutes les portes ouvertes devant lui désormais, brûlant de se remettre au travail, certain de la fortune et de la gloire.

---

1. On observe comment sont minimisés, d'une part, les attentats de Chave envers ces enfants, et dramatisée, d'autre part, la violence sexuelle de Saccard dans l'affaire Rosalie Chavaille.

« Si nous ne pouvons les prendre, nous leur louerons un petit logement. On s'arrangera toujours, parbleu ! »

Marcelle, qui le regardait avec une tendresse éperdue, fut agitée d'un léger tremblement.

« Oh ! Paul, Paul, que tu es bon ! »

Et elle se mit à sangloter.

« Mon enfant, calmez-vous, je vous en prie, répéta à plusieurs reprises Mme Caroline, qui s'empressait, étonnée. Il ne faut pas vous faire de la peine.

– Non, laissez-moi, ce n'est pas de la peine… Mais, en vérité, c'est tellement bête, tout ça ! Je vous demande un peu, lorsque j'ai épousé Paul, si maman et papa n'auraient pas dû me donner la dot dont ils avaient toujours parlé ! Sous prétexte que Paul ne possédait plus un sou et que je faisais une sottise en tenant quand même ma promesse, ils n'ont pas lâché un centime… Ah ! les voilà bien avancés, aujourd'hui ! ils la retrouveraient, ma dot[1], ce serait toujours ça que la Bourse n'aurait pas mangé ! »

Mme Caroline et Jordan ne purent s'empêcher de rire. Mais cela ne consolait pas Marcelle, elle pleurait plus fort.

« Et puis, ce n'est pas encore ça… Moi, quand Paul a été pauvre, j'ai fait un rêve. Oui ! comme dans les contes de fées, j'ai rêvé que j'étais une princesse et qu'un jour j'apporterais à mon prince ruiné beaucoup, beaucoup d'argent, pour l'aider à être un grand poète… Et voilà qu'il n'a pas besoin de moi, voilà que je ne suis plus rien qu'un embarras, avec ma famille ! C'est lui qui aura toute la peine, c'est lui qui fera tous les cadeaux… Ah ! ce que mon cœur étouffe ! »

Vivement, il l'avait prise dans ses bras.

---

1. Jouer à la Bourse avec une dot, si possible la veille ou le jour du mariage, est un argument typique du vaudeville boursier. Avec les Maugendre et surtout Dejoie, Zola exploite ce motif de manière plus dramatique.

« Qu'est-ce que tu nous racontes, grosse bête. Est-ce que la femme a besoin d'apporter quelque chose ! Mais c'est toi que tu apportes, ta jeunesse, ta tendresse, ta belle humeur, et il n'y a pas une princesse au monde qui puisse donner davantage ! »

Tout de suite, elle s'apaisa, heureuse d'être aimée ainsi, trouvant en effet qu'elle était bien sotte de pleurer. Lui, continuait :

« Si ton père et ta mère veulent, nous les installerons à Clichy, où j'ai vu des rez-de-chaussée avec des jardins pour pas cher... Chez nous, dans notre trou empli de nos quatre meubles, c'est très gentil, mais c'est trop étroit ; d'autant plus qu'il va nous falloir de la place... »

Et, souriant de nouveau, se tournant vers Mme Caroline, qui assistait, très touchée, à cette scène de ménage [1] :

« Eh ! oui, nous allons être trois on peut bien l'avouer, maintenant que je suis un monsieur qui gagne sa vie !... N'est-ce pas ? madame, encore un cadeau qu'elle va me faire, elle qui pleure de ne m'avoir rien apporté ! »

Mme Caroline, dans l'incurable désespoir de sa stérilité, regarda Marcelle un peu rougissante et dont elle n'avait pas remarqué la taille déjà épaissie. À son tour, elle eut des larmes plein les yeux.

« Ah ! mes chers enfants, aimez-vous bien, vous êtes les seuls raisonnables et les seuls heureux ! »

Puis, avant de prendre congé, Jordan donna des détails sur le journal *L'Espérance*. Gaiement, avec son horreur instinctive des affaires, il en parlait comme de la plus extraordinaire caverne, toute retentissante des marteaux de la spéculation. Le personnel entier, depuis le directeur jusqu'au garçon de bureau, spéculait, et lui seul, disait-il en riant, n'y avait pas joué, très mal vu, accablé sous le mépris de tous [2]. D'ailleurs, l'écroulement de

---

1. Scène de ménage édifiante, s'entend. Et il faudrait même ajouter : fort mièvre... 2. Zola souligne nettement, dans ses notes d'enquête, que « le journal est fait pour attirer les capitaux, et le fondateur joue avec ces capitaux ». Il ajoute : « Aux émissions, il se charge des sous-

l'Universelle, surtout l'arrestation de Saccard, venaient de tuer net le journal. Il y avait eu une débandade des rédacteurs, tandis que Jantrou s'entêtait, aux abois, se cramponnant à cette épave, pour vivre encore des débris du naufrage. Il était fini, ces trois années de prospérité l'avaient dévasté, dans un monstrueux abus de tout ce qui s'achète, pareil à ces meurt-de-faim qui crèvent d'indigestion, le jour où ils s'attablent. Et la chose curieuse, logique du reste, c'était la déchéance finale de la baronne Sandorff, tombée à cet homme, au milieu du désarroi de la catastrophe, enragée et voulant rattraper son argent.

Au nom de la baronne, Mme Caroline avait légèrement pâli, pendant que Jordan, qui ignorait la rivalité des deux femmes, complétait son récit.

« Je ne sais pourquoi elle s'est donnée. Peut-être a-t-elle cru qu'il la renseignerait, grâce à ses relations d'agent de publicité. Peut-être n'a-t-elle roulé jusqu'à lui que par les lois mêmes de la chute, toujours de plus en plus bas. Il y a, dans la passion du jeu, un ferment désorganisateur que j'ai observé souvent, qui ronge et pourrit tout, qui fait de la créature de race la mieux élevée et la plus fière une loque humaine, le déchet balayé au ruisseau... En tout cas, si cette fripouille de Jantrou avait gardé sur le cœur les coups de pied au derrière que lui allongeait, dit-on, le père de la baronne, quand il allait jadis quémander ses ordres, il est bien vengé aujourd'hui ; car, moi qui vous parle, comme j'étais retourné au journal pour tâcher d'être payé, je suis tombé sur une explication en poussant trop vivement une porte, j'ai vu, de mes yeux vu, Jantrou giflant la Sandorff, à la volée... Oh ! cet homme ivre, perdu d'alcool et de vices, tapant avec une brutalité de cocher sur cette dame du monde ! »

---

criptions, moyennant une remise. On leur envoie l'argent qui séjourne dans leur caisse, et ils tripotent avec. »

D'un geste de souffrance, Mme Caroline le fit taire. Il lui semblait que cet excès d'abaissement l'éclaboussait elle-même.

Très caressante, Marcelle lui avait pris la main, sur le point de partir.

« Ne croyez pas au moins, chère madame, que nous soyons venus pour vous ennuyer. Paul, au contraire, défend beaucoup M. Saccard.

– Mais certainement ! s'écria le jeune homme. Il a toujours été gentil avec moi. Je n'oublierai jamais la façon dont il nous a débarrassés du terrible Busch. Et puis, c'est tout de même un monsieur très fort… Quand vous le verrez, madame, dites-lui bien que le petit ménage lui garde une vive reconnaissance. »

Lorsque les Jordan furent partis Mme Caroline eut un geste de muette colère. De la reconnaissance, pourquoi ? pour la ruine des Maugendre ! Ces Jordan étaient comme Dejoie, s'en allaient avec les mêmes paroles d'excuse et de bons souhaits. Et pourtant ils savaient, ceux-là ! ce n'était pas un ignorant, cet écrivain qui avait traversé le monde de la finance, plein d'un si beau mépris de l'argent[1]. En elle, la révolte continuait, grandissait. Non ! il n'y avait point de pardon possible, la boue était trop profonde. Cela ne la vengeait pas, la gifle de Jantrou à la baronne. C'était Saccard qui avait tout pourri.

Ce jour-là, Mme Caroline devait aller chez Mazaud, au sujet de certaines pièces qu'elle voulait joindre au dossier de son frère. Elle désirait également savoir quelle serait son attitude, dans le cas où la défense le citerait comme témoin. Le rendez-vous pris n'était que pour quatre heures, après la Bourse ; et, seule enfin, elle passa plus d'une heure et demie à classer les renseignements qu'elle avait obtenus déjà. Elle commençait à voir clair, dans le monceau des ruines. De même, au lendemain

---

1. Mépris que n'a pas Zola. L'identification n'est pas complète entre Jordan et son créateur.

d'un incendie, quand la fumée s'est dissipée et que le brasier s'est éteint, on déblaie les matériaux, avec le vivace espoir de trouver l'or des bijoux fondus.

D'abord, elle s'était demandé où avait pu passer l'argent. Dans cet engloutissement de deux cents millions, il fallait bien, si des poches s'étaient vidées, que d'autres se fussent emplies. Cependant, il paraissait certain que le râteau des baissiers* n'avait pas ramassé toute la somme, un effroyable coulage en avait emporté un bon tiers. À la Bourse, les jours de catastrophe, on dirait que le sol boit l'argent, il s'en égare, il en reste un peu à tous les doigts. Gundermann devait, à lui seul, avoir empoché une cinquantaine de millions. Puis, venait Daigremont, avec douze ou quinze. On citait encore le marquis de Bohain, dont le coup classique avait réussi une fois de plus : à la hausse chez Mazaud, il refusait de payer [1], tandis qu'il avait touché près de deux millions chez Jacoby, où il était à la baisse ; seulement, cette fois, tout en sachant que le marquis avait mis ses meubles au nom de sa femme, en simple filou, Mazaud, affolé par ses pertes, parlait de lui envoyer du papier timbré. Presque tous les administrateurs de l'Universelle s'étaient, d'ailleurs, taillé royalement leur part, les uns comme Huret et Kolb en réalisant au plus haut cours, avant l'effondrement, les autres comme le marquis et Daigremont en passant aux baissiers, par une tactique de traîtres ; sans compter que, dans une de ses dernières réunions, lorsque la société était déjà aux abois, le conseil d'administration avait fait créditer chacun de ses membres de cent et quelques mille francs. Enfin, à la corbeille*, Delarocque et Jacoby surtout passaient pour avoir gagné personnellement de grosses sommes, déjà englouties du reste dans les deux gouffres toujours béants, impossibles à combler, que creusaient chez le premier l'appétit de la femme et chez l'autre la passion du

---

1. Voir l'entrée « Exception de jeu » dans le Lexique financier.

jeu [1]. De même, le bruit courait que Nathansohn devenait un des rois de la coulisse*, grâce à un gain de trois
millions, qu'il avait réalisé en jouant pour son compte à
la baisse, tandis qu'il jouait à la hausse pour Saccard ; et
la chance extraordinaire était qu'il aurait sauté certainement, engagé pour des achats considérables au nom de
l'Universelle qui ne payait plus, si l'on n'avait pas été
forcé de passer l'éponge, de faire cadeau de ce qu'elle
devait, plus de cent millions, à la coulisse tout entière,
reconnue insolvable. Un homme décidément heureux et
adroit, ce petit Nathansohn ! et quelle jolie aventure,
dont on souriait, garder ce qu'on a gagné, ne pas payer
ce qu'on a perdu !

Mais les chiffres restaient vagues, Mme Caroline ne
pouvait arriver à une appréciation exacte des gains, car
les opérations de Bourse se font en plein mystère, et le
secret professionnel est strictement gardé par les agents
de change. Même on n'aurait rien su en dépouillant les
carnets, où les noms ne sont pas inscrits. Ainsi elle tenta
en vain de connaître la somme qu'avait dû emporter
Sabatani, disparu à la suite de la dernière liquidation.
Encore une ruine, de ce côté, qui atteignait durement
Mazaud. C'était la commune histoire : le client louche
accueilli d'abord avec défiance, déposant une petite couverture* de deux ou trois mille francs, jouant sagement
pendant les premiers mois, jusqu'au jour où, la médiocrité de la garantie oubliée, devenu l'ami de l'agent de
change, il prenait la fuite, au lendemain de quelque tour
de brigand. Mazaud parlait d'exécuter* Sabatani, ainsi
qu'il avait jadis exécuté Schlosser, un filou de la même
bande, de l'éternelle bande qui exploite le marché,
comme les voleurs d'autrefois exploitaient une forêt. Et
le Levantin, cet Italien mâtiné d'Oriental, aux yeux de
velours, qu'une légende douait d'un phénomène dont

---

1. La littérature du milieu du XIXe siècle cite toujours le proverbe
« Ce qui vient de la flûte retourne au tambour », pour dire que l'argent
mal gagné est voué à être mal dépensé.

chuchotaient les femmes curieuses, était allé écumer la
Bourse de quelque capitale étrangère, Berlin, disait-on,
en attendant qu'on l'oubliât à celle de Paris, et qu'il y
revînt, de nouveau salué, prêt à recommencer son coup,
au milieu de la tolérance générale.

Puis, Mme Caroline avait dressé une liste des désastres.
La catastrophe de l'Universelle venait d'être une de ces
terribles secousses qui ébranlent toute une ville. Rien
n'était resté d'aplomb et solide, les crevasses gagnaient
les maisons voisines, il y avait chaque jour de nouveaux
écroulements. Les unes sur les autres, les banques s'effondraient, avec le fracas brusque des pans de murs demeu-
rés debout après un incendie. Dans une muette
consternation, on écoutait ces bruits de chute, on se
demandait où s'arrêteraient les ruines[1]. Elle, ce qui la
frappait au cœur, c'était moins les banquiers, les sociétés,
les hommes et les choses de la finance détruits, emportés
dans la tourmente, que tous les pauvres gens, actionnaires, spéculateurs même, qu'elle avait connus et aimés,
et qui étaient parmi les victimes. Après la défaite, elle
comptait ses morts. Et il n'y avait pas seulement son
pauvre Dejoie, les Maugendre imbéciles et lamentables,
les tristes dames de Beauvilliers, si touchantes. Un autre
drame l'avait bouleversée, la faillite du fabricant de soie
Sédille, déclarée la veille. Celui-là, l'ayant vu à l'œuvre
comme administrateur, le seul du conseil, disait-elle, à
qui elle aurait confié dix sous, elle le déclarait le plus
honnête homme du monde. L'effrayante chose, que cette
passion du jeu ! Un homme qui avait mis trente ans à
fonder par son travail et sa probité une des plus solides
maisons de Paris, et qui, en moins de trois années, venait
de l'entamer, de la ronger, au point que, d'un coup, elle
était tombée en poudre[2] ! Quels regrets amers des jours

---

1. Zola décrit un système bancaire intégré. Là réside en partie la
modernité du roman, qui ne nous semble pas obsolète au regard de la
crise du crédit que nous connaissons plus d'un siècle plus tard. 2. Voir
supra, p. 130, note 2.

laborieux d'autrefois, lorsqu'il croyait encore à la fortune
gagnée d'un lent effort, avant qu'un premier gain de
hasard la lui eût fait prendre en mépris, dévoré par le
rêve de conquérir à la Bourse, en une heure, le million
qui demande toute la vie d'un commerçant honnête ! Et
la Bourse avait tout emporté, le malheureux restait fou-
droyé, déchu, incapable et indigne de reprendre les
affaires, avec un fils dont la misère allait peut-être faire
un escroc, ce Gustave, cette âme de joie et de fête, vivant
sur un pied de quarante à cinquante mille francs de dette,
déjà compromis dans une vilaine histoire de billets signés
à Germaine Cœur. Puis, c'était encore un autre pauvre
diable qui navrait Mme Caroline, le remisier* Massias, et
Dieu savait si elle se montrait tendre d'ordinaire à l'égard
de ces entremetteurs du mensonge et du vol ! Seulement,
elle l'avait connu aussi, celui-là, avec ses gros yeux rieurs,
son air de bon chien battu, quand il courait Paris, pour
arracher quelques maigres ordres. Si, un instant, il s'était
cru, à son tour enfin, un des maîtres du marché, ayant
violé la chance, sur les talons de Saccard, quelle chute
affreuse l'avait éveillé de son rêve, par terre, les reins cassés ! Il devait soixante-dix mille francs, et il avait payé,
lorsqu'il pouvait alléguer l'exception de jeu*, comme tant
d'autres ; il avait fait, en empruntant à des amis, en engageant sa vie entière, cette bêtise sublime et inutile de
payer, car personne ne lui en savait gré, on haussait
même un peu les épaules derrière lui. Sa rancune ne
s'exhalait que contre la Bourse, retombé dans son dégoût
du sale métier qu'il y faisait, criant qu'il fallait être juif
pour y réussir, se résignant pourtant à y rester, puisqu'il
y était, avec l'espoir entêté d'y gagner le gros lot quand
même, tant qu'il aurait l'œil vif et de bonnes jambes.
Mais les morts inconnus, les victimes sans nom, sans histoire, emplissaient surtout d'une pitié infinie le cœur de
Mme Caroline. Ceux-là étaient légion, jonchaient les
buissons écartés, les fossés pleins d'herbe, et il y avait
ainsi des cadavres perdus, des blessés râlant d'angoisse,
derrière chaque tronc d'arbre. Que d'effroyables drames

muets, la cohue des petits rentiers pauvres, des petits actionnaires ayant mis toutes leurs économies dans une même valeur, les concierges retirés, les pâles demoiselles vivant avec un chat, les retraités de province à l'existence réglée de maniaques, les prêtres de campagne dénudés par l'aumône, tous ces êtres infimes dont le budget est de quelques sous, tant pour le lait, tant pour le pain, un budget si exact et si réduit, que deux sous de moins amènent des cataclysmes ! Et, brusquement, plus rien, la vie coupée, emportée, de vieilles mains tremblantes, éperdues, tâtonnantes dans les ténèbres, incapables de travail, toutes ces existences humbles et tranquilles jetées d'un coup à l'épouvante du besoin ! Cent lettres désespérées étaient arrivées de Vendôme, où le sieur Fayeux, receveur de rentes*, avait aggravé le désastre en levant le pied[1]. Dépositaire de l'argent et des titres des clients pour qui il opérait à la Bourse, il s'était mis à jouer lui-même un jeu terrible ; et, ayant perdu, ne voulant pas payer, il avait filé avec les quelques centaines de mille francs qui se trouvaient entre ses mains. Autour de Vendôme, dans les fermes les plus reculées, il laissait la misère et les larmes. Partout, l'ébranlement avait ainsi gagné les chaumières. Comme après les grandes épidémies, les pitoyables victimes n'étaient-elles pas cette population moyenne, la petite épargne, que les fils seuls allaient pouvoir reconstruire après des années de dur labeur ?

Enfin, Mme Caroline sortit pour se rendre chez Mazaud ; et, tandis qu'elle descendait à pied vers la rue de la Banque, elle pensait aux coups répétés qui atteignaient l'agent de change, depuis une quinzaine de jours. C'était Fayeux qui lui volait trois cent mille francs, Sabatani qui lui laissait un compte impayé de près du double, le marquis de Bohain et la baronne Sandorff qui refusaient d'acquitter à eux deux plus d'un million de différences, Sédille dont la faillite lui emportait environ la même somme, sans compter les huit millions que lui

---

1. En prenant la fuite.

devait l'Universelle, ces huit millions pour lesquels il avait reporté* Saccard, la perte effroyable, le gouffre où, d'heure en heure, la Bourse anxieuse s'attendait à le voir sombrer. À deux reprises déjà, le bruit avait couru de la catastrophe. Et, dans cet acharnement du sort, un dernier malheur venait de se produire, qui allait être la goutte d'eau faisant déborder le vase : on avait arrêté l'avant-veille l'employé Flory, convaincu d'avoir détourné cent quatre-vingt mille francs. Peu à peu, les exigences de Mlle Chuchu, l'ancienne petite figurante, la maigre sauterelle du trottoir parisien, s'étaient accrues : d'abord de joyeuses parties pas chères, puis l'appartement de la rue Condorcet, puis des bijoux, des dentelles ; et ce qui avait perdu le malheureux et tendre garçon, c'était son premier gain de dix mille francs, après Sadowa, cet argent de plaisir si vite gagné, si vite dépensé, qui en avait nécessité d'autre, d'autre encore, toute une fièvre de passion pour la femme si chèrement achetée. Mais l'histoire devenait extraordinaire, dans ce fait que Flory avait volé son patron, simplement pour payer sa dette de jeu, chez un autre agent : singulière honnêteté, effarement devant la peur de l'exécution* immédiate, espoir sans doute de cacher le vol, de combler le trou par quelque opération miraculeuse. En prison, il avait beaucoup pleuré, dans un affreux réveil de honte et de désespoir ; et l'on racontait que sa mère, arrivée le matin même de Saintes pour le voir, avait dû s'aliter chez les amis où elle était descendue.

Quelle étrange chose que la chance ! songeait Mme Caroline en traversant la place de la Bourse. L'extraordinaire succès de l'Universelle, cette montée rapide dans le triomphe, dans la conquête et la domination, en moins de quatre années, puis cet écroulement brusque, ce colossal édifice qu'un mois avait suffi pour réduire en poudre, la stupéfiaient toujours. Et n'était-ce pas là aussi l'histoire de Mazaud ? Certes, jamais homme n'avait vu la destinée lui sourire à ce point. Agent de change à trente-deux ans, très riche déjà par la mort de son oncle, heureux mari d'une femme charmante qui l'adorait, qui lui avait donné deux beaux enfants, il était en outre joli homme, il prenait chaque jour à la corbeille une place plus considérable, par ses relations, son activité, son flair vraiment surprenant, sa voix aiguë même, cette voix de fifre qui devenait aussi célèbre que le tonnerre de Jacoby. Et, soudainement, voilà que la situation craquait, il se trouvait au bord de l'abîme, où il suffisait d'un souffle maintenant pour le jeter. Lui, n'avait pas joué pourtant, protégé encore par sa flamme au travail, sa jeunesse inquiète. Il était frappé en pleine lutte loyale, par inexpérience et passion, pour avoir trop cru aux autres. D'ailleurs, les sympathies restaient vives, on prétendait qu'il pourrait s'en tirer, avec beaucoup d'aplomb.

Lorsque Mme Caroline fut montée à la charge elle sentit bien l'odeur de ruine, le frisson d'angoisse secrète, dans les bureaux devenus mornes. En traversant la caisse, elle aperçut une vingtaine de personnes, toute une foule qui attendait, pendant que le caissier* d'argent et le caissier des titres faisaient encore honneur aux engagements de la maison, mais d'une main ralentie, en hommes qui vident les derniers tiroirs. Par une porte entrouverte, le bureau de la liquidation lui apparut endormi, avec ses sept employés lisant leur journal, n'ayant plus à appliquer que de rares affaires, depuis que la Bourse chômait. Seul, le bureau du comptant gardait quelque vie. Et ce fut Berthier, le fondé de pouvoir, qui la reçut, très agité lui-même, le visage pâle, dans le malheur de la maison.

« Je ne sais pas, madame, si M. Mazaud pourra vous recevoir... Il est un peu souffrant, il a eu froid en s'obstinant à travailler sans feu toute la nuit dernière, et il vient de descendre chez lui, au premier étage, pour prendre quelque repos. »

Alors, Mme Caroline insista.

« Je vous en prie, monsieur, faites que je lui dise quelques mots... Il y va peut-être du salut de mon frère. M. Mazaud sait bien que jamais mon frère ne s'est occupé des opérations de Bourse, et son témoignage serait d'une grande importance... D'autre part, j'ai des chiffres à lui demander, lui seul peut me renseigner sur certains documents. »

Berthier, plein d'hésitation, finit par la prier d'entrer dans le cabinet de l'agent de change.

« Attendez là un instant, madame, je vais voir. »

Et, dans cette pièce, en effet, Mme Caroline eut une grande sensation de froid. Le feu devait être mort depuis la veille, personne n'avait songé à le rallumer. Mais ce qui la frappait plus encore, c'était l'ordre parfait, comme si toute la nuit et la matinée entière venaient d'être employées à vider les meubles, à détruire les papiers inutiles, à classer ceux qu'il fallait conserver. Rien ne traînait, pas un dossier, pas même une lettre. Sur le bureau, il n'y avait, méthodiquement rangés, que l'encrier, le plumier, un grand buvard, au milieu duquel était seulement resté un paquet de fiches de la maison, des fiches vertes, couleur de l'espérance. Dans cette nudité, une tristesse infinie tombait avec le lourd silence.

Au bout de quelques minutes, Berthier reparut.

« Ma foi ! madame, j'ai sonné deux fois, et je n'ose insister… En descendant, voyez si vous devez sonner vous-même. Mais je vous conseille de revenir. »

Mme Caroline dut se résigner. Cependant, sur le palier du premier étage, elle hésita encore, elle avança même la main vers le bouton de la sonnette. Et elle finissait par s'en aller, lorsque des cris, des sanglots, toute une rumeur sourde, au fond de l'appartement, l'arrêta. Brusquement, la porte fut ouverte, et un domestique s'en élança, effaré, disparut dans l'escalier, en bégayant :

« Mon Dieu ! mon Dieu ! monsieur… »

Elle était demeurée immobile, devant cette porte béante, dont sortait, distincte maintenant, une plainte d'affreuse douleur. Et elle devenait toute froide, devinant, envahie par la vision nette de ce qui se passait là. D'abord elle voulut fuir, puis elle ne le put, éperdue de pitié, attirée, ayant le besoin de voir et d'apporter ses larmes, elle aussi. Elle entra, trouva toutes les portes grandes ouvertes, arriva jusqu'au salon.

Deux servantes, la cuisinière et la femme de chambre sans doute, y allongeaient le cou, avec des faces de terreur, balbutiantes.

« Oh ! monsieur, oh ! mon Dieu ! mon Dieu ! »

Le jour mourant de la grise journée d'hiver entrait faiblement, par l'écartement des épais rideaux de soie. Mais il faisait très chaud, de grosses bûches achevaient de se consumer en braise dans la cheminée, éclairant les murs d'un grand reflet rouge. Sur une table, une gerbe de roses, un royal bouquet pour la saison, que, la veille encore, l'agent de change avait apporté à sa femme, s'épanouissait dans cette tiédeur de serre, embaumait toute la pièce. C'était comme le parfum même du luxe raffiné de l'ameublement, la bonne odeur de chance, de richesse, de félicité d'amour, qui, pendant quatre années, avaient fleuri là. Et, sous le reflet rouge du feu, Mazaud était renversé au bord du canapé, la tête fracassée d'une balle, la main crispée sur la crosse du revolver ; tandis que, debout devant lui, sa jeune femme, accourue, poussait cette plainte, ce cri continu et sauvage qui s'entendait de l'escalier. Au moment de la détonation, elle avait au bras son petit garçon de quatre ans et demi, dont les petites mains s'étaient cramponnées à son cou, dans l'épouvante ; et sa fillette, âgée de six ans déjà, l'avait suivie, pendue à sa jupe, se serrant contre elle ; et les deux enfants criaient aussi, d'entendre crier leur mère, éperdument.

Tout de suite, Mme Caroline voulut les emmener.

« Madame, je vous en supplie... Madame, ne restez pas là... »

Elle-même tremblait, se sentait défaillir. De la tête trouée de Mazaud, elle voyait le sang couler encore, tomber goutte à goutte sur le velours du canapé, d'où il ruisselait sur le tapis. Il y avait par terre une large tache qui s'élargissait. Et il lui semblait que ce sang la gagnait, lui éclaboussait les pieds et les mains.

« Madame, je vous en supplie, suivez-moi... »

Mais, avec son fils pendu à son cou, avec sa fille serrée à sa taille, la malheureuse n'entendait pas, ne bougeait pas, raidie, plantée là, à ce point qu'aucune puissance au monde ne l'en aurait déracinée. Tous les trois étaient blonds, d'une fraîcheur de lait, la mère d'air aussi délicat et ingénu que les enfants. Et, dans la stupeur de leur félicité morte, dans ce brusque anéantissement du bonheur qui devait durer toujours, ils continuaient de jeter leur grand cri, le hurlement où passait toute l'effroyable souffrance de l'espèce.

Alors, Mme Caroline tomba sur les deux genoux. Elle sanglotait, elle balbutiait.

« Oh ! madame, vous me déchirez le cœur... De grâce, madame, arrachez-vous à ce spectacle, venez avec moi dans la pièce voisine, laissez-moi tâcher de vous épargner un peu du mal qu'on vous a fait... »

Et toujours le groupe farouche et lamentable, la mère avec les deux petits, comme entrés en elle, immobiles dans leurs longs cheveux pâles dénoués. Et toujours ce hurlement affreux, cette lamentation du sang, qui monte de la forêt, quand les chasseurs ont tué le père.

Mme Caroline s'était relevée, la tête perdue. Il y eut des pas, des voix, sans doute l'arrivée d'un médecin, la constatation de la mort. Et elle ne put rester davantage, elle se sauva, poursuivie par la plainte abominable et sans fin, que, même sur le trottoir, dans le roulement des fiacres, elle croyait entendre toujours.

Le ciel pâlissait, il faisait froid, et elle marcha lentement, de peur qu'on ne l'arrêtât, en la prenant pour une meurtrière, à son air égaré. Tout remontait en elle, toute l'histoire du monstrueux écroulement de deux cents millions, qui amoncelait tant de ruines et écrasait tant de victimes. Quelle force mystérieuse, après avoir édifié si rapidement cette tour d'or, venait donc ainsi de la détruire ? Les mêmes mains qui l'avaient construite, semblaient s'être acharnées, prises de folie, à ne pas en laisser

une pierre debout. Partout, des cris de douleur s'élevaient, des fortunes s'effondraient avec le bruit des tom-
bereaux [1] de démolitions, qu'on vide à la décharge
publique. C'étaient les derniers biens domaniaux des
Beauvilliers, les sous grattés un à un des économies de
Dejoie, les gains réalisés dans la grande industrie par
Sédille, les rentes* des Maugendre retirés du commerce,
qui, pêle-mêle, étaient jetés avec fracas au fond du même
cloaque, que rien ne comblait. C'étaient encore Jantrou
noyé dans l'alcool, la Sandorff noyée dans la boue, Massias retombé à sa misérable condition de chien rabatteur,
cloué pour la vie à la Bourse par la dette ; et c'était Flory
voleur, en prison, expiant ses faiblesses d'homme tendre,
Sabatani et Fayeux en fuite, galopant avec la peur des
gendarmes ; et c'étaient, plus navrantes et pitoyables, les
victimes inconnues, le grand troupeau anonyme de tous
les pauvres que la catastrophe avait faits, grelottant
d'abandon, criant de faim. Puis, c'était la mort, des
coups de pistolet qui partaient aux quatre coins de Paris,
c'était la tête fracassée de Mazaud, le sang de Mazaud
qui, goutte à goutte, dans le luxe et dans le parfum des
roses, éclaboussait sa femme et ses petits, hurlant de
douleur.

Et, alors, tout ce qu'elle avait vu, tout ce qu'elle avait
entendu, depuis quelques semaines, s'exhala du cœur
meurtri de Mme Caroline en un cri d'exécration contre
Saccard. Elle ne pouvait plus se taire, le mettre à part
comme s'il n'existait pas, pour s'éviter de le juger et de
le condamner. Lui seul était coupable, cela sortait de chacun de ses désastres accumulés, dont l'effrayant amas la
terrifiait. Elle le maudissait, sa colère et son indignation,
contenues depuis si longtemps, débordaient en une haine
vengeresse, la haine même du mal. N'aimait-elle donc
plus son frère, qu'elle avait attendu jusque-là pour haïr

---

1. Charrettes profondes, à deux roues, que l'on fait basculer pour les
vider.

l'homme effrayant qui était l'unique cause de leur malheur ? Son pauvre frère, ce grand innocent, ce grand travailleur, si juste et si droit, sali maintenant de la tare
ineffaçable de la prison, la victime qu'elle oubliait, plus
chère et plus douloureuse que toutes les autres ! Ah ! que
Saccard ne trouvât pas de pardon, que personne n'osât
plaider encore sa cause, même ceux qui continuaient à
croire en lui, qui ne connaissaient de lui que sa bonté, et
qu'il mourût seul, un jour, dans le mépris !

Mme Caroline leva les yeux. Elle était arrivée sur la
place, et elle vit, devant elle, la Bourse. Le crépuscule
tombait, le ciel d'hiver, chargé de brume, mettait derrière
le monument comme une fumée d'incendie, une nuée
d'un rouge sombre, qu'on aurait crue faite des flammes
et des poussières d'une ville prise d'assaut. Et la Bourse,
grise et morne, se détachait, dans la mélancolie de la
catastrophe, qui, depuis un mois, la laissait déserte,
ouverte aux quatre vents du ciel, pareille à une halle
qu'une disette a vidée. C'était l'épidémie fatale, pério-
dique, dont les ravages balaient le marché tous les dix à
quinze ans, les vendredis noirs, ainsi qu'on les nomme,
semant le sol de décombres. Il faut des années pour que
la confiance renaisse, pour que les grandes maisons de
banque se reconstruisent, jusqu'au jour où la passion du
jeu, ravivée peu à peu, flambant et recommençant l'aventure, amène une nouvelle crise, effondre tout, dans un
nouveau désastre [1]. Mais, cette fois, derrière cette fumée
rousse de l'horizon, dans les lointains troubles de la ville,
il y avait comme un grand craquement sourd, la fin prochaine d'un monde.

---

1. Zola a une conception cyclique de la ruine, ce qui met son roman
en phase avec les écrits de certains économistes de son époque, spécialistes des crises. C'est aussi ce qui distingue un roman comme *L'Argent*
de certains romans boursiers qui font de la ruine du personnage une
fin définitive. Voir la Présentation.

XII

L'instruction du procès marcha avec une telle lenteur,
que sept mois déjà s'étaient écoulés, depuis l'arrestation
de Saccard et d'Hamelin, sans que l'affaire pût être mise
au rôle [1]. On était au milieu de septembre, et, ce lundi-là,
Mme Caroline qui allait voir son frère deux fois par
semaine, devait se rendre vers trois heures à la Conciergerie.
Elle ne prononçait jamais le nom de Saccard, elle
avait dix fois répondu par un refus formel, aux demandes
pressantes qu'il lui faisait transmettre de le venir visiter.
Pour elle, raidie dans sa volonté de justice, il n'était plus.
Et elle espérait toujours sauver son frère, elle était toute
gaie, les jours de visite, heureuse de l'entretenir de ses
dernières démarches et de lui apporter un gros bouquet
des fleurs qu'il aimait.

Le matin, ce lundi-là, elle préparait donc une boîte
d'œillets rouges, lorsque la vieille Sophie, la bonne de
la princesse d'Orviedo, descendit lui dire que Madame
désirait lui parler tout de suite. Étonnée, vaguement
inquiète, elle se hâta de monter. Depuis plusieurs mois,
elle n'avait pas vu la princesse, ayant donné sa démission
de secrétaire, à l'Œuvre du Travail, dès la catastrophe
de l'Universelle. Elle ne se rendait plus, de loin en loin,
boulevard Bineau, que pour voir Victor, que la sévère
discipline semblait dompter maintenant, l'œil en dessous,
avec sa joue gauche plus forte que la droite, tirant la
bouche dans une moue de férocité goguenarde. Tout de

---

1. C'est-à-dire inscrite sur le registre des causes tenu par le Palais de
justice.

suite, elle eut le pressentiment qu'on la faisait appeler à cause de Victor.

La princesse d'Orviedo, enfin, était ruinée. Dix ans à peine lui avaient suffi pour rendre aux pauvres les trois cents millions de l'héritage du prince, volés dans les poches des actionnaires* crédules. S'il lui avait fallu cinq années d'abord pour dépenser en bonnes œuvres folles les cent premiers millions, elle était arrivée, en quatre ans et demi, à engloutir les deux cents autres, dans des fondations d'un luxe plus extraordinaire encore. À l'Œuvre du Travail, à la Crèche Sainte-Marie, à l'Orphelinat Saint-Joseph, à l'Asile de Châtillon et à l'Hôpital Saint-Marceau, s'ajoutaient aujourd'hui une ferme modèle, près d'Évreux, deux maisons de convalescence pour les enfants, sur les bords de la Manche, une autre maison de retraite pour les vieillards, à Nice, des hospices, des cités ouvrières, des bibliothèques et des écoles, aux quatre coins de la France ; sans compter des donations considérables à des œuvres de charité déjà existantes. C'était, d'ailleurs, toujours la même volonté de royale restitution, non pas le morceau de pain jeté par la pitié ou la peur aux misérables, mais la jouissance de vivre, le superflu, tout ce qui est bon et beau donné aux humbles qui n'ont rien, aux faibles que les forts ont volés de leur part de joie, enfin les palais des riches grands ouverts aux mendiants des routes, pour qu'ils dorment, eux aussi, dans la soie et mangent dans la vaisselle d'or. Pendant dix années, la pluie des millions n'avait pas cessé, les réfectoires de marbre, les dortoirs égayés de peintures claires, les façades monumentales comme des Louvres, les jardins fleuris de plantes rares, dix années de travaux superbes, dans un gâchis incroyable d'entrepreneurs et d'architectes ; et elle était bien heureuse, soulevée par le grand bonheur d'avoir désormais les mains nettes, sans un centime. Même elle venait d'atteindre l'étonnant résultat de s'endetter, on la poursuivait pour un reliquat

de mémoires[1] montant à plusieurs centaines de mille
francs, sans que son avoué[2] et son notaire pussent réussir
à parfaire la somme, dans l'émiettement final de la colossale fortune, jetée ainsi aux quatre vents de l'aumône. Et
un écriteau, cloué au-dessus de la porte cochère, annonçait la mise en vente de l'hôtel, le coup de balai suprême
qui emporterait jusqu'aux vestiges de l'argent maudit,
ramassé dans la boue et dans le sang du brigandage
financier.

En haut, la vieille Sophie attendait Mme Caroline
pour l'introduire. Elle, furieuse, grondait toute la journée.
Ah ! elle l'avait bien dit que Madame finirait par mourir
sur la paille ! Est-ce que Madame n'aurait pas dû se
remarier et avoir des enfants avec un autre monsieur,
puisqu'elle n'aimait que ça au fond ? Ce n'était pas
qu'elle eût à se plaindre et à s'inquiéter, elle, car elle avait
reçu depuis longtemps une rente de deux mille francs,
qu'elle allait manger dans son pays, du côté d'Angou-
lême. Mais une colère l'emportait, lorsqu'elle songeait
que Madame ne s'était pas même réservé les quelques
sous nécessaires, chaque matin, au pain et au lait dont
elle vivait maintenant. Des querelles sans cesse éclataient
entre elles. La princesse souriait de son divin sourire
d'espérance, en répondant qu'elle n'aurait plus besoin, à
la fin du mois, que d'un suaire, lorsqu'elle serait entrée
dans le couvent où elle avait depuis longtemps marqué
sa place, un couvent de carmélites muré au monde entier.
Le repos, l'éternel repos !

Telle qu'elle la voyait depuis quatre années,
Mme Caroline retrouva la princesse, vêtue de son éternelle robe noire, les cheveux cachés sous un fichu de dentelle, jolie encore à trente-neuf ans, avec son visage rond
aux dents de perle, mais le teint jaune, la chair morte,
comme après dix ans de cloître. Et l'étroite pièce, pareille
à un bureau d'huissier de province, s'était emplie d'un

---

1. Un reste de factures. **2.** Officier ministériel représentant les parties
devant la justice.

encombrement de paperasses plus inextricables encore, des plans, des mémoires, des dossiers, tout le papier gâché d'un gaspillage de trois cents millions.

« Madame, dit la princesse de sa voix douce et lente, qu'aucune émotion ne faisait plus trembler, j'ai voulu vous apprendre une nouvelle qui m'a été apportée ce matin… Il s'agit de Victor, ce garçon que vous avez placé à l'Œuvre du Travail… »

Le cœur de Mme Caroline se mit à battre douloureusement. Ah ! le misérable enfant, que son père n'était pas même allé voir, malgré ses formelles promesses, pendant les quelques mois qu'il avait connu son existence, avant d'être emprisonné à la Conciergerie ! Que deviendrait-il désormais ? Et elle qui se défendait de penser à Saccard, était continuellement ramenée à lui, bouleversée dans sa maternité d'adoption.

« Il s'est passé hier des choses terribles, continua la princesse, tout un crime que rien ne saurait réparer. »

Et elle conta, de son air glacé, une épouvantable aventure. Depuis trois jours, Victor s'était fait mettre à l'infirmerie, en alléguant des douleurs de tête insupportables. Le médecin avait bien flairé une simulation de paresseux ; mais l'enfant était réellement ravagé par des névralgies fréquentes. Or, cet après-midi-là, Alice de Beauvilliers se trouvait à l'Œuvre sans sa mère, venue pour aider la sœur de service à l'inventaire trimestriel de l'armoire aux remèdes. Cette armoire était dans la pièce qui séparait les deux dortoirs, celui des filles de celui des garçons, où il n'y avait en ce moment que Victor couché, occupant un des lits ; et la sœur, s'étant absentée quelques minutes, avait eu la surprise de ne pas retrouver Alice, si bien qu'après avoir attendu un instant, elle s'était mise à la chercher. Son étonnement avait grandi en constatant que la porte du dortoir des garçons venait d'être fermée en dedans. Que se passait-il donc ? Il lui avait fallu faire le tour par le couloir, et elle était restée béante, terrifiée, par le spectacle qui s'offrait à elle : la jeune fille à demi étranglée, une serviette nouée sur son visage pour étouffer ses cris, ses jupes en désordre relevées, étalant sa nudité pauvre de vierge chlorotique [1], violentée, souillée avec une brutalité immonde. Par terre, gisait un porte-monnaie vide. Victor avait disparu. Et la scène se reconstruisait : Alice, appelée peut-être, entrant pour donner un bol de lait à ce garçon de quinze ans, velu comme un homme, puis la brusque faim du monstre pour cette chair frêle, ce cou trop long, le saut du mâle en chemise, la fille étouffée, jetée sur le lit ainsi qu'une loque, violée, volée, et les vêtements passés à la hâte, et la fuite. Mais que de points obscurs, que de questions stupéfiantes et insolubles ! Comment n'avait-on rien entendu, pas un bruit de lutte, pas une plainte ? Comment de si effroyables choses s'étaient-elles passées si vite, dix minutes à peine ? Surtout, comment Victor avait-il pu se sauver, s'évaporer pour ainsi dire, sans laisser de trace ? Car, après les plus minutieuses recherches, on avait acquis la certitude qu'il n'était plus dans l'établissement. Il devait s'être enfui par la salle de bains, donnant sur le corridor, et dont une fenêtre ouvrait au-dessus d'une série de toits étagés, allant jusqu'au boulevard ; et encore un tel chemin offrait de si grands périls, que beaucoup se refusaient à croire qu'un être humain avait pu le suivre. Ramenée chez sa mère, Alice gardait le lit, meurtrie, éperdue, sanglotante, secouée d'une intense fièvre.

Mme Caroline écouta ce récit dans un saisissement tel, qu'il lui semblait que tout le sang de son cœur se glaçait. Un souvenir s'était éveillé, l'épouvantait d'un affreux rapprochement : Saccard, autrefois, prenant la misérable Rosalie sur une marche, lui démettant l'épaule, au moment de la conception de cet enfant qui en avait gardé comme une joue écrasée ; et, aujourd'hui, Victor violentant à son tour la première fille que le sort lui livrait [2].

---

1. Anémiée. 2. Le propos sur l'hérédité se nourrit une fois de plus de la théorie de l'imprégnation (voir *supra*, p. 189, note 2).

Quelle inutile cruauté[1] ! cette jeune fille si douce, la fin désolée d'une race, qui était sur le point de se donner à Dieu, ne pouvant avoir un mari, comme toutes les autres ! Avait-elle donc un sens, cette rencontre imbécile et abominable ? Pourquoi avoir brisé ceci contre cela ?

« Je ne veux vous adresser aucun reproche, madame, conclut la princesse, car il serait injuste de faire remonter jusqu'à vous la moindre responsabilité. Seulement, vous aviez vraiment là un protégé bien terrible. »

Et, comme si une liaison d'idées avait lieu en elle, inexprimée, elle ajouta :

« On ne vit pas impunément dans certains milieux... Moi-même, j'ai eu les plus grands troubles de conscience, je me suis sentie complice, lorsque, dernièrement, cette banque a croulé, en amoncelant tant de ruines et tant d'iniquités. Oui, je n'aurais pas dû consentir à ce que ma maison devînt le berceau d'une abomination pareille... Enfin, le mal est fait, la maison sera purifiée, et moi, oh ! moi, je ne suis plus, Dieu me pardonnera. »

Son pâle sourire d'espoir enfin réalisé avait reparu, elle disait d'un geste sa sortie du monde, sa disparition à jamais de bonne déesse invisible.

Mme Caroline lui avait saisi les mains, les serrait, les baisait, tellement bouleversée de remords et de pitié, qu'elle bégayait des paroles sans suite.

« Vous avez tort de m'excuser, je suis coupable... Cette malheureuse enfant, je veux la voir, je cours tout de suite la voir... »

Et elle s'en alla, laissant la princesse et sa vieille bonne Sophie commencer leurs paquets, pour le grand départ qui devait les séparer après quarante ans de vie commune.

L'avant-veille, le samedi, la comtesse de Beauvilliers s'était résignée à abandonner son hôtel à ses créanciers. Depuis six mois qu'elle ne payait plus les intérêts des

---

1. Le roman ne débat-il pas ici de son propre acharnement sur ces personnages ?

hypothèques, la situation était devenue intolérable, au
milieu des frais de toutes sortes, dans la continuelle
menace d'une vente judiciaire ; et son avoué lui avait
donné le conseil de lâcher tout, de se retirer au fond d'un
petit logement, où elle vivrait sans dépense, tandis qu'il
tâcherait de liquider les dettes. Elle n'aurait pas cédé,
elle se serait obstinée peut-être à garder son rang, son
mensonge de fortune intacte, jusqu'à l'anéantissement de
sa race, sous l'écroulement des plafonds, sans un nouveau malheur qui l'avait terrassée. Son fils Ferdinand, le
dernier des Beauvilliers, l'inutile jeune homme, écarté de
tout emploi, devenu zouave pontifical [1] pour échapper à
sa nullité et à son oisiveté, était mort à Rome, sans gloire,
si pauvre de sang, si éprouvé par le soleil trop lourd, qu'il
n'avait pu se battre à Mentana, déjà fiévreux, la poitrine
prise. Alors, en elle, il y avait eu un brusque vide, un
effondrement de toutes ses idées, de toutes ses volontés,
de l'échafaudage laborieux qui, depuis tant d'années,
soutenait si fièrement l'honneur du nom. Vingt-quatre
heures suffirent, la maison s'était lézardée, la misère
apparut, navrante, parmi les décombres. On vendit le
vieux cheval, la cuisinière seule resta, fit son marché en
tablier sale, deux sous de beurre et un litre de haricots
secs, la comtesse fut aperçue sur le trottoir en robe crot-
tée, ayant aux pieds des bottines qui prenaient l'eau.
C'était l'indigence du soir au lendemain, le désastre
emportait jusqu'à l'orgueil de cette croyante des jours
d'autrefois, en lutte contre son siècle. Et elle s'était réfugiée avec sa fille, rue de la Tour-des-Dames, chez une
ancienne marchande à la toilette [2], devenue dévote, qui
sous-louait des chambres meublées à des prêtres. Là, elles
habitaient toutes deux dans une grande chambre nue,
d'une misère digne et triste, dont une alcôve fermée occupait le fond. Deux petits lits emplissaient l'alcôve, et

---

1. Voir *supra*, p. 85, note 1. **2.** Femme qui revend des vêtements ou
des bijoux ; elle est souvent associée, dans les romans du XIXe siècle, à
des commerces plus louches.

lorsque les châssis, tendus du même papier que les murs, étaient clos, la chambre se transformait en salon. Cette disposition heureuse les avait un peu consolées.

Mais il n'y avait pas deux heures que la comtesse de Beauvilliers était installée, le samedi, lorsqu'une visite inattendue, extraordinaire, l'avait rejetée dans une nouvelle angoisse. Alice, heureusement, venait de descendre, pour une course. C'était Busch, avec sa face plate et sale, sa redingote graisseuse, sa cravate blanche roulée en corde, qui, averti sans doute par son flair de la minute favorable, se décidait enfin à réaliser sa vieille affaire de la reconnaissance de dix mille francs, signée par le comte à la fille Léonide Cron. D'un coup d'œil sur le logis, il avait jugé la situation de la veuve : aurait-il tardé trop longtemps ? Et, en homme capable, à l'occasion, d'urbanité et de patience, il avait longuement expliqué le cas à la comtesse effarée. C'était bien, n'est-ce pas ? l'écriture de son mari, ce qui établissait nettement l'histoire : une passion du comte pour la jeune personne, une façon de l'avoir d'abord, puis de se débarrasser d'elle. Même il ne lui avait pas caché que, légalement, et après quinze années bientôt, il ne la croyait pas forcée de payer. Seulement, il n'était, lui, que le représentant de sa cliente, il la savait résolue à saisir les tribunaux, à soulever le plus effroyable des scandales, si l'on ne transigeait pas. La comtesse, toute blanche, frappée au cœur par ce passé affreux qui ressuscitait, s'étant étonnée qu'on eût attendu si longtemps, avant de s'adresser à elle, il avait inventé une histoire, la reconnaissance perdue, retrouvée au fond d'une malle ; et, comme elle refusait définitivement d'examiner l'affaire, il s'en était allé, toujours très poli, en disant qu'il reviendrait avec sa cliente, pas le lendemain, parce que celle-ci ne pouvait guère quitter le dimanche la maison où elle travaillait, mais certainement le lundi ou le mardi.

Le lundi, au milieu de l'épouvantable aventure arrivée à sa fille, depuis qu'on la lui avait ramenée délirante, et qu'elle la veillait, les yeux aveuglés de larmes, la comtesse de Beauvilliers ne songeait plus à cet homme mal mis et à sa cruelle histoire. Enfin, Alice venait de s'endormir, la mère s'était assise, épuisée, écrasée par cet acharnement du sort[1], quand Busch de nouveau se présenta, accompagné cette fois de Léonide.

« Madame, voici ma cliente, et il va falloir en finir. »

Devant l'apparition de la fille, la comtesse avait frémi. Elle la regardait, habillée de couleurs crues, avec ses durs cheveux noirs tombant sur les sourcils, sa face large et molle, la bassesse immonde de toute sa personne, usée par dix années de prostitution. Et elle était torturée, elle saignait dans son orgueil de femme, après tant d'années de pardon et d'oubli. C'était, mon Dieu ! pour des créatures destinées à de telles chutes, que le comte la trahissait !

« Il faut en finir, insista Busch, parce que ma cliente est très tenue, rue Feydeau.

– Rue Feydeau, répéta la comtesse sans comprendre.

– Oui, elle est là… Enfin, elle est là en maison[2]. »

Éperdue, les mains tremblantes, la comtesse alla fermer complètement l'alcôve, dont un seul des vantaux était poussé. Alice, dans sa fièvre, venait de s'agiter sous la couverture. Pourvu qu'elle se rendormît, qu'elle ne vît pas, qu'elle n'entendît pas !

Busch, déjà, reprenait :

« Voilà ! madame, comprenez bien… Mademoiselle m'a chargé de son affaire, et je la représente, simplement. C'est pourquoi j'ai voulu qu'elle vînt en personne expliquer sa réclamation… Allons, Léonide, expliquez-vous. »

Inquiète, mal à l'aise dans ce rôle qu'il lui faisait jouer, celle-ci levait sur lui ses gros yeux troubles de chien battu. Mais l'espoir des mille francs qu'il lui avait promis la décida. Et, de sa voix rauque, éraillée par l'alcool, tandis

---

1. Le registre est celui du mélodrame. **2.** C'est-à-dire en maison close. On notera la proximité géographique entre Bourse et prostitution.

que lui, de nouveau, dépliait, étalait la reconnaissance du comte :

« C'est bien ça, c'est le papier que M. Charles m'a signé... J'étais la fille au charretier, à Cron le cocu, comme on disait, vous savez bien, madame ?... Et alors, M. Charles était toujours pendu à mes jupes, à me demander des saletés. Moi, ça m'ennuyait. Quand on est jeune, n'est-ce pas ? on ne sait rien, on n'est pas gentille pour les vieux... Et alors, M. Charles m'a signé le papier, un soir qu'il m'avait emmenée dans l'écurie... »

Debout, crucifiée, la comtesse la laissait dire, lorsqu'il lui sembla entendre une plainte dans l'alcôve. Elle eut un geste d'angoisse.

« Taisez-vous ! »

Mais Léonide était lancée, voulait finir.

« Ce n'est guère honnête tout de même, lorsqu'on ne veut pas payer, d'aller débaucher une petite fille sage... Oui, madame, votre monsieur Charles était un voleur. C'est ce qu'en pensent toutes les femmes à qui je raconte ça... Et je vous réponds que ça valait bien l'argent.

— Taisez-vous ! taisez-vous ! » cria furieusement la comtesse, les deux bras en l'air, comme pour l'écraser, si elle continuait.

Léonide eut peur, leva le coude, afin de se protéger la figure, dans le mouvement instinctif des filles habituées aux gifles. Et un effrayant silence régna, durant lequel il sembla qu'une nouvelle plainte, un petit bruit étouffé de larmes venait de l'alcôve.

« Enfin, que voulez-vous ? » reprit la comtesse, tremblante, baissant la voix.

Ici, Busch intervint.

« Mais, madame, cette fille veut qu'on la paie. Et elle a raison, la malheureuse, de dire que M. le comte de Beauvilliers a fort mal agi avec elle. C'est de l'escroquerie, simplement.

— Jamais je ne paierai une pareille dette.

— Alors, nous allons prendre une voiture, en sortant d'ici, et nous rendre au Palais, où je déposerai la plainte que j'ai rédigée d'avance, et que voici… Tous les faits que mademoiselle vient de vous dire y sont relatés.

– Monsieur, c'est un abominable chantage, vous ne ferez pas cela.

– Je vous demande pardon, madame, je vais le faire à l'instant. Les affaires sont les affaires. »

Une fatigue immense, un suprême découragement envahit la comtesse. Le dernier orgueil qui la tenait debout venait de se briser ; et toute sa violence, toute sa force tomba. Elle joignit les mains, elle bégayait.

« Mais vous voyez où nous en sommes. Regardez donc cette chambre… Nous n'avons plus rien, demain peut-être il ne nous restera pas de quoi manger… Où voulez-vous que je prenne de l'argent, dix mille francs, mon Dieu ! »

Busch eut un sourire d'homme accoutumé à pêcher dans ces ruines.

« Oh ! les dames comme vous ont toujours des ressources. En cherchant bien, on trouve. »

Depuis un moment, il guettait, sur la cheminée, un vieux coffret à bijoux, que la comtesse avait laissé là, le matin, en achevant de vider une malle ; et il flairait des pierreries, avec la certitude de l'instinct. Son regard brilla d'une telle flamme, qu'elle en suivit la direction et comprit.

« Non, non ! cria-t-elle, les bijoux, jamais ! »

Et elle saisit le coffret, comme pour le défendre. Ces derniers bijoux depuis si longtemps dans la famille, ces quelques bijoux qu'elle avait gardés au travers des plus grandes gênes, comme l'unique dot de sa fille, et qui restaient à cette heure sa suprême ressource !

« Jamais, j'aimerais mieux donner de ma chair ! »

Mais, à cette minute, il y eut une diversion, Mme Caroline frappa et entra. Elle arrivait bouleversée, elle demeura saisie de la scène au milieu de laquelle elle tombait. D'un mot, elle avait prié la comtesse de ne point se déranger ; et elle serait partie, sans un geste suppliant de celle-ci, qu'elle crut comprendre. Immobile au fond de la pièce, elle s'effaça.

Busch venait de remettre son chapeau, tandis que, de plus en plus mal à l'aise, Léonide gagnait la porte.

« Alors, madame, il ne nous reste donc qu'à nous retirer... »

Pourtant, il ne se retirait pas. Il reprit toute l'histoire, en termes plus honteux, comme s'il avait voulu humilier encore la comtesse devant la nouvelle venue, cette dame qu'il affectait de ne pas reconnaître, selon son habitude, quand il était en affaire.

« Adieu, madame, nous allons de ce pas au parquet Le récit détaillé sera dans les journaux, avant trois jours. C'est vous qui l'aurez voulu. »

Dans les journaux ! Cet horrible scandale sur les ruines mêmes de sa maison ! Ce n'était donc pas assez de voir tomber en poudre l'antique fortune, il fallait que tout croulât dans la boue ! Ah ! que l'honneur du nom au moins fût sauvé ! Et, d'un mouvement machinal, elle ouvrit le coffret. Les boucles d'oreilles, le bracelet, trois bagues apparurent, des brillants et des rubis, avec leurs montures anciennes.

Busch, vivement, s'était approché. Ses yeux s'attendrissaient, d'une douceur de caresse.

« Oh ! il n'y en a pas pour dix mille francs... Permettez que je voie. »

Déjà, un à un, il prenait les bijoux, les retournait, les élevait en l'air, de ses gros doigts tremblants d'amoureux, avec sa passion sensuelle des pierreries. La pureté des rubis surtout semblait le jeter dans une extase. Et ces brillants anciens, si la taille en est parfois maladroite, quelle eau merveilleuse !

« Six mille francs ! dit-il d'une voix de commissaire-priseur, cachant son émotion sous ce chiffre d'estimation totale. Je ne compte que les pierres, les montures sont bonnes à fondre. Enfin, nous nous contenterons de six mille francs. »

Mais le sacrifice était trop rude pour la comtesse. Elle eut un réveil de violence, elle lui reprit les bijoux, les serra dans ses mains convulsées. Non, non ! c'était trop, d'exiger d'elle qu'elle jetât encore au gouffre ces quelques pierres que sa mère avait portées, que sa fille devait porter le jour de son mariage. Et des larmes brûlantes jaillirent de ses yeux, ruisselèrent sur ses joues, dans une telle douleur tragique, que Léonide, le cœur touché, éperdue d'apitoiement, se mit à tirer Busch par sa redingote, pour le forcer à partir. Elle voulait s'en aller, ça la bousculait à la fin, de faire tant de peine à cette pauvre vieille dame, qui avait l'air si bon. Busch, très froid, suivait la scène, certain maintenant de tout emporter, sachant par sa longue expérience que les crises de larmes, chez les femmes, annoncent la débâcle de la volonté ; et il attendait.

Peut-être l'affreuse scène se serait-elle prolongée, si, à ce moment, une voix lointaine, étouffée, n'avait éclaté en sanglots. C'était Alice qui criait du fond de l'alcôve :

« Oh ! maman, ils me tuent !... Donne-leur tout, qu'ils emportent tout !... Oh ! maman, qu'ils s'en aillent ! ils me tuent, ils me tuent ! »

Alors, la comtesse eut un geste d'abandon désespéré, un geste dans lequel elle aurait donné sa vie. Sa fille avait entendu. Sa fille se mourait de honte. Et elle jeta les bijoux à Busch, et elle lui laissa à peine le temps de poser sur la table, en échange, la reconnaissance du comte, le poussant dehors, derrière Léonide déjà disparue. Puis, elle rouvrit l'alcôve, elle alla s'abattre sur l'oreiller d'Alice, toutes les deux achevées, anéanties, mêlant leurs larmes.

Mme Caroline, révoltée, avait été un moment sur le point d'intervenir. Laisserait-elle donc le misérable dépouiller ainsi ces deux pauvres femmes ? Mais elle venait d'entendre l'ignoble histoire, et que faire pour éviter le scandale ? car elle le savait homme à aller jusqu'au bout de ses menaces. Elle-même restait honteuse devant lui, dans la complicité des secrets qu'il y avait entre eux.

Ah ! que de souffrances, que d'ordures ! Une gêne l'envahissait, qu'était-elle accourue faire là, puisqu'elle ne trouvait ni une parole à dire ni un secours à donner ? Toutes
les phrases qui lui montaient aux lèvres, les questions,
les simples allusions, au sujet du drame de la veille, lui
semblaient blessantes, salissantes, impossibles à risquer
devant la victime, égarée encore, agonisant de sa
souillure. Et quel secours aurait-elle laissé, qui n'aurait
pas paru une aumône dérisoire, elle ruinée également,
embarrassée déjà pour attendre l'issue du procès ? Enfin,
elle s'avança, les yeux pleins de larmes, les bras ouverts,
dans une infinie pitié, un attendrissement éperdu dont
elle tremblait toute.

Au fond de la banale alcôve d'hôtel meublé, ces deux
misérables créatures effondrées, finies, c'était tout ce qui
restait de l'antique race des Beauvilliers, autrefois si puissante, souveraine. Elle avait eu des terres aussi grandes
qu'un royaume, vingt lieues de la Loire lui avaient appartenu, des châteaux, des prairies, des labours, des forêts.
Puis, cette immense fortune domaniale peu à peu s'en
était allée avec les siècles en marche, et la comtesse venait
d'engloutir la dernière épave dans une de ces tempêtes de
la spéculation moderne, où elle n'entendait rien : d'abord
ses vingt mille francs d'économies, épargnées sou par sou
pour sa fille, puis les soixante mille francs empruntés sur
les Aublets, puis cette ferme tout entière. L'hôtel de la
rue Saint-Lazare ne paierait pas les créanciers. Son fils
était mort loin d'elle et sans gloire. On lui avait ramené
sa fille blessée, salie par un bandit, comme on remonte,
saignant et couvert de boue, un enfant qu'une voiture
vient d'écraser. Et la comtesse, si noble naguère, mince,
haute, toute blanche, avec son grand air suranné, n'était
plus qu'une pauvre vieille femme détruite, cassée par
cette dévastation ; tandis que, sans beauté, sans jeunesse,
montrant la disgrâce de son cou trop long, dans le désordre de sa chemise, Alice avait des yeux de folle, où se

lisait la mortelle douleur de son dernier orgueil, sa virgi-
nité violentée. Et toutes deux, elles sanglotaient toujours,
elles sanglotaient sans fin.

Alors, Mme Caroline ne prononça pas un mot, les prit
simplement toutes deux, les serra étroitement sur son
cœur. Elle ne trouvait rien autre chose, elle pleurait avec
elles. Et les deux malheureuses comprirent, leurs larmes
redoublèrent, plus douces. S'il n'y avait pas de consolation possible, ne faudrait-il pas vivre encore, vivre quand
même ?

Lorsque Mme Caroline fut de nouveau dans la rue,
elle aperçut Busch en grande conférence avec la Méchain.
Il avait arrêté une voiture, il y poussa Léonide, et disparut. Mais, comme Mme Caroline se hâtait, la Méchain
marcha droit à elle. Sans doute, elle la guettait, car tout
de suite elle lui parla de Victor, en personne renseignée
déjà sur ce qui s'était passé la veille, à l'Œuvre du Travail.
Depuis que Saccard avait refusé de payer les quatre mille
francs, elle ne décolérait pas, elle s'ingéniait à chercher
de quelle façon elle pourrait encore exploiter l'affaire ;
et elle venait ainsi d'apprendre l'histoire, au boulevard
Bineau, où elle se rendait fréquemment, dans l'espoir de
quelque incident profitable. Son plan devait être fait, elle
déclara à Mme Caroline qu'elle allait immédiatement se
mettre en quête de Victor. Ce malheureux enfant, c'était
trop terrible de l'abandonner de la sorte à ses mauvais
instincts, il fallait le reprendre, si l'on ne voulait pas le
voir un beau matin en cour d'assises. Et, tandis qu'elle
parlait, ses petits yeux, perdus dans la graisse de son
visage, fouillaient la bonne dame, heureuse de la sentir
bouleversée, en disant que le jour où elle aurait retrouvé
le gamin, elle continuerait à tirer d'elle des pièces de cent
sous.

« Alors, madame, c'est entendu, je vais m'en occuper... Dans le cas où vous désireriez avoir des nouvelles,
ne prenez pas la peine de courir là-bas, rue Marcadet,
montez simplement chez M. Busch, rue Feydeau, où

vous êtes certaine de me rencontrer tous les jours, vers quatre heures. »

Mme Caroline rentra rue Saint-Lazare, tourmentée d'une anxiété nouvelle. C'était vrai, ce monstre, lâché par le monde, errant et traqué, quelle hérédité du mal allait-il assouvir au travers des foules, comme un loup dévorateur ? Elle déjeuna rapidement, elle prit une voiture, ayant le temps de passer boulevard Bineau, avant d'aller à la Conciergerie, brûlée du désir d'avoir des renseignements tout de suite. Puis, en chemin, dans le trouble de sa fièvre, une idée s'empara d'elle, la domina : se rendre d'abord chez Maxime, l'emmener à l'Œuvre, le forcer à s'occuper de Victor, dont il était le frère après tout. Lui seul restait riche, lui seul pouvait intervenir, s'occuper de l'affaire d'une façon efficace.

Mais, avenue de l'Impératrice, dès le vestibule du petit hôtel luxueux, Mme Caroline se sentit glacée. Des tapissiers enlevaient les tentures et les tapis, des domestiques mettaient des housses aux sièges et aux lustres, tandis que, de toutes les jolies choses remuées, sur les meubles, sur les étagères, s'exhalait un parfum mourant, ainsi que d'un bouquet jeté au lendemain d'un bal. Et, au fond de la chambre à coucher, elle trouva Maxime, entre deux énormes malles que le valet de chambre achevait d'emplir de tout un trousseau merveilleux, riche et délicat comme pour une mariée.

En l'apercevant, ce fut lui qui parla le premier, très froid, la voix sèche.

« Ah ! c'est vous ! vous tombez bien, ça m'évitera de vous écrire… J'en ai assez et je pars.

— Comment, vous partez ?

— Oui, je pars ce soir, je vais m'installer à Naples, où je passerai l'hiver. »

Puis, lorsqu'il eut, d'un geste, renvoyé le valet de chambre :

« Si vous croyez que ça m'amuse d'avoir, depuis six mois, un père à la Conciergerie ! Je ne vais certainement pas rester pour le voir en correctionnelle... [1]. Moi qui déteste les voyages ! Enfin, il fait beau là-bas, j'emporte à peu près l'indispensable, je ne m'ennuierai peut-être pas trop. »

Elle le regardait, si correct, si joli ; elle regardait les malles débordantes, où pas un chiffon d'épouse ni de maîtresse ne traînait, où il n'y avait que le culte de lui-même ; et elle osa pourtant se risquer.

« Moi qui venais encore vous demander un service... »

Puis, elle conta l'histoire, Victor bandit, violant et volant, Victor en fuite, capable de tous les crimes.

« Nous ne pouvons l'abandonner. Accompagnez-moi, unissons nos efforts... »

Il ne la laissa pas finir, livide, pris d'un petit tremblement de peur, comme s'il avait senti quelque main meurtrière et sale se poser sur son épaule.

« Ah ! bien, il ne manquait plus que ça !... Un père voleur, un frère assassin... J'ai trop tardé, je voulais partir la semaine dernière. Mais c'est abominable, abominable, de mettre un homme tel que moi dans une situation pareille ! »

Alors, comme elle insistait, il devint insolent.

« Laissez-moi tranquille, vous ! Puisque ça vous amuse, cette vie de chagrins, restez-y. Je vous avais prévenue, c'est bien fait, si vous pleurez... Mais moi, voyez-vous, plutôt que de donner un de mes cheveux, je balaierais au ruisseau tout ce vilain monde. »

Elle s'était levée.

« Adieu donc !

– Adieu ! »

Et, en se retirant, elle le vit qui rappelait le valet de chambre et qui assistait au soigneux emballement de son nécessaire de toilette, un nécessaire dont toutes les pièces en vermeil étaient du plus galant travail, la cuvette surtout, gravée d'une ronde d'Amours. Pendant que celui-ci s'en allait vivre d'oubli et de paresse, sous le clair soleil

---

1. C'est au tribunal correctionnel que sont jugés les délits financiers.

de Naples, elle eut brusquement la vision de l'autre, rôdant un soir de noir dégel, affamé, un couteau au poing, dans quelque ruelle écartée de la Villette ou de Charonne. N'était-ce pas la réponse à cette question de savoir si l'argent n'est point l'éducation, la santé, l'intelligence ? Puisque la même boue humaine reste dessous, toute la civilisation se réduit-elle à cette supériorité de sentir bon et de bien vivre ?

Lorsqu'elle arriva à l'Œuvre du Travail, Mme Caroline éprouva une singulière sensation de révolte contre le luxe énorme de l'établissement. À quoi bon ces deux ailes majestueuses, le logis des garçons et le logis des filles, reliés par le pavillon monumental de l'administration ? à quoi bon les préaux grands comme des parcs, les faïences des cuisines, les marbres des réfectoires, les escaliers, les couloirs, vastes à desservir un palais ? à quoi bon toute cette charité grandiose, si l'on ne pouvait, dans ce milieu large et salubre, redresser un être mal venu, faire d'un enfant perverti un homme bien-portant, ayant la droite raison de la santé ? Tout de suite, elle se rendit chez le directeur, le pressa de questions, voulut connaître les moindres détails. Mais le drame restait obscur, il ne put que lui répéter ce qu'elle savait déjà par la princesse. Depuis la veille, les recherches avaient continué, dans la maison et aux alentours, sans amener le moindre résultat. Victor, déjà, était loin, galopait là-bas, par la ville, au fond de l'effrayant inconnu. Il ne devait pas avoir d'argent, car le porte-monnaie d'Alice, qu'il avait vidé, ne contenait que trois francs quatre sous. Le directeur avait d'ailleurs évité de mettre la police dans l'affaire, pour épargner à ces pauvres dames de Beauvilliers le scandale public ; et Mme Caroline l'en remercia, promit qu'elle-même ne ferait aucune démarche à la préfecture, malgré son ardent désir de savoir. Puis, désespérée de s'en aller aussi ignorante qu'elle était venue, elle eut l'idée de monter à l'infirmerie, pour interroger les sœurs. Mais elle n'en tira non plus aucun renseignement précis, et elle ne goûta en haut, dans la petite pièce calme qui séparait le dortoir des filles de celui des garçons, que quelques minutes de profond apaisement. Un joyeux vacarme montait, c'était l'heure de la récréation, elle se sentit injuste pour les guérisons heureuses, obtenues par le grand air, le bien-être et le travail. Il y avait certainement là des hommes sains et forts qui poussaient. Un bandit sur quatre ou cinq honnêtetés moyennes, que cela serait beau encore, dans les hasards qui aggravent ou qui amoindrissent les tares héréditaires !

Et Mme Caroline, laissée seule un instant par la sœur de service, s'approchait de la fenêtre, pour voir les enfants jouer, en bas, lorsque des voix cristallines de petites filles, dans l'infirmerie voisine, l'attirèrent. La porte se trouvait à demi ouverte, elle put assister à la scène sans être remarquée. C'était une pièce très gaie, cette infirmerie blanche, aux murs blancs, avec les quatre lits drapés de rideaux blancs. Une large nappe de soleil dorait cette blancheur, toute une floraison de lis au milieu de l'air tiède. Dans le premier lit, à gauche, elle reconnut très bien Madeleine, la fillette qui était déjà là, convalescente, mangeant des tartines de confiture, le jour où elle avait amené Victor. Toujours elle retombait malade, dévastée par l'alcoolisme de sa race, si pauvre de sang, qu'avec ses grands yeux de femme faite, elle était mince et blanche comme une sainte de vitrail. Elle avait treize ans, seule au monde désormais, sa mère étant morte, un soir de soûlerie, d'un coup de pied dans le ventre, qu'un homme lui avait allongé pour ne pas lui donner les six sous dont ils étaient convenus. Et c'était elle, dans sa longue chemise blanche, agenouillée au milieu de son lit, avec ses cheveux blonds dénoués sur les épaules, qui enseignait une prière à trois petites filles occupant les trois autres lits.

« Joignez vos mains comme ça, ouvrez votre cœur tout grand… »

Les trois petites filles étaient, elles aussi, agenouillées au milieu de leurs draps. Deux avaient de huit à dix ans,

la troisième n'en avait pas cinq. Dans les longues chemises blanches, avec leurs frêles mains jointes, leurs
visages sérieux et extasiés, on aurait dit de petits anges.

« Et vous allez répéter après moi ce que je vais dire.
Écoutez bien… Mon Dieu ! faites que M. Saccard soit
récompensé de sa bonté, qu'il ait de longs jours et qu'il
soit heureux. »

Alors, avec des voix de chérubin, un zézaiement d'une
maladresse adorable d'enfance, les quatre fillettes répé-
tèrent ensemble, dans un élan de foi où tout leur petit
être pur se donnait :

« Mon Dieu ! faites que M. Saccard soit récompensé
de sa bonté, qu'il ait de longs jours et qu'il soit
heureux. »

D'un mouvement emporté, Mme Caroline allait entrer
dans la pièce, faire taire ces enfants, leur défendre ce
qu'elle regardait comme un jeu blasphématoire et cruel.
Non, non ! Saccard n'avait pas le droit d'être aimé, c'était
salir l'enfance que de la laisser prier pour son bonheur !
Puis, un grand frisson l'arrêta, des larmes lui montaient
aux yeux. Pourquoi donc aurait-elle fait épouser sa querelle, la colère de son expérience, à ces êtres innocents, ne
sachant rien encore de la vie ? Est-ce que Saccard n'avait
pas été bon pour eux, lui qui était un peu le créateur de
cette maison, qui leur envoyait tous les mois des jouets ?
Un trouble profond l'avait saisie, elle retrouvait cette
preuve qu'il n'y a point d'homme condamnable, qui, au
milieu de tout le mal qu'il a pu faire, n'ait encore fait
beaucoup de bien. Et elle partit, pendant que les fillettes
reprenaient leur prière, elle emporta dans son oreille ces
voix angéliques appelant les bénédictions du Ciel sur
l'homme d'inconscience et de catastrophe, dont les mains
folles venaient de ruiner un monde.

Comme elle quittait enfin son fiacre, boulevard du
Palais, devant la Conciergerie, elle s'aperçut que, dans
son émotion, elle avait oublié, chez elle, la botte d'œillets
qu'elle avait préparée le matin pour son frère. Une marchande était là, vendant des petits bouquets de roses de

deux sous, et elle en prit un, et elle fit sourire Hamelin, qui adorait les fleurs, lorsqu'elle lui conta son étourderie. Ce jour-là pourtant, elle le trouva triste. D'abord, pendant les premières semaines de son emprisonnement, il n'avait pu croire à des charges sérieuses contre lui. Sa défense lui semblait si simple : on ne l'avait nommé président que contre son gré, il était resté en dehors de toutes les opérations financières, presque toujours absent de Paris, ne pouvant exercer aucun contrôle. Mais les conversations avec son avocat, les démarches que faisait Mme Caroline et dont elle lui disait l'inutile fatigue, lui avaient ensuite fait entrevoir les effrayantes responsabilités qui l'accablaient. Il allait être solidaire des moindres illégalités commises, jamais on n'admettrait qu'il en ignorât une seule, Saccard l'entraînait dans une déshonorante complicité [1]. Et ce fut alors qu'il dut à sa foi un peu simple de catholique pratiquant une résignation, une tranquillité d'âme, qui étonnaient sa sœur. Quand elle arrivait du dehors, de ses courses anxieuses, de cette humanité en liberté si trouble et si dure, elle restait saisie de le voir paisible, souriant, dans sa cellule nue, où il avait, en grand enfant pieux, cloué quatre images de sainteté, coloriées violemment, autour d'un petit crucifix de bois noir. Dès qu'on se met dans la main de Dieu, il n'y a plus de révolte, toute souffrance imméritée est un gage de salut. Son unique tristesse, parfois, venait de l'arrêt désastreux de ses grands travaux. Qui reprendrait son œuvre ? qui continuerait la résurrection de l'Orient, si heureusement commencée par la Compagnie générale

---

1. Étudier les responsabilités respectives de Bontoux et Feder, président et directeur de l'Union générale, fut en 1882 l'une des tâches de la justice. Les romanciers qui se sont inspirés de ce krach et qui se trouvaient solidaires de l'esprit clérical et réactionnaire de la banque déchue ont eu tendance, en créant leurs personnages, à « charger » l'Alsacien Feder et à blanchir Bontoux. Zola répartit plutôt entre Hamelin et Saccard les traits du seul Bontoux, dont il connaît le plaidoyer autobiographique *L'Union générale, sa vie, sa mort, son programme* (1888) : il prête à Hamelin ses convictions catholiques, et attribue à Saccard son esprit financier ainsi que ses motivations antisémites.

des Paquebots réunis et par la Société des mines d'argent du Carmel ? qui construirait le réseau de lignes ferrées, de Brousse à Beyrouth et à Damas, de Smyrne à Trébizonde, toute cette circulation de sang jeune dans les veines du vieux monde ? Là d'ailleurs encore, il croyait, il disait que l'œuvre entreprise ne pouvait mourir, il n'éprouvait que la douleur de n'être plus celui que le Ciel avait élu pour l'exécuter. Surtout, sa voix se brisait, lorsqu'il cherchait en punition de quelle faute Dieu ne lui avait pas permis de réaliser la grande banque catholique destinée à transformer la société moderne, ce Trésor du Saint-Sépulcre qui rendrait un royaume au pape et qui finirait par faire une seule nation de tous les peuples, en enlevant aux juifs la puissance souveraine de l'argent. Il la prédisait aussi, cette banque, inévitable, invincible ; il annonçait le Juste aux mains pures qui la fonderait un jour. Et si, cet après-midi-là, il semblait soucieux, ce devait être simplement que, dans sa sérénité de prévenu dont on allait faire un coupable, il avait songé que, jamais, au sortir de prison, il n'aurait les mains assez nettes pour reprendre la grande besogne.

D'une oreille distraite, il écouta sa sœur lui expliquer que, dans les journaux, l'opinion paraissait lui redevenir un peu plus favorable. Puis, sans transition, la regardant de ses yeux de dormeur éveillé :

« Pourquoi refuses-tu de le voir ? »

Elle frémit, elle comprit bien qu'il lui parlait de Saccard. D'un signe de tête, elle dit non, encore non. Alors, il se décida, confus, à voix très basse.

« Après ce qu'il a été pour toi, tu ne peux refuser, va le voir ! »

Mon Dieu ! il savait, elle fut envahie d'une ardente rougeur, elle se jeta dans ses bras pour cacher son visage ; et elle bégayait, demandait qui avait pu lui dire, comment il savait cette chose qu'elle croyait ignorée, ignorée de lui surtout.

« Ma pauvre Caroline, il y a longtemps... Des lettres anonymes, de vilaines gens qui nous jalousaient... Jamais je ne t'en ai parlé, tu es libre, nous ne pensons plus de même... Je sais que tu es la meilleure femme de la terre. Va le voir. »

Et, gaiement, retrouvant son sourire, il reprit le petit bouquet de roses qu'il avait déjà glissé derrière le crucifix, il le lui remit dans la main, en ajoutant :

« Tiens ! porte-lui ça et dis-lui que je ne lui en veux pas non plus. »

Mme Caroline, bouleversée de cette tendresse si pitoyable de son frère, dans la honte affreuse et le délicieux soulagement qu'elle éprouvait à la fois, ne résista pas davantage. Du reste, depuis le matin, la sourde nécessité de voir Saccard s'imposait à elle. Pouvait-elle ne pas l'avertir de la fuite de Victor, de l'atroce aventure dont elle était encore toute tremblante ? Dès le premier jour, il l'avait fait inscrire parmi les personnes qu'il désirait recevoir ; et elle n'eut qu'à dire son nom, un gardien la conduisit tout de suite à la cellule du prisonnier.

Lorsqu'elle entra, Saccard tournait le dos à la porte, assis devant une petite table, couvrant de chiffres une feuille de papier.

Il se leva vivement, il eut un cri de joie.

« Vous !... Oh ! que vous êtes bonne, et que je suis heureux ! »

Il lui avait pris une main entre les deux siennes, elle souriait d'un air embarrassé, très émue, ne trouvant pas la parole qu'il aurait fallu dire. Puis, de sa main restée libre, elle posa son petit bouquet de deux sous parmi les feuilles, sabrées de chiffres, qui encombraient la table.

« Vous êtes un ange ! » murmura-t-il, ravi, en lui baisant les doigts.

Enfin, elle parla.

« C'est vrai, c'était fini, je vous avais condamné dans mon cœur. Mais mon frère veut que je vienne...

– Non, non, ne dites pas cela ! Dites que vous êtes trop intelligente, que vous êtes trop bonne, et que vous avez compris, et que vous me pardonnez... »

D'un geste, elle l'interrompit.

« Je vous en conjure, ne me demandez pas tant. Je ne sais pas moi-même... Cela ne vous suffit-il pas que je sois venue ?... Et puis, j'ai une chose bien triste à vous apprendre. »

Alors, d'un trait, à demi-voix, elle lui conta le sauvage réveil de Victor, son attentat sur Mlle de Beauvilliers, sa fuite extraordinaire, inexplicable, l'inutilité jusque-là de toutes les recherches, le peu d'espoir qu'on avait de le rejoindre. Il l'écoutait, saisi, sans une question, sans un geste ; et, quand elle se tut, deux grosses larmes gonflèrent ses yeux, ruisselèrent sur ses joues, pendant qu'il bégayait :

« Le malheureux... le malheureux... »

Jamais elle ne l'avait vu pleurer. Elle en resta profondément émue et stupéfaite, tellement ces larmes de Saccard étaient singulières, grises et lourdes, venues de loin, d'un cœur durci, encrassé par des années de brigandage. Tout de suite, d'ailleurs, il se désespéra bruyamment.

« Mais c'est épouvantable, je ne l'ai seulement pas embrassé, moi, ce gamin... Car vous savez que je ne l'ai pas vu. Mon Dieu ! oui, je m'étais bien juré d'aller le voir, et je n'ai pas eu le temps, pas une heure libre, avec ces sacrées affaires qui me mangent... Ah ! c'est bien toujours comme ça : lorsqu'on ne fait pas une chose tout de suite, on est certain de ne jamais la faire... Et, alors, maintenant, vous êtes sûre que je ne puis pas le voir ? On me l'amènerait ici. »

Elle hocha la tête.

« Qui sait où il est, à cette heure, dans l'inconnu de ce terrible Paris ! »

Un instant encore, il se promena violemment, en lâchant des lambeaux de phrase.

« On me retrouve cet enfant, et, voilà ! je le perds... Jamais je ne le verrai... Tenez ! c'est que je n'ai pas de chance, non ! pas de chance du tout !... Oh ! mon Dieu ! l'histoire est la même que pour l'Universelle. »

Il venait de se rasseoir devant la table, et Mme Caroline prit une chaise, en face de lui. Déjà, les mains errantes parmi les papiers, tout le dossier volumineux qu'il préparait depuis des mois, il entamait l'histoire du procès et l'exposé de ses moyens de défense, comme s'il eût éprouvé le besoin de s'innocenter auprès d'elle. L'accusation lui reprochait : le capital sans cesse augmenté pour enfiévrer les cours et pour faire croire que la société possédait l'intégralité de ses fonds ; la simulation de souscriptions et de versements non effectués, grâce aux comptes ouverts à Sabatani et aux autres hommes de paille, lesquels payaient seulement par des jeux d'écritures ; la distribution de dividendes* fictifs, sous forme de libération des anciens titres ; enfin, l'achat par la société de ses propres actions*, toute une spéculation effrénée qui avait produit la hausse extraordinaire et factice, dont l'Universelle était morte, épuisée d'or. À cela, il répondait par des explications abondantes, passionnées : il avait fait ce que fait tout directeur de banque, seulement il l'avait fait en grand, avec une carrure d'homme fort. Pas un des chefs des plus solides maisons de Paris qui n'aurait dû partager sa cellule, si l'on s'était piqué d'un peu de logique. On le prenait pour le bouc émissaire des illégalités de tous. D'autre part, quelle étrange façon d'apprécier les responsabilités ! Pourquoi ne poursuivait-on pas aussi les administrateurs, les Daigremont, les Huret, les Bohain, qui, outre leurs cinquante mille francs de jetons de présence, touchaient le dix pour cent sur les bénéfices, et qui avaient trempé dans tous les tripotages ? Pourquoi encore l'impunité complète dont jouissaient les commissaires-censeurs*, Lavignière entre autres, qui en étaient quittes pour alléguer leur incapacité et leur bonne foi ? Évidemment, ce procès allait être la plus monstrueuse des iniquités, car on avait dû écarter la plainte en escroquerie de Busch, comme alléguant des faits non prouvés, et le rapport remis par l'expert, après un premier examen des livres, venait d'être reconnu plein d'erreurs. Alors, pourquoi la faillite, déclarée d'office à la suite de ces deux pièces, lorsque pas un sou des dépôts n'avait été détourné et que tous les clients devaient rentrer dans leurs fonds ? Était-ce donc qu'on voulait uniquement ruiner les actionnaires ? Dans ce cas, on avait réussi, le désastre s'aggravait, s'élargissait sans limite. Et ce n'était pas lui qu'il en accusait, c'était la magistrature, le gouvernement, tous ceux qui avaient comploté de le supprimer, pour tuer l'Universelle [1].

« Ah ! les gredins, s'ils m'avaient laissé libre, vous auriez vu, vous auriez vu ! »

Mme Caroline le regardait, saisie de son inconscience, qui en arrivait à une véritable grandeur. Elle se rappelait ses théories d'autrefois, la nécessité du jeu dans les grandes entreprises, où toute rémunération juste est impossible, la spéculation regardée comme l'excès humain, l'engrais nécessaire, le fumier sur lequel pousse le progrès. N'était-ce donc pas lui qui, de ses mains sans scrupules, avait chauffé l'énorme machine follement, jusqu'à la faire sauter en morceaux et à blesser tous ceux qu'elle emportait avec elle ? Ce cours de trois mille francs, d'une exagération insensée, imbécile, n'était-ce pas lui qui l'avait voulu ? Une société au capital de cent cinquante millions, et dont les trois cent mille titres, cotés trois mille francs, représentent neuf cents millions : cela pouvait-il se justifier, n'y avait-il pas un danger effroyable dans la distribution du colossal dividende qu'une pareille somme engagée exigeait, au simple taux de cinq pour cent ?

Mais il s'était levé, il allait et venait, dans l'étroite pièce, d'un pas saccadé de grand conquérant mis en cage.

« Ah ! les gredins, ils ont bien su ce qu'ils faisaient en m'enchaînant ici… J'allais triompher, les écraser tous. »

Elle eut un sursaut de surprise et de protestation.

« Comment, triompher ? mais vous n'aviez plus un sou, vous étiez vaincu !

– Évidemment, reprit-il avec amertume, j'étais vaincu, je suis une canaille… L'honnêteté, la gloire, ce n'est que

---

1. Voir *supra*, p. 425, note 1.

le succès. Il ne faut pas se laisser battre, autrement l'on n'est plus le lendemain qu'un imbécile et un filou... Oh ! je devine bien ce qu'on peut dire, vous n'avez pas besoin de me le répéter. N'est-ce pas ? on me traite couramment de voleur, on m'accuse d'avoir mis tous ces millions dans mes poches, on m'égorgerait, si l'on me tenait ; et, ce qui est pis, on hausse les épaules de pitié, un simple fou, une pauvre intelligence... Mais, si j'avais réussi, imaginez-vous cela ? Oui, si j'avais abattu Gundermann, conquis le marché, si j'étais à cette heure le roi indiscuté de l'or, hein ? quel triomphe ! Je serais un héros, j'aurais Paris à mes pieds. »

Nettement, elle lui tint tête.

« Vous n'aviez avec vous ni la justice ni la logique, vous ne pouviez pas réussir. »

Il s'était arrêté devant elle d'un mouvement brusque, il s'emportait.

« Pas réussir, allons donc ! L'argent m'a manqué, voilà tout. Si Napoléon, le jour de Waterloo, avait eu cent mille hommes encore à faire tuer, il l'emportait, la face du monde était changée. Moi, si j'avais eu à jeter au gouffre les quelques centaines de millions nécessaires, je serais le maître du monde.

– Mais c'est affreux ! cria-t-elle, révoltée. Quoi ? vous trouvez qu'il n'y a pas eu assez de ruines, pas assez de larmes, pas assez de sang ! Il vous faudrait d'autres désastres encore, d'autres familles dépouillées, d'autres malheureux réduits à mendier dans les rues ! »

Il reprit sa promenade violente, il eut un geste d'indifférence supérieure, en jetant ce cri :

« Est-ce que la vie s'inquiète de ça ! Chaque pas que l'on fait écrase des milliers d'existences. »

Et un silence régna, elle le suivit dans sa marche, le cœur envahi de froid. Était-ce un coquin, était-ce un héros ? Elle frémissait, en se demandant quelles pensées de grand capitaine vaincu, réduit à l'impuissance, il pouvait rouler depuis six mois qu'il était enfermé dans cette cellule ; et elle jeta seulement alors un regard autour d'elle : les quatre murs nus, le petit lit de fer, la table de bois blanc, les deux chaises de paille. Lui qui avait vécu au milieu d'un luxe prodigué, éclatant !

Mais, tout d'un coup, il revint s'asseoir, les jambes comme brisées de lassitude. Et, longuement, il parla à demi-voix dans une sorte de confession involontaire.

« Gundermann avait raison, décidément : ça ne vaut rien, la fièvre, à la Bourse… Ah ! le gredin, est-il heureux, lui, de n'avoir plus ni sang ni nerfs, de ne plus pouvoir coucher avec une femme, ni boire une bouteille de bourgogne ! Je crois d'ailleurs qu'il a toujours été comme ça, ses veines charrient de la glace… Moi, je suis trop passionné, c'est évident. La raison de ma défaite n'est pas ailleurs, voilà pourquoi je me suis si souvent cassé les reins. Et il faut ajouter que, si ma passion me tue, c'est aussi ma passion qui me fait vivre. Oui, elle m'emporte, elle me grandit, me pousse très haut, et puis elle m'abat, elle détruit d'un coup toute son œuvre. Jouir n'est peut-être que se dévorer… [1]. Certainement, quand je songe à ces quatre ans de lutte, je vois bien tout ce qui m'a trahi, c'est tout ce que j'ai désiré, tout ce que j'ai possédé… Ça doit être incurable, ça. Je suis fichu. »

Alors, une colère le souleva contre son vainqueur.

« Ah ! ce Gundermann, ce sale juif, qui triomphe parce qu'il est sans désirs !… C'est bien la juiverie entière, cet obstiné et froid conquérant, en marche pour la souveraine royauté du monde, au milieu des peuples achetés un à un par la toute-puissance de l'or. Voilà des siècles que la race nous envahit et triomphe, malgré les coups de pied au derrière et les crachats. Lui a déjà un milliard, il en aura deux, il en aura dix, il en aura cent, il sera un jour le maître de la terre… Je m'entête depuis des années à crier cela sur les toits, personne n'a l'air de m'écouter,

---

1. Cette devise évoque le discours de l'antiquaire dans *La Peau de chagrin* (1831) : « Vouloir nous brûle et Pouvoir nous détruit. » Le motif de l'autodévoration, si présent dans *Les Rougon-Macquart*, manifeste la proximité entre les conceptions zolienne et balzacienne de l'énergie.

on croit que c'est un simple dépit d'homme de Bourse, lorsque c'est le cri même de mon sang. Oui, la haine du juif, je l'ai dans la peau, oh ! de très loin, aux racines mêmes de mon être !

— Quelle singulière chose ! murmura tranquillement Mme Caroline, avec son vaste savoir, sa tolérance universelle. Pour moi, les juifs, ce sont des hommes comme les autres. S'ils sont à part, c'est qu'on les y a mis [1]. »

Saccard, qui n'avait pas même entendu, continuait avec plus de violence :

« Et ce qui m'exaspère, c'est que je vois les gouvernements complices, aux pieds de ces gueux. Ainsi l'empire est-il assez vendu à Gundermann ! comme s'il était impossible de régner sans l'argent de Gundermann ! Certes, Rougon, mon grand homme de frère, s'est conduit d'une façon bien dégoûtante à mon égard ; car, je ne vous l'ai pas dit, j'ai été assez lâche pour chercher à me réconcilier, avant la catastrophe, et si je suis ici, c'est qu'il l'a bien voulu. N'importe, puisque je le gêne, qu'il se débarrasse donc de moi ! je ne lui en voudrai quand même que de son alliance avec ces sales juifs... Avez-vous songé à cela ? l'Universelle étranglée pour que Gundermann continue son commerce ! toute banque catholique trop puissante écrasée, comme un danger social, pour assurer le définitif triomphe de la juiverie, qui nous mangera, et bientôt !... Ah ! que Rougon prenne garde ! il sera mangé, lui d'abord, balayé de ce pouvoir auquel il se cramponne, pour lequel il renie tout. C'est très malin, son jeu de bascule, les gages donnés un jour aux libéraux, l'autre jour aux autoritaires ; mais, à ce jeu-là, on finit fatalement par se rompre le cou... Et, puisque tout

---

1. Cette réplique de Mme Caroline, qui fait pièce *in fine* à toutes les exécrations antisémites de Saccard, est décisive. Dans la droite ligne du propos de ce personnage, Zola fera paraître le 16 mai 1896 dans *Le Figaro* son remarquable article « Pour les juifs », qui s'oppose frontalement au discours antisémite répandu par Édouard Drumont depuis *La France juive* (1886), et qui constitue les prémisses de son engagement pour Dreyfus.

craque, que le désir de Gundermann s'accomplisse donc, lui qui a prédit que la France serait battue, si nous avions la guerre avec l'Allemagne ! Nous sommes prêts, les Prussiens n'ont plus qu'à entrer et à prendre nos provinces. »

D'un geste terrifié et stupéfiant, elle le fit taire, comme s'il allait attirer la foudre.

« Non, non ! ne dites pas ces choses. Vous n'avez pas le droit de les dire... Du reste, votre frère n'est pour rien dans votre arrestation. Je sais de source certaine que c'est le garde des sceaux Delcambre qui a tout fait »

La colère de Saccard tomba brusquement, il eut un sourire.

« Oh ! celui-là se venge. »

Elle le regardait d'un air d'interrogation, et il ajouta :

« Oui, une vieille histoire entre nous... Je sais d'avance que je serai condamné. »

Sans doute, elle se méfia de l'histoire, car elle n'insista pas. Un court silence régna, pendant lequel il reprit les papiers sur la table, tout entier de nouveau à son idée fixe.

« Vous êtes bien charmante, chère amie, d'être venue, et il faut me promettre de revenir, parce que vous êtes de bon conseil et que je veux vous soumettre des projets... Ah ! si j'avais de l'argent ! »

Vivement, elle l'interrompit, saisissant l'occasion pour s'éclairer sur un point qui la hantait et la tourmentait depuis des mois. Qu'avait-il fait des millions qu'il devait posséder pour sa part ? les avait-il envoyés à l'étranger, enterrés au pied de quelque arbre connu de lui seul ?

« Mais vous en avez, de l'argent ! Les deux millions de Sadowa, les neuf millions de vos trois mille actions, si vous les avez vendues au cours de trois mille !

– Moi, ma chère, cria-t-il, je n'ai pas un sou ! »

Et cela était parti d'une voix si nette et si désespérée, il la regardait d'un tel air de surprise, qu'elle fut convaincue.

« Jamais je n'ai eu un sou, dans les affaires qui ont mal tourné... Comprenez donc que je me ruine avec les autres... Certes, oui, j'ai vendu ; mais j'ai racheté aussi ; et où ils s'en sont allés, mes neuf millions, augmentés de deux autres millions encore, je serais fort embarrassé pour vous l'expliquer clairement... Je crois bien que mon compte se soldait chez ce pauvre Mazaud par une dette de trente à quarante mille francs... Plus un sou, le grand coup de balai, comme toujours [1] ! »

Elle en fut si soulagée, si égayée, qu'elle plaisanta sur leur propre ruine, à elle et à son frère.

« Nous aussi, quand tout va être terminé, je ne sais pas si nous aurons de quoi manger un mois... Ah ! cet argent, ces neuf millions que vous nous aviez promis, vous vous rappelez comme ils me faisaient peur ! Jamais je n'ai vécu dans un tel malaise, et quel soulagement, le soir du jour où j'ai tout rendu en faveur de l'actif !... Même, les trois cent mille francs de l'héritage de notre tante y ont passé. Ça, ce n'est pas très juste. Mais, je vous l'avais dit, de l'argent trouvé, de l'argent qu'on n'a pas gagné, on n'y tient guère... Et vous voyez bien que je suis gaie et que je ris maintenant ! »

Il l'arrêta d'un geste fiévreux, il avait pris les papiers, sur la table, et les brandissait.

« Laissez donc ! nous serons très riches...

– Comment ?

– Est-ce que vous croyez que je lâche mes idées ?... Depuis six mois, je travaille ici, je veille les nuits entières, pour tout reconstruire. Les imbéciles qui me font surtout un crime de ce bilan anticipé, en prétendant que, des trois grandes affaires, les Paquebots réunis, le Carmel et la Banque nationale turque, la première seulement a donné les bénéfices prévus ! Parbleu ! si les deux autres ont périclité, c'est que je n'étais plus là. Mais, quand ils m'auront lâché, oui ! quand je redeviendrai le maître, vous verrez, vous verrez... »

---

1. Cela renvoie le personnage à la situation de *La Curée* (1872). Voir *supra*, p. 12, note 1.

Suppliante, elle voulut l'empêcher de poursuivre. Il s'était mis debout, il se grandissait sur ses petites jambes, criant de sa voix aiguë :

« Les calculs sont faits, les chiffres sont là, regardez !... Des amusettes simplement, le Carmel et la Banque nationale turque ! Il nous faut le vaste réseau des chemins de fer d'Orient, il nous faut tout le reste, Jérusalem, Bagdad, l'Asie Mineure entière conquise, ce que Napoléon n'a pu faire avec son sabre, et ce que nous ferons, nous autres, avec nos pioches et notre or... Comment avez-vous pu croire que j'abandonnais la partie ? Napoléon est bien revenu de l'île d'Elbe [1]. Moi aussi, je n'aurai qu'à me montrer, tout l'argent de Paris se lèvera pour me suivre ; et il n'y aura pas, cette fois, de Waterloo, je vous en réponds, parce que mon plan est d'une rigueur mathématique, prévu jusqu'aux derniers centimes... Enfin, nous allons donc l'abattre, ce Gundermann de malheur ! Je ne demande que quatre cents millions, cinq cents millions peut-être, et le monde est à moi ! »

Elle avait réussi à lui prendre les mains, elle se serrait contre lui.

« Non, non ! Taisez-vous, vous me faites peur ! »

Et, malgré elle, de son effroi, une admiration montait. Brusquement, dans cette cellule misérable et nue, verrouillée, séparée des vivants, elle venait d'avoir la sensation d'une force débordante, d'un resplendissement de vie : l'éternelle illusion de l'espoir, l'entêtement de l'homme qui ne veut pas mourir. Elle cherchait en elle la colère, l'exécration des fautes commises, et elle ne les trouvait déjà plus. Ne l'avait-elle pas condamné, après les irréparables malheurs dont il était la cause ? N'avait-elle pas appelé le châtiment, la mort solitaire, dans le mépris ? Elle n'en gardait que sa haine du mal et sa pitié pour la douleur.

---

1. Le roman continue de filer la comparaison entre Saccard et Napoléon Bonaparte. Il faut noter que le début de *L'Argent*, d'une certaine manière, est déjà un retour de l'île d'Elbe. Cette figure du recommencement est indissociable de la conception cyclique des ruines développée par Zola.

Lui, cette force inconsciente et agissante, elle le subissait de nouveau, comme une des violences de la nature, sans doute nécessaires. Et puis, si ce n'était là qu'une faiblesse de femme, elle s'y abandonnait délicieusement, toute à la maternité souffrante, toute à l'infini besoin de tendresse, qui le lui avait fait aimer sans estime, dans sa haute raison dévastée par l'expérience.

« C'est fini, répéta-t-elle à plusieurs reprises, sans cesser de lui serrer les mains dans les siennes. Ne pouvez-vous donc vous calmer et vous reposer enfin ! »

Puis, comme il se haussait, pour effleurer des lèvres ses cheveux blancs, dont les boucles foisonnaient sur ses tempes, avec une abondance vivace de jeunesse, elle le maintint, elle ajouta d'un air d'absolue résolution et de tristesse profonde, en donnant aux mots toute leur signification :

« Non, non ! c'est fini, fini à jamais... Je suis contente de vous avoir vu une dernière fois, pour qu'il ne reste pas de la colère entre nous... Adieu ! »

Quand elle partit, elle le vit debout, près de la table, véritablement ému de la séparation, mais reclassant déjà d'une main instinctive les papiers, qu'il avait mêlés dans sa fièvre ; et, le petit bouquet de deux sous s'étant effeuillé parmi les pages, il secouait celles-ci une à une, il balayait des doigts les pétales de rose.

Ce ne fut que trois mois plus tard, vers le milieu de décembre, que l'affaire de la Banque universelle vint enfin devant le tribunal. Elle tint cinq grandes audiences de la police correctionnelle, au milieu d'une curiosité très vive. La presse avait fait un bruit énorme autour de la catastrophe, des histoires extraordinaires circulaient sur les lenteurs de l'instruction. On remarqua beaucoup l'exposé des faits que le parquet avait dressé, un chef-d'œuvre de féroce logique, où les plus petits détails étaient groupés, utilisés, interprétés avec une clarté impitoyable. D'ailleurs, on disait partout que le jugement était rendu à l'avance. Et, en effet, l'évidente bonne foi d'Hamelin, l'héroïque attitude de Saccard qui tint tête à

l'accusation pendant les cinq jours, les plaidoiries magnifiques et retentissantes de la défense, n'empêchèrent pas
les juges de condamner les deux prévenus à cinq années
d'emprisonnement et à trois mille francs d'amende [1].
Seulement, remis en liberté provisoire sous caution, un
mois avant le procès, et s'étant ainsi présentés devant le
tribunal en qualité de prévenus libres, ils purent faire
appel et quitter la France dans les vingt-quatre heures.
C'était Rougon qui avait exigé ce dénouement, ne voulant pas garder sur les bras l'ennui d'un frère en prison.
La police veilla elle-même au départ de Saccard, qui fila
en Belgique, par un train de nuit. Le même jour, Hamelin
était parti pour Rome.

Et trois nouveaux mois s'écoulèrent, on était dans les
premiers jours d'avril, Mme Caroline se trouvait encore
à Paris, où l'avait retenue le règlement d'affaires inextricables. Elle occupait toujours le petit appartement de
l'hôtel d'Orviedo, dont les affiches annonçaient la vente.
Du reste, elle venait enfin d'arranger les dernières difficultés, elle pouvait partir, certes, sans un sou en poche,
mais sans laisser aucune dette derrière elle ; et elle devait
quitter Paris le lendemain, pour aller à Rome rejoindre
son frère, qui avait eu la chance d'y obtenir une petite
situation d'ingénieur. Il lui avait écrit que des leçons l'y
attendaient. C'était toute leur existence à recommencer.

En se levant, le matin de cette dernière journée qu'elle
passerait à Paris, un désir lui vint de ne pas s'éloigner sans
tenter d'avoir des nouvelles de Victor. Jusque-là, toutes les
recherches étaient restées vaines. Mais elle se rappelait les
promesses de la Méchain, elle se disait que peut-être cette
femme savait quelque chose ; et il était facile de la questionner, en se rendant chez Busch, vers quatre heures. D'abord,
elle repoussa cette idée : à quoi bon, tout cela n'était-il pas

---

[1]. Ce sont en effet les peines maximales prévues alors par le Code
pour ces délits – Bontoux, comme Saccard, y échappa en fuyant à
l'étranger. *Un grand banquier*, roman boursier de 1883 écrit par Alfred
Hamm, un apprenti naturaliste auquel Zola accorda un bout de préface, décrit l'emprisonnement, durant cinq ans, d'un banquier à Mazas.

mort ? Puis, elle en souffrit réellement, le cœur douloureux, comme d'un enfant qu'elle aurait perdu, et sur la tombe duquel elle n'aurait pas porté des fleurs, en s'en allant. À quatre heures, elle descendit rue Feydeau.

Les deux portes du palier étaient ouvertes, de l'eau bouillait violemment dans la cuisine noire, tandis que, de l'autre côté, dans l'étroit cabinet, la Méchain, qui occupait le fauteuil de Busch, semblait submergée au milieu d'un tas de papiers qu'elle tirait par liasses énormes de son vieux sac de cuir.

« Ah ! c'est vous, ma bonne madame ! Vous tombez dans un bien vilain moment. M. Sigismond est à l'agonie. Et le pauvre M. Busch en perd la tête, positivement, tant il aime son frère. Il ne fait que courir comme un fou, il est encore sorti pour ramener un médecin… Vous voyez, je suis obligée de m'occuper de ses affaires, car voilà huit jours qu'il n'a seulement pas acheté un titre ni mis le nez dans une créance. Heureusement, j'ai fait tout à l'heure un coup, oh ! un vrai coup, qui le consolera un peu de son chagrin, le cher homme, quand il reviendra à la raison. »

Mme Caroline, saisie, oubliait qu'elle était là pour Victor, car elle avait reconnu des titres déclassés de l'Universelle, dans les papiers que la Méchain tirait à poignées de son sac. Le vieux cuir en craquait, et elle en sortait toujours, devenue bavarde, au milieu de sa joie.

« Tenez ! j'ai eu tout ça pour deux cent cinquante francs, il y en a bien cinq mille, ce qui les met à un sou… Hein ? un sou, des actions qui ont été cotées trois mille francs ! Les voilà presque retombées au prix du papier, oui ! du papier à la livre… [1]. Mais elles valent mieux tout

---

1. La dénonciation de l'inanité de la valeur des actions passe souvent, au XIXe siècle, par cette comparaison avec le papier. Cela peut être comique, comme dans les caricatures de Robert Macaire par Daumier, où l'action ressemble souvent à un véritable chiffon. Cela peut aussi servir une vaste et pessimiste comparaison entre la faillite du journalisme et la fin des vraies valeurs, comme dans le roman antisémite *L'Âge du papier* (1889), où le « papier » désigne aussi bien les journaux que les titres boursiers.

de même, nous les revendrons au moins dix sous, parce qu'elles sont recherchées par les gens en faillite. Vous comprenez, elles ont eu une si bonne réputation, qu'elles meublent encore. Elles font très bien dans un passif, c'est très distingué d'avoir été victime de la catastrophe... Enfin, j'ai eu une chance extraordinaire, j'avais flairé la fosse où, depuis la bataille, toute cette marchandise dormait, un vieux fond d'abattoir qu'un imbécile, mal renseigné, m'a lâché pour rien. Et vous pensez si je suis tombée dessus ! Ah ! ça n'a pas traîné, je vous ai nettoyé ça vivement ! »

Et elle s'égayait en oiseau carnassier des champs de massacre de la finance, son énorme personne suait les immondes nourritures dont elle s'était engraissée, tandis que, de ses mains courtes et crochues, elle remuait les morts, ces actions dépréciées*, déjà jaunies et exhalant une odeur rance.

Mais une voix ardente et basse s'éleva, venant de la chambre voisine, dont la porte était grande ouverte, comme les deux portes du palier.

« Bon, voilà M. Sigismond qui se remet à causer. Il ne fait que ça depuis ce matin... Mon Dieu ! et l'eau qui bout ! l'eau que j'oublie ! C'est pour un tas de tisanes... Ma bonne madame, puisque vous êtes là, voyez donc s'il ne demande pas quelque chose. »

La Méchain fila dans la cuisine, et Mme Caroline, que la souffrance attirait, entra dans la chambre. La nudité en était tout égayée par un clair soleil d'avril, dont un rayon tombait droit sur la petite table de bois blanc, encombrée de notes écrites, de dossiers volumineux, d'où débordait un travail de dix ans ; et il n'y avait toujours rien autre que les deux chaises de paille et les quelques volumes entassés sur des planches. Dans l'étroit lit de fer, Sigismond, assis contre trois oreillers, vêtu jusqu'à mi-corps d'une courte blouse de flanelle rouge, parlait, parlait sans relâche, sous la singulière excitation cérébrale, qui précède parfois la mort des phtisiques. Il délirait, avec des moments d'extraordinaire lucidité ; et, au milieu de sa face amaigrie, encadrée de ses longs cheveux bouclés, ses yeux, élargis démesurément, interrogeaient le vide.

Tout de suite, quand Mme Caroline parut, il sembla la reconnaître, bien que jamais ils ne se fussent rencontrés.

« Ah ! c'est vous, madame... Je vous avais vue, je vous appelais de toutes mes forces... Venez, venez plus près, que je vous dise à voix basse... »

Malgré le petit frisson de peur qui l'avait prise, elle s'approcha, elle dut s'asseoir sur une chaise, contre le lit même.

« Je ne savais pas, mais je sais maintenant. Mon frère vend des papiers, et il y a des gens que j'ai entendus pleurer là, dans son cabinet... Mon frère, ah ! j'en ai eu le cœur comme traversé d'un fer rouge. Oui, c'est ça qui m'est resté dans la poitrine, ça me brûle toujours, parce que c'est abominable, l'argent, le pauvre monde qui souffre... Alors, tout à l'heure, quand je serai mort, mon frère vendra mes papiers, et je ne veux pas, je ne veux pas ! »

Sa voix s'élevait peu à peu, suppliante.

« Tenez ! madame, ils sont là, sur la table. Donnez-les-moi, que nous en fassions un paquet, et vous les emporterez, vous emporterez tout. Oh ! je vous appelais, je vous attendais ! Mes papiers perdus ! toute ma vie de recherches et d'efforts anéantie ! »

Et, comme elle hésitait à lui donner ce qu'il demandait, il joignit les mains.

« De grâce, que je m'assure qu'ils y sont bien tous, avant de mourir... Mon frère n'est pas là, mon frère ne dira pas que je me tue... Je vous en supplie... »

Alors, elle céda, bouleversée par l'ardeur de sa prière.

« Vous voyez que j'ai tort, puisque votre frère dit que cela vous fait du mal.

— Du mal, oh ! non. Et puis, qu'importe !... Enfin, cette société de l'avenir, je suis parvenu à la mettre debout, après tant de nuits passées ! Tout y est prévu, résolu, c'est toute la justice et tout le bonheur possibles...

Quel regret de n'avoir pas eu le temps de rédiger l'œuvre, avec les développements nécessaires ! Mais voici mes notes complètes, classées. Et, n'est-ce pas ? vous allez les sauver, pour qu'un autre, un jour, leur donne la forme du livre définitif, lancé par le monde... »

De ses longues mains frêles, il avait pris les papiers, il les feuilletait amoureusement, tandis que, dans ses grands yeux déjà troubles, se rallumait une flamme. Il parlait très vite, d'un ton cassé et monotone, avec le tic-tac d'une chaîne d'horloge que le poids emporte ; et c'était le bruit même de la mécanique cérébrale fonctionnant sans arrêt, dans le déroulement de l'agonie.

« Ah ! comme je la vois, comme elle se dresse là, nettement, la cité de justice et de bonheur !... Tous y travaillent, d'un travail personnel, obligatoire et libre. La nation n'est qu'une société de coopération immense, les outils deviennent la propriété de tous, les produits sont centralisés dans de vastes entrepôts généraux. On a effectué tant de labeur utile, on a droit à tant de consommation sociale. C'est l'heure d'ouvrage qui est la commune mesure, un objet ne vaut que ce qu'il a coûté d'heures, il n'y a plus qu'un échange, entre tous les producteurs, à l'aide des bons de travail, et cela sous la direction de la communauté, sans qu'aucun autre prélèvement soit fait que l'impôt unique pour élever les enfants et nourrir les vieillards, renouveler l'outillage, défrayer les services publics gratuits... Plus d'argent, et dès lors plus de spéculation, plus de vol, plus de trafics abominables, plus de ces crimes que la cupidité exaspère, les filles épousées pour leur dot, les vieux parents étranglés pour leur héritage, les passants assassinés pour leur bourse !... Plus de classes hostiles, de patrons et d'ouvriers, de prolétaires et de bourgeois et, dès lors, plus de lois restrictives ni de tribunaux, de force armée gardant l'inique accaparement des uns contre la faim enragée des autres !... Plus d'oisifs d'aucune sorte, et dès lors plus de propriétaires nourris par le loyer, de rentiers entretenus comme des filles par la chance, plus de luxe enfin ni de misère !... Ah ! n'est-ce

pas l'idéale équité, la souveraine sagesse, pas de privilé-
giés, pas de misérables, chacun faisant son bonheur par
son effort, la moyenne du bonheur humain ! »

Il s'exaltait, et sa voix devenait douce, lointaine,
comme si elle s'éloignait et se perdait très haut, dans
l'avenir dont il annonçait la venue.

« Et si j'entrais dans les détails... Vous voyez, cette
feuille séparée, avec toutes ces notes marginales : c'est
l'organisation de la famille, le contrat libre, l'éducation
et l'entretien des enfants mis à la charge de la communauté... Pourtant, ce n'est point l'anarchie. Regardez
cette autre note : je veux un comité directeur pour
chaque branche de la production, chargé de proportion-
ner celle-ci à la consommation, en établissant les besoins
réels... Et ici, encore un détail d'organisation : dans les
villes, dans les champs, des armées industrielles, des
armées agricoles manœuvreront sous la conduite des
chefs élus par elles, obéissant à des règlements qu'elles
auront votés... Tenez ! j'ai aussi indiqué là, par des calculs approximatifs, à combien d'heures la journée de travail pourra être réduite dans vingt ans. Grâce au grand
nombre des bras nouveaux, grâce surtout aux machines,
on ne travaillera que quatre heures, trois peut-être ; et
que de temps on aura pour jouir de la vie ! car ce n'est
pas une caserne, c'est une cité de liberté et de gaieté, où
chacun reste libre de son plaisir, avec tout le temps de
satisfaire ses légitimes appétits, la joie d'aimer, d'être fort,
d'être beau, d'être intelligent, de prendre sa part de
l'inépuisable nature. »

Et son geste, autour de la misérable chambre, possédait le monde. Dans cette nudité où il avait vécu, cette
pauvreté sans besoins où il se mourait, il faisait d'une
main fraternelle le partage des biens de la terre. C'était
l'universelle félicité, tout ce qui est bon et dont il n'avait
pas joui, qu'il distribuait de la sorte, en sachant qu'il n'en
jouirait jamais. Il avait hâté sa mort pour ce suprême
cadeau à l'humanité souffrante. Mais ses mains s'éga-
raient, tâtonnantes, parmi les notes éparses, tandis que

ses yeux qui ne voyaient déjà plus, emplis de l'éblouissement de la mort, semblaient apercevoir l'infinie perfec-
tion, au-delà de la vie, dans un ravissement d'extase dont
toute sa face s'éclairait.

« Ah ! que d'activités nouvelles, l'humanité entière au
travail, les mains de tous les vivants améliorant le
monde !... Il n'y a plus de landes, plus de marais, plus de
terres incultes. Les bras de mer sont comblés, les montagnes gênantes disparaissent, les déserts se changent en
vallées fertiles, sous les eaux qui jaillissent de toutes
parts. Aucun prodige n'est irréalisable, les anciens grands
travaux font sourire, tant ils semblent timides et enfan-
tins. La terre enfin est habitable... Et c'est tout l'homme
développé, grandi, jouissant de ses pleins appétits,
devenu le vrai maître. Les écoles et les ateliers sont
ouverts, l'enfant choisit librement son métier, que les
aptitudes déterminent. Des années déjà se sont écoulées,
et la sélection s'est faite, grâce à des examens sévères. Il
ne suffit plus de pouvoir payer l'instruction, il faut en
profiter. Chacun se trouve ainsi arrêté, utilisé, au juste
degré de son intelligence, ce qui répartit équitablement
les fonctions publiques, d'après les indications mêmes de
la nature. Chacun pour tous, selon sa force... Ah ! cité
active et joyeuse, cité idéale de saine exploitation
humaine, où n'existe plus le vieux préjugé contre le travail manuel, où l'on voit un grand poète menuisier, un
serrurier grand savant ! Ah ! cité bienheureuse, cité triomphale vers qui les hommes marchent depuis tant de
siècles, cité dont les murs blancs resplendissent, là-bas...
Là-bas, dans le bonheur, dans l'aveuglant soleil... »

Ses yeux pâlirent, les derniers mots s'exhalèrent, indis-
tincts, en un petit souffle ; et sa tête retomba, gardant le
sourire extasié de ses lèvres. Il était mort.

Bouleversée de pitié et de tendresse, Mme Caroline le
regardait, lorsqu'elle eut, derrière elle, la sensation d'une
tempête qui entrait. C'était Busch, revenant sans médecin, haletant, ravagé d'angoisse ; tandis que la Méchain,
sur ses talons, lui expliquait pourquoi elle n'avait pu

encore faire la tisane, l'eau s'étant renversée. Mais il avait
aperçu son frère, son petit enfant, comme il le nommait,
couché sur le dos, immobile, avec la bouche ouverte, les
yeux fixes ; et il comprit, et il poussa un hurlement de
bête égorgée. D'un bond, il s'était jeté sur le corps, il
l'avait soulevé dans ses deux grands bras, comme pour
lui souffler de la vie. Ce terrible mangeur d'or, qui aurait
tué un homme pour dix sous, qui avait si longtemps
écumé le Paris immonde, hurlait d'une abominable souffrance. Son petit enfant, mon Dieu ! Lui qui le couchait,
qui le dorlotait ainsi qu'une mère ! Il ne l'aurait jamais
plus, son petit enfant ! Et, dans une crise d'enragé désespoir, il ramassa les papiers épars sur le lit, il les déchira,
les broya, comme s'il avait voulu anéantir tout ce travail
imbécile et jalousé, qui lui avait tué son frère.

Mme Caroline, alors, sentit son cœur se fondre. Le
malheureux ! il ne l'emplissait plus que d'une divine pitié.
Mais où donc avait-elle entendu hurler ainsi ? Une seule
fois déjà, le cri de la douleur humaine l'avait pénétrée
d'un tel frisson. Et elle se souvint, c'était chez Mazaud,
le hurlement de la mère et des petits, devant le cadavre
du père. Comme incapable de se soustraire à cette souffrance, elle resta encore un instant, rendit des services.
Puis, au moment de partir, se retrouvant seule avec la
Méchain, dans l'étroit cabinet d'affaires, elle se rappela
qu'elle était venue pour la questionner sur Victor. Et elle
l'interrogea. Ah ! bien, Victor, il était loin, s'il courait
toujours ! Elle avait battu Paris pendant trois mois, sans
seulement découvrir une piste. Elle y renonçait, il serait
toujours temps de retrouver un jour ce bandit sur l'échafaud. Et Mme Caroline l'écoutait, glacée et muette. Oui,
c'était fini, le monstre était lâché par le monde, à l'avenir,
à l'inconnu, ainsi qu'une bête écumant du virus héréditaire, qui devait élargir le mal à chacun de ses coups de
dent.

Dehors, sur le trottoir de la rue Vivienne, Mme Caroline fut surprise de la douceur de l'air. Il était cinq heures,
le soleil se couchait dans un ciel d'une pureté tendre,

dorant au loin les enseignes hautes du boulevard. Cet avril, si charmant d'une nouvelle jeunesse, était comme une caresse à tout son être physique, jusqu'au cœur. Elle respira fortement, soulagée, plus heureuse déjà, avec la sensation de l'invincible espoir qui revenait et grandissait. C'était sans doute la mort si belle de ce rêveur, donnant son dernier souffle à sa chimère de justice et d'amour, qui l'attendrissait ainsi, dans le songe qu'elle avait également fait d'une humanité purgée du mal exécrable de l'argent ; et c'était encore le hurlement de l'autre, la tendresse exaspérée et saignante du terrible loup-cervier [1], qu'elle croyait sans cœur, incapable de larmes. Non pourtant ! elle ne s'en était pas allée sous l'impression consolante de tant de bonté humaine, au milieu de tant de douleur ; elle avait au contraire emporté la désespérance finale du petit monstre échappé, galopant, semant par les routes le ferment de pourriture dont jamais la terre n'arriverait à se guérir. Alors, pourquoi donc cette gaieté renaissante qui l'envahissait toute ?

Lorsqu'elle fut au boulevard, Mme Caroline tourna à gauche, ralentit le pas, au milieu de l'animation de la foule. Un instant, elle s'arrêta devant une petite voiture, pleine de bottes de lilas et de giroflées, dont le fort parfum l'enveloppa d'une bouffée de printemps. Et, maintenant, en elle, tandis qu'elle reprenait sa marche, le flot de la joie montait, comme d'une source bouillonnante, qu'elle aurait tenté vainement d'arrêter, de boucher avec ses deux mains. Elle avait compris, elle ne voulait pas. Non, non ! les affreuses catastrophes étaient trop récentes, elle ne pouvait être gaie, s'abandonner à ce

---

1. Busch a déjà été désigné comme un « loup », Victor aussi (voir *supra*, p. 198 et 465). Le terme « loup-cervier », utilisé ici pour la seule et unique fois dans *L'Argent*, renvoie au vocabulaire balzacien : dans *La Maison Nucingen*, le personnage de Nucingen est surnommé « Loup-Cervier ». Il est intéressant cependant que Zola utilise ce mot pour un personnage qui n'a rien à voir avec Nucingen et ses pairs, et que Saccard ne soit jamais qualifié ainsi – on peut y voir un signe de la différence du personnage de financier créé par Zola.

jaillissement d'éternelle vie qui la soulevait. Et elle
s'efforçait de garder son deuil, elle se rappelait au désespoir par tant de souvenirs cruels. Quoi ? elle aurait ri
encore, après l'écroulement de tout, une si effrayante
somme de misères ! Oubliait-elle qu'elle était complice ?
et elle se citait les faits, celui-ci, celui-là, cet autre, qu'elle
aurait dû mettre tout son reste d'existence à pleurer.
Mais, entre ses doigts serrés sur son cœur, le bouillonnement de sève devenait plus impétueux, la source de vie
débordait, écartait les obstacles pour couler librement,
en rejetant les épaves aux deux bords, claire et triomphante sous le soleil.

Dès ce moment, vaincue, Mme Caroline dut s'abandonner à la force irrésistible du continuel rajeunissement [1].
Comme elle le disait en riant parfois, elle ne pouvait être
triste. L'épreuve était faite, elle venait de toucher le fond
du désespoir, et voici que l'espoir ressuscitait de nouveau,
brisé, ensanglanté, mais vivace quand même, plus large de
minute en minute. Certes, aucune illusion ne lui restait, la
vie était décidément injuste et ignoble, comme la nature.
Pourquoi donc cette déraison de l'aimer, de la vouloir, de
compter, ainsi que l'enfant à qui l'on promet un plaisir
toujours différé, sur le but lointain et inconnu vers lequel,
sans fin, elle nous conduit ? Puis, lorsqu'elle tourna dans
la rue de la Chaussée-d'Antin, elle ne raisonna même
plus ; la philosophe, en elle, la savante et la lettrée, abdi-
quait, fatiguée de l'inutile recherche des causes ; elle n'était
plus qu'une créature heureuse du beau ciel et de l'air doux,
goûtant l'unique jouissance de se bien porter, d'entendre
ses petits pieds fermes battre le trottoir. Ah ! la joie d'être,
est-ce qu'au fond il en existe une autre ? La vie telle qu'elle
est, dans sa force, si abominable qu'elle soit, avec son éternel espoir !

---

1. Le développement qui suit sur Mme Caroline, allégorie de l'espoir,
évoque la conversation dans le cabinet des épures (chap. II, p. 426) et
est indissociable de la conception cyclique des crises développée par
Zola.

Rentrée dans son appartement de la rue Saint-Lazare, qu'elle quittait le lendemain, Mme Caroline acheva ses malles ; et, comme elle faisait le tour de la salle des épures, vide déjà, elle aperçut, sur les murs, les plans et les aquarelles, qu'elle s'était promis de ficeler en un rouleau unique, au dernier moment. Mais une songerie l'arrêta, à chaque feuille de papier, avant d'arracher les quatre pointes, aux quatre angles. Elle revivait ses journées lointaines d'Orient, de ce pays tant aimé, dont elle semblait avoir gardé en elle l'éclatante lumière ; elle revivait les cinq années qu'elle venait de passer à Paris, cette crise de chaque jour, cette activité folle, le monstrueux ouragan de millions qui avait traversé sa vie, en la saccageant ; et, de ces ruines chaudes encore, elle sentait déjà germer, s'épanouir au soleil toute une floraison. Si la Banque nationale turque s'était effondrée à la suite de l'Universelle, la Compagnie générale des Paquebots réunis restait debout et prospère. Elle revoyait la côte enchantée de Beyrouth, où s'élevaient, au milieu d'immenses magasins, les bâtiments de l'administration, dont elle était en train d'épousseter le plan : Marseille mise aux portes de l'Asie Mineure, la Méditerranée conquise, les nations rapprochées, pacifiées peut-être. Et cette gorge du Carmel, cette aquarelle qu'elle déclouait, ne savait-elle pas, par une lettre récente, que tout un peuple y avait poussé ? Le village de cinq cents habitants, né d'abord autour de la mine en exploitation, était à présent une ville, plusieurs milliers d'âmes, toute une civilisation, des routes, des usines, des écoles, fécondant ce coin mort et sauvage. Puis, c'étaient les tracés, les nivellements et les profils, pour la ligne ferrée de Brousse à Beyrouth par Angora et Alep, une série de grandes feuilles, qu'une à une elle roulait : sans doute, il s'écoulerait des années, avant que les cols du Taurus, fussent traversés à toute vapeur ; mais déjà la vie affluait de partout, le sol de l'antique berceau venait d'être ensemencé d'une nouvelle moisson d'hommes, le progrès de demain y grandirait, avec une vigueur de végétation extraordinaire, dans ce merveilleux climat sous les grands soleils. N'y avait-il pas là le réveil d'un monde, l'humanité élargie et plus heureuse ?

Maintenant, Mme Caroline, à l'aide d'une forte ficelle, nouait le paquet des plans. Son frère, qui l'attendait à Rome, où tous deux allaient recommencer une existence, lui avait bien recommandé de les emballer avec soin ; et, comme elle serrait les nœuds, l'idée lui vint de Saccard, qu'elle savait en Hollande, lancé de nouveau dans une affaire colossale, le dessèchement d'immenses marais, un petit royaume conquis sur la mer, grâce à un système compliqué de canaux [1]. Il avait raison : l'argent, jusqu'à ce jour, était le fumier dans lequel poussait l'humanité de demain. L'argent, empoisonneur et destructeur, devenait le ferment de toute végétation sociale, le terreau nécessaire aux grands travaux qui facilitaient l'existence. Cette fois, voyait-elle clair enfin, son invincible espoir lui venait-il donc de sa croyance à l'utilité de l'effort ? Mon Dieu ! au-dessus de tant de boue remuée, au-dessus de tant de victimes écrasées, de toute cette abominable souffrance que coûte à l'humanité chaque pas en avant, n'y a-t-il pas un but obscur et lointain, quelque chose de supérieur, de bon, de juste, de définitif, auquel nous allons sans le savoir et qui nous gonfle le cœur de l'obstiné besoin de vivre et d'espérer ?

Et Mme Caroline était gaie malgré tout, avec son visage toujours jeune, sous sa couronne de cheveux

---

1. Saccard passe des réseaux aux canaux, autre projet d'obédience saint-simonienne, qui d'une part évoque le père même de Zola, l'ingénieur François Zola, constructeur du canal d'Aix, d'autre part atteste que le caractéristique de Saccard est sa jouissance à canaliser (voir le passage sur sa gestion de la charité de la princesse d'Orviedo). Le problème, devine-t-on, est que ce système est « compliqué »... Dans *Le Docteur Pascal*, l'oncle Pascal expose à Clotilde ce que sont devenus les membres de la famille des Rougon-Macquart, et donne des détails un peu différents sur Saccard, qui est le père de la jeune fille : « Aristide Saccard, après avoir fait peau neuve, retombait sur ses pieds républicain, directeur d'un grand journal, en train de gagner de nouveaux millions » (chap. V).

blancs, comme si elle se fût rajeunie à chaque avril, dans la vieillesse de la terre. Et, au souvenir de honte que lui causait sa liaison avec Saccard, elle songeait à l'effroyable ordure dont on a également sali l'amour. Pourquoi donc faire porter à l'argent la peine des saletés et des crimes dont il est la cause ? L'amour est-il moins souillé, lui qui crée la vie [1] ?

---

1. Voir *supra*, p. 283, note 1.

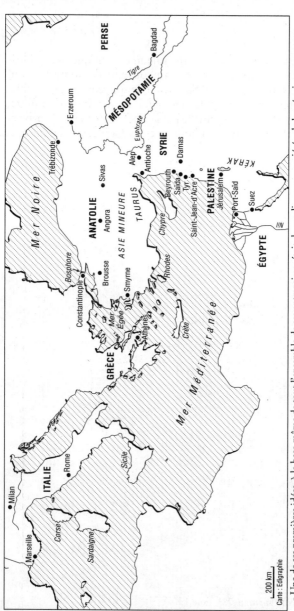

« Une de ses premières idées, à la base même de tout l'ensemble de ses entreprises, était de syndiquer ces sociétés, de les réunir en une vaste Compagnie, pourvue de millions, qui exploiterait la Méditerranée entière et s'en assurerait la royauté, en établissant des lignes pour tous les ports de l'Afrique, de l'Espagne, de l'Italie, de la Grèce, de l'Égypte, de l'Asie, jusqu'au fond de la mer Noire... » (p. 76).

Carte : Edigraphie

200 km

D O S S I E R

La question de l'argent apparaît aux sources mêmes des *Rougon-Macquart*, dans les notes que Zola a écrites en 1868-1869 sur son projet de série. Envisageant d'étudier « les ambitions et les appétits d'une famille lancée à travers le monde moderne », le jeune romancier devait nécessairement faire une place à la cupidité et aux formes réputées immorales de l'enrichissement – d'où l'apparition du terme « agio » sous sa plume : « L'Empire a déchaîné les appétits et les ambitions. Orgie d'appétits et d'ambition. Soif de jouir, et de jouir par la pensée surmenée, et par le corps surmené. Pour le corps, poussée du commerce, folie de l'agio et de la spéculation [1]. » À la suite de ces notes, Zola se proposait une série de romans à faire, où l'on reconnaît notamment l'esquisse de *La Curée* (1872). Le florilège d'extraits suivant montre que la thématique financière vertèbre en fait l'ensemble des *Rougon-Macquart*, depuis le roman inaugural, *La Fortune des Rougon* (1871), jusqu'à *L'Argent*.

GÉNÉALOGIE, INVESTISSEMENT ET ENDETTEMENT : LA FORTUNE DES ROUGON

Dans le premier roman des *Rougon-Macquart*, roman des « origines » de la famille, le deuxième chapitre présente le couple formé par Félicité Puech, fille d'un marchand d'huile, et Pierre Rougon, le seul fils qu'Adélaïde Fouque ait eu avec le paysan Rougon. Ce couple hérite d'un commerce d'huile à Plassans, ville de province imitée d'Aix-en-Provence (où Zola a passé son enfance). Mais les affaires

---

1. « Notes générales sur la marche de l'œuvre », extrait du 5e feuillet.

stagnent, tandis que la famille s'agrandit vite : Pierre et
Félicité donnent naissance à Eugène, Pascal, Aristide,
Sidonie et Marthe. Cette famille est pesante pour un couple
désargenté. Dans le passage suivant, Félicité retourne ce far-
deau en avantage : bien loin de toute tendresse maternelle,
elle envisage plutôt sa progéniture en termes d'investissement. Pour la critique Hélène Gomart [1], cette donnée origi-
nelle détermine notamment le comportement futur
d'Aristide, c'est-à-dire son destin d'éternel endetté.

> D'ailleurs, la jeune femme ne regarda pas cette marmaille
> comme une cause de ruine. Au contraire, elle reconstruisit sur la
> tête de ses fils l'édifice de sa fortune, qui s'écroulait entre ses
> mains. Ils n'avaient pas dix ans, qu'elle escomptait déjà en rêve
> leur avenir. Doutant de jamais réussir par elle-même, elle se mit
> à espérer en eux pour vaincre l'acharnement du sort. Ils satisfe-
> raient ses vanités déçues, ils lui donneraient cette position riche
> et enviée qu'elle poursuivait en vain. Dès lors, sans abandonner
> la lutte soutenue par la maison de commerce, elle eut une
> seconde tactique pour arriver à contenter ses instincts de domi-
> nation. Il lui semblait impossible que, sur ses trois fils, il n'y eût
> pas un homme supérieur qui les enrichirait tous. Elle sentait
> cela, disait-elle. Aussi soigna-t-elle les marmots avec une ferveur
> où il y avait des sévérités de mère et des tendresses d'usurier.
> Elle se plut à les engraisser amoureusement comme un capital
> qui devait plus tard rapporter de gros intérêts.
> « Laisse donc ! criait Pierre, tous les enfants sont des ingrats.
> Tu les gâtes, tu nous ruines. »
> Quand Félicité parla d'envoyer les petits au collège, il se
> fâcha. Le latin était un luxe inutile, il suffirait de leur faire suivre
> les classes d'une petite pension voisine. Mais la jeune femme tint
> bon ; elle avait des instincts plus élevés qui lui faisaient mettre
> un grand orgueil à se parer d'enfants instruits ; d'ailleurs, elle
> sentait que ses fils ne pouvaient rester aussi illettrés que son
> mari, si elle voulait les voir un jour des hommes supérieurs. Elle
> les rêvait tous trois à Paris, dans de hautes positions qu'elle ne
> précisait pas. Lorsque Rougon eut cédé et que les trois gamins
> furent entrés en huitième, Félicité goûta les plus vives jouis-
> sances de vanité qu'elle eût encore ressenties. Elle les écoutait
> avec ravissement parler entre eux de leurs professeurs et de leurs
> études. Le jour où l'aîné fit devant elle décliner *rosa*, *la rose*, à

---

1. *Les Opérations financières dans le roman réaliste*, Honoré Champion, 2004, p. 183 *sq.*

un de ses cadets, elle crut entendre une musique délicieuse. Il faut le dire à sa louange, sa joie fut alors pure de tout calcul. Rougon lui-même se laissa prendre à ce contentement de l'homme illettré qui voit ses enfants devenir plus savants que lui. La camaraderie qui s'établit naturellement entre leurs fils et ceux des plus gros bonnets de la ville acheva de griser les époux. Les petits tutoyaient le fils du maire, celui du sous-préfet, même deux ou trois jeunes gentilshommes que le quartier Saint-Marc avait daigné mettre au collège de Plassans. Félicité ne croyait pouvoir trop payer un tel honneur. L'instruction des trois gamins greva terriblement le budget de la maison Rougon.

Tant que les enfants ne furent pas bacheliers, les époux, qui les maintenaient au collège, grâce à d'énormes sacrifices, vécurent dans l'espérance de leur succès. Et même, lorsqu'ils eurent obtenu leur diplôme, Félicité voulut achever son œuvre ; elle décida son mari à les envoyer tous trois à Paris. Deux firent leur droit, le troisième suivit les cours de l'École de médecine. Puis, quand ils furent hommes, quand ils eurent mis la maison Rougon à bout de ressources et qu'ils se virent obligés de revenir se fixer en province, le désenchantement commença pour les pauvres parents. La province sembla reprendre sa proie. Les trois jeunes gens s'endormirent, s'épaissirent. Toute l'aigreur de sa malchance remonta à la gorge de Félicité. Ses fils lui faisaient banqueroute. Ils l'avaient ruinée, ils ne lui servaient pas les intérêts du capital qu'ils représentaient. Ce dernier coup de la destinée lui fut d'autant plus sensible qu'il l'atteignait à la fois dans ses ambitions de femme et dans ses vanités de mère. Rougon lui répéta du matin au soir : « Je te l'avais bien dit ! » ce qui l'exaspéra encore davantage [1].

LES RÊVES DE RICHESSE D'ARISTIDE ROUGON : *LA FORTUNE DES ROUGON*

Quelques pages plus loin, le portrait des trois fils de Pierre et de Félicité est développé. Eugène, qui dans *La Fortune des Rougon* s'installe à Paris pour profiter de l'évolution des forces politiques entre la révolution de 1848 et le coup d'État de Louis Napoléon Bonaparte le 2 décembre 1851,

---

1. *La Fortune des Rougon*, chap. II, dans *Les Rougon-Macquart*, Gallimard, « Bibliothèque de la Pléiade », 1960, t. I, p. 59-61.

deviendra le protagoniste du roman politique *Son Excellence Eugène Rougon* (1876). Pascal, médecin généreux auquel sa mère reprochera son désintéressement (« Mais d'où sors-tu ? [...] Tu n'es pas à nous [1] »), sera l'*alter ego* du romancier dans l'étude naturaliste de la famille des Rougon et des Macquart, et le protagoniste du *Docteur Pascal*, dernier roman de la série (1893). Aristide, enfin – qui ne prendra que dans *La Curée* le nom de « Saccard [2] » –, présente dès sa jeunesse toutes les caractéristiques du héros de *La Curée* et de *L'Argent*. À l'intérieur du cycle des *Rougon-Macquart,* il existe un véritable « cycle de Saccard », écrit le critique Philippe Hamon [3] : ce cycle, qui est aussi un cycle de l'argent, trouve en quelque sorte sa source dans ce portrait originel.

Aristide, le plus jeune des fils Rougon, était opposé à Eugène, géométriquement pour ainsi dire. Il avait le visage de sa mère et des avidités, un caractère sournois, apte aux intrigues vulgaires, où les instincts de son père dominaient. La nature a souvent des besoins de symétrie. Petit, la mine chafouine, pareille à une pomme de canne curieusement taillée en tête de Polichinelle, Aristide furetait, fouillait partout, peu scrupuleux, pressé de jouir. Il aimait l'argent comme son frère aîné aimait le pouvoir. Tandis qu'Eugène rêvait de plier un peuple à sa volonté et s'enivrait de sa toute-puissance future, lui se voyait dix fois millionnaire, logé dans une demeure princière, mangeant et buvant bien, savourant la vie par tous les sens et tous les organes de son corps. Il voulait surtout une fortune rapide. Lorsqu'il bâtissait un château en Espagne, ce château s'élevait magiquement dans son esprit ; il avait des tonneaux d'or du soir au lendemain ; cela plaisait à ses paresses, d'autant plus qu'il ne s'inquiétait jamais des moyens, et que les plus prompts lui semblaient les meilleurs. La race des Rougon, de ces paysans épais et avides, aux appétits de brute, avait mûri trop vite ; tous les besoins de jouissance matérielle s'épanouissaient chez Aristide, triplés par une éducation hâtive, plus insatiables et dangereux depuis qu'ils devenaient raisonnés. Malgré ses délicates intuitions de femme, Félicité préférait ce garçon ; elle ne sentait pas combien Eugène lui appartenait davantage ; elle excusait les sottises et les paresses

1. *La Fortune des Rougon, op. cit.*, t. I, chap. II, p. 68. 2. Voir *supra*, p. 49, note 1. 3. Philippe Hamon, *Le Personnel du roman*, Genève, Droz, 1983, rééd. 1998.

de son fils cadet, sous prétexte qu'il serait l'homme supérieur de la famille, et qu'un homme supérieur a le droit de mener une vie débraillée, jusqu'au jour où la puissance de ses facultés se révèle. Aristide mit rudement son indulgence à l'épreuve. À Paris, il mena une vie sale et oisive ; il fut un de ces étudiants qui prennent leurs inscriptions dans les brasseries du Quartier latin. D'ailleurs, il n'y resta que deux années ; son père, effrayé, voyant qu'il n'avait pas encore passé un seul examen, le retint à Plassans et parla de lui chercher une femme, espérant que les soucis du ménage en feraient un homme rangé. Aristide se laissa marier. À cette époque, il ne voyait pas clairement dans ses ambitions ; la vie de province ne lui déplaisait pas ; il se trouvait à l'engrais dans sa petite ville, mangeant, dormant, flânant. Félicité plaida sa cause avec tant de chaleur que Pierre consentit à nourrir et à loger le ménage, à la condition que le jeune homme s'occuperait activement de la maison de commerce. Dès lors commença pour ce dernier une belle existence de fainéantise ; il passa au cercle ses journées et la plus grande partie de ses nuits, s'échappant du bureau de son père comme un collégien, allant jouer les quelques louis que sa mère lui donnait en cachette [1].

« Dans la haute sphère des parvenus [2] » : *La Curée*

La genèse de *La Curée* est difficile à démêler de celle de *La Fortune des Rougon*, comme si l'on avait affaire à deux débuts des *Rougon-Macquart*. Or ce deuxième roman confirme l'importance de l'argent à l'origine de la série. *La Curée* résulte en fait de la fusion de deux projets dont Zola fit part en 1869 à son éditeur Lacroix : « un roman qui aura pour cadre la vie sotte et élégamment crapuleuse de notre jeunesse dorée » et « un roman qui aura pour cadre les spéculations véreuses et effrénées du second Empire ». Le romancier entremêle ainsi, dans une même immoralité, le thème de la spéculation immobilière et celui de l'inceste – Maxime, fils de Saccard et de sa première femme

---

1. *La Fortune des Rougon*, *op. cit.*, t. I, chap. II, p. 63-64. 2. L'expression apparaît dans l'esquisse de *La Curée* qui se trouve dans le « Premier plan remis à Lacroix » (1869), dans les manuscrits préparatoires des *Rougon-Macquart* (BnF, Ms. 10303, f°54).

Angèle Sicardot, type du jeune fat, arbitre des modes mais moralement faible, devient en effet l'amant de Renée, seconde épouse de son père.

L'ombre de Balzac plane sur ce roman. Saccard, qui trafique incidemment à la Bourse et qui, grâce à son emploi à l'Hôtel de Ville, spécule sur les indemnisations liées aux expropriations nécessitées par les travaux d'Haussmann, a, sous l'Empire, des activités comparables à celle du baron Nucingen de Balzac sous la monarchie de Juillet [1]. Mais Saccard est doublé par ses associés Charrier et Mignon. Certaines de ses spéculations réussissent pendant que d'autres échouent. Il passe son temps à se parer des signes de la richesse – y compris en s'affichant avec sa jeune et belle épouse Renée – pour entretenir son crédit auprès des hommes susceptibles d'entrer en affaires avec lui. Ce jeu spéculatif sur les signes rend donc l'argent évoqué dans *La Curée* aussi immatériel que celui de la Bourse dans le roman écrit près de vingt ans plus tard. On mesure bien le caractère insaisissable de la fortune de Saccard dans cette scène où le brasseur d'affaires, qui a déjà fondu la dot de Renée dans ses placements, vient d'apprendre à sa femme qu'il ne peut régler les cent trente-six mille francs de la note de tailleur qu'elle lui présente.

> Il semblait véritablement ému. Il enfonça les pincettes entre les bûches, alluma des fusées d'étincelles. Renée se rappela l'allure inquiète qu'il avait depuis quelque temps. Mais elle ne put descendre dans l'étonnante vérité. Saccard en était arrivé à un tour de force quotidien. Il habitait un hôtel de deux millions, il vivait sur le pied d'une dotation de prince, et certains matins il n'avait pas mille francs dans sa caisse. Ses dépenses ne paraissaient pas diminuer. Il vivait sur la dette, parmi un peuple de créanciers qui engloutissaient au jour le jour les bénéfices scandaleux qu'il réalisait dans certaines affaires. Pendant ce temps, au même moment, des sociétés s'écroulaient sous lui, de nouveaux trous se creusaient plus profonds, par-dessus lesquels il sautait, ne pouvant les combler. Il marchait ainsi sur un terrain miné, dans une crise continuelle, soldant des notes de cinquante mille francs et ne payant pas les gages de son cocher, marchant toujours avec

---

1. Voir l'extrait de *La Maison Nucingen* de Balzac, reproduit *infra*, p. 524.

un aplomb de plus en plus royal, vidant avec plus de rage sur Paris sa caisse vide, d'où le fleuve d'or aux sources légendaires continuait à sortir.

La spéculation traversait alors une heure mauvaise. Saccard était un digne enfant de l'Hôtel de Ville. Il avait eu la rapidité de transformation, la fièvre de jouissance, l'aveuglement de dépenses qui secouait Paris. À ce moment, comme la Ville, il se trouvait en face d'un formidable déficit qu'il s'agissait de combler secrètement ; car il ne voulait pas entendre parler de sagesse, d'économie, d'existence calme et bourgeoise. Il préférait garder le luxe inutile et la misère réelle de ces voies nouvelles, d'où il avait tiré sa colossale fortune de chaque matin mangée chaque soir. D'aventure en aventure, il n'avait plus que la façade dorée d'un capital absent. À cette heure de folie chaude, Paris lui-même n'engageait pas son avenir avec plus d'emportement et n'allait pas plus droit à toutes les sottises et à toutes les duperies financières. La liquidation menaçait d'être terrible.

Les plus belles spéculations se gâtaient entre les mains de Saccard. Il venait d'essuyer, comme il le disait, des pertes considérables à la Bourse. M. Toutin-Laroche avait failli faire sombrer le Crédit viticole dans un jeu à la hausse qui s'était brusquement tourné contre lui ; heureusement que le gouvernement, intervenant sous le manteau, avait remis debout la fameuse machine du prêt hypothécaire aux cultivateurs. Saccard, ébranlé par cette double secousse, très maltraité par son frère le ministre, pour le risque que venait de courir la solidité des bons de délégation de la Ville, compromise avec celle du Crédit viticole, se trouvait moins heureux encore dans sa spéculation sur les immeubles. Les Mignon et Charrier avaient complètement rompu avec lui. S'il les accusait, c'était par une rage sourde de s'être trompé, en faisant bâtir sur sa part de terrains, tandis qu'eux vendaient prudemment la leur. Pendant qu'ils réalisaient une fortune, lui restait avec des maisons sur les bras, dont il ne se débarrassait souvent qu'à perte. Entre autres, il vendit trois cent mille francs, rue de Marignan, un hôtel sur lequel il en devait encore trois cent quatre-vingt mille. Il avait bien inventé un tour de sa façon, qui consistait à exiger dix mille francs d'un appartement valant huit mille francs au plus ; le locataire effrayé ne signait un bail que lorsque le propriétaire consentait à lui faire cadeau des deux premières années de loyer ; l'appartement se trouvait de cette façon réduit à son prix réel, mais le bail portait le chiffre de dix mille francs par an, et quand Saccard trouvait un acquéreur et capitalisait les revenus de l'immeuble, il arrivait à une véritable fantasmagorie de calcul[1].

LA MUSIQUE DU MILLION :
AU BONHEUR DES DAMES

S'il y a un cycle de Saccard à l'intérieur des *Rougon-Macquart*, il y a aussi un cycle d'Octave Mouret. Le fils de Marthe Rougon et de son cousin François Mouret est en effet le protagoniste du roman de l'hypocrisie bourgeoise *Pot-Bouille* (1882), ainsi que du roman sur les grands magasins, *Au Bonheur des Dames* (1883). Octave Mouret est un personnage différent de Saccard, plus jeune et « honnête relativement dans le succès », dit l'Ébauche du roman : « Il est avec les actifs, les garçons d'action qui ont compris l'activité moderne, et il se jette dans les affaires, avec *gaieté* et *vigueur*[2]. » *Au Bonheur des Dames* représente ainsi une inflexion majeure dans le traitement moral des *Rougon-Macquart*. Zola se détache de la noirceur de ses romans précédents, comme le confirmera *La Joie de vivre* (1884), roman pensé comme une réfutation du pessimisme de Schopenhauer. On constatera la proximité entre les premières lignes de l'Ébauche de *L'Argent*, citée dans notre Présentation[3], et le début de l'Ébauche d'*Au Bonheur des Dames* : « Je veux dans *Au Bonheur des Dames* faire le poème de l'activité moderne. Donc changement complet de philosophie : plus de pessimisme d'abord, ne pas conclure à la bêtise et à la mélancolie de la vie, conclure au contraire à son continuel labeur, à la puissance et à la gaieté de son enfantement[4]. »

Avec les grands magasins, Zola reprend en quelque sorte le thème de l'*Histoire de la grandeur et de la décadence de César Birotteau* (1837) – où Balzac met en scène les stratégies commerciales d'un parfumeur enrichi pour vendre aux femmes sa « pâte des sultanes » et son « eau carminative » –,

---

1. *La Curée*, dans *Les Rougon-Macquart*, *op. cit.*, t. I, chap. IV, p. 462-464. **2.** Ébauche du roman, citée dans *Les Rougon-Macquart*, *op. cit.*, t. III, p. 1680. **3.** Voir la Présentation, *supra*, p. XXII. **4.** Ébauche du roman, citée dans *Les Rougon-Macquart*, *op. cit.*, t. III, p. 1680.

et l'élargit aux conditions du commerce moderne. *Au Bonheur des Dames*, à première vue, repose sur une définition de l'argent bien différente de celle qui prévaut dans *L'Argent* : il y est question, comme le montre l'extrait suivant, d'un commerce au comptant, dont les recettes sont constituées de numéraire sonnant et trébuchant, contrairement aux biens immatériels de Saccard. Cela n'empêche pas que Mouret est lui-même capable de « spéculer sur la coquetterie de la femme [1] », comme l'indique l'Ébauche du roman, et que ce génie spéculatif s'exprime dans les plans d'agrandissement de son magasin et dans les mises en scène de ses marchandises, en particulier lors de la grande « exposition du blanc » – à l'occasion de laquelle sont rassemblées, dans les vitrines, des montagnes de draps, de rideaux, de mouchoirs, de mousselines –, qui est l'apothéose de l'histoire. À la fin du roman, Octave attend la recette de cette journée. Mais il attend aussi la venue de la vendeuse Denise, qu'il est décidé à demander en mariage. Denise, seule parmi le peuple des femmes, lui résiste. Elle cédera *in fine*, sous l'impulsion d'un amour jusqu'alors contenu. Le roman exclut toute vénalité chez l'héroïne, mais il n'empêche que ce *happy end* est inséparable de la musique du million…

Le soir, après la dernière table il attendit dans son cabinet. Frémissant comme un jeune homme qui va jouer son bonheur, il ne pouvait rester en place, il retournait sans cesse à la porte, pour prêter l'oreille aux rumeurs des magasins, où les commis faisaient le déplié, enfoncés jusqu'aux épaules dans le saccage de la vente. À chaque bruit de pas, son cœur battait. Et il eut une émotion, il se précipita, car il avait entendu au loin un sourd murmure, peu à peu grossi.

C'était l'approche lente de Lhomme, chargé de la recette. Ce jour-là, elle pesait si lourd, il y avait tellement du cuivre et de l'argent, dans le numéraire encaissé, qu'il s'était fait accompagner par deux garçons. Derrière lui, Joseph et un de ses collègues pliaient sous les sacs, des sacs énormes, jetés comme des sacs de plâtre sur leurs dos ; tandis que, marchant le premier, il portait les billets et l'or, un portefeuille gonflé de papiers, deux sacoches pendues à son cou, dont le poids le tirait à droite, du côté de son bras coupé. Et, lentement, suant et soufflant, il venait du

---

1. *Ibid.*, p. 1681.

fond des magasins, à travers l'émotion grandissante des vendeurs. Les gants et la soie s'étaient offerts en riant pour le soulager, la draperie et les lainages souhaitaient un faux pas, qui aurait semé l'or aux quatre coins des rayons. Puis, il avait dû monter un escalier, s'engager sur un pont volant, monter encore, tourner dans les charpentes, où les regards du blanc, de la bonneterie, de la mercerie, le suivaient, bayant d'extase devant cette fortune voyageant en l'air. Au premier, les confections, la parfumerie, les dentelles, les châles, s'étaient rangés avec dévotion comme sur le passage du bon Dieu. De proche en proche, le brouhaha s'élevait, devenait une clameur de peuple saluant le Veau d'or.

Cependant, Mouret avait ouvert la porte. Lhomme parut, suivi des deux garçons, qui chancelaient ; et, hors d'haleine, il eut encore la force de crier :

— Un million, deux cent quarante-sept francs, quatre-vingt-quinze centimes !

Enfin, c'était le million, le million ramassé en un jour, le chiffre dont Mouret avait longtemps rêvé ! Mais il eut un geste de colère, il dit avec impatience, de l'air déçu d'un homme dérangé dans son attente par un importun :

— Un million, eh bien, mettez-le là.

Lhomme savait qu'il aimait ainsi à voir sur son bureau les fortes recettes, avant qu'on les déposât à la caisse centrale. Le million couvrit le bureau, écrasa les papiers, faillit renverser l'encre ; et l'or, et l'argent, et le cuivre, coulant des sacs, crevant des sacoches, faisaient un gros tas, le tas de la recette brute, telle qu'elle sortait des mains de la clientèle, encore chaude et vivante.

Au moment où le caissier se retirait, navré de l'indifférence du patron, Bourdoncle arriva, en criant gaiement :

— Hein ! nous le tenons, cette fois !... Il est décroché, le million !

Mais il remarqua la préoccupation fébrile de Mouret, il comprit et se calma. Une joie avait allumé son regard. Après un court silence, il reprit :

— Vous vous êtes décidé, n'est-ce pas ? Mon Dieu ! je vous approuve.

Brusquement, Mouret s'était planté devant lui, et de sa voix terrible des jours de crise :

— Dites donc, mon brave, vous êtes trop gai... N'est-ce pas ? vous me croyez fini, et les dents vous poussent. Méfiez-vous, on ne me mange pas, moi !

Décontenancé par la rude attaque de ce diable d'homme qui devinait tout, Bourdoncle balbutia :

– Quoi donc ? vous plaisantez ? moi qui ai tant d'admiration pour vous !

– Ne mentez pas ! reprit Mouret plus violemment. Écoutez, nous étions stupides, avec cette superstition que le mariage devait nous couler. Est-ce qu'il n'est pas la santé nécessaire, la force et l'ordre mêmes de la vie !... Eh bien ! oui mon cher, je l'épouse, et je vous flanque tous à la porte, si vous bougez. Parfaitement ! vous passerez comme un autre à la caisse, Bourdoncle [1] !

---

1. *Au Bonheur des Dames*, op. cit., t. III, chap. XIV, p. 799-801.

Publié en feuilleton dans le *Gil Blas* du 30 novembre 1890 au 4 mars 1891, *L'Argent* a paru en volume chez l'éditeur Charpentier ce même 4 mars 1891. Comme c'est l'usage, la plupart des chroniqueurs littéraires et des écrivains qui exerçaient une activité de critique attendirent la parution du volume pour (re)lire le roman et publier leurs articles. Le principal problème qui se posa à eux fut le suivant : comment chroniquer le dix-huitième volume des *Rougon-Macquart*, alors que tout semblait déjà avoir été dit à l'occasion de la sortie de *L'Assommoir* (1877), de *Nana* (1880) et surtout de *Germinal* (1885) ?

Trois options s'offrent alors à eux, comme le suggèrent les articles qui suivent. La première consiste à défendre la continuité entre *L'Argent* et les œuvres précédentes de Zola, en faisant éventuellement des rapprochements avec tel ou tel roman antérieur, mais en tentant de reconnaître au dix-huitième *opus* des qualités propres. Une autre est de critiquer *L'Argent* comme un volume convenu et nécessairement inférieur aux chefs-d'œuvre déjà écrits. On peut enfin lire le roman au regard de la vaste *Enquête sur l'évolution littéraire* que fait pour *L'Écho de Paris* le journaliste Jules Huret, précisément entre le 3 mars et le 5 juillet 1891, c'est-à-dire observer en quoi *L'Argent* s'inscrit dans le débat des écrivains sur l'avenir de la littérature après l'apogée du naturalisme, voire évaluer si le volume rejoint ce que préconisait Zola dans sa déclaration à l'enquêteur : « L'avenir appartiendra à celui ou à ceux qui auront saisi l'âme de la société moderne, qui, se dégageant des théories trop rigoureuses, consentiront à une acceptation plus logique, plus attendrie de la vie. Je crois à une peinture de la vérité plus large, plus complexe, à une ouverture plus grande sur l'humanité, à une sorte de classicisme du naturalisme [1]. »

LES FACULTÉS MAÎTRESSES DE M. ZOLA

L'article de Victor Fournel paru dans *La Gazette de France* le 14 avril 1891 est un très bon exemple de la *doxa* critique sur Zola, lorsqu'elle est bienveillante. Ce papier récapitule tous les traits esthétiques que l'on reconnaît aux *Rougon-Macquart*, au moins depuis le célèbre article de Jules Lemaitre sur *Germinal* (*La Revue politique et littéraire*, 14 mars 1885). Les évocations de Wagner ou d'Homère viennent étayer à point nommé la mise en évidence d'un paradoxe qu'on aime à souligner alors au sujet du naturalisme zolien : en dépit de son manifeste vériste, Zola est tout entier dans la démesure et l'amplification – comme s'il n'avait pas très tôt expliqué que l'artiste, qui doit être un « tempérament », doit concilier le « sens du réel » et « l'expression personnelle [2] » !… L'extrait suivant est donc à lire comme une critique aussi favorable que convenue en 1891.

Chacun de ses personnages s'immobilise et se fige aussitôt dans l'attitude qu'il a prise d'abord. De ce côté M. Zola est un classique : ses figures sont tout d'un bloc, comme dans la tragédie. D'un bout à l'autre de *L'Argent*, Moser geint et se lamente, prédisant une catastrophe prochaine ; Pillerault sonne et resonne toujours la même fanfare ; Salmon garde le même sourire, et pas une fois, pas une fois, il n'ouvre la bouche.

Joignez-y les leitmotives, si je puis ainsi dire, dont le livre est rempli. M. Zola ne craint pas les répétitions ; il adopte volontiers, pour caractériser un de ses personnages, une phrase qui reviendra chaque fois que le personnage lui-même rentre en scène. Est-ce un procédé qui lui a été suggéré par les opéras de Wagner, ou bien est-ce simplement un ressouvenir homérique ? Dix fois, dans *La Bête humaine*, on voit reparaître Séverine aux

---

1. Jules Huret, *Enquête sur l'évolution littéraire* [1891], éd. Daniel Grojnowski, José Corti, 1999, p. 192. **2.** Voir Zola, *Le Roman expérimental*, éd. F.-M. Mourad, GF-Flammarion, 2006, p. 203-215, et Dossier, p. 407 *sq.*

yeux de pervenche, et Flore, avec ses bras ou sa taille de guerrière, sous son lourd casque de cheveux blonds. Et combien de fois, dans *L'Argent*, n'avons-nous pas retrouvé l'escalier de *Pot-Bouille*, la mine de *Germinal*, la locomotive de *La Bête humaine*, une espèce de vision apocalyptique ; quelque chose d'immense, de démesuré, qui a une âme, lorsque parfois les personnages en chair et en os n'en ont pas. Ce monstre respire ; on entend son souffle ; il hurle, il rugit, il dévore. Les peintures les plus puissantes du livre sont certainement celles où l'auteur nous peint le mouvement enragé, l'agitation épileptique, le vacarme et la trépidation formidables de la Bourse dans les deux grandes journées qui sont l'Austerlitz et le Waterloo de la Banque universelle : on ne les lit pas sans une sorte de vertige. Mais il dépasse la mesure, et le verre grossissant à travers lequel il voit toutes choses, les déforme et les dénature. La faculté maîtresse de M. Zola, c'est bien celle-là : tout grossir, – je ne dis pas tout grandir. Mais cette qualité est en même temps l'un de ses plus grands défauts. Il ne laisse à rien ses vraies proportions, il amplifie, et rien n'est plus contraire au naturalisme dont il se targue. Il y a bien plus de rhétorique qu'on ne croit dans M. Zola ; seulement c'est de la rhétorique retournée. Gundermann et Saccard ne sont pas seulement deux financiers rivaux ; ce sont deux généraux en chef, deux paladins, deux héros de l'*Iliade* ou des *Nibelungen*. La corbeille, c'est la table ronde ; la Bourse est, à sa façon, un sanctuaire plus mystérieux que ceux d'Isis et plus redoutable que ceux de Moloch. Devant Gundermann, Saccard lui-même se sent « pris d'une sorte de terreur sacrée ». Et de même, les personnages que peint M. Zola, ce sont moins des individualités que des types : chacun incarne en lui toute une espèce [1].

LE RETOUR DE LA BÊTE HUMAINE

La critique de Maurice Talmeyr affirme, elle aussi, une continuité entre *L'Argent* et les œuvres précédentes, mais se concentre sur un point précis de l'écriture zolienne : la mise en évidence des lois physiologiques qui président aux actions des personnages – trait fondamental du manifeste zolien depuis la fin des années 1860 –, et plus particulièrement la thématique de « la bête humaine » (le roman qui

---

1. Victor Fournel, *La Gazette de France*, 14 avril 1891.

porte ce titre a paru un an plus tôt). Ce propos est éclairant car il dresse des équivalences inattendues entre les personnages de *L'Argent*, par exemple entre la sauvagerie du jeune Victor et les élans d'espoir de Mme Caroline.

Ce qui s'atteste une fois de plus, en somme, dans *L'Argent*, c'est ce qu'on a déjà souvent signalé dans les œuvres de Zola, c'est-à-dire la poussée, dans chacun des personnages, de la bête que contient tout homme. On sent, avec une force singulière et en quelque sorte fébrile, cette bête remuer et crier dans chacun des hommes et des femmes du romancier, s'impatienter de la civilisation qui les habille et la faire craquer à chaque instant. Sous la tenue de femme du monde de la baronne Sandorff, sous la figure sévère du procureur général Delcambre, sous la gaminerie du petit Victor, même sous la bonté loyale de Mme Caroline, c'est toujours, d'une façon ou d'une autre, la bête qui perce et qui se fait entendre, la bête sensuelle ou brutale, méchante ou perfide, la bête poilue des forêts primitives.

Et, il faut bien le dire, Zola rend fidèlement en cela la société dont il est le peintre, et s'il y montre encore, par moments, comme avec ces pauvres dames de Beauvilliers, l'idéalité sentimentale, l'âme qui plane et qui s'envole, c'est à dose presque craintive, sous une forme presque effacée, vague, déjà morte, et comme chante le motif mélancolique dans la *Marche funèbre* de Chopin [1] !

DE LA MOUE À L'ÉREINTEMENT

Il y a aussi, parmi les lecteurs de 1891, des critiques fatigués de la production de Zola. René Doumic, traditionnellement hostile aux *Rougon-Macquart*, n'est certes pas aussi acerbe dans son compte rendu de *L'Argent* qu'il l'a été en commentant *La Bête humaine* un an auparavant, mais il considère le roman comme secondaire dans la production de Zola – ce point de vue prévaudra du reste dans la critique pendant plusieurs décennies.

Ses romans se suivent, se ressemblent et ne se valent pas ! Lorsqu'il a collectionné ses documents, épinglé ses notes et catalogué ses fiches, il arrive qu'un souffle, – un souffle d'épopée,

---

1. Maurice Talmeyr, *Gil Blas*, 14 mars 1891.

comme on est aujourd'hui convenu de dire –, soulève et anime cette masse. Il écrit *Germinal*. Mais d'autres fois, l'Esprit refuse de descendre. La lourde machine ne parvient pas à se mettre en mouvement. Les matériaux mal dégrossis, mal ordonnés, ne forment qu'une masse indigeste et confuse, un tas lugubre. Ce jour-là, M. Zola écrit *La Terre*, ou le *Bonheur des Dames*, ou encore *L'Argent*[1].

Tout en reconnaissant que le Waterloo boursier du chapitre x de *L'Argent* n'est pas sans évoquer, par son ampleur, le Waterloo des *Misérables* de Hugo, René Doumic déplore la technicité du roman. Non que ce roman de la Bourse soit opaque – il est au contraire trop ouvertement pédagogique :

> On sait que tout roman naturaliste doit servir comme d'un « manuel » contenant les éléments d'une profession. Comme *Le Rêve* est le manuel du chasublier-brodeur, et le *Bonheur des Dames* le manuel du marchand de nouveautés, *L'Argent* est le manuel du boursier. Et donc on nous initie à toutes les gentillesses du métier. Les termes techniques se pressent, accompagnés de leur commentaire. Qu'est-ce que la vente au comptant et la vente à terme ? Qu'est-ce qu'un report, une prime, une différence et d'autres notions encore plus compliquées ? Voilà ce que ne peut plus ignorer quiconque a lu, comme il convient, le Manuel Zola[2].

La critique d'Augustin Filon part du même principe : elle démontre que l'enquête naturaliste, la collecte de documents, n'en laisse pas moins languir le lecteur, qui voudrait un roman :

> Il avait réuni des matériaux admirables, justifié, dans la meilleure acception du terme, son titre de naturaliste en dressant une classification très riche, très complète, très habilement systématisée, du monde des affaires. À cet égard, je reconnais qu'il n'est guère possible de faire mieux, ni d'aller plus loin. Mais de roman, jusqu'à ce moment, il n'y en a point. C'est ici que nous le guettons, c'est ici qu'après l'observateur et l'analyste, l'homme d'imagination, l'inventeur, va sans doute se montrer[3].

Tout le propos d'Augustin Filon, dans cet article, est d'expliquer que cette attente sera déçue. Du reste, il conteste

---

1. René Doumic, *Le Moniteur universel*, 27 mars 1891. **2.** *Ibid.* **3.** *La Revue politique et littéraire* (*Revue bleue*), 1891, t. XLVII, p. 347-351.

même la validité de l'enquête documentaire, puisqu'il déplore l'adaptation de l'affaire du krach de l'Union générale au contexte de 1864-1867, feignant de craindre que la postérité ne comprenne plus rien à l'histoire du XIXᵉ siècle. Et de conclure :

> Et l'inventeur, l'homme d'imagination, continue à briller par son absence ; j'attends encore, j'attends toujours le roman. Certainement, il y a là des séances de Bourse racontées avec beaucoup de maestria, avec une science rare des effets pittoresques et dramatiques. Mais, n'était l'écriture artiste et la griffe du maître, je pourrais croire que je me suis trompé, et qu'au lieu du feuilleton d'hier je lis le bulletin financier d'il y a dix ans, ou le courrier judiciaire de quelques mois plus tard [1].

La critique de *L'Argent* par Paul Lafargue dans *Die neue Zeit* (1891-1892) est plus ample. Le gendre de Marx reproche à Zola d'être passé à côté de son sujet. Il lui reproche de n'avoir pas assez montré la noirceur du journalisme financier, ce qui peut nous étonner, étant donné l'insistance du roman sur le rôle de *L'Espérance* de Jantrou. Il souligne aussi l'importance de l'opposition entre Rothschild et les Mirès ou les Pereire, opposition entre une conception traditionnelle et une conception moderne de la banque – mais cet antagonisme n'est-il pas au cœur du roman de Zola ? Enfin, il reproche à Zola d'avoir mal étudié les boursiers. En ce sens, c'est surtout son expertise que Paul Lafargue oppose à l'enquête du romancier naturaliste.

L'éreintement le plus net et le moins étayé vient peut-être de Bernard Lazare, qui se retrouva quelques années plus tard aux côtés de Zola dans la défense de Dreyfus, mais qui, en avril 1891, prit prétexte de sa critique de *L'Argent* pour fustiger le naturalisme. Cet article donne une idée de l'impatience de la jeune génération des lettres à l'époque :

> Si ramasser dans les rez-de-chaussée des journaux populaires toutes les mélodramatiques histoires qui défrayent quotidiennement les Richebourg et les Montépin [2], si assaisonner ces faits

---

1. *Ibid.* 2. Noms de grands romanciers populaires du moment.

divers vulgaires de déclarations grossières constitue pour la critique courante et pour une majorité de lecteurs le génie, cela donne une pauvre idée de la cervelle d'une époque qui proclame grand homme Émile Zola, quand ce n'est pas Guy de Maupassant. [...]

Quoi qu'il en soit, l'histoire de ce compilateur d'accidents misérables, que la complicité de jeunes illettrés, ses disciples, et l'ignorance des foules introduisit dans la littérature, qui s'en effare encore, cette histoire restera une des plus curieuses de notre temps, même lorsqu'une juste réaction aura établi que M. Zola écrivit toujours comme un chantre et pensa à peu près comme un bœuf[1].

Suit une critique acerbe de la confiscation de Balzac par les naturalistes et de l'inanité de la notion de « document » en littérature, puis une démonstration que tous les personnages sont stéréotypés, et que le roman contient des obscénités gratuites. Clamant l'infériorité de ce volume par rapport aux précédents, Bernard Lazare ironise enfin sur les candidatures de Zola à l'Académie française.

Ces lamentables balivernes sont écrites en un style qui ferait certainement pâmer un concierge et rougir un cocher de fiacre. Mais à part quelques mauvaises dissertations sur le rôle de l'argent dans les sociétés modernes, et quelques pénibles expositions des théories marxistes, fort mal déduites du reste, on ne retrouve même pas les lourdes périodes qui arrivaient jadis par blocs épais et faisaient illusion. C'est la platitude la plus absolue, le vide le plus complet, et l'on se demande quand donc finira cette déplorable « Histoire naturelle et sociale d'une famille sous le second Empire ». Qu'on nomme M. Zola de l'Académie, cela l'arrêtera peut-être !

ZOLA PROPHÈTE SELON ANATOLE FRANCE

À l'inverse de ces comptes rendus peu élogieux, la publication de *L'Argent* est le moment que choisit l'écrivain Anatole France, jusqu'alors peu tendre envers Zola, pour opérer un revirement critique. Déjà, l'article qu'il avait fait paraître sur *La Bête humaine* dans *Le Temps* le 9 mars 1890

---

1. Bernard Lazare, *La Nation*, 1er avril 1891.

laissait percer sa bienveillance, voire son admiration. Ici, celui qui fut par la suite l'allié de Zola dans la bataille de l'affaire Dreyfus et qui, en 1902, prononça son oraison funèbre, insiste sur un point intéressant : allant plus loin que les critiques blasés qui considèrent les obscénités de *L'Argent* comme un élément inévitable de l'esthétique zolienne, il affirme que la scène sexuelle centrale du roman (chapitre VII) revêt un sens supérieur.

Ce terrible homme m'a beaucoup fâché, pour ma part, et de diverses façons. Je n'avais pu souffrir les effroyables impuretés de *La Terre* ; et puis le mysticisme éperdu du *Rêve* m'avait ensuite tant irrité qu'en voyant tout à coup l'homme de Médan si chaste et d'une telle blancheur, j'étais tenté de lui dire, comme Sganarelle à son maître : « Monsieur, je vous aimais mieux tel que vous étiez avant. » Je regrette un peu mes colères. D'abord, il ne faut jamais se fâcher. Et puis, je n'avais pas assez considéré combien M. Zola est apocalyptique. Il faut beaucoup pardonner aux prophètes, notamment à l'endroit de la mesure et du goût. C'est un fait qu'ils parlent des vices des peuples avec des figures qui ne seraient point tolérées chez des écrivains moins inspirés. Quand il voit Nana en pantalon parmi les princes du peuple, M. Zola prophétise. C'est ce qui explique sa manière violente.

Cette fois encore, ayant surpris la baronne Sandorff trompant M. le procureur général avec le financier Saccard, il est tombé en crise prophétique ; il a eu une vision flamboyante. Ceux qui n'entendent rien au prophétisme ont été choqués de ses paroles, faute de savoir qu'elles étaient sublimes. Et il est vrai que, si elles n'étaient sublimes, elles seraient bien inconvenantes.

À cela près le nouveau roman de M. Zola est une œuvre massive et lourde, mais solide, mais forte, didactique, encyclopédique et d'un grand sens. Tout le monde de l'argent, banquiers, agents de change, courtiers, remisiers, spéculateurs, y est étudié avec méthode. Je ne saurais trop dire si la peinture est exacte dans tous ses détails, ayant fort peu l'habitude des affaires. Mais d'ensemble le tableau semble vrai. Il est vaste, mouvant, animé, plein de vie. Sans doute, on y sent le procédé. On y retrouve les longues énumérations auxquelles M. Zola nous a habitués et les retours réguliers des mêmes formes de langage qu'on a comparées aux phrases-thèmes de Wagner. Le style, de plus en plus simple, est épaissi et négligé. Mais une puissance extraordinaire anime cette lourde machine.

Bien que fort opposé à toute métaphysique et nullement enclin à l'abstraction, M. Émile Zola a d'instinct une philosophie. Il professe une sorte de naturalisme religieux et, ainsi qu'il l'a dit lui-même, « une tranquille croyance aux énergies de la vie »[1].

L'Argent OU L'IDÉE DU VICE : L'ÉLOGE D'ÉMILE VERHAEREN

De toutes les critiques parues en 1891, celle du jeune poète belge est sans doute la plus frappante. Verhaeren, à ce moment, n'a pas encore fait paraître son recueil *Les Villes tentaculaires*[2]. Mais on comprend à la lecture de cet article en quoi le roman de Zola rencontre sa propre entreprise esthétique. L'auteur de *L'Argent* y est présenté comme un écrivain qui « s'est développé et élargi », ce qui fait écho aux termes mêmes que Zola emploie dans sa réponse à l'enquête de Jules Huret[3]. Et, en faisant de Zola un écrivain des « idées », des grandes « lois » et des « généralités », l'éloge de Verhaeren prend à contrepied les critiques qui déplorent que *L'Argent* et son auteur se noient dans les détails techniques.

Au fur et à mesure que l'histoire naturelle et sociale d'une famille sous le second Empire – titre significatif sous lequel se ramasse le monde d'Émile Zola – se déroule, elle se rapproche figurativement d'une sphère, aujourd'hui presque parfaite, qui tournerait et évoluerait, ayant Paris comme axe. Cette sphère passe sous un zodiaque spécial dont les signes sont : dans *Son Excellence Eugène Rougon*, la politique ; dans *Le Ventre de Paris*, la gourmandise ; dans *Nana*, l'appétit charnel ; dans *L'Assommoir*, l'ivrognerie ; dans *Au Bonheur des Dames*, le gain ; dans *Germinal*, l'anarchie ; dans *La Terre*, l'avarice ; dans *La Bête humaine*, le meurtre ; dans *L'Argent*, le jeu. Chaque livre affirme un vice.

[...] L'acteur principal de tout le cycle des Rougon-Macquart, c'est somme toute Paris. On parle de la vie que l'auteur prête aux choses, à l'escalier dans *Pot-Bouille*, au magasin dans *Au Bonheur des Dames*, au Paradou dans *La Faute de l'abbé Mouret*, etc. Tout cela n'est que miettes et détails, dès qu'on

---

1. Anatole France, *Le Temps*, 22 mars 1891. **2.** Voir le poème « La Bourse », cité *infra*, p. 532. **3.** Voir *supra*, p. 510.

songe quelle vie il infuse à Paris. Pour lui, c'est non pas la ville-lumière d'Hugo, c'est au contraire la ville-enfer. Celui-là n'a vu dans Paris que l'intelligence, celui-ci n'y voit que la lutte et la passion humaine. D'où, au lieu de la lumière, une énorme ténèbre éclairée par les vices.

Fièvres, rumeurs, bruits et tonnerres d'or, ruts tragiques, coups de revolvers dans la nuit, sang rouge sur les meubles de soie, coussins pollués d'alcôves s'étalant comme des ventres, sous des flambeaux, viols sur des escaliers de marbre, femmes pavoisées de leur chair ardente, hommes brutaux et pesants d'appétits, tripots sales de vin et de luxure, rues flambantes de numéros rouges, quartiers graves et solennels d'hypocrisie, tout un péché de marbre, de fer, de briques, de statues, de pavé, de squares et de jardins est ici montré, étalé, apothéosé et éclairé de génie.

[...] De ces diverses réflexions sur le talent de M. Zola, il résulte que, au fur et à mesure que cet écrivain s'est développé et élargi, il s'est attaché aux généralités, aux lois et nous oserions même dire : aux idées. Oui, aux idées, le cas particulier disparaissant de plus en plus du champ de son observation, au début si soucieuse de faits, l'individu faisant place au groupe de gens, la sculpture du détail se sacrifiant aux coups de marteau en plein bloc, l'étude ne se faisant plus par l'observation directe et menue, mais en des livres de science où sont établies les lois et des classifications ; peu à peu la manière de voir est devenue plus abstraite, plus au-delà de la preuve immédiate et de la prise sur le vif, et lentement à la réalité s'est substituée l'idée de cette réalité même et comme une conception *a priori*. Si bien que, dans *L'Argent*, c'est le vice bien plus que les hommes vicieux qui s'éclaire de leur lueur soudaine et la spéculation qui apparaît comme une sorte de divinité malfaisante au-delà du vouloir des hommes, les maîtrisant, les conduisant, les perdant, et indépendante d'eux. Et même, ajoutons-nous, l'auteur se plaît à donner à cette force au-dessus des hommes, à ce vice qui existe d'une vie personnelle, toute une agitation mystérieuse d'hostilité et de quand même séduction.

Quelle autre explication donner en effet à cette préoccupation d'entourer de superstition et de présages les nombreux actes des protagonistes du livre ?

Lorsque Saccard s'abouche avec Daigremont pour fonder l'Union universelle, la voix de Mme Daigremont, qu'on entend dans la pièce voisine, exhale une plainte de tendresse, éperdue, d'une ampleur tragique qui semble prédire des catastrophes. Et, plus loin, quand Saccard s'en allant chez Kolb s'arrête, « une musique légère, cristalline, qui sortait du sol, pareille à la voix des fées légendaires, l'enveloppa ; et il reconnut la musique de l'or, la continuelle sonnerie de ce quartier du négoce et de la spéculation entendue déjà le matin... Il s'épanouit à la caresse de cette voix comme si elle lui confirmait le bon présage » [1].

LA PRISE DE POSITION DE ZOLA

Ce ne sont pas les procédés caractéristiques du roman zolien, auxquels pourtant elle est sensible, qui retiennent en premier lieu l'attention de la critique Judith Gautier. Prenant en compte les difficultés de la genèse de *L'Argent* ainsi que son idée directrice, attentive aussi aux entretiens accordés par Zola aux journalistes pendant qu'il préparait cette œuvre, elle se concentre sur la thèse que le romancier paraît y défendre – d'où l'attention particulière qu'elle porte notamment à la figure de Saccard.

Dans son nouveau volume qui a pour héros le terrible et tout-puissant dominateur du monde : *L'Argent*, M. Émile Zola, fidèle au procédé si heureusement employé par lui dans ses œuvres précédentes, condense l'idée générale, aux développements nombreux, dans un être synthétique, aveugle et inconscient. De même que *L'Assommoir* avait « la bibine du père Colombe », *Germinal*, le puits du Voreux et sa machine, *La Bête humaine*, la locomotive Louison, *L'Argent* a la Bourse. Et tout de suite dans ce livre, dont le premier chapitre est comme l'ouverture dans un opéra, le temple de l'argent et de la spéculation se dresse, avec ses rumeurs d'océan, ses innombrables flots de joueurs, heureux ou malheureux, chantant la victoire ou pleurant la ruine. Et l'on voit autour du temple, rôdant comme un loup affamé, Saccard, le brasseur d'affaires, démonté, méprisé de tous ceux qui le saluaient naguère, mais tenace, décidé à lutter encore, à reconquérir la situation perdue, à rentrer à n'importe quel prix en possession de la fortune, à faire de nouveau la loi dans cette Bourse, où il n'entre pas aujourd'hui, à fouler sous son talon vainqueur les triomphants, si dédaigneux de l'heure présente... [2].

---

1. Émile Verhaeren, *La Nation* (Belgique), 12 avril 1891. 2. Judith Gautier, *Le Rappel*, 1er avril 1891.

Suit une énumération de tous les autres personnages, une remarque sur l'intérêt de ce sujet ample, mais aussi une réflexion sur la genèse du roman :

> Cette besogne, il l'a parfaite avec sa maîtrise ordinaire, si bien que *L'Argent* est un livre de même valeur que les romans précédemment écrits par sa plume robuste.
>
> Son principal personnage, Saccard, est certes assez peu scrupuleux, mais il ne laisse pas d'être intéressant. Ce passionné, cet emballé, cet utopiste, sera vaincu à la fin, on n'en doute pas une minute, par le calme, patient et richissime adversaire qu'il défie ; il entraînera dans sa ruine tous ceux qui ont cru en lui, mais il est si attachant que l'intérêt que l'on devrait avoir pour ses victimes, on le reporte sur ce cynique et inconscient jongleur dont leur sort dépend.
>
> [...] Visiblement, cependant, M. Émile Zola a visé plus haut ici qu'à intéresser par une fiction habile, par des péripéties savamment ménagées. Son but, qui apparaît très clair, a été de montrer, d'accumuler tous les reproches et aussi toutes les louanges qu'on a pu adresser à l'argent, et d'établir la balance.
>
> Et il semblerait à première vue que le romancier, fidèle à sa coutume, s'est montré impartial, laissant au lecteur le soin de conclure ; mais il n'en est rien. Cette fois, M. Zola prend position dans la question. Les tendances socialistes de *Germinal* reparaissent, caressées avec prédilection, dans le personnage du phtisique Sigismond, disciple de Karl Marx. Seulement, comme le rêve de Sigismond est de trop lointaine réalisation pour qu'il puisse se baser sur lui afin de conclure, M. Zola, tout bien pesé, est d'avis que l'argent, malgré tous les vices qu'il engendre, tous les maux qu'il cause, doit être absous [1].

Un romancier en pleine métamorphose

L'attention de Judith Gautier pour la thèse de *L'Argent* permet déjà d'entrevoir le lien entre le roman de 1891 et les cycles romanesques ultérieurs : celui des *Trois Villes* ainsi que les utopies des *Quatre Évangiles*. Dans l'article qu'il donne en mai 1891 dans *La Revue indépendante*, François de Nion conçoit bel et bien *L'Argent* comme le témoin d'une

---

1. *Ibid.*

évolution vers « la domination d'une idée sociale supérieure » dans le genre romanesque. Selon lui, le roman contemporain se divise en effet entre, d'une part, le « genre mondain », toujours susceptible de tendre à la « banale affabulation idyllique ou dramatique », et, d'autre part, le « genre philosophique », vers lequel une évolution se dessine après l'apogée du naturalisme. *L'Argent* marquerait une évolution de cet ordre, du fait d'abord de son « atmosphère de l'épique ». Le critique évoque à ce propos la figure de Saccard :

> Un de ces personnages de fiction vraiment créés, vraiment existants, un de ces êtres qui naissent sous les doigts d'un écrivain pour vivre éternellement dans l'esprit des hommes comme Gil Blas ou Don Quichotte.

D'une manière générale, il estime que les personnages de *L'Argent* ne sont pas allégoriques, ni platement symboliques, mais qu'ils participent d'une « vision philosophique des choses », qu'ils font même entrer dans la « vie mystérieuse des choses ». Mme Caroline est un « type surhumain, incarnant la Bonté » ; Victor serait « la figure sinistre du peuple vaincu par l'argent et cherchant sa revanche dans la violence et l'attaque » ; Sigismond serait le « doux messianique » qui a tenté de sauver ce peuple. Et pour François de Nion, qui dépasse les critiques rebutés par la technicité de *L'Argent*, ce volume est véritablement un roman charnière. Il prépare le renouveau et l'élargissement que Zola préconise dans son entretien avec Jules Huret :

> Le penseur qui a écrit, qui a songé ces phrases est délivré depuis longtemps des observations microscopiques où le naturalisme a fini par s'acagnarder. Son œuvre comme son esprit se libère, s'affranchit ; de nouvelles passions, de pures visions viennent l'animer et la guider ; nous assistons à cette curieuse transformation, à cette métamorphose, peut-être inouïe dans l'histoire de la littérature, d'un écrivain en plein génie, en plein succès, orientant brusquement sa voie vers un genre et des destinées autres, plus hautes, plus nobles, plus dignes de lui [1].

---

1. François de Nion, « L'avenir du roman. *L'Argent* », *Revue indépendante*, mai 1891.

Qu'ils aient été romanciers, dramaturges, chroniqueurs ou caricaturistes, les observateurs du XIXe siècle ont été fascinés par la Bourse. D'abord par son idiome et par ses mœurs étranges ; ensuite, par la révolution qu'elle a introduite dans la notion de valeur et dans les possibilités d'enrichissement ou de ruine ; enfin, parce qu'en même temps qu'elle exprimait la quintessence du marché, elle semblait mettre à nu les passions et les peurs humaines. Il n'en reste pas moins que le thème boursier demeure une sorte d'aporie pour la représentation littéraire : soit on tente d'entrer dans les arcanes de la Bourse au péril de la qualité littéraire de l'œuvre, soit on spécule sur l'opacité des opérations boursières en acceptant que la littérature n'y comprenne rien. Comment créer de la plus-value littéraire à partir de la thématique boursière ? Tel est le problème qui se pose aux écrivains. La littérature boursière du XIXe siècle est profuse, et le choix d'extraits qui suit ne prétend pas en rendre compte de manière exhaustive.

BALZAC : LA TROISIÈME LIQUIDATION DE NUCINGEN

Qui pourrait se targuer d'avoir compris de quoi il retourne exactement dans *La Maison Nucingen* (1838) de Balzac, qui narre les trois liquidations frauduleuses par lesquelles le grand banquier de *La Comédie humaine* s'est enrichi ? Les raisons de la faillite d'un autre personnage balzacien, César Birotteau, n'étaient déjà pas toutes limpides (*Histoire de la grandeur et de la décadence de César Birotteau*, 1837). Pas plus d'ailleurs que les affaires du père Grandet (*Eugénie Grandet*, 1833). Et même les explications des spéculations immobilières de Nucingen données par Delphine de Nucingen à Rastignac dans *Le Père Goriot* (1835) peuvent paraître bien savantes au lecteur moyen. *La Maison Nucingen* représente un sommet dans cette complexité, le lecteur étant aussi bien étourdi par le détail des affaires que par la faconde de Bixiou, le personnage qui les narre. Car le récit des coups de Nucingen est un récit enchâssé : le roman de Balzac se présente comme la retranscription d'une conversation surprise par un narrateur anonyme. Elle fait donc du narrateur – comme du lecteur – un « initié » dans ce délit. Pour comble de complexité, le passage cité ici montre que les roués de la Bourse, qui se pensaient dans le secret des manœuvres financières de Nucingen, sont eux aussi pris de court par sa fausse faillite.

Pour la critique Hélène Gomart, qui a analysé d'une part *César Birotteau*, d'autre part *L'Argent* de Zola, il existe une différence entre les manières dont Balzac et Zola écrivent la finance : « Quand Balzac discute le droit, Zola construit implicitement, sans la situer, une instance réglementaire diffuse, mais supérieure et légitime, et présuppose une transcendance du fait. L'explicite du discours du savoir financier est fait de contestation dans le texte balzacien, de constat dans le texte zolien[1]. » Le roman zolien porterait la trace de l'enquête naturaliste, c'est-à-dire d'un savoir récemment acquis par Zola, et peut-être peu maîtrisé. Le roman balzacien serait au contraire du côté de l'autonomie ; l'allégresse, l'ironie et la liberté de son discours sur les affaires financières seraient autant de signes de sa compétence.

> Au bout d'un mois, la liquidation du passif de la maison Nucingen était opérée, sans autres procédés que les lettres par lesquelles chacun demandait l'emploi de son argent en valeurs désignées et sans autres formalités de la part des maisons de banque que la remise des valeurs Nucingen contre les actions qui prenaient faveur. Pendant que du Tillet, Werbrust, Claparon, Gigonnet et quelques gens, qui se croyaient fins, faisaient revenir de l'étranger avec un pour cent de prime le papier de la maison

---

1. Hélène Gomart, *Les Opérations financières dans le roman réaliste*, *op. cit.*, p. 315.

Nucingen, car ils gagnaient encore à l'échanger contre les actions en hausse, la rumeur était d'autant plus grande sur la place de Paris, que personne n'avait plus rien à craindre. On babillait sur Nucingen, on l'examinait, on le jugeait, on trouvait moyen de le calomnier ! Son luxe, ses entreprises ! Quand un homme en fait autant, il se coule, etc. Au plus fort de ce *tutti*, quelques personnes furent très étonnées de recevoir des lettres de Genève, de Bâle, de Milan, de Naples, de Gênes, de Marseille, de Londres, dans lesquelles leurs correspondants annonçaient, non sans étonnement, qu'on leur offrait un pour cent de prime du papier de Nucingen de qui elles leur mandaient la faillite. – Il se passe quelque chose, dirent les Loups-Cerviers [1]. Le Tribunal avait prononcé la séparation de biens entre Nucingen et sa femme. La question se compliqua bien plus encore : les journaux annoncèrent le retour de monsieur le baron de Nucingen, lequel était allé s'entendre avec un célèbre industriel de la Belgique, pour l'exploitation d'anciennes mines de charbon de terre, alors en souffrance, les fosses des bois de Bossut. Le baron reparut à la Bourse, sans seulement prendre la peine de démentir les rumeurs calomnieuses qui avaient circulé sur sa maison, il dédaigna de réclamer par la voie des journaux, il acheta pour deux millions un magnifique domaine aux portes de Paris. Six semaines après, le journal de Bordeaux annonça l'entrée en rivière de deux vaisseaux chargés, pour le compte de la maison Nucingen, de métaux dont la valeur était de sept millions. Palma, Werbrust et du Tillet comprirent que le tour était fait, mais ils furent les seuls à le comprendre. Ces écoliers étudièrent la mise en scène de ce *puff* financier, reconnurent qu'il était préparé depuis onze mois, et proclamèrent Nucingen le plus grand financier européen. Rastignac n'y comprit rien, mais il y avait gagné quatre cent mille francs que Nucingen lui avait laissé tondre sur les brebis parisiennes, et avec lesquels il a doté ses deux sœurs [2].

PAUL FÉVAL : LE PALAIS BRONGNIART DÉSERTÉ

Paul Féval est resté célèbre pour *Le Bossu* (1857), roman qui met en scène l'affaire de l'Écossais John Law : en

---

1. Voir *supra*, p. 491, note 1. **2.** *La Maison Nucingen* (1838), éd. Anne-Marie Meininger, Gallimard, « Folio », 1989, p. 203-205.

France, sous la Régence, celui-ci entreprit de créer, par sous-cription, une banque d'État, avec système de crédit et mise en circulation de papier-monnaie ; après avoir remporté un succès considérable – les particuliers s'arrachèrent les actions et des fortunes se bâtirent en quelques heures –, le système s'effondra en 1720. Cette affaire constitua au début du XVIII⁰ siècle le premier grand phénomène spéculatif fran-çais, et la ruine qui s'ensuivit laissa des traces jusque dans l'œuvre des pamphlétaires et des romanciers populaires du XIX⁰ siècle. Ils y virent le premier exemple d'emballement de la spéculation et une préfiguration de la ruine qui les atten-dait. Il n'est pas indifférent que *Le Bossu* ait paru la même année que la version signée du *Manuel du spéculateur à la Bourse* de Proudhon, ou que *L'Argent* de Vallès [1] : 1857 est en effet l'année où culmine la première fièvre boursière du second Empire.

Or la Bourse apparaît aussi dans un autre roman de Féval, paru en feuilleton en 1846 dans *L'Époque* : *Le Fils du diable* [2]. L'histoire est celle d'un héritier aristocrate alle-mand, spolié dès sa naissance en 1824 par des bandits sans scrupules que l'on retrouve à Paris vingt ans plus tard, sous le masque de spéculateurs évoluant dans le quartier du car-reau du Temple. Le récit, où s'opposent la pureté du monde féodal et la modernité dépravée – stéréotype qui structure bien des romans populaires du XIX⁰ siècle –, narre une ven-geance qui s'achève par la défaite de ces parvenus et par la restauration du jeune noble. Il ne s'agit pas d'un roman de la Bourse au sens strict, mais d'un des innombrables romans populaires du XIX⁰ siècle (ici signé par un feuilletoniste dont le nom est resté) qui font de la Bourse le symbole de la dégradation des valeurs. On trouve dans *Le Fils du diable* plusieurs descriptions du palais Brongniart, dont celle qui suit. Au sein de la littérature boursière, elle détonne par son calme : on croirait voir la Bourse du premier chapitre de *L'Argent* de Zola, dans les heures qui précèdent la séance.

---

1. Voir *infra*, p. 528. 2. Voir la lecture approfondie de Jean-Claude Vareille, spécialiste du roman populaire : « Répétitions », *L'Homme masqué, le justicier et le détective*, Presses universitaires de Lyon, coll. « Littérature et idéologies », 1989, p. 73-104.

Ce tableau paisible, à l'égal des descriptions du chaos de la corbeille qu'on rencontre dans d'autres romans, n'en exprime pas moins les préventions du romancier contre la Bourse.

> Quand on passe le soir devant la blanche colonnade de la Bourse, le palais silencieux semble se reposer des fièvres de la journée. Le péristyle est désert ; nul pas ne retentit sur les pierres du perron, et deux sentinelles qui ne savent pas même, les bonnes gens, ce que c'est que la rente ferme et les réponses des primes, se promènent toutes seules le long de la grille fermée.
>
> D'ordinaire, l'abandon est triste ; ici quelque chose de gai se dégage de cette solitude. – On rêve involontairement l'âge heureux où le monde, en progrès, ne connaîtra plus ni larrons ni spéculateurs.
>
> On rêve l'heure où la clef de ces portes closes sera perdue ; – l'heure où le Veau d'or[1], délaissé sur l'estrade poudreuse du parquet, mugira tout seul et appellera en vain la foule convertie de ses anciens adorateurs.
>
> On rêve.
>
> Quelques-uns voient un beau jardin, dans l'avenir, à la place de ce sanctuaire redoutable ; d'autres y tracent par la pensée le plan symétrique d'un joli phalanstère ; – certains y mettraient volontiers une église ; quelques-uns y voudraient un théâtre ; – en somme, le mieux serait d'y faire un hôpital pour les innombrables blessés des luttes mortelles de l'agiotage[2].

JULES VALLÈS : LE BALLON DE LA SPÉCULATION

Le premier livre écrit par Jules Vallès, communard, journaliste et auteur de la trilogie *Jacques Vingtras*, composée de *L'Enfant*, *Le Bachelier* et *L'Insurgé*, et écrite entre 1876 et 1885, fut un petit manuel boursier : *L'Argent, par un homme de lettres devenu homme de Bourse* (1857). Vallès n'a pas rédigé la partie technique du livre, due à un certain Dervin, mais seulement une introduction sur l'« actionnaire », une autre sur l'« agent de change », enfin une « géographie de la

---

1. Dans la Bible (Exode, 32), idole adorée par les Hébreux au pied du Sinaï, et détruite par Moïse. **2.** *Le Fils du diable* (1846), *Œuvres* de Paul Féval, éd. Hippolyte Boisgard, Paris, 1853, p. 43.

Bourse ». Le tout est précédé d'une préface en forme d'épître dithyrambique à l'homme d'affaires Jules Mirès [1], et est suivi d'une conclusion qui en appelle à la littérature pour exalter la modernité boursière. C'est dire que le livre de Vallès est violemment ironique : s'inspirant du *Manuel du spéculateur à la Bourse* de Proudhon, paru peu auparavant, le jeune homme veut faire un pamphlet. Mais tout n'est pas à prendre par antiphrase : Vallès refuse aussi bien la morale commune que la défiance conventionnelle de la littérature à l'égard de l'argent. On voit très bien ici avec quelle désinvolture il aborde en 1857 ce qui intéressera Maupassant en 1882 [2] : la réclame trompeuse qui permet de gonfler artificiellement les cours.

Le mouvement qu'entraîne la mise en actions, les opérations à terme, à prime, la danse des valeurs, le gain sur les différences, combinaisons, manœuvres, ces achats par des gens qui n'ont pas d'argent, ces ventes par ceux qui n'ont pas de titres, ce jeu-là est-il honorable ? honorable et productif ? Non, disent les hommes prudents et sages. C'est une agitation stérile, un remue-ménage inutile, une activité sans résultats, sans d'autres résultats au moins que la ruine de quelques-uns au profit de quelques autres. Agents de change et courtiers se gaudissent, se frottent les mains, noircissent leur carnet, prélèvent le courtage, et tout est dit. La France, l'industrie, le commerce, qu'ont-ils gagné ?

Et les ficelles tirées de droite et de gauche pour hisser cet autre pavillon qu'on appelle la *prime*...

La prime ! voilà le grand mot : le miroir aux alouettes, le filet, la glu, le sifflet, la grosse caisse, la grosse affaire.

La prime ! saluez, honnêtes commerçants, bourgeois du Marais, épiciers de la rue aux Ours, qui gagnez doucement, bêtement, machinalement votre vie à vendre des pruneaux et du sucre au fond de vos boutiques ! à genoux, ouvriers stupides, qui usez vos mains à creuser la terre, à porter les moellons, à tirer le soufflet dans la forge, à faire marcher la machine. Et vous, pauvres diables, qui cherchez dans les livres une science qui vous servira bien peu dans le monde, passez les jours, passez les nuits ; vous ne pourrez nouer les deux bouts. Si le hasard vous favorise, vous aurez le nécessaire, un peu du superflu, il faudra toujours compter. Courage, talent, génie, belle affaire vraiment !

---

1. Voir la Présentation, *supra*, p. IX. **2.** Voir *infra*, p. 530.

Prenez du *Mobilier*, des *Petites Voitures* (!), quelques *Autrichiens* ; les actions font prime, les chefs inspirent toute confiance, le char est bien lancé : dans une bourse, dans une heure, vous réalisez un gain, une petite fortune quelquefois, et la liquidation vous trouve riche, joyeux, considéré.

La prime, la prime !

C'est encore là un de ces mots nouveaux, pleins de danger, chargés d'argent, gros d'orages, que la spéculation grave en majuscules sur la couverture de son grand livre, et que les financiers jettent, comme un drapeau, dans la mêlée ardente des grands intérêts.

Que de diplomatie, que d'habileté pour faire monter ces pauvres actions ! Combien de moyens employés pour attacher à cette feuille de papier jaune, bleue, rouge ou rose, une valeur qu'elle n'a pas, sans souci de l'avenir, sans qu'on sache encore ce que rapportera l'affaire, si le public en voudra, si elle réussira jamais, si seulement le dividende atteindra le taux ordinaire.

Devons-nous signaler quelques-uns de ces moyens, parler de la façon habile dont les fondateurs se réservent un nombre magnifique d'actions, les retiennent, les lâchent, les pressent, les poussent, les montrent ou les cachent ?

Qu'importe ! qu'ils s'arrangent comme ils voudront, ces messieurs ! mais nous, qu'avons-nous à faire, qu'à suivre le mouvement, à bien regarder et à bien voir, à profiter du jour, de l'heure, de l'occasion ? Quant aux premières cérémonies, à l'accouchement, au baptême, c'est toujours, toujours la même chose. Des annonces, des mots, des articles et des promesses ; des promesses, des mots, des articles et des annonces, voilà tout bêtement les armes qu'ils manient, et depuis que l'on met tout en actions, tout, dit-on, sauf la morale, les braves gens, qui ont de l'argent à faire marcher, n'en demandent pas davantage, se laissent prendre encore aux mêmes trucs, viennent en masse, quelques-uns au bon moment, quand on a bien gonflé la chose, et que la prime est belle, d'autres la veille du désastre, quand un coup d'épingle crève le ballon, et qu'il tombe sans parachute au milieu des pauvres diables, qui ont bâti la nacelle, payé le gaz et les cordages [1] !

---

1. *L'Argent, par un homme de lettres devenu homme de Bourse* (1857), Ire partie, « L'Actionnaire », *Œuvres* de Jules Vallès, éd. Roger Bellet, Gallimard, « Bibliothèque de la Pléiade », p. 15-17.

Maupassant : la spéculation
ou le « royaume du fictif »

Le krach de l'Union générale qui éclate en janvier 1882 n'intéresse pas seulement la rubrique boursière des journaux. Le scandale est si grand qu'il passionne tous les chroniqueurs. Dans l'article « À qui la faute ? », paru dans *Le Gaulois* du 25 janvier 1882 et reproduit ci-après, Guy de Maupassant, déjà connu pour *Boule de suif* (1880) et *Mademoiselle Fifi* (1881), joue avec humour sur l'opacité des affaires financières pour le commun des mortels. Plus exactement, il reprend la critique classique de l'immatérialité de l'économie boursière, de la virtualité des marchés à terme. Dans un second article donné au même journal le 14 février 1882, il oppose le comportement des spéculateurs riches qui ne paient pas leurs pertes (en alléguant l'exception de jeu) au geste des petits qui se dépouillent pour honorer leur dette, et il médite sur le recul général de la probité. Ces articles de Maupassant relèvent donc d'une sorte de scepticisme conservateur, teinté d'humour comme l'exige ce genre de chronique. Surtout, ils éclairent le problème de réception et de compréhension que soulève une crise financière.

Voici en effet des choses bien étonnantes qui font en ce moment grand bruit.

Un innombrable troupeau de moutons à deux pieds, qu'on appelle les hommes d'affaires, vient de disparaître dans le flot de la spéculation. Tous sont noyés. Le berger (qu'il soit Bontoux ou Dindenault) [1] a bien essayé de les retenir ; peine perdue ! ils l'ont entraîné dedans le lac. Et rien n'est plus.

C'est à la France seule qu'il appartient de jouer ces prodigieuses comédies.

L'affaire présente est particulièrement instructive. Au nom d'une religion dont le « Tout-Paris spéculant » se soucie assurément moins « qu'un poisson d'une pomme » – pour emprunter

---

[1]. Juste avant cet extrait, Maupassant rappelle le passage du *Quart Livre* de Rabelais sur les moutons de Panurge. Dindenault, dans l'œuvre de Rabelais, est un marchand de moutons. Sur Eugène Bontoux, directeur de l'Union générale, voir *supra*, p. 99, note 2.

l'image inexacte du grand poète, – on a commencé une soi-disant guerre aux juifs sur une valeur nouvelle portant un drapeau de ralliement.

Au moyen d'agissements habiles, cette valeur a gravi des sommets fantastiques. Alors tous les porteurs de titres ont été invraisemblablement millionnaires ; ils ont racheté d'autres titres encore, dans la naïve croyance que ces petits morceaux de papier colorié continueraient à représenter un fabuleux numéraire. Et soudain, je ne sais pourquoi, le petit papier a perdu tout son prix. Et tout le monde a été ruiné, même ceux qui n'avaient rien.
– Voilà.

J'avoue qu'il y a dans ces mots : *affaires de Bourse, spéculation*, un mystère impénétrable pour mon esprit. Quant on achète des actions de chemins de fer ou de la Rente, c'est simple comme bonjour. La prospérité de l'entreprise ou celle des affaires publiques règlent les bénéfices. Rien de moins compliqué.

Mais on devient fou quand on veut se représenter comment une entreprise inconnue, qui demande l'argent du public pour des spéculations inavouées, dissimulées derrière un prétexte honnête, une entreprise qui représente un capital connu et limité, des bénéfices problématiques et des dangers de perte incontestables, peut, dans un coup de folie des agioteurs, atteindre à des taux fabuleux.

Les opérations sont fictives, les bénéfices sont fictifs, la valeur est fictive, c'est une simple convention ; tout est fictif, et le premier venu se trouve fictivement riche à milliards, pour se trouver très réellement sans le sou quelques jours après.

Or, la débâcle des temps derniers était prévue, annoncée depuis des mois, on la voyait ; on la sentait venir ; elle était inévitable comme l'hiver après l'été. Cela n'a point empêché tout le monde d'y être pris. – Moutons de Panurge !

Mais où la farce devient inénarrablement drôle, c'est à la question de payement. Les enrichis d'hier, qui sont les ruinés d'aujourd'hui, n'étant millionnaires que fictivement, c'est-à-dire grâce au petit papier qui valait tant et ne vaut plus rien, se trouvent aussi fictivement ruinés ; c'est-à-dire qu'ils ne peuvent pas payer. Quel tableau de féerie : *Le Royaume du Fictif* ! On y verrait l'ombre d'un actionnaire de l'ombre de la Timbale [1] verser l'ombre d'un milliard à l'ombre d'un banquier israélite.

Et nous entendrons bientôt des conversations comme celle-ci : « Je viens de gagner quarante millions à la Bourse ; prêtez-moi donc quarante sous pour aller dîner. » Ou bien ceci : « Oh ! Mon

---

1. C'était le nom satirique donné par les chroniqueurs à la banque d'Eugène Bontoux.

cher, quel désastre, je viens de perdre en deux heures huit cents millions. » Et l'ami confident s'effondrera, sans réfléchir que, du moment qu'on ne paye pas, il est absolument indifférent de perdre huit cents millions ou deux cents francs.

Ce que je ne comprends pas du tout, par exemple, c'est le résultat de cette débâcle pour la prospérité générale. Car on a employé ces grands mots. Or voici des milliards perdus, ou bien ils sont en d'autres poches : alors que nous importe ? Ou bien ils étaient fictifs : alors pourquoi ces cris [1] ?

ÉMILE VERHAEREN : L'OR ET SES MIRAGES

La Bourse, morne expression du règne de l'intérêt et symbole de la civilisation matérielle, paraît *a priori* peu poétique. Pour le poète symboliste belge Émile Verhaeren (1855-1916), qui fut ravi en 1891 par *L'Argent* de Zola [2], elle est pourtant digne d'être chantée comme l'un des lieux emblématiques de la modernité. De même qu'il célèbre dans toute leur ambivalence « La ville », « Le port », « Les usines », « La plaine » dévorée par la cité, et les mouvements ouvriers, Verhaeren fait de la Bourse l'une des expressions brutales des temps nouveaux. Entre les *Illuminations* de Rimbaud et certains vers de « Zone » d'Apollinaire ou encore la poésie de Blaise Cendrars, le recueil *Les Villes tentaculaires* (1895) exprime la force de la société nouvelle. Et le poème « La Bourse », qui retourne le prosaïsme du thème pour dire le combat épique des boursiers, le rêve et l'amoralité des spéculateurs, voire le cycle des ruines, peut décidément apparaître, par tous ces aspects et en tant qu'exaltation de la modernité, comme une contraction poétique du roman de Zola.

LA BOURSE

Comme un torse de pierre et de métal debout
Le monument de l'or dans les ténèbres bout.

Dès que morte est la nuit et que revit le jour,
L'immense et rouge carrefour
D'où s'exalte sa quotidienne bataille
Tressaille.

---

1. « À qui la faute ? », *Le Gaulois*, 25 janvier 1882. **2.** Voir *supra*, p. 518.

Des banques s'ouvrent tôt et leurs guichets,
Où l'or se pèse au trébuchet,
Voient affluer – voiles légères – par flottes,
Les traites et les banque-notes.
Une fureur monte et s'en dégage,
Gagne la rue et s'y propage,
Venant chauffer, de seuil en seuil,
Dans la ville, la peur, la folie ou l'orgueil.

Le monument de l'or attend que midi tinte
Pour réveiller l'ardeur dont sa vie est éteinte.
Tant de rêves, tels des feux roux
Entremêlent leur flamme et leurs remous
De haut en bas du palais fou !
Le gain coupable et monstrueux
S'y resserre comme des nœuds.
On croit y voir une âpre fièvre
Voler, de front en front, de lèvre en lèvre,
Et s'ameuter et éclater
Et crépiter sur les paliers
Et les marches des escaliers.
Une fureur réenflammée
Au mirage du moindre espoir
Monte soudain de l'entonnoir
De bruit et de fumée,
Où l'on se bat, à coups de vols, en bas.
Langues sèches, regards aigus, gestes inverses,
Et cervelles, qu'en tourbillons les millions traversent,
Échangent là leur peur et leur terreur.
La hâte y simule l'audace
Et les audaces se dépassent ;
Les uns confient à des carnets
Leurs angoisses et leurs secrets ;
Cyniquement, tel escompte l'éclair
Qui tue un peuple au bout du monde ;
Les chimères volent dans l'air ;
Les chances fuient ou surabondent ;
Marchés conclus, marchés rompus
Luttent et s'entrebutent en disputes ;
L'air brûle – et les chiffres paradoxaux,
En paquets pleins, en lourds trousseaux,
Sont rejetés et cahotés et ballottés
Et s'effarent en ces bagarres,
Jusqu'à ce que leurs sommes lasses,

Masses contre masses,
Se cassent.

Aux fins de mois, quand les débâcles se décident,
La mort les paraphe de suicides
Et les chutes s'effritent en ruines
Qui s'illuminent
En obsèques exaltatives.
Mais le jour même, aux heures blêmes,
Les volontés, dans la fièvre, revivent ;
L'acharnement sournois
Reprend, comme autrefois.
On se trahit, on se sourit et l'on se mord
Et l'on travaille à d'autres morts.
La haine ronfle, ainsi qu'une machine,
Autour de ceux qu'elle assassine.
On vole, avec autorité, les gens
Dont les coffres sont indigents.
On mêle avec l'honneur l'escroquerie,
Pour amorcer jusqu'aux patries
Et ameuter vers l'or torride et infamant
L'universel affolement.

Oh l'or, là-bas, comme des tours dans les nuages,
L'or étalé sur l'étagère des mirages,
Avec des millions de bras tendus vers lui,
Et des gestes et des appels, la nuit,
Et la prière unanime qui gronde,
De l'un à l'autre bout des horizons du monde !

Là-bas, des cubes d'or sur des triangles d'or,
Et tout autour les fortunes célèbres
S'échafaudant sur des algèbres.

De l'or ! – boire et manger de l'or !
Et, plus féroce encor que la rage de l'or,
La foi au jeu mystérieux
Et ses hasards hagards et ténébreux
Et ses arbitraires vouloirs certains
Qui restaurent le vieux destin ;
Le jeu, axe terrible, où tournera autour de l'aventure,
Par seul plaisir d'anomalie,
Par seul besoin de rut et de folie,
Là-bas, où se croisent les lois d'effroi
Et les suprêmes désarrois,
Éperdument, la passion future.

Comme un torse de pierre et de métal debout,
Qui cèle en son mystère et son ardeur profonde
Le cœur battant et haletant du monde,
Le monument de l'or dans les ténèbres bout [1].

LA BOURSE ILLUSTRÉE

Portraits, caricatures, allégories : les quelques gravures et lithographies qui suivent donnent à voir la Bourse à travers ses personnages types (les boursiers croqués par Paul Renouard et Honoré Daumier, les spéculateurs avides de connaître les cours de la Bourse, ou encore la joueuse, qui n'est pas sans rappeler la baronne Sandorff dans *L'Argent*), ses décors (la corbeille notamment), et les événements associés à la spéculation boursière (liquidation, krach), qui n'ont cessé, depuis le XIXe siècle, de hanter l'imaginaire collectif.

Nous proposons enfin une vue de l'intérieur de la Bourse, telle qu'on peut l'imaginer à partir des plans du palais Brongniart de l'époque et des indications de Zola dans *L'Argent* et dans ses carnets d'enquêtes.

---

1. « La Bourse », *Les Villes tentaculaires*, 1895.

La Bourse et les boursiers
Études d'après nature par Paul Renouard, *L'Illustration*, 1882

La Bourse des femmes. Une joueuse discrète
Dessin paru dans *L'Illustration*, 1851

L'Affichage des cours de la Bourse. Dessin de Mars, 1882.

L'Affichage des cours de la Bourse
Dessin de Mars, 1882

À la Bourse. Ce qu'on appelle une corbeille.
Pas de fleurs en tout cas.
Lithographie par Honoré Daumier, 1856

Comment on y entre et comment on en sort
Caricature de Cham

Salle de la Corbeille
Gravure du XIXe siècle

Le Krach
Dessin de Ziem paru dans *L'Illustration*, 1882

Les Victimes. La liquidation
Lithographie parue dans *L'Assiette au beurre*, 1902

Alexandre Théodore Brongniart
Gravure de Béranger, d'après une peinture de François Gérard

Plan de la Bourse
d'après une gravure de Le Cerf
augmentée d'indications données à Zola
par l'un de ses informateurs

*Les capitales renvoient au plan initial (*Palais Impérial de la Bourse et du Tribunal de commerce, commencé en 1808 par Théodore Brongniart, *gravure de Le Cerf, rez-de-chaussée), et les chiffres reprennent certaines des indications de l'informateur de Zola en 1890, évoquées dans le dossier préparatoire de* L'Argent.

A. Péristyle
B. Vestibule
C. Salle de la Bourse
D. Salle des agents de change
E. Escalier du Tribunal de Commerce
F. Greffe
G. Greffier des faillites
H. Greffier du Tribunal
I. Grand dépôt
J. Antichambre des agents de change
K. Portier
L. Salle des courtiers de change
M. Comité des agents de change
N. Syndicat
O. Imprimerie
P. Syndicat des agents de change
Q. Comité des agents de change
R. Crieurs
S. Garde-robe

1. Corbeille
2. Couloir conduisant au cabinet des agents de change
3. Carré de la rente
4. Grande guitare réservée aux commis d'agents
5. Carré du comptant
6. Emplacement des coulissiers en rente
7. Emplacement des coteurs
8. Parties de la rambarde réservées aux commis d'agents
9. Escalier du télégraphe
10. Cabinet des commis
11. Groupe de la coulisse de l'escalier
12. Groupe de la coulisse de l'extérieur
13. Banquiers
14. Petit marché (les « Pieds humides »)
15. Statues

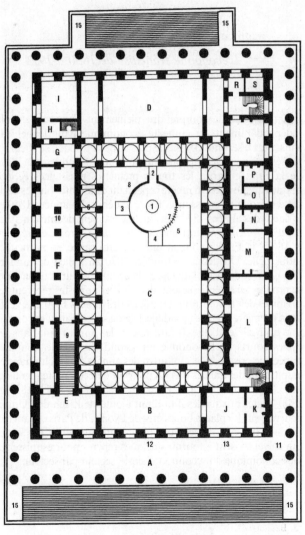

On ne saurait comprendre pleinement l'œuvre de Zola indépendamment du contexte économique dans lequel elle s'inscrit. Le second XIXᵉ siècle puis la Belle Époque sont caractérisés par un développement important, qui confirme la place de la France parmi les toutes premières puissances économiques du monde. On repère cependant différentes phases dans cette période de croissance. Entre le début des années 1850 et le début des années 1870, période précisément décrite dans *Les Rougon-Macquart* (l'intrigue de *L'Argent* se déroule entre 1864 et 1867), la France connaît une vive croissance, en particulier industrielle. Du début des années 1870 au milieu des années 1890, période durant laquelle Zola écrit les volumes de sa série, se produit un ralentissement, dont les économistes repèrent les prémices dès 1860. Enfin, du milieu des années 1890 à la veille de la Première Guerre mondiale, la croissance française connaît une nouvelle embellie. Il faut retenir les années qui, dans les cycles courts de l'économie au second XIXᵉ siècle, sont des années de crise, car ce sont aussi des années de krach financier et, partant, des années où l'on pourrait détecter un regain de la littérature consacrée à la Bourse : 1857, 1866, 1873, 1890 et 1900. Dates auxquelles il faudrait ajouter le krach de l'Union générale sur les places boursières de Lyon et de Paris en janvier-février 1882, qui a suscité une abondante littérature. Les lignes qui suivent visent à fournir quelques repères pour esquisser la vie économique du second XIXᵉ siècle, secteur par secteur.

PESANTEURS DU SECTEUR AGRICOLE

Le secteur agricole est celui qui manifeste le mieux les pesanteurs de l'économie française sur ces quelque soixante-cinq ans (1850-1914). Après une décennie de grande prospérité (1850-1860), le produit agricole stagne entre la guerre de 1870 et 1890, sous les coups conjugués de l'épidémie de phylloxéra qui ravage les vignobles et de la baisse des prix des céréales. Car la concurrence des pays nouveaux producteurs de céréales, comme les États-Unis, est terrible : le cours du blé, notamment, chute de 45 % entre 1860 et 1895. Or cette situation difficile ne débouche pas sur une modernisation des exploitations agricoles : les agriculteurs français ne se reconvertissent guère dans l'élevage, comme le font alors les Anglais ; ils demeurent attachés à des exploitations de petite taille, lesquelles ne permettent pas de gains de productivité ; et il faut noter ici que l'exode rural n'est pas si massif qu'on a pu le dire, car il se restreint à la population rurale non agricole, celle des artisans en particulier. Résultat : la part des agriculteurs dans la population active qui assure la production matérielle française (agriculture, industrie et artisanat) reste relativement importante – de 66 % en 1850, elle ne tombe qu'à 58 % en 1900, alors qu'elle assure une proportion bien inférieure du produit physique global (47 % en 1857, et 40 % en 1900). Et la petite exploitation agricole n'est pas seulement le résultat de déterminations économiques : à la veille de la Première Guerre mondiale, elle est un véritable modèle culturel, comme le montrent bien les économistes qui, à l'instar de Jean Bouvier, aiment à s'appuyer sur l'histoire des mentalités [1]. Il faut rappeler que, dès les années 1850, la littérature oppose volontiers le modèle agricole – avec ses rythmes naturels et son idéal de tempérance – à la folie de la Bourse. Dans *L'Argent* de Zola, les Beauvilliers incarnent parfaitement l'érosion de la fortune domaniale en même

---

[1]. Voir les travaux de Jean Bouvier : *Le Krach de l'Union générale* (1960) ; *Les Rothschild* (1967). On consultera en particulier son article « *L'Argent*, roman et réalité » dans la revue *Europe* (avril-mai 1968, p. 54-64). Nous nous appuyons ici sur sa synthèse sur l'histoire économique du second XIXe siècle : « Le mouvement d'une civilisation nouvelle, 1852-1914. La machine : les puissances de l'argent et la naissance de la classe ouvrière », in Georges Duby (dir.), *Histoire de la France*, Larousse, 2008 (rééd.), p. 413 *sq*.

temps que la vigueur des préjugés en faveur du modèle agrarien.

LA CROISSANCE INDUSTRIELLE

Le second XIXe siècle français est surtout l'époque d'une extraordinaire croissance industrielle – plus tardive que celle des Anglais, comme on a coutume de le préciser, mais peut-être plus vive, lorsqu'on la rapporte au faible accroissement démographique en France. La production industrielle triple en effet entre le milieu du XIXe siècle et la veille de la Première Guerre mondiale. On exploite des gisements de minerais et l'on développe la métallurgie, ce qui permet d'alimenter le développement de nouveaux modes de transport et de fabrication (chemin de fer et machines). Et comme l'investissement des entreprises industrielles est massif (les niveaux assez hauts des salaires réels tout au long de cette période incitant les patrons à mécaniser leur industrie), comme les machines sont en outre de plus en plus puissantes, les gains de productivité de l'industrie française sont considérables en quelques dizaines d'années. Le site industriel type est celui des usines du Creusot, qui intègre toute la chaîne métallurgique, depuis l'extraction de minerais jusqu'à la construction de machines, en passant par la forge : il fascine les commentateurs. Turgan, en 1866 (l'époque de l'action de *L'Argent* de Zola), puis, en 1897, Jules Huret (le journaliste à l'origine de l'*Enquête sur l'évolution littéraire*)[1] parcourent ce site gigantesque, qui représente pour les contemporains le signe de la modernité industrielle. Certes, la perte de l'Alsace et de la Lorraine en 1870, régions fortement industrialisées, a obligé les industriels à redéployer leurs sites de production ; certes, la croissance industrielle a fléchi durant les années 1880 et 1890, plus difficiles. Mais à partir des années 1890, l'innovation industrielle et la croissance de la production sont à nouveau

---

1. Voir la Présentation, p. V, et le Dossier, p. 510 *sq.*

importantes. Par exemple, de même que la France, importatrice de locomotives en 1840, s'était retrouvée exportatrice de 40 % de sa production dès 1860, on observe qu'au cours de la deuxième phase d'embellie (1895-1913) Schneider fait jeu égal avec les Anglais sur le marché de la locomotive, et rivalise avec Krupp pour la fabrication de ces canons, qu'évoque incidemment Zola dans *L'Argent* (p. 319).

Trois choses peuvent être précisées ici. D'abord, ces fleurons de l'industrie sont inséparables d'une véritable militarisation de l'organisation du travail : le patron contrôle étroitement la productivité de ses légions d'ouvriers et, plus ou moins paternaliste, évalue aussi leur moralité. À ce titre, les entretiens de Jules Huret avec de grands patrons des années 1890 sont une mine, tant ils montrent bien l'idéologie des détenteurs du capital[1]. Ces entretiens confirment qu'il était fort opportun, pour Zola, de déplacer les projets industriels de *L'Argent* en Orient, pour éviter le passage obligé d'une étude du salariat qui aurait nécessairement été aussi noire que celle de *Germinal*.

Deuxième remarque : tout comme l'agriculture de l'époque, l'industrie du second XIXe siècle a aussi des aspects archaïques, dans la mesure où le monde industriel est « atomisé ». Jean Bouvier rappelle qu'en 1906 58 % des travailleurs dans les secteurs agricole et industriel sont employés dans de petits établissements comprenant un à dix salariés : « l'industrie française était un conservatoire des formes anciennes du travail[2] ». C'est une remarque intéressante pour les lecteurs de la trilogie *Jacques Vingtras* (publiée entre 1879 et 1886), de Jules Vallès : on objecte parfois que le romancier communard idéalise d'autant plus facilement la figure de l'ouvrier qu'il l'éloigne de celle du prolétaire moderne – lequel apparaît bien mieux dans les mineurs de *Germinal* (1885) – et qu'il la rapproche de celle de l'artisan sous la monarchie de Juillet. Mais cette figure même de l'artisan n'est en fait pas si obsolète dans les années 1870, et exprime bien la pluralité du secteur industriel et artisanal.

---

1. Voir Jean Bouvier, « Le mouvement d'une civilisation nouvelle, 1852-1914 », art. cité, p. 434-435. **2.** *Ibid.*, p. 430.

Troisième précision enfin : il faut dire ici quelque chose de la fascination de l'époque pour la machine. Elle s'exprime à travers les Expositions universelles de 1855 et de 1889, mais aussi dans les reportages que leur ont respectivement consacrés Louis Reybaud et Eugène Melchior de Voguë, ou encore dans la poésie et la fiction de Maxime Du Camp et de Jules Verne [1]. Marteaux-pilons et locomotives, vapeur et tôle boulonnée sont des symboles du second XIXe siècle industriel.

L'EXPANSION DU RÉSEAU BANCAIRE ET DE LA CAPITALISATION BOURSIÈRE

Ce développement industriel n'aurait pas été possible sans les lois de 1863 et 1867 sur les Sociétés anonymes, qui avaient en particulier pour objectif d'alléger le contrôle de l'État sur leur création et de garantir la protection des actionnaires – même si Zola fait dans *L'Argent* une satire de la Société anonyme, qui n'a rien à envier au *Manuel du spéculateur à la Bourse* de Proudhon. Il n'aurait pas été possible non plus sans l'expansion du réseau bancaire français, même si les économistes font remarquer que les entreprises industrielles finançaient souvent elles-mêmes leurs investissements, et que la France a été dès 1850 un pays banquier, investissant à l'étranger. Sous le second Empire, à partir des années 1860, le réseau bancaire s'est développé en même temps que le réseau ferroviaire, le premier garantissant la mobilité des capitaux et l'expansion du crédit, cependant que le second permettait la mobilité des marchandises. D'un point de vue strictement économique, on pourrait donc dire que *La Bête humaine* et *L'Argent*, roman du chemin de fer et roman de la banque et de la Bourse, forment en 1890-1891 une sorte de diptyque ; il n'est pas étonnant, de plus, que le réseau des chemins de fer

1. Sur ces points, voir *Les Chants modernes* (1855) de Maxime Du Camp ; Jacques Noiray, *Le Romancier et la machine. L'image de la machine dans le roman, 1850-1900*, José Corti, 1981, 2 vol. ; Marta Caraion, « *Les Philosophes de la vapeur et des allumettes chimiques* ». *Littérature, sciences et industrie en 1855*, Genève, Droz, 2008.

d'Asie Mineure tienne une place si importante dans le roman de la Bourse, car le réseau est une métonymie du progrès universel. C'est au début des années 1860 que se constituent de grandes banques à réseau d'agences comme le Crédit lyonnais (1863) ou la Société générale (1864), ainsi que les banques provinciales que nous connaissons (Société marseillaise de crédit, Crédit du Nord). Dans les années 1870 naissent des banques d'affaires comme la Banque de Paris et des Pays-Bas (1872). À côté de ces nouveaux acteurs du monde financier, la banque Rothschild fait figure d'antique banque patrimoniale, ce que le roman de Zola souligne bien en évoquant Gundermann et sa famille.

Les archaïsmes agricole ou industriel précédemment évoqués ont aussi, enfin, leur pendant financier : on a souvent souligné que les placements des épargnants français ont longtemps été très pusillanimes. L'épargnant du XIXe siècle, bourgeois ou populaire, investit dans la pierre, dans la terre ou dans la rente – beaucoup plus rarement dans les actions. Ce n'est qu'à la veille de la Première Guerre mondiale que la proportion d'actions dans le portefeuille de valeurs françaises des épargnants atteint un tiers. Jusqu'alors, même quand l'épargnant (le plus souvent bourgeois) se tourne vers des valeurs mobilières, il préfère les placements sûrs en obligations aux placements aventureux en actions. Il y aurait là derrière, selon les économistes attentifs aux mentalités, une tradition de méfiance envers le risque, le profit et l'usure, qui est sans doute influencée par la morale catholique. Du coup, on peut dire que L'Argent hypertrophie quelque peu, pour les besoins de la cause romanesque, l'enthousiasme de toutes les classes de la société pour la Banque universelle (même s'il y a bien eu emballement collectif dans le cas de l'Union générale) : c'est en ce sens que Zola, selon Jean Bouvier, donne « un coup de pouce aux phénomènes sociaux réels [1] », de même qu'il exagérait la disparition du petit commerce face aux grands magasins dans Au Bonheur des Dames. La littérature grossit une tendance décelable dans le présent, afin de proposer une prophétie sur l'avenir de l'économie.

---

1. Jean Bouvier, « Le mouvement d'une civilisation nouvelle, 1852-1914 », art. cité, p. 433.

ACTION, ACTIONNAIRE. L'action est un titre de propriété qui représente une part du capital social d'une société dite de capitaux. À l'époque de Zola, elle est remise au détenteur, dit actionnaire, en échange du versement minimum d'un quart de sa valeur. Une *action au porteur*, par opposition à une *action nominative*, est une action librement échangeable. Dans *L'Argent*, les actions sont d'abord nominatives, comme c'est toujours le cas lors de la constitution d'une société, et elles le restent jusqu'à la troisième augmentation de capital*, où elles deviennent actions au porteur de manière à «faciliter leur libre circulation sur le marché» (voir p. 304). L'action est plus particulièrement le mode de constitution du capital des sociétés industrielles. Elle donne droit à un intérêt (celui du capital prêté par l'actionnaire) ainsi qu'à une part des bénéfices de la société, appelée *dividende*.

De même que les jeux de mots sur le nom des actions sont innombrables dans la littérature du XIXe siècle et dans les légendes des caricatures boursières d'Honoré Daumier, l'actionnaire est une figure centrale du théâtre, du pamphlet et du roman à sujet boursier. Une pièce du vaudevilliste Eugène Scribe s'appelle *L'Actionnaire*. Jules Vallès en dresse aussi un portrait dans *L'Argent, par un homme de lettres devenu homme de Bourse* (1857). Mais ce n'est qu'une partie infime de la mythologie de l'actionnaire, que le vaudeville de la monarchie de Juillet allait, pour toujours, montrer comme un gogo. En témoigne cette réplique de Bilboquet, personnage satirique du vaudeville *Monsieur Gogo à la Bourse* de Jean François Alfred Bayard (1838) : «Ô actionnaire ! (*ils se découvrent tous*) grand cornichon, grand tubercule, grand chou colossal de l'époque, que le ciel te bénisse, et que la terre te réchauffe dans son sein pour donner de la graine aux générations futures de nos enfants ! »

AGENT DE CHANGE. Les opérations de Bourse nécessitent l'intermédiaire des agents de change. Il faut que les ordres de transaction leur soient transmis et que tous les agents se rencontrent pour établir ensemble les cours des valeurs – c'est la fonction de la séance de Bourse. Les agents de change sont constitués en chambre syndicale et sont en nombre limité : ce sont ces « Soixante » qu'évoque souvent la littérature du siècle de Zola, par exemple Vallès qui dans *L'Argent, par un homme de lettres devenu homme de Bourse* (1857) lance cette exclamation provocante : « Je préfère aux chants lugubres des insurgés le cri métallique des Soixante, au drapeau des guerres civiles l'étendard planté au cœur de la Bourse, avec le nom des millionnaires sur l'écusson. » Il fait par ailleurs dans son pamphlet un portrait de l'agent de change. Si les agents de change (aujourd'hui remplacés par les sociétés de Bourse) sont censés avoir le monopole du courtage*, ils ont dû tolérer à leurs côtés la présence des coulissiers*, avec lesquels il fallait bien partager le volume trop important des opérations. L'agent de change est un officier ministériel qui n'a théoriquement pas le droit de faire des opérations pour son compte. Dans la réalité, c'est faux : « Trente spéculateurs sur soixante », note Zola dans ses carnets d'enquête.

Agio, agiotage, agioter. Il n'est pas facile de définir l'agio dans le sens du XIXᵉ siècle, car cette notion est alors au cœur des débats sur la Bourse. La définition la plus neutre consisterait à dire que l'agio est la valeur produite par l'échange même d'un effet, ou qu'elle est la rémunération du risque qu'on prend dans toute spéculation. C'est bien ainsi que l'entend Proudhon dans son *Manuel du spéculateur à la Bourse* (1854 ; 1857)[1], qui remarque toutefois que le « bénéfice d'agio » est l'occasion d'abus, c'est-à-dire qu'il est impossible de distinguer les opérations sérieuses des opérations qui sont de simples paris : on ne peut séparer les opérations qui consistent par exemple à couvrir un risque, des opérations où des acteurs financiers non nécessairement solvables cherchent à gagner des différences*. Les unes et les autres permettent du reste la fluidité du marché.

Le terme *agiotage* a un sens plus nettement péjoratif. Pour Henri Cozic, auteur de *La Bourse mise à la portée de tous, ce qu'elle a été, ce qu'elle est, ce qu'elle sera* (1885), ce mot « exprime les opérations à outrance que l'on poursuit soit en vendant, soit en achetant certaines valeurs, pour réaliser de gros bénéfices en liquidant* ». D'où sa remarque sur l'Union générale, modèle de l'Universelle de Zola : « Faire monter les actions de l'Union générale à 2 800 quand la société n'a encore rien fait, c'est encore de l'agiotage. L'agiotage

---

1. Cet ouvrage parut tout d'abord en 1854 sans nom d'auteur, puis il fut réédité, en 1857 (3ᵉ éd.), sous le nom de Proudhon.

est mortel aux affaires. » Où l'on perçoit que l'agiotage serait non seulement une opération où l'on ne prend pas livraison des titres, mais aussi une opération où l'on gonfle artificiellement une valeur. Selon un autre spécialiste de l'époque, Alphonse Courtois, il faut définir l'agiotage, de manière plus neutre, comme « les opérations à terme* faites avec l'intention de ne les liquider que par une différence, que l'on soit ou non en position de les régler autrement » (*Défense de l'agiotage*, 1852).

ARBITRAGE. Un arbitrage est une opération qui met à profit l'écart ponctuel qui peut exister entre le prix d'achat et le prix de revente d'un effet. Dans *L'Argent* de Zola, Kolb fait des arbitrages sur l'or, en jonglant sur la valeur d'échange des pièces d'or (dans certains pays) et sur la valeur de revente de l'or en lingot (en France ou ailleurs). Lors de la grande séance de Bourse du chapitre X, Delarocque cherche à profiter d'un petit écart de 5 francs sur le titre de l'Universelle entre la corbeille* et la coulisse*, dû à une asymétrie momentanée d'information.

À TERME (MARCHÉ). Voir *Marché à terme*.

AU COMPTANT (MARCHÉ). Voir *Marché au comptant*.

AUGMENTATION DE CAPITAL. Une augmentation de capital est un appel à nouvelle souscription* fait par une société de capitaux. C'est normalement une nécessité économique qui amène à faire une augmentation de capital – mais pas dans *L'Argent*, où Hélène Gomart pointe plusieurs bizarreries, voire aberrations, du comportement de Saccard : 1. les augmentations de capital se font toujours auprès de l'actionnariat d'origine, d'où un certain « autisme » de cette société ; 2. elles ne sont jamais interdites alors que les titres précédents n'ont jamais été réglés intégralement ; 3. elles se font toujours par apport d'argent nouveau, jamais par incorporation des réserves (Saccard fait pourtant des réserves, mais dans la troisième augmentation il les utilise pour libérer les anciennes actions*) ; 4. enfin, fonctionnant comme une arborescence, elles multiplient logiquement le nombre de titres non souscrits, puisqu'en vertu de son autisme, l'Universelle réserve les nouvelles actions émises aux actionnaires qui en ont déjà : ainsi, le compte fictif de Sabatani ne fait que croître. En un mot, les augmentations de capital ne sont ici que « le comblement de précédentes opérations en capital non achevées » : « le capital neuf est toujours consommé par d'anciennes souscriptions qui le dévorent », et Saccard « fabrique une machine à remonter le temps » (Hélène Gomart, *Les Opérations financières dans le roman réaliste*, Honoré Champion, 2004, p. 209).

Baissier. Le baissier est un spéculateur à la baisse. Une spéculation à la baisse est un marché à terme* qui consiste à parier sur la baisse d'un titre. On s'engage à vendre, à terme, une certaine quantité de valeurs à un certain cours. À la liquidation* ou dans l'intervalle, si les valeurs ont baissé sous le prix convenu, on peut en acheter bon marché la quantité prévue et la revendre au cours convenu. Le baissier a alors gagné l'écart entre le cours bas auquel il est parvenu à acheter et le cours convenu, multiplié par le nombre de titres, moins le courtage* et autre droit de timbre*. Le plus souvent, le vendeur spécule *à découvert*, c'est-à-dire qu'il ne possède pas les titres au moment où il parie sur leur baisse et doit se les procurer dans l'intervalle ou à terme pour les revendre. C'est une position dangereuse, comme l'illustre bien dans le roman le cas de Gundermann jusqu'au chapitre X ; en effet, les titres sont exigibles dans l'intervalle par l'acheteur si ce dernier estime le moment favorable (voir *Escompte*), et le vendeur à découvert doit alors se procurer très cher des titres qu'il a promis de vendre à un cours inférieur. Par ailleurs, si lors de la liquidation le baissier se retrouve avec des différences* à payer, il a intérêt à reporter* sa position, en espérant combler cette perte par un gain ultérieur.

Caissier. Dans une banque, le *caissier d'argent* est celui qui s'occupe des espèces et le *caissier des titres* celui qui s'occupe des titres boursiers. Très peu important dans le roman de Zola, le personnage du caissier peut prendre une épaisseur étonnante dans certains romans populaires de l'époque à sujet boursier, où le caissier a la haute main sur les dépôts, peut prendre un ascendant sur le directeur, et connaît très précisément le contenu des coffres. Ce que personne, à l'Universelle, ne semble savoir.

Commissaire-censeur. Commissaire aux comptes, chargé de vérifier la comptabilité de la banque. Dans *L'Argent*, ils ne voient rien, étant intéressés à ne rien voir. Aujourd'hui, les cabinets d'audit externe sont indépendants dans leur expertise des comptes ; quelques scandales, dans les dernières années, n'en ont pas moins montré qu'ils pouvaient parfois aussi être abusés par les sociétés qu'ils expertisent, voire complices de fraudes. Dans *L'Argent*, Zola veut montrer que les « jeux d'écriture » (p. 474) sont tout-puissants.

Corbeille. On définirait *a priori* la corbeille comme la rampe circulaire autour de laquelle les agents de change* effectuent leurs transactions sur les titres et fixent par là les cours. À en croire le livre technique d'Henri Cozic sur la Bourse, écrit à l'époque de Zola, la définition est un tout petit peu différente : la corbeille est en fait l'espace où peuvent évoluer librement les agents de change, entre ce cercle central et la plus vaste rambarde circulaire qui les sépare du public (*La Bourse mise à la portée de tous, ce qu'elle a été, ce qu'elle est, ce qu'elle sera*, 1885).

La corbeille est en tout cas le cœur du cœur des affaires, et à ce titre une véritable curiosité pour la gravure, la caricature, la littérature du XIXe siècle. Les vues de la Bourse empruntent souvent le point de vue plongeant du visiteur depuis la galerie du premier étage. Honoré Daumier représente des boursiers grimaçant et hurlant autour de la corbeille avec les jeux de mots suivants : « La corbeille des agents de change : la moins jolie de toutes les corbeilles connues » ; ou encore : « À la Bourse. Ce qu'on appelle une corbeille – Pas de fleurs en tout cas » (voir les illustrations, p. 536 *sq.*). Zola étudie précisément les mimiques par lesquelles les agents offrent et demandent, ou le bruit qui règne en ce lieu (voir p. 387, note 1). Il remarque aussi que le cercle central fonctionne bel et bien comme une corbeille à papiers inutiles – de même que la corbeille au XXe siècle est occupée par un cône de sable où les « Brongniart » jettent leurs mégots. Mais ce lieu pittoresque de cotation à la criée a disparu à Paris vers 1986, avec l'augmentation considérable du volume des transactions, l'obligation progressive d'instituer une cotation continue pour être en phase avec les autres places boursières, enfin avec les progrès de l'informatique financière.

COTE. La cote est un tableau qui précise les cours des valeurs cotées à la Bourse. Zola a été attentif, dans son enquête préparatoire, au travail des coteurs du palais Brongniart, qui consignent les cours. Et il note l'importance de la cote créée par Desfossés au milieu du XIXe siècle pour publier les cours de la coulisse*, où s'échangent des valeurs non cotées officiellement.

COTEUR. Voir *Cote*.

COULISSE. Au XIXe siècle, la coulisse était le marché non officiel qui s'était naturellement développé en marge du marché officiel des agents de change*, lequel ne fournissait pas un nombre assez important d'intermédiaires par rapport au volume du marché. Henri Cozic, dans *La Bourse mise à la portée de tous*, distingue en 1885 plusieurs coulisses, en particulier celle de la rente* et celle des valeurs. La *coulisse de la rente* opérait dans le palais Brongniart. La *coulisse des valeurs* opérait, comme on le voit parfaitement dans le roman de Zola, à l'extérieur de la Bourse, sous le péristyle – ce dont témoignent, à l'époque, les gravures de Renouard et les photographies de Pelcoq. La corbeille* tout comme la coulisse s'occupent des marchés à terme*, et les agents de change et les *coulissiers* sont sans cesse en rapport, par l'intermédiaire de courtiers* qui vont et viennent dans la Bourse, comme le note bien Zola.

COULISSIER. Voir *Coulisse*.

COURTAGE. Le courtage est la commission que prend l'intermédiaire boursier sur la transaction, achat ou vente, qu'il exécute pour son client. Le *droit de courtage*, c'est-à-dire le ratio de la commission à acquitter, dépend de la nature des valeurs échangées et il diffère selon que l'opération est faite au comptant* ou à terme*. Au comptant, le courtage est de l'ordre de huit pour cent, précise Henri Cozic dans *La Bourse mise à la portée de tous* (1885). L'une des raisons de l'attractivité de la coulisse* est qu'elle pratique communément des droits de courtage moitié moins chers que ceux des agents. Proudhon, dans le *Manuel du spéculateur à la Bourse* (1854-1857), tonne contre le monopole des agents de change* et l'importance des courtages. À l'époque où il fait son enquête de terrain, Zola fait état d'une estimation selon laquelle les droits de courtage et de timbre* se montent annuellement à quatre-vingts millions de francs à la Bourse de Paris.

COURTIER. Les courtiers de change s'occupent d'opérations de courtage*, c'est-à-dire d'intermédiation entre l'offre et la demande, sur des titres qui n'intéressent pas les agents de change*.

COUVERTURE. C'est la caution en espèces ou en titres qu'un spéculateur dépose chez son agent de change*, en guise de garantie contre les risques de ses spéculations. Très finement, le roman de Zola montre, en étudiant le cas Sabatani-Mazaud, comment des rapports de confiance peuvent faire oublier à un intermédiaire la minceur de la couverture de son client.

DIFFÉRENCE. Les différences sont l'écart qui existe, le jour de la liquidation*, entre les achats et les ventes opérés par les spéculateurs depuis la précédente liquidation. Le paragraphe consacré aux marchés à terme* fermes dans le *Dictionnaire universel* (1866-1879) de Pierre Larousse éclaire d'une manière quelque peu moralisante cette notion : « Le marché ferme sérieux ne diffère du marché ferme en spéculation que parce que le premier se résout, en liquidation, par une levée ou par une livraison de titres, tandis que le second ne se résout que par le paiement d'une différence. » Le spéculateur peut, il est vrai, jouer sur les marchés à terme en possédant des capitaux infiniment moins importants que le volume des opérations sur lesquelles il s'engage : il ne cherche qu'un écart en sa faveur, et n'a pas pour intention de prendre livraison des titres. C'est bien ce qui scandalise les observateurs de l'époque, qui ne comprennent pas l'intérêt de telles opérations. Mais ce jeu n'est pas nécessairement nocif : d'abord, il participe pleinement de l'élaboration des cours et dynamise le marché ; ensuite, une différence peut très bien servir à couvrir un risque pris sur une spéculation « sérieuse », où l'on aurait prévu de lever les valeurs. Or faire le départ entre la spéculation à terme sérieuse et le jeu est techniquement impossible (voir *Agio, agiotage, agioter*).

DIVIDENDE. Voir *Action, actionnaire*.

DROIT DE COURTAGE. Voir *Courtage*.

DROIT DE TIMBRE. Le droit de timbre est une taxation de l'ordre de trois pour mille prélevée par l'État sur le vendeur comme sur l'acheteur dans une transaction boursière. Voir aussi *Courtage*.

ESCOMPTE, ESCOMPTER. L'acheteur à terme de valeurs ou de rentes* peut exiger du vendeur la livraison des titres en question sous cinq jours : on dit qu'il l'*escompte*. « On n'a recours à ce moyen, précise Henri Cozic dans *La Bourse mise à la portée de tous* (1885), que dans les circonstances où la spéculation est violemment excitée à la hausse, comme à la baisse. » Mais c'est aussi l'opération que les intermédiaires financiers mènent contre l'acheteur qu'ils désirent exécuter*.

EXCEPTION DE JEU. À l'époque où se déroule l'action du roman de Zola règne l'exception de jeu, c'est-à-dire qu'on ne reconnaît pas les dettes de jeu des spéculateurs : ils peuvent ne pas payer, comme c'est le cas du marquis de Bohain ou de la Sandorff dans *L'Argent*. Il en va ainsi parce que les marchés à terme*, jusqu'en 1885, ne sont pas reconnus officiellement, alors que ce sont les opérations sur lesquelles se concentrent les agents de change* et les coulissiers*. Les intermédiaires se prémunissent contre ces risques de non-paiement en exigeant de leurs client une couverture* et en prenant éventuellement l'initiative de les exécuter*.

EXÉCUTÉ, EXÉCUTER, EXÉCUTION. Lorsqu'ils constatent qu'un de leurs clients ne paie pas ses différences* à la liquidation* ou bien lorsqu'ils doutent de sa solvabilité, l'agent de change* ou le coulissier* peuvent *exécuter* ce spéculateur. Cela consiste à acheter les titres qu'il a vendus ou à vendre les titres qu'il a achetés. Les notes d'enquête de Zola sont précises sur cette procédure, qui prend six jours. L'agent attitré du spéculateur commence par escompter* ce dernier. Si le spéculateur en question est un acheteur, cela consiste à le forcer à lever les titres qu'il a achetés, en lui accordant un délai de cinq jours, au terme duquel l'agent prend la décision du rachat, c'est-à-dire qu'il vend, aux risques et périls de l'acheteur, les titres que celui-ci devait lever. Et si le spéculateur ne paie pas la différence correspondante, on signale partout à la Bourse qu'il n'a pas tenu ses engagements.

HAUSSIER. Tout acheteur de titres espère nécessairement la hausse. Cet acheteur peut soit se constituer un portefeuille de titres, dont il espère un revenu, soit se lancer dans une spéculation à terme* à la hausse. C'est dans ce dernier cas qu'on parle de *haussier*. Sa spéculation consiste alors à acheter à terme une certaine quantité d'une valeur, en pariant que dans l'intervalle ou à terme, il parviendra à la vendre à un cours plus élevé. Si cela est bien le cas, le jour de la liquidation*, il touche la différence*, moins les frais de courtage*. Si cela échoue, il peut se faire reporter*.

HAUTE BANQUE. Au XIXᵉ siècle, ce groupe nominal est presque toujours suivi de l'adjectif « juive », et quand ce n'est pas le cas, celui-ci est fortement sous-entendu. L'expression désigne les maisons de banque les plus importantes de la place, et peut sous-entendre que leurs directeurs constituent un véritable syndicat*. De là à penser que ce syndicat est malfaisant, il n'y a qu'un pas, que traduisent assez nettement les titres mêmes de romans populaires comme *La Haute Bande* (1894) ou *La Haute Pègre* (1879). En 1895, dans un entretien avec le journaliste Jules Huret, l'un des fils du baron James de Rothschild récusa ce terme et cette notion.

LIQUIDATEUR. Voir *Liquider, liquidation*.

LIQUIDER, LIQUIDATION. La liquidation est l'échéance à laquelle sont arrêtés les comptes des opérations à terme* qui ont été menées dans la quinzaine ou dans le mois précédent. Certaines valeurs, comme la rente*, se règlent à la fin du mois (on parle de *fin courant*). D'autres, comme les valeurs industrielles – dans *L'Argent*, c'est le cas de l'Universelle –, se règlent tous les quinze jours (au *15 courant*, c'est-à-dire dans la première quinzaine du mois ; et *fin courant*, c'est-à-dire dans la seconde quinzaine du mois). À la liquidation, le spéculateur a le choix, selon l'état du marché, ses anticipations et sa solvabilité, entre lever (ou livrer) les titres ou bien opérer un report*. En tout état de cause, il touche ou paie ses différences*. Le processus de la liquidation en fin de mois s'étale sur les cinq premiers jours du mois suivant. Dans la littérature boursière, la liquidation est *le* grand moment où se déclare un gain ou une ruine.

On nomme *liquidateur* le commis chargé d'établir les comptes des clients lors de la liquidation.

MARCHÉ À PRIME. Voir *Marché à terme*.

MARCHÉ À TERME, OPÉRATION À TERME. Un marché à terme est un marché qui se règle à la liquidation* du 15 ou de la fin du mois, et dont le terme peut aller, pour certaines valeurs, jusqu'à deux mois (on parle alors de *fin prochain*), pour les autres jusqu'à un mois (*fin courant*). Le jour de la liquidation venu, il est possible de surseoir à la transaction en demandant un report*. Les marchés à terme sont les marchés les plus importants de la Bourse, précise Henri Cozic. Ils sont aussi, pour la majorité des observateurs du XIXe siècle, les plus condamnables, comme l'indique la notice « Bourse » du *Dictionnaire universel* de Pierre Larousse : « Les marchés à terme sont quelquefois sérieux ; mais, le plus souvent, ils sont purement fictifs et constituent ce qu'on appelle les jeux de Bourse. » Toutefois, comme en convient cette notice, « c'est sur les négociations de ce genre que repose tout l'édifice de la spéculation ». (Voir aussi *Agio, agiotage, agioter*.)

On peut distinguer les *marchés à terme fermes* des *marchés à prime**. Les marchés à terme fermes consistent à acheter ou vendre à terme une valeur en s'exposant à toutes les variations de cours possibles : on maximise les risques comme les chances de gains. Les marchés à prime consistent à plafonner le risque pour l'acheteur, sans pour autant plafonner ses gains : la prime est la somme, définie d'emblée, que l'acheteur à terme consent à sacrifier pour ne pas aller au bout de son opération à la hausse, si celle-ci se révèle mauvaise. La prime est annoncée par le « dont » dans l'annonce que fait l'agent : « J'ai de l'Universelle à 3 040, dont 15 » (p. 384). Dans ces marchés à prime, le vendeur est en revanche tenu d'honorer sa transaction. Pour compenser ce déséquilibre, les vendeurs peuvent vendre un peu plus cher le titre lorsqu'ils vendent à prime.

La *réponse des primes* est le moment, à la fin du mois, où l'acheteur déclare à son agent s'il lève les titres ou s'il abandonne sa prime au vendeur. L'expression « réponse des primes » n'est utilisée qu'une fois dans *L'Argent*, au cœur du chapitre X, entre le récit de la dernière victoire et le récit de la débâcle de Saccard. On peut comprendre le passage ainsi : Saccard craint que les acheteurs, ne croyant plus à la hausse de l'Universelle, abandonnent leurs primes, ce qui ne semble pas être le cas.

MARCHÉ AU COMPTANT, OPÉRATIONS AU COMPTANT. Le comptant est un achat ou une vente de titres que l'agent de change exécute dès qu'il en a reçu l'ordre par son client, l'acheteur devant lui verser aussitôt les fonds de l'achat et le vendeur devant livrer en cinq jours, au plus tard, les titres dont il désire se défaire. Ainsi, on prend livraison ou on donne ses titres immédiatement. Comme le précise la notice « Bourse » du *Dictionnaire universel* de Pierre Larousse, « les opérations au comptant sont toujours sérieuses » :

« Elles ont généralement pour objet un placement de fonds, et non une spéculation proprement dite. » Dans *L'Argent*, on voit chez Mazaud le *commis du comptant*, qui s'occupe de ces opérations. Quant au capitaine Chave, il est décrit comme le type du spéculateur qui « joue au comptant ».

OBLIGATION. Qu'il s'agisse d'un titre de créance émis par une société ou d'un titre représentant un emprunt de l'État, l'obligation donne droit à un intérêt fixe, payable à une échéance déterminée (et non pas soumis aux aléas d'exploitation, comme le dividende de l'action*). C'est un placement sûr, et le détenteur de l'obligation peut, s'il le souhaite, récupérer son capital en négociant ses obligations sur le marché.

OPÉRATIONS À TERME. Voir *Marché à terme*.

OPÉRATIONS AU COMPTANT. Voir *Marché au comptant*.

ORDRE DE BOURSE. Indication de vente ou d'achat de valeurs ou de rente* communiquée par un client à son agent.

PRIME. Le mot revêt en fait plusieurs sens. Il peut s'agir du montant qu'un acheteur accepte de perdre s'il est amené à se dédire dans son opération à la hausse (voir, dans la notice *Marchés à terme*, les expressions *marché à prime* et *réponse des primes*). Mais le terme peut aussi désigner, comme c'est le cas dans la plupart des occurrences du roman de Zola, une *prime d'émission*, c'est-à-dire une majoration des titres lors de leur mise à la disposition du public.

RÉALISER. Céder ses titres, en récupérant en espèces le produit de ses spéculations. Ce produit peut être important – en témoignent les millions des Hamelin ou de Huret, qui réalisent à plus de 2 000 francs – ou dérisoire : les Beauvilliers envisagent *in fine* de réaliser alors que le cours est descendu en dessous de 500 francs.

RECEVEUR DE RENTES. Voir *Rente, rentier*.

REMISIER. Un remisier est un intermédiaire de Bourse qui est libre : il n'a pas d'employeur. Son activité consiste à amener des clients à un agent de change* ou à un coulissier*. Si l'affaire se fait, le remisier pourra prélever un tiers du courtage* correspondant.

RENTE, RENTIER. La rente est le bénéfice régulier que le rentier peut retirer de sa souscription* à un emprunt d'État. Le taux ordinaire de la rente au XIXe siècle était de 3 %. En plaçant son capital ainsi, le rentier s'assurait un revenu durant toute sa vie. Naturellement, ce placement sans risque était beaucoup moins rémunérateur qu'une spéculation sur des valeurs mobilières. Mais le nombre de ces rentiers prudents, pour lesquels opérait parfois un *receveur de* *rentes*, comme Fayeux dans le roman, était au XIXe siècle bien supérieur à celui des détenteurs d'actions. Le mot « rente », par extension, peut désigner tout revenu régulier.

REPORT, REPORTER, SE FAIRE REPORTER. Lorsque le spéculateur, lors de la liquidation*, ne peut ou ne veut lever les titres (lorsqu'il est acheteur) ou livrer les titres (lorsqu'il est vendeur), il peut obtenir un *report* auprès de la Caisse des reports ou d'un détenteur de capitaux. Le spéculateur espère alors, d'ici la liquidation suivante, un mouvement des cours qui lui permette d'accroître ses gains ou de combler ses pertes de la liquidation présente. Car, ainsi que le souligne Zola dans ses notes d'enquête, même si le spéculateur choisit le report, il touche ou paie ses différences* lors de la présente liquidation.

Comme le montre le roman, le report est la seule solution envisageable pour un spéculateur qui à la liquidation présente n'a pas les moyens de lever les titres et paie les différences. Si le spéculateur est un acheteur, qui escomptait la hausse et n'est pas parvenu à dénouer sa position avant la liquidation (à aucun moment ne s'est présenté un cours haut qui lui aurait permis de vendre avec bénéfice ce qu'il a prévu d'acheter), il *se fait reporter*. Cela consiste pour lui à renvoyer le règlement de la transaction à la liquidation suivante, en espérant qu'il touchera là des différences qui compenseront ses pertes de la liquidation présente. S'il s'agit d'un vendeur, qui espérait la baisse et n'est pas parvenu à dénouer sa position avant la liquidation (à aucun moment ne s'est présenté un cours bas qui lui aurait permis d'acheter avec bénéfice ce qu'il a prévu de vendre), il *reporte* son opération. Dans les deux cas, cela implique tout de même d'honorer sur-le-champ la contrepartie du marché initial, donc de trouver un détenteur de capitaux qui accepte d'échanger cette opération au comptant* contre une opération équivalente à terme*. Et cela n'est pas gratuit. Le spéculateur échappe au règlement immédiat de son compte en liquidation, mais il paie un intérêt à celui qui lui permet le report – et que l'on nomme le *reporteur*.

REPORTEUR. Voir *Report, reporter, se faire reporter*.

SOCIÉTÉ ANONYME. La société anonyme, ou S.A., est un mode d'association qui s'est particulièrement développé sous le second Empire, car il répondait à la nécessité de financer d'importants projets industriels (mines, aciéries, chemins de fer, etc.) en assurant l'afflux et la mobilité du capital. Comme son nom l'indique, elle est fondée sur la vaste association d'actionnaires* qui n'ont pas besoin de se connaître. Les lois qui ont présidé au perfectionnement de cette forme d'association, sous le second Empire, avaient principalement pour fin d'assurer la défense des actionnaires et de garantir les pouvoirs de l'assemblée générale. « La société anonyme est une véritable république élective », estimait Troplong, constitutionnaliste emblématique de l'Empire. Mais cette déclaration, citée par Proudhon dans son *Manuel du spéculateur à la Bourse*, attire l'ironie du pamphlétaire, qui estime que dans la société anonyme, comme dans les autres associations commerciales, il y a au contraire « envahissement de l'exécutif sur le législatif » et « asservissement de l'électeur par l'élu »… tout comme sous le pouvoir autoritaire de Napoléon III ! Ainsi, l'actionnaire est selon lui « la plèbe taillable et corvéable à merci et miséricorde ». C'est exactement ce que montre Zola à travers le fonctionnement de l'Universelle.

SOUSCRIPTION. Achat d'actions* lors de la constitution du capital d'une société.

SYNDICATS, SYNDIQUER. Le mot *syndicat* est d'abord utilisé dans *L'Argent* pour désigner des associations industrielles, comme la réunion des compagnies de paquebots de la Méditerranée. Le roman met par ailleurs en scène un syndicat de banquiers, qui se concertent en vue de faire réussir une opération. Le chapitre III, en particulier, est consacré au tour de table de Saccard pour assurer la réussite du lancement de l'Universelle ; ce chapitre montre bien les biais de ce syndicat, où les syndicataires sont d'emblée unis dans l'intention de « faire crier la vache avant même que de la traire » (p. 135), et où la condition *sine qua non* édictée par Daigremont (que Rougon appuie Saccard) n'est pas remplie. Mais ce n'est pas tout à fait l'un de ces syndicats maléfiques qu'évoque Henri Cozic dans *La Bourse mise à la portée de tous* (1885), qui, eux, « n'ont en vue qu'un mouvement de baisse sur un titre de la Bourse ».

VALEURS DÉCLASSÉES (OU DÉPRÉCIÉES). Il s'agit des titres qui ne sont plus admis à la cote*. À partir du début du mois de février 1882, par exemple, les titres de l'Union générale n'ont plus été cotés : ils ont disparu de la cote officielle comme du bulletin boursier des journaux. Plusieurs fois dans *L'Argent* de Zola, de tels titres, rachetés quasiment au prix du papier, peuvent permettre à des faillis frauduleux de justifier à bon marché leur ruine.

CHRONOLOGIE

CHRONOLOGIE	REPÈRES HISTORIQUES ET CULTURELS	VIE ET ŒUVRES DE ZOLA
1840		Naissance à Paris d'Émile Zola, fils de l'ingénieur d'origine italienne François Zola et d'Émilie Zola, née Aubert.
1842	Eugène Sue, *Les Mystères de Paris*. Balzac rédige l'avant-propos de *La Comédie humaine*.	
1843	Auguste Comte, dernier volume du *Cours de philosophie positive*.	Les Zola emménagent à Aix-en-Provence, où le père s'attelle à la construction d'un barrage et d'un canal d'alimentation en eau.
1844	Dumas, *Les Trois Mousquetaires* ; *Le Comte de Monte-Cristo*.	
1845	Alphonse Toussenel, *Les Juifs, rois de l'époque. Histoire de la féodalité financière* (l'un des ouvrages fondateurs de l'antisémitisme financier).	
1846	Michelet, *Le Peuple*.	
1847		La mort de François Zola, atteint d'une pneumonie, plonge la famille dans une grande gêne.

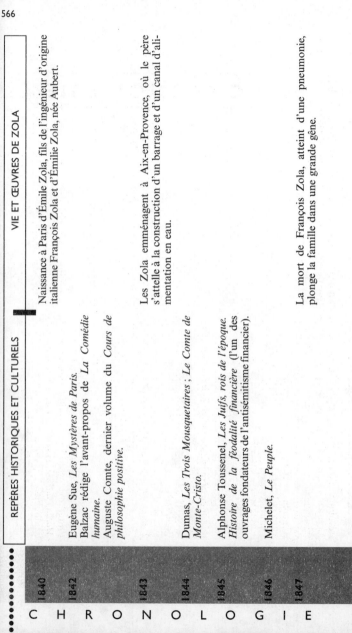

1848	Révolution de février mettant fin à la monarchie de Juillet. Journées de juin et instauration de la IIe République. Louis-Napoléon Bonaparte est élu président de la République. Marx et Engels, *Manifeste du parti communiste*. Chateaubriand, *Mémoires d'outre-tombe*.	En pension, ses amis sont Marius Roux et Philippe Solari (qui deviendront respectivement journaliste et sculpteur).
1849	Courbet, *Un enterrement à Ornans*.	
1851	Début de la rédaction du *Journal* des Goncourt, jusqu'en 1896. 2 décembre : coup d'État de Louis-Napoléon Bonaparte.	
1852	2 décembre : proclamation de l'Empire.	Au collège, ses amis sont Jean-Baptistin Baille et Paul Cézanne. Entre 1852 et 1857, Zola lit Hugo et Musset.
1853	Hugo, *Châtiments*.	
1854	Nerval, *Les Chimères*. Proudhon, première édition anonyme du *Manuel du spéculateur à la Bourse*, qui lui a été commandé par les frères Garnier, éditeurs.	

	REPÈRES HISTORIQUES ET CULTURELS	VIE ET ŒUVRES DE ZOLA
1855	Prise de Sébastopol. Exposition universelle. Maxime Du Camp, *Les Chants modernes.*	
1856	Ponsard, *La Bourse*, comédie en cinq actes et en vers	
1857	Baudelaire, *Les Fleurs du mal.* Flaubert, *Madame Bovary.* Dumas fils, *La Question d'argent*, comédie en cinq actes et en prose. Proudhon, troisième édition (signée) du *Manuel du spéculateur à la Bourse*, devenu pamphlet à succès. Jules Vallès, *L'Argent, par un homme de lettres devenu homme de Bourse*, pamphlet. Oscar de Vallée (avocat général à la Cour impériale de Paris), *Les Manieurs d'argent. Études historiques et morales (1720-1857).*	
1858	14 janvier : attentat d'Orsini contre le cortège impérial. Eugène de Mirecourt, *La Bourse, ses abus et ses mystères.*	Les Zola quittent la Provence et s'installent à Paris. Émile entre au collège Saint-Louis. Exil malheureux et correspondance avec Baille et Cézanne.

CHRONOLOGIE

1859	Darwin, *Sur l'origine des espèces, au moyen de la sélection naturelle.*	Échec au baccalauréat en août puis en novembre : Zola abandonne ses études.
1860-1861		Recherche d'un emploi. Période de désespoir mais aussi de lectures (littérature classique, Shakespeare, Sand, Michelet). En décembre 1861, il réclame la nationalité française, au titre de sa naissance en France.
1862	Hugo, *Les Misérables.*	Zola entre à la librairie Hachette, au service des expéditions.
1863	Élections : progrès de l'opposition (32 sièges, dont 17 républicains). Début d'un changement de la politique impériale (libéralisation du régime). Manet, *Le Déjeuner sur l'herbe* ; *Olympia.*	
1864	Naissance de l'Association internationale des travailleurs. Gustave Moreau, *Œdipe et le Sphinx.*	Zola devient chef de la publicité chez Hachette ; ce poste le met en rapport avec les journaux et les auteurs liés à la maison. Lit Stendhal et Flaubert. Rapprochement avec l'école des écrivains et peintres réalistes. *Contes à Ninon.*
1865	Claude Bernard, *Introduction à l'étude de la médecine expérimentale.*	Zola est désormais chroniqueur régulier dans plusieurs journaux. *La Confession de Claude,* premier roman publié. Rencontre d'Alexandrine Meley.

CHRONOLOGIE	REPÈRES HISTORIQUES ET CULTURELS	VIE ET ŒUVRES DE ZOLA
1866	Verlaine, *Poèmes saturniens*. Courbet, *L'Origine du monde*.	Zola quitte la librairie Hachette et ne vit plus que de sa plume. Chroniqueur, essayiste, il affiche avec une force croissante ses convictions esthétiques (*Mon Salon*, *Mes haines*) et célèbre Balzac, les Goncourt, Flaubert, Manet, Courbet. *Le Vœu d'une morte*.
1867	Faillite du Crédit mobilier des frères Jacob Émile et Isaac Pereire.	Publication de *Thérèse Raquin* et des *Mystères de Marseille* : un roman physiologique qui a la force d'un manifeste, d'une part, un roman-feuilleton alimentaire, d'autre part.
1868-1869	Début de la violente contestation républicaine du coup d'État du 2 décembre. Nouvelles élections. L'opposition double ses voix et ses sièges. Flaubert, *L'Éducation sentimentale*. Lautréamont, *Les Chants de Maldoror*. Manet, *Portrait de Zola*.	*Thérèse Raquin*, 2e éd. augmentée d'une préface. *Madeleine Férat*. Lecture de *La Physiologie des passions*, de Letourneau, et du *Traité philosophique et physiologique de l'hérédité naturelle*, du docteur Prosper Lucas. Zola conçoit pour l'éditeur Lacroix le premier projet des *Rougon-Macquart*, en dix volumes.
1870	8 mai : plébiscite de l'Empire (sur la question spécieuse de savoir si le peuple approuve les réformes libérales du régime). 19 juillet : déclaration de guerre à la Prusse. 1er septembre : capitulation de Sedan. 4 septembre : proclamation de la République ; gouvernement de Défense nationale.	Mariage avec Alexandrine Meley. Zola offre des chroniques à plusieurs journaux républicains et il couvre la guerre et le siège de Paris, qui troublent la publication du premier volume de sa série, *La Fortune des Rougon*.

1871	18 mars-28 mai : Commune de Paris.	Zola couvre la Commune pour des journaux mais n'est pas un témoin direct de la Semaine sanglante.
1872		Articles antimonarchistes dans les journaux républicains. Les volumes des *Rougon-Macquart* seront désormais édités par Georges Charpentier. Négociation d'un nouveau contrat. Nouveau programme augmenté pour la série des *Rougon-Macquart*. *La Curée.*
1873	Rimbaud, *Une saison en enfer.* Jules Verne, *Le Tour du monde en quatre-vingts jours.* Krach financier de Vienne. Émile Gaboriau, *L'Argent des autres.* Ernest Feydeau, *Les Mémoires d'un coulissier.*	*Le Ventre de Paris.*
1874	Verlaine, *Romances sans paroles.* Première exposition des impressionnistes chez Nadar.	Zola se lie d'amitié avec Mallarmé et Maupassant. *La Conquête de Plassans.* *Les Nouveaux Contes à Ninon.*
1875	Taine entame *Les Origines de la France contemporaine.*	*La Faute de l'abbé Mouret.* Zola suscite l'admiration de Huysmans, d'Henry Céard et de Léon Hennique.

	REPÈRES HISTORIQUES ET CULTURELS	VIE ET ŒUVRES DE ZOLA
1876	Crise du 16 mai. Mac-Mahon dissout la Chambre. Renoir, *Bal du Moulin de la Galette*.	*Son Excellence Eugène Rougon*.
1877	Les élections renvoient une majorité républicaine à la Chambre. Flaubert, *Trois Contes*.	La publication de *L'Assommoir* fait scandale ; Zola en profite pour proclamer dans ses articles les principes du naturalisme. 16 avril : Paul Alexis, Léon Hennique, Henry Céard, Maupassant et Huysmans invitent Zola, Edmond de Goncourt et Flaubert à dîner au restaurant Trapp. Ce dîner est l'acte de baptême de l'école naturaliste. Le romancier est désormais fortuné.
1878	Exposition universelle de Paris : consécration de l'architecture métallique. Claude Bernard, *La Science expérimentale*. Nietzsche, *Humain, trop humain*.	Zola achète une maison à Médan, où il écrira la majeure partie de ses romans, chaque année, entre le mois d'avril et l'automne. *Une page d'amour.*
1879	Majorité républicaine au Sénat. La République est consolidée. Démission de Mac-Mahon. Huysmans, *Les Sœurs Vatard*. Vallès, *L'Enfant*.	Adaptation de *L'Assommoir* au théâtre de l'Ambigu.

CHRONOLOGIE

1880	Mort de Flaubert et de Duranty.	*Le Roman expérimental*, formalisation scientiste des principes esthétiques de Zola. *Les Soirées de Médan*, recueil, en forme de manifeste, de nouvelles de Zola et des naturalistes. *Nana.* Mort de la mère de Zola et début d'une période de désarroi.
1881		Publication de plusieurs recueils critiques : *Les Romanciers naturalistes, Le Naturalisme au théâtre, Documents littéraires.*
1882	Krach de l'Union générale d'Eugène Bontoux. Nombreux petits romans sur la Bourse, dont *Le Million*, de Jules Claretie. Vogue européenne des panoramas. Le Californien Eadweard Muybridge présente à Paris ses décompositions photographiques du mouvement.	*Une campagne*, recueil d'articles en particulier consacrés à la critique députée de la République enfin installée. *Pot-Bouille.*
1883	Paul Bourget, *Essai de psychologie contemporaine.*	*Au Bonheur des Dames.*
1884	Loi Waldeck-Rousseau sur les syndicats. Huysmans, *À rebours.*	*La Joie de vivre.*
1885	Maupassant, *Bel-Ami.* Mort de Victor Hugo.	*Germinal* : chef-d'œuvre salué par la critique.

	REPÈRES HISTORIQUES ET CULTURELS	VIE ET ŒUVRES DE ZOLA
1886	Rimbaud, *Illuminations*. Jean Moreas fait paraître dans *Le Figaro* le manifeste du symbolisme. Nietzsche, *Par-delà le bien et le mal*. Drumont, *La France juive*, ouvrage antisémite.	*L'Œuvre* entraîne la rupture de Zola avec son ami d'enfance Cézanne.
1887	Stéphane Mallarmé, *Poésies*. Nietzsche, *Généalogie de la morale*.	*La Terre* indigne la critique et suscite une fronde discrète-ment encouragée par Goncourt : publication contre Zola du Manifeste des Cinq.
1888	Construction de la tour Eiffel. Eugène Bontoux, *L'Union générale, sa vie, sa mort, son programme*.	*Le Rêve*. Début de sa relation adultérine avec Jeanne Rozerot, lin-gère engagée au service des Zola.
1889	Exposition universelle de Paris. Crise boulangiste. Bergson, *Essai sur les données immédiates de la conscience*. Van Gogh, *La Nuit étoilée*.	Jeanne Rozerot donne à Zola une fille, Denise.
1890	Renan, *L'Avenir de la science*. Claudel, *Tête d'or*. Van Gogh, *Champ de blé aux corbeaux*. Cézanne, *Les Joueurs de cartes* (entre 1890 et 1895).	*La Bête humaine*. Première candidature à l'Académie française.

C H R O N O L O G I E

1891	Jules Huret, *Enquête sur l'évolution littéraire.*	*L'Argent.* Zola devient président de la Société des gens de lettres. *Le Rêve*, adaptation du roman à l'opéra, sur une musique d'Alfred Bruneau.
1892	Scandale de Panamá.	*La Débâcle.*
1893	Monet, série des cathédrales. Munch, *Le Cri.* Mort de Maupassant.	*Le Docteur Pascal.* Grand banquet au Chalet des Îles, au bois de Boulogne, pour fêter l'achèvement des *Rougon-Macquart.*
1894	Assassinat du président Sadi Carnot. Condamnation du capitaine Dreyfus.	*Lourdes*, premier volume du cycle *Les Trois Villes.*
1895	Dégradation de Dreyfus dans la cour de l'École militaire et déportation à l'île du Diable. 28 décembre : première projection cinématographique des frères Lumière à Paris. H.G. Wells, *La Machine à explorer le temps.*	
1896	Bergson, *Matière et mémoire.* Mort d'Edmond de Goncourt.	« Pour les Juifs », dans *Le Figaro. Rome.*
1897	Barrès, *Les Déracinés.* Gide, *Les Nourritures terrestres.* Durkheim, *Le Suicide.* Mort de Daudet.	Zola est convaincu par les partisans de Dreyfus de son innocence.

CHRONOLOGIE	REPÈRES HISTORIQUES ET CULTURELS	VIE ET ŒUVRES DE ZOLA
1898	Henry, accusateur de Dreyfus, est convaincu de faux. La cour de cassation ordonne la révision du procès de 1894. Mort de Mallarmé.	Il fait paraître « J'accuse » le 13 janvier dans *L'Aurore*, le journal de Georges Clemenceau, ce qui relance l'affaire Dreyfus et lui donne sa pleine dimension politique et idéologique. Zola est condamné et s'exile en Angleterre.
1899	Retour de Dreyfus en France. Exposition des nabis.	Retour de Zola en France après onze mois d'exil. *Fécondité*, premier volume du cycle des *Quatre Évangiles*.
1900	Loi d'amnistie pour tous les faits relatifs à l'Affaire. Exposition universelle. Freud, *L'Interprétation des rêves* (trad. fr. en 1925).	
1901		*Travail.*
1902		Zola meurt d'asphyxie dans la nuit du 28 au 29 septembre. Funérailles grandioses le 5 octobre.
1903		*Vérité*, roman inspiré de l'affaire Dreyfus.
1906	Réhabilitation de Dreyfus et réintégration dans l'armée.	
1908		4 juin : transfert des cendres de Zola au Panthéon.

BIBLIOGRAPHIE

Manuscrit et dossier préparatoire

Le manuscrit et le dossier préparatoire du roman sont conservés à la Bibliothèque nationale de France (département des Manuscrits, Nouvelles acquisitions françaises). Les 875 feuillets du dossier préparatoire – l'un des plus longs des *Rougon-Macquart* – contiennent d'une part, pour le manuscrit 10268, les 561 feuillets des plans, du dossier « Personnages », de l'Ébauche (f°s 378 à 477), et des notes sur l'Union générale ; d'autre part, pour le manuscrit 10269, les 314 feuillets de notes d'enquête (lectures, entretiens, repérages). Une copie de ce dossier est consultable au Centre Zola, CNRS/ITEM, 4, rue Lhomond à Paris (sur rendez-vous).

On trouve une description précise du dossier et de larges extraits de l'Ébauche dans la notice sur *L'Argent* par Henri Mitterand dans l'édition des *Rougon-Macquart*, t. V, Gallimard, « Bibliothèque de la Pléiade », 1967. Le premier mouvement de l'Ébauche, ainsi que des éléments contextuels importants (article de Zola « Pour les Juifs », articles de Maupassant sur le krach de l'Union générale, etc.) sont également donnés dans l'édition de Colette Becker, in *Les Rougon-Macquart*, t. V, Robert Laffont, « Bouquins », 1997. Cette dernière édition contient en outre de très larges extraits, paginés, des notes d'enquête de Zola.

L'intégralité des notes prises après repérage à la Bourse et entretiens avec des banquiers ou boursiers est publiée (non paginée) dans les *Carnets d'enquête* de Zola, édités par Henri Mitterand (Plon, « Terre humaine », 1986).

ÉDITIONS DE *L'ARGENT*

Le roman est paru en feuilleton dans le *Gil Blas* à partir du 30 novembre 1890, et est sorti en volume chez Charpentier le 4 mars 1891.

ÉDITIONS EN ŒUVRES COMPLÈTES

L'Argent, éd. Maurice Leblond, in *Œuvres complètes*, Fasquelle, 1928.

L'Argent, éd. Henri Guillemin, in *Œuvres complètes*, Lausanne, Rencontre, 1960.

L'Argent, éd. André Wurmser, in *Œuvres complètes*, t. VI, Tchou/Cercle du livre précieux, 1967.

L'Argent, éd. Henri Mitterand, in *Les Rougon-Macquart*, t. V, Gallimard, « Bibliothèque de la Pléiade », 1967.

L'Argent, éd. Colette Becker, in *Les Rougon-Macquart*, t. V, Robert Laffont, « Bouquins », 1997.

ÉDITIONS DE POCHE

L'Argent, éd. Henri Mitterand, Gallimard, « Folio », 1980.

L'Argent, éd. Gérard Gengembre, Pocket, « Lire et voir les classiques », 1993.

L'Argent, éd. Philippe Hamon et Marie-France Azéma, dossier financier par Bernard Cieutat, LGF, Le Livre de Poche, 1998.

ÉTUDES GÉNÉRALES SUR L'ŒUVRE DE ZOLA

BAGULEY, David, *Le Naturalisme et ses genres* [trad. de *Naturalist Fiction, the Entropic Vision*], Nathan, « Le texte à l'œuvre », 1995.

BECKER, Colette, *Le Saut dans les étoiles*, Presses de la Sorbonne nouvelle, 2002.

BORIE, Jean, *Zola et les mythes, ou De la nausée au salut*, Seuil, 1971.

DEZALAY, Auguste, *L'Opéra des Rougon-Macquart*, Klincksieck, 1983.

HAMON, Philippe, *Le Personnel du roman : le système des personnages dans Les Rougon-Macquart d'Émile Zola*, Genève, Droz, 1998 [1983], 2ᵉ éd. corrigée.

HAMON, Philippe, et LEDUC-ADINE, Jean-Pierre (dir.), *Mimesis et semiosis. Littérature et représentation. Miscellanées offertes à Henri Mitterand*, Nathan, 1992.

HAMON, Philippe (dir.), *Le Signe et la consigne, Essai sur la genèse de l'œuvre en régime naturaliste, Zola*, Droz, Genève, 2009.

LEDUC-ADINE, Jean-Pierre (dir.), *Zola. Genèse de l'œuvre*, CNRS Éditions, 2002.

PIERRE-GNASSOUNOU, Chantal, *Zola, les fortunes de la fiction*, Nathan, « Le texte à l'œuvre », 1999.

RIPOLL, Roger, *Réalité et mythe chez Zola*, Honoré Champion, 1981, 2 vol.

Pour tout approfondissement, voir la bibliographie de David BAGULEY :

— *Bibliographie de la critique sur Émile Zola, 1864-1980*, Presses de l'université de Toronto, 2 vol., 1976-1982.
— Bibliographie annuelle des œuvres de Zola et des études critiques sur Zola parues dans l'année, consultable à la fin de chaque numéro des *Cahiers naturalistes*.
— Bibliographie cumulée des années 1981 à 2006 consultable sur le site : www.cahiers-naturalistes.com •

ÉTUDES SUR *L'ARGENT* ET LA QUESTION DE L'ARGENT DANS L'ŒUVRE DE ZOLA

Les Cahiers naturalistes, nº 78, 2004, dossier sur *L'Argent* : BECKER, Colette, « L'argent dans *Les Rougon-Macquart* », p. 27-40. GOMART, Hélène, « L'interminable opération à terme d'Aristide Saccard », p. 71-89. MOLLIER, Jean-Yves, « Zola, le champ littéraire et l'argent », p. 91-102. PAGÈS, Alain, « Zola face à l'antisémitisme. De la "question juive" à la question de l'argent », p. 103-115. REFFAIT, Christophe, « *L'Argent*, roman politique », p. 63-70. SAMINADAYAR-PERRIN, Corinne, « Fictions de la Bourse », p. 41-62.

BECKER, Colette, « Les "machines à pièce de cent sous" des Rougon », *Romantisme*, n° 40, « L'Argent », CDU/SEDES, 1983.

BOUVIER, Jean, « *L'Argent*, roman et réalité », *Europe*, avril-mai 1986, p. 54-64.

FONYI, Antonia, « Zola : question d'argent. Ambivalences financières et modèles inconscients dans *L'Argent* », *Romantisme*, n° 119, « Le privé et le social », 2003, p. 61-71.

GOMART, Hélène, *Les Opérations financières dans le roman réaliste : lectures de Balzac et de Zola*, Honoré Champion, 2004.

MITTERAND, Henri, « L'argent et la lettre », in *Le Roman à l'œuvre, genèse et valeurs*, PUF, « Écriture », 1998, p. 167-182.

REFFAIT, Christophe, *La Bourse dans le roman du second XIXᵉ siècle. Discours romanesque et imaginaire social de la spéculation*, Honoré Champion, 2007 [La troisième partie porte sur *L'Argent* de Zola.]

SUWALA, Halina, *Autour de Zola et du naturalisme*, Honoré Champion, 1993. [Voir en particulier les articles : « À propos de quelques sources de *L'Argent* » (1960), p. 193-197 ; « Le krach de l'Union générale dans le roman français avant *L'Argent* » (1964), p. 155-170 ; « L'Ébauche de *L'Argent* » (1992), p. 171-191.]

OUVRAGES SUR LE CONTEXTE ÉCONOMIQUE, IDÉOLOGIQUE ET LITTÉRAIRE

ANGENOT, Marc, *Ce que l'on dit des Juifs en 1889. Antisémitisme et discours social*, Presses universitaires de Vincennes, 1989.

BOUVIER, Jean, *Le Krach de l'Union générale*, PUF, 1960.

GOUX, Jean-Joseph, *Frivolité de la valeur. Essai sur l'imaginaire du capitalisme*, Blusson, 2000.

HURET, Jules, *Enquête sur l'évolution littéraire* [1891], éd. Daniel Grojnowski, José Corti, 1999.

MATTÉI, Édouard, *La Bourse en son Palais*, Adam Biro, 2001.

PÉRAUD, Alexandre, *Les Miroirs du crédit dans la poétique balzacienne*, thèse soutenue à l'université de Bordeaux III le 16 mai 2001, sous la direction de Jean-Louis Cabanès.

RÉGNIER, Philippe (dir.), *Études saint-simoniennes*, Presses universitaires de Lyon, 2002.

ROCHEBOUËT, Béatrice DE, « La Bourse, genèse et construction », in *Alexandre Théodore Brongniart. 1739-1813. Architecture et décor*, catalogue de l'exposition du musée Carnavalet, 22 avril-13 juillet 1986.

Romantisme, n° 40, dossier sur « L'argent », CDU/SEDES, 1983. [Voir en particulier : BELLET, Roger, « La Bourse et la littérature dans la seconde moitié du XIXe siècle », p. 53-64. PLESSIS, Alain, « La Bourse et la société française du second Empire », p. 41-52.]

ROSANVALLON, Pierre, *Le Capitalisme utopique. Histoire de l'idée de marché* [1979], nouvelle préface inédite, Seuil, « Points Essais », 1999.

VERDÈS-LEROUX, Jeannine, *Scandale financier et antisémitisme catholique : le krach de l'Union générale*, Paris, Le Centurion, « Études de sociologie », 1969.

FILMOGRAPHIE

L'Argent, réalisé par Marcel L'Herbier (France, 1928), avec P. Alcover, Brigitte Helm, Yvette Guilbert (et Antonin Artaud dans le rôle du secrétaire de l'homme d'affaires). Ce film muet est récemment sorti en DVD avec comme accompagnement une improvisation au piano de Jean-François Zygel (Carlotta films, 2008).

L'Argent, réalisé par Pierre Billon (France, 1936).

L'Argent, téléfilm en trois épisodes réalisé par Jacques Rouffio (France, 1988), avec Claude Brasseur (Saccard) et Miou-Miou (Mme Caroline).

TABLE

—

Composition et mise en page

NORD COMPO
m u l t i m é d i a

N° d'édition : L.01EHPN000272.N001
Dépôt légal : mai 2009
Imprimé en Espagne par Novoprint (Barcelone)